Coleção Espírito Crítico

A DIMENSÃO
DA NOITE

Coleção Espírito Crítico

Conselho editorial:
Alfredo Bosi
Antonio Candido
Augusto Massi
Davi Arrigucci Jr.
Flora Süssekind
Gilda de Mello e Souza
Roberto Schwarz

João Luiz Lafetá

A DIMENSÃO
DA NOITE
e outros ensaios

Organização
Antonio Arnoni Prado

Livraria
Duas Cidades

editora 34

Livraria Duas Cidades Ltda.
Rua Bento Freitas, 158 Centro CEP 01220-000
São Paulo - SP Brasil Tel/Fax (11) 3331-5134
www.duascidades.com.br   livraria@duascidades.com.br

Editora 34 Ltda.
Rua Hungria, 592 Jardim Europa CEP 01455-000
São Paulo - SP Brasil Tel/Fax (11) 3816-6777 www.editora34.com.br

Copyright © Duas Cidades/Editora 34, 2004
A dimensão da noite e outros ensaios © Herdeiros de João Luiz Lafetá, 2004

A fotocópia de qualquer folha deste livro é ilegal e configura uma apropriação indevida dos direitos intelectuais e patrimoniais do autor.

Fotografia da p. 10:
Arquivo do Departamento de Teoria Literária e Literatura Comparada da USP

Capa, projeto gráfico e editoração eletrônica:
Bracher & Malta Produção Gráfica

Revisão:
Claudia Abeling

1ª Edição - 2004

Catalogação na Fonte do Departamento Nacional do Livro
 (Fundação Biblioteca Nacional, RJ, Brasil)

	Lafetá, João Luiz, 1946-1996
L162d	A dimensão da noite e outros ensaios / João Luiz Lafetá; organização de Antonio Arnoni Prado; prefácio de Antonio Candido. São Paulo: Duas Cidades; Ed. 34, 2004.
	576 p. (Coleção Espírito Crítico)
	ISBN 85-23500-38-3 (Duas Cidades)
	ISBN 85-7326-309-1 (Editora 34)
	1. Literatura brasileira - Crítica e interpretação. I. Arnoni Prado, Antonio, 1943- . II. Candido, Antonio, 1918- . III. Título. IV. Série.
	CDD - B869.09

Índice

Um homem raro, Antonio Candido 11
Nota preliminar 15

Estudos

1. À sombra das moças em flor:
   uma leitura do romance *O amanuense Belmiro*,
   de Cyro dos Anjos 19
2. Leitura de "Campo de flores" 38
3. Estética e ideologia: o Modernismo em 30 55
4. O mundo à revelia 72
5. Batatas e desejos 103
6. Traduzir-se: ensaio sobre a poesia de
   Ferreira Gullar 114
7. Mário de Andrade, o arlequim estudioso 213
8. Dois pobres, duas medidas 226
9. O romance atual: considerações sobre
   Oswaldo França Júnior, Rui Mourão
   e Ivan Angelo 241
10. Sobre o Visconde de Taunay 265
11. Três teorias do romance:
    alcance, limitações, complementaridade 284
12. A poesia de Mário de Andrade 296

13. A dimensão da noite 337
14. A representação do sujeito lírico
    na *Paulicéia desvairada* 348
15. Rubem Fonseca, do lirismo à violência 372
16. Uma fotografia na parede 394
17. Duas janelas dolorosas: o motivo do olhar
    em *Alguma poesia* e *Brejo das almas* 414

Prefácios e comentários

18. As imagens do desejo 423
19. Ontem e hoje: a tradição do impasse 432
20. A respeito de Ralfo, o farsante 444
21. Fragmentos da pré-história 449
22. A poesia em 1970 453
23. Corda bamba 461
24. Simulação e personalidade.................................... 465
25. Os contos vivos de Scliar 472
26. Uma alegre redescoberta do Brasil 477
27. Retrato sob o poder 479
28. A capital da libido 482
29. *Balada da infância perdida* 487
30. Debatendo com Alexandre Eulalio 490
31. Mário, Nava, Drummond 500
32. Um herói nordestino em Londres 505
33. *Crime na flora ou Ordem e progresso* 509
34. Rios (represados) de discurso 512
35. João Antônio e sua estética do rancor 515
36. Graciliano Ramos 518
37. Entre a fotografia e o romance 522
38. Blanchot e a literatura 525
39. O pão é pouco, mas o sangue é muito 529
40. Agripino Grieco 532

41. *Coivara da memória* 536
42. "A meditação sobre o Tietê" 539

Entrevista

43. Entrevista: transcrição de uma conversa
    com alunos em 1978 545

Nota sobre os textos 557
Agradecimentos 561
Índice onomástico 563
Sobre o autor 571
Sobre o organizador 572

A DIMENSÃO
DA NOITE
e outros ensaios

João Luiz Lafetá em Congonhas do Campo, MG,
no início da década de 1980.

Um homem raro

Antonio Candido

João Luiz Lafetá era discreto, mas participante, reservado e cordial, cumpridor estrito do dever, capaz de concentrar-se a fundo nas tarefas, tentando sempre produzir o melhor. Como professor era incomparável, desde a presença serena e magnética até a voz admiravelmente bem impostada, que lhe permitia falar em tom normal e ser ouvido no fundo dos anfiteatros; sem contar o essencial, isto é, a capacidade de expor a matéria de modo perfeito e seguro, depois de ter preparado a aula com aplicação quase angustiada, como quem duvida de si e por isso achase moralmente obrigado a fornecer o máximo. E de fato era o máximo que fornecia sempre — na aula, na palestra, no ensaio, no livro —, manifestando em cada uma dessas atividades a sua grande e sólida inteligência.

A sua contribuição à crítica literária é muito importante, sobretudo pela argúcia das análises e das interpretações. Não era dado à pesquisa propriamente dita, porque lhe interessava sobretudo a descoberta pela leitura, que sabia fazer de maneira criadora. O seu livro *1930: a crítica e o Modernismo* (1974) definiu de maneira original o movimento que, na literatura contemporânea do Brasil, deu lugar à passagem do "projeto estético" dos anos de 1920 ao "projeto ideológico" dos anos de 1930, processo que localizou, definiu e nomeou, incorporando os seus conceitos e o seu modo de ver ao cânon crítico.

A dimensão da noite

Esse livro fora a sua dissertação de mestrado em 1973, e a propósito dela guardo o remorso de não ter aconselhado Lafetá a completar os créditos e apresentá-la como tese de doutorado. Depois da defesa, Davi Arrigucci Jr., membro da banca, me sugeriu mais ou menos isso, assinalando a qualidade excepcional do texto, muito acima do que se requer para o grau de mestre. Ele tinha razão e eu tinha errado. Fui sempre meio apegado demais às normas, e esse não foi o meu único pecado por formalismo, como docente e como orientador.

Mas, diz o rifão, há males que vêm para bem. Assim foi que a necessidade de obter o doutorado levou o esquivo e parcimonioso Lafetá a empreender outro projeto, de natureza diversa, que resultou em 1980 na sua tese, publicada em livro no ano de 1986 com o título *Figuração da intimidade: imagens na poesia de Mário de Andrade*. Manifestando grande versatilidade de aptidões, transitou nela para o enfoque psicológico, realizando o feito difícil de demonstrar de que maneira o material bruto (digamos assim) das emoções pode transformar-se em linguagem literária, graças sobretudo à capacidade que o escritor possui de criar imagens. Desse modo, Lafetá completou o arco da sua visão crítica.

A tese mostrou que, além do dom de ver claro nos movimentos literários (como na dissertação), ele possuía em alto grau o de descobrir relações ocultas e desvendar o significado de textos complexos, nem sempre captados por leituras menos finas. É o que, aliás, já tinha mostrado em 1974 num ensaio magistral sobre *S. Bernardo*, no qual revelou que um capítulo considerado meio solto por vários críticos (inclusive eu) tem de fato significado estrutural decisivo. Sobre Graciliano Ramos estava em vias de elaborar a tese de livre-docência, que com certeza seria um terceiro passo criador na sua produção, quando a morte o levou, abrindo um dos claros mais lamentados na vida universitária brasileira. Os ensaios do presente livro mostrarão mais uma vez a falta que ele faz, como professor, como crítico, como ser humano de qualidade excepcional.

* * *

Lafetá foi meu aluno de pós-graduação na Universidade de São Paulo e seus trabalhos universitários de mestrado e doutorado foram oficialmente orientados por mim, embora na prática ele tenha atuado com a independência que o caracterizava e eu procurei sempre estimular nos que são capazes de caminhar por conta própria. Nas aulas, confesso que a princípio me perturbava um pouco. Era o ano terrível de 1969, sucessivo ao AI-5, e estávamos funcionando em barracões improvisados na Cidade Universitária, depois do conflito estudantil da rua Maria Antonia, que forçou a nossa saída de lá. Eu dava um curso sobre a expressão literária dos fatos políticos, tomando como texto central de análise o *Ricardo II*, de Shakespeare, enquanto os estudantes trabalhavam o *Ricardo III*. O curso fora preparado com certo cuidado e, como é do meu feitio profissional, eu me empenhava bastante no ato de transmitir. Os estudantes tomavam notas, segundo a praxe — menos Lafetá! Sentado na primeira fila, bem na minha frente, fumando sem cessar e me fixando o tempo todo, *nunca tomou uma única nota*. E isso perturbava, pois, por menos vaidoso que seja, um professor tende a achar que o que diz tem alguma importância e merece registro para consulta posterior. No entanto, a seguir (em colóquios, trabalhos, provas) verifiquei que ele tinha tudo armazenado na cabeça, não perdera nada do que valia a pena reter e era, portanto, dotado não apenas de memória surpreendente, mas também de uma rara capacidade de concentração e reflexão, que lhe permitia elaborar imediatamente os elementos assimilados na aula e os transformar em conhecimento sólido.

Lendo trinta anos depois um relato de Nádia Battella Gotlib, vi que esse comportamento era próprio dele desde sempre — e o passado me veio à memória com nitidez ao ler o seguinte:

> "Nas aulas não tomava nota de nada — mais outro dado incomum — para, dizia ele, prestar mais atenção ao que o professor dizia. No final era capaz de repetir tudo, com comentários precisos."

Aí está a sua essência de concentrado, fechado na interioridade para absorver bem as idéias e o espetáculo do mundo, a fim de os poder filtrar no crivo dos seus intuitos e cumprir com o grau possível de perfeição o que o gosto pelo saber e o império do dever lhe impunham.

Nádia foi colega de Lafetá no curso de graduação da Universidade de Brasília. O seu tocante depoimento está numa publicação valiosa do Departamento de Teoria Literária e Literatura Comparada da Faculdade de Filosofia da USP, *Homenagem a João Luiz Lafetá* (1999), na qual podemos ler o admirável *Memorial* que ele apresentou por ocasião do concurso de efetivação no cargo de professor-assistente, em 1981, documento expressivo da sua elevada categoria mental e moral. Além disso, e de outros documentos pessoais, a publicação reúne o material de uma sessão *in memoriam* realizada em abril de 1996, três meses depois de sua morte, servindo para mostrar como foi profunda, dolorida, a repercussão desta nos colegas, nos alunos, nos amigos, e como é fervoroso o reconhecimento, por parte deles, das suas qualidades raras e originais de homem e de intelectual. Não surpreende, portanto, que a sua ausência continue causando uma grande mágoa não cicatrizada.

Nota preliminar

Antonio Arnoni Prado

Nestes estudos reunidos de João Luiz Lafetá (1946-1996) revela-se a trajetória de uma das vocações críticas mais promissoras de sua geração. Distribuída cronologicamente em três seções específicas, a coletânea engloba a produção escrita entre 1970 e 1996, período em que Lafetá, vindo de Brasília recém-licenciado no curso de Letras, transferiu-se para a Universidade de São Paulo, onde concluiu os estudos pós-graduados sob a orientação do professor Antonio Candido e em seguida passou a integrar o corpo docente do Departamento de Teoria Literária e Literatura Comparada.

No corpo da matéria, um primeiro bloco ("Estudos") procura integrar os escritos iniciais aos ensaios críticos mais elaborados em que o trabalho do intérprete se ajusta à competência do professor atento à complexidade dos textos na obra dos autores estudados. A ele se segue uma segunda série contendo os "Prefácios e comentários" publicados nas seções literárias dos jornais e revistas do Brasil e do exterior, aí incorporadas algumas intervenções críticas de Lafetá em simpósios e seminários acadêmicos.

O bloco final reproduz uma entrevista — na verdade a transcrição de uma conversa com estudantes de Letras no primeiro semestre de 1978 —, na qual vários dos temas tratados nas séries anteriores voltam sob uma outra perspectiva, mais pessoal e mais solta, mas sempre tocados pela visão integradora da teoria e da crítica literárias em face de suas múltiplas correlações no âmbito da história social e da cultura.

O repertório é extenso e nele, como o leitor verá, o crítico percorre aspectos importantes da nossa literatura. No conjunto, a imaginação dialética da análise completa o rigor da exposição, e a clareza dos objetivos — em geral apanhados nas contradições menos visíveis da criação literária — realça a coesão do argumento, sempre insatisfeito e inteiramente voltado para a interpretação aberta e sempre provisória.

Um crítico cheio de hipóteses e de intuições que nunca se cansa de interrogar e de discutir, é o que o leitor vai encontrar no corpo deste livro. Essa tenacidade em perseguir a dúvida faz com que algumas de suas melhores páginas — penso na análise da fragmentação lírica da subjetividade de Mário de Andrade; na leitura da simultaneidade da pulsão coletiva na evolução poética de Ferreira Gullar; na identificação dos momentos estético e ideológico do projeto crítico do Modernismo de 1930 e na descrição da fratura do modo romanesco na estrutura narrativa do romance *S. Bernardo*, de Graciliano Ramos — acabem repercutindo na variedade do conjunto, cheio de indagações e de aproximações reveladoras, da ilusão romântico-realista dos romances de Taunay ao fluxo antilírico dos temas de Rubem Fonseca; das reflexões sobre o mito do amor invencível no Alencar de *Senhora* ao sonho humilde no coração transcendente do amanuense Belmiro; da energia indomável dos tipos itinerantes de Oswaldo França Júnior à agressividade paródica dos temas do primeiro Sérgio Sant'anna.

Ao recompor o itinerário crítico de João Luiz Lafetá, estamos certos de haver reaberto um diálogo indispensável na história intelectual de todos aqueles que com ele conviveram no breve curso de sua existência.

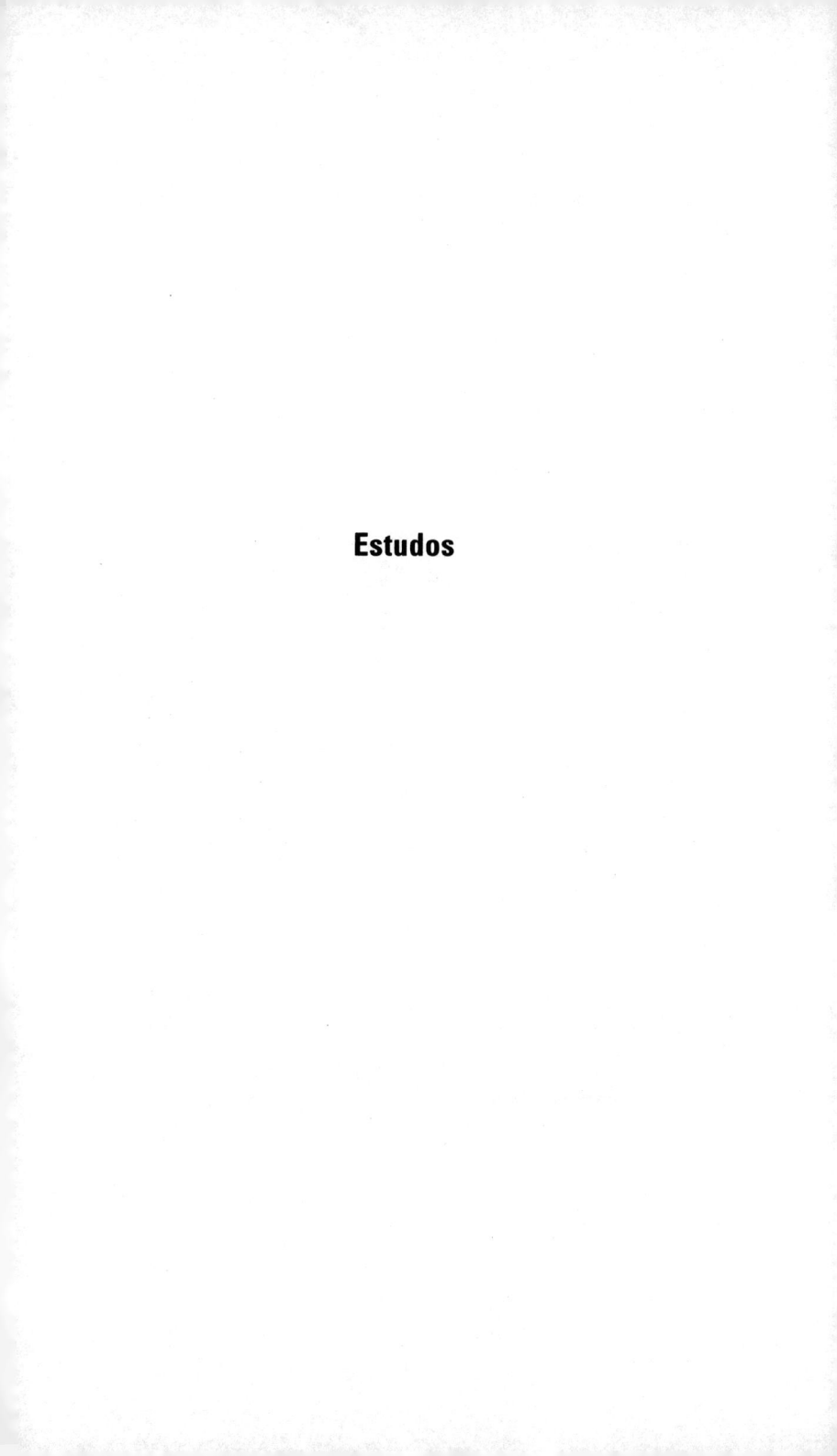

Estudos

Estudos

À sombra das moças em flor
Uma leitura do romance
O amanuense Belmiro, de Cyro dos Anjos

> "É uma sombra verde, macia, vã,
> fruto escasso à beira da mão.
> A mão não colhe..."
>
> Carlos Drummond de Andrade

1. Estratégia

Escrevendo sobre *O amanuense Belmiro*, há mais de vinte anos, Antonio Candido encontrava a expressão que, a partir daí, rotularia definitivamente o livro e seria retomada ao longo do tempo pela maioria dos críticos que se aproximaram dele: *estratégia*. Com efeito, o primeiro romance de Cyro dos Anjos cria no leitor "a impressão de acabamento, de equilíbrio, de realização quase perfeita", que "revelam o artista perfeitamente consciente das técnicas de seu ofício".[1] E, relendo-o agora, percebo na estrutura do romance um fato admirável, comprovador deste juízo crítico sobre o caráter "estratégico" da obra. Refiro-me à densidade de composição de suas primeiras páginas, onde se esboçam já as linhas mestras que guiarão o leitor através da vida

---

[1] Cyro dos Anjos, *O amanuense Belmiro*, 6ª ed., Rio de Janeiro, José Olympio, 1966. O ensaio de Antonio Candido, publicado em *Brigada ligeira* (1945), é reproduzido como prefácio da edição citada de *O amanuense Belmiro* (cit. p. XVI).

de Belmiro, e — com economia, leveza e despreocupação[2] — afloram já os temas essenciais que constituirão o eixo do livro.

As primeiras frases do *Amanuense*, abrindo o capítulo em que se descreve alegre véspera de Natal, introduzem-nos em uma situação concreta: amigos comemoram, no bar do Parque, entre rodadas de chope, a data festiva: "Ali pelo oitavo chope, chegamos à conclusão de que todos os problemas eram insolúveis. Florêncio propôs, então, o nono, argumentando que esse talvez trouxesse uma solução geral".

Está composto o centro da cena: na mesa de bar chegou-se à conclusão de que todos os problemas são *insolúveis*. Visto isso, os olhos do narrador voltam-se para o ambiente, que é descrito com vivacidade e evocação em apenas dois parágrafos de meia dúzia de frases. Visualizamos rapidamente o feriado no parque, o povo dançando, o chope generosamente contribuindo para a alegria. E dá-se então a segunda mudança de foco, o escritor volta seu interesse para o centro da cena, arma-se o diálogo:

> "— A solução é a conduta católica, afirmou o amigo Silviano, meio vago, como que atendendo a uma ordem interior de reflexões, que não era bem a de nossa conversação."

Com habilidade, o narrador intercalou os dois parágrafos descritivos e propôs a continuação da disputa que vislumbráramos às primeiras linhas. Ao oitavo chope os problemas eram insolúveis, e eis que o filósofo Silviano, meio vago, como que atendendo a uma outra ordem de reflexões, apresenta a conduta católica como solução. A discussão se anima:

---

[2] A propósito da ligeireza de estilo nas páginas iniciais de *O amanuense Belmiro*, veja-se o artigo de Roberto Schwarz in *Suplemento Literário de O Estado de S. Paulo*, 8/1/1966.

"— Hein? indaguei, voltando para este.
— A conduta católica! Isto é, fugir da vida no que ela tem de excitante, continuou, como que a falar para si mesmo."

Pela primeira vez é empregada a palavra vida. Sabíamos que a discussão, necessariamente, teria um caráter metafísico, pois que se falava em solução para todos os problemas e o chope já ia adiantado. No entanto, palmilhávamos ainda um terreno vago, e a frase de Silviano, "fugir da vida no que ela tem de excitante", oferece-nos o objeto concreto da conversa e nos situa em meio aos contendores. Houve portanto um progresso ligeiro na narrativa, progresso que é retomado e aprofundado pela frase seguinte, de Belmiro:

"Só pelo gosto de vê-lo dissertar, objetei-lhe que, nesse caso, não haveria solução. O que haveria é supressão da vida."

O argumento de Belmiro focaliza diretamente o problema e envolve o leitor diretamente na narrativa. Já temos meio caminho andado, a teoria de Silviano e a objeção de Belmiro: a conduta católica seria uma solução, se não fosse apenas uma supressão. Mas a conversa, por se encaminhar demasiado para o abstrato, tornou-se perigosa para um romance. E o romancista evita o perigo, desviando mais uma vez o foco de atenção, introduzindo Glicério e suas inócuas observações sobre o catolicismo, o cotidiano e a vida eterna. Digo "inócuas" porque, na verdade, a intervenção de Glicério representa um retrocesso na ordem das idéias que vinham sendo desenvolvidas. Belmiro já havia chegado à conclusão ("supressão da vida"), enquanto que Glicério volta à demonstração ("vida eterna" etc.). Esse retorno, no entanto, ditado pela necessidade de se manter a atmosfera de mesa de bar, onde já se bebe o nono chope, permite a manutenção da leveza de estilo, que apenas aflora os problemas (arte do romancista...), embora situando-os desde já numa perspectiva dada: que atitude assumir perante a vida?

E é nessa perspectiva que a narração avança mais uma vez:

"— Você não sabe o que está dizendo, mas, ainda que fosse uma supressão, por que não havíamos de realizá-la para encontrar tranqüilidade? A grande estupidez é vivermos num conflito constante. Já que não se possui a vida com plenitude, o melhor é renunciar, de vez."

Entre os avanços e recuos da prosa — dois passos adiante e um atrás, no vai-da-valsa —, Silviano dá um salto e se encontra no núcleo da questão. Aqui o objeto da disputa metafísica se esclarece totalmente. Silviano expõe à luz os elementos essenciais do problema. Trata-se, nós o percebemos, da atitude que o homem deve assumir perante a vida (= mundo), a fim de *encontrar tranqüilidade* (= felicidade), pois grande estupidez é viver *em conflito* (= divisão), e já que não é possível aspirar-se à vida *com plenitude* (= totalidade), o melhor seria talvez *renunciar* (= supressão).

Creio não fazer aqui, analisando a fala e extraindo esses significados, uma simples paráfrase do texto. É que o romance (como espero vejamos adiante) forma-se e estrutura-se em torno desses elementos, dessa aspiração à totalidade e desse desalento que já se sente nas palavras de Silviano. Estratégia... mas voltemos ao texto:

"Florêncio pôs a mão sobre o ombro dele e disse maliciosamente: — Estamos ruinzinhos hoje, hein? A pequena deu o fora?"

Entra aqui, pela boca de Florêncio, homem sem abismos, um elemento novo e surpreendente. "A pequena deu o fora?" Então, entre o filósofo e a filosofia, entre Silviano, sua aspiração e o mundo, existe uma pequena? E toda a metafísica, a conduta católica, os doutores, estão condicionados a esse fato inesperado?

"Para serenar a roda, propus novo chope, no que fui aplaudido calorosamente por Florêncio. Aqui escreverei que a razão estava com este último. Jandira, que de tudo sabe, contou-me que o filósofo, já à beira dos quarenta, retrocedeu aos vinte: está amando as moças em flor."

A expressão "moças em flor", que percorre o romance de ponta a ponta, *leit-motiv* e imagem lírica de Carmélia, aparece aqui pela primeira vez. Assim, numa passagem de rápido comentário sobre os problemas amorosos do amigo, o amanuense Belmiro Borba antecipa os próprios problemas e predispõe habilmente o "hipotético leitor" a aceitar o que só surgirá capítulos mais tarde. E — o que é mais importante — o comentário surge como coroamento da "discussão filosófica", insinuando que, mesmo se não nos atemos à malícia rasteira de Florêncio, talvez haja uma mulher mediando a busca de Silviano, o que degrada o filósofo das alturas em que se encontrava. E há mais: "O pior é que a mulher, em vez de irritar-se, vive a ridicularizá-lo". E: "Pois Jandira acrescentou que, de suas surtidas, o nosso Dom Juan traz mais baldões do que troféus".

A ironia de Belmiro, que desce aqui sobre as costas de Silviano, estará também presente ao longo de todo o romance, embora voltada contra o próprio amanuense. O importante aqui é que esta primeira manifestação irônica incide exatamente sobre as aventuras amorosas do amigo, e vem ressaltar o caráter degradado de sua busca, acentuando a existência de um elemento mediador entre a metafísica da "conduta católica" e a realidade objetiva. O estrategista mal se oculta sob a pele do romancista: todo o dilema de Belmiro, que será desenvolvido nas páginas seguintes, encontrou aqui a sua síntese antecipadora.

Pois que estratégia é a arte de definir, antecipar e dispor os elementos de uma situação, a capacidade de manobrar o conjunto e — no caso — de impor a nós, leitores, a verdade de um personagem e de sua estória. Por isso, antes de fechar o primeiro capítulo do livro, o autor oferece-nos mais um dado, este ligado diretamente ao personagem: a predominância da interioridade como traço constitutivo do psiquismo de Belmiro.

"— Cidade besta, Belo Horizonte! exclamou Redelvim, consultando o relógio. A gente não tem para onde ir...

— Não acho! retrucou Silviano. Em Paris é a mesma coisa.

— Em Paris? — perguntou Florêncio. Não sabia que você andou por Paris... É boa!

— Ó parvo, quero dizer que o problema é puramente interior, entende? Não está fora de nós, no espaço!"

Como de hábito, a formulação objetiva cabe a Silviano, talvez por ser este o filósofo do quinteto de amigos. Na boca de Belmiro, afirmação tão incisiva ("O problema é puramente interior") ficaria talvez deslocada. Belmiro é lírico, e a fórmula só se poderia expressar, através dele, de forma lírica. Exatamente como acontece linhas adiante, quando, ao tomar o bonde Calafate, enxerga menos a paisagem real que um mundo interior, onde tudo se acha transfigurado, as árvores se fazem mais verdes, os pássaros cantam e as pessoas sorriem desejando saúde e fraternidade. Por um momento Belmiro chega a acreditar na realidade daquele mundo interior.

"Será o poder de criar e de transfigurar que possui a alma humana, ou haverá uma efetiva transformação no tecido íntimo das coisas? Afinal, pouco importa. A realidade é a aparência, e o que é — no fundo — não o é para nós, como diz Silviano."

Antonio Candido, no mesmo estudo antes citado, observara no *Amanuense* a existência de "um movimento de báscula entre a realidade e o sonho".[3] Um dos recursos empregados para a execução desse movimento é a ironia, que Belmiro retoma aqui para sair de dentro de si mesmo e apresentar o mundo exterior.

> "Um *Merry Christmas*, que me foi dito com uma palmadinha nas costas, por alguém que ia descer do bonde, fez-me lembrar de que o próximo poste de parada era o da Rua Erê."

Quer dizer, confrontadas a realidade e a aparência, quem sai ganhando é a rua Erê, a despeito da fórmula sofisticada que se atribui a Silviano. E o fato do *Merry Christmas* e da palmadinha nas costas provirem do bom sujeito Prudêncio Gouveia, personagem melancólico e com seu tanto de ridículo, intensifica a ironia e reitera a degradação. Mas Belmiro ainda não estaria completo sem a frase que fecha o capítulo inicial:

> "— *Merry Christmas*, Prudêncio amigo! *Merry Christmas!*"

Pois o cumprimento com que se nivela ao conceituado chefe de seção, prudente Prudêncio cujo "único vício é cumprimentar-nos diariamente com um *how do you do*", revela o traço final do caráter de Belmiro: a resignação, a certeza resignada da impossibilidade que subjaz à sua busca de plenitude.

Como antecipação de todo um romance, estas primeiras páginas de *O amanuense Belmiro* inscrevem-se entre as melhores coisas que já se fizeram na literatura brasileira.

A busca solitária de um sentido para a vida, empreendida pelo amanuense às voltas com o mito da Donzela Arabela, seu

---

[3] Antonio Candido, *op. cit.*, p. XVI.

anseio de plenitude, sua aspiração à totalidade, sua melancólica e resignada certeza do fracasso, sua rica interioridade, tudo isso já esboçado no primeiro capítulo, confirmam o caráter estratégico que situa o livro entre as obras definitivas de nossa literatura.

2. O romantismo da desilusão

Lukács, no seu *Teoria do romance*, propõe a seguinte tese: "O romance é a epopéia de um tempo em que a totalidade da vida não é já dada de maneira imediata, de um tempo para o qual a imanência do sentido à vida se tornou problema mas que, apesar de tudo, não cessou de aspirar à totalidade".[4] O romance seria, portanto, a estória de uma busca do sentido da vida, sentido que deixara de ser imanente quando, em qualquer ponto da História, a totalidade da vida rompera-se, em decorrência da separação entre essência e existência. E o herói do romance seria, nesta linha de raciocínio, o ser que procura restaurar a totalidade, estabelecendo, pelo encontro de valores éticos autênticos, uma perfeita adequação entre alma e realidade.

Entretanto, pelo caráter essencial que preside à ruptura, a busca está desde já destinada ao fracasso. E, além disso, como "é impossível evitar, pelo caminho que leva ao silêncio, o rodeio pela linguagem, pelo caminho que leva à essência, o rodeio pelas categorias — pelo caminho que leva à Divindade, o rodeio por

---

[4] Georg Lukács, *Teoria do romance*, tradução de Alfredo Margarido, Lisboa, Editorial Presença, s.d., p. 55 [nesta e em outras passagens, o número da página se refere à edição portuguesa da *Teoria do romance*, que foi utilizada pelo autor. Hoje há edição brasileira: *A teoria do romance*, tradução de José Marcos Mariani de Macedo, São Paulo, Duas Cidades/Editora 34, 2000].

Deus",[5] ocorre necessariamente uma mediatização que confere, também à busca do herói, o caráter de degradação — isto é, de inautenticidade — do universo. Na síntese de Goldmann: "O romance é a história de uma investigação degradada (a que Lukács chama 'demoníaca'), pesquisa de valores autênticos num mundo também degradado, mas em nível diversamente adiantado e de modo diferente".[6]

Há, portanto, dois níveis de degradação que é preciso distinguir: a do mundo, que é uma degradação de segundo grau, pois que os valores autênticos foram afastados e já as formas não mantêm correspondência com a essência; e a do herói, que é uma degradação de primeiro grau, pois que nele existe ainda uma aspiração à totalidade e uma busca do sentido da vida.

Lukács estabelece uma tipologia do romance no século XIX partindo dessa análise e examinando principalmente o relacionamento entre o herói e o mundo. Distingue assim três tipos de romance, conforme a alma do herói seja demasiado estreita em relação à complexidade do mundo, conforme seja demasiado vasta ou conforme haja um equilíbrio.

Baseando-me em algumas das idéias de Lukács, em especial a caracterização do segundo tipo de romance (por ele denominado "romantismo da desilusão"), procurarei a seguir examinar certos aspectos que me parecem muito importantes na composição de *O amanuense Belmiro*. Não tentarei — fique compreendido — enquadrar o livro, de forma absoluta e total, nas categorias propostas por Lukács (o que seria talvez desejável, mas traria com certeza inúmeros problemas...); apenas limitar-me-ei

---

[5] Lukács, *op. cit.*, p. 93.

[6] Lucien Goldmann, *Sociologia do romance*, tradução de Álvaro Cabral, Rio de Janeiro, Paz e Terra, 1967, p. 8

a utilizar o seu esquema sobre "o romantismo da desilusão" para tentar uma leitura possível da obra.

Segundo Lukács, o tipo de inadaptação que caracteriza o "romantismo da desilusão" deriva do fato de a alma do herói "ser mais ampla e mais vasta do que todos os destinos que a vida pode lhe oferecer". A estrutura do romance resultará "de uma realidade interior mais ou menos acabada e rica em conteúdos que entra em concorrência com a do exterior, e que possui em si própria uma vida rica e movimentada, e se considera, na sua espontânea confiança em si mesma, como a única verdadeira realidade, como a própria essência do mundo, constituindo o seu fracasso na tentativa de tornar efetiva essa adequação o objeto mesmo da narrativa".[7]

Como esquema geral, não poderia haver melhor descrição para a estrutura de *O amanuense Belmiro*. Escrito em forma de diário, narrando o dia-a-dia de seu autor, o livro repousa principalmente no conflito constante que decorre da interioridade do funcionário em choque com o mundo convencional. É o próprio Belmiro quem reconhece a constância desse choque, quando fala "no permanente conflito que há em mim no domínio do tempo":

> "Se, a cada instante, mergulho no passado e nele procuro uma compensação, as secretas forças da vida trazem-me de novo à tona e encontram meios de entreter-me com as insignificâncias do cotidiano. Pelo oposto, é comum, quando o atual me reclama a energia ou o pensamento, que estes se diluam e o espírito se desvie para outras paisagens, nelas buscando abrigo. Tais solicitações contrárias, em luta constante, levam-me às vezes a tão subitâneas mudanças de plano, que minha vida, na realidade, se processa em arrancos e fugas, intermináveis e

---

[7] Lukács, *op. cit.*, p. 117.

sucessivos, tornando-se ficção, mera ficção, que se confunde no tempo e no espaço." (§ 5, p. 15)

Esse permanente conflito, "movimento de báscula entre a realidade e o sonho", ou seja, entre duas realidades distintas, que se traduzirá principalmente, em termos de efabulação, na paixão platônica nutrida pelo amanuense, constitui o verdadeiro eixo da obra. O próprio livro seria, inicialmente, uma tentativa de narrar recordações de infância do autor:

> "Minha vida parou, e desde muito me volto para o passado, perseguindo imagens fugitivas de um tempo que se foi. Procurando-o, procurarei a mim próprio." (§4, p. 15)

Mas porque o problema é procurar a si próprio, e porque só procuramos saber "o que somos" para conhecer "o para que somos", em suma, para estabelecer o equilíbrio entre essência e existência, é que o livro se voltará inapelavelmente para a *praxis* cotidiana e o tempo presente se instalará absoluto entre as recordações de infância, um perturbando as outras:

> "Vejo que, sob disfarces cavilosos, o presente se vai insinuando nestes apontamentos e em minha sensibilidade [...]. Tudo se torna claro aos meus olhos: depois de uma infância romântica e de uma adolescência melancólica, o homem supõe que encontrou sua expressão definitiva e que sua própria substância já lhe basta para as combustões interiores; crê encerrado o seu ciclo e volta para dentro de si mesmo, à procura de fugitivas imagens do passado, nas quais o espírito se há de comprazer. Mas as forças vitais, que impelem o homem para a frente, ainda estão ativas nele e realizam um sorrateiro trabalho, fazendo-o voltar para a vida, sedento e agitado. Para iludir-lhe o espírito vaidoso, oferecem-lhe o presente sob aspectos enganosos, encarnando formas pretéritas." (§ 8, pp. 21-22)

A citação foi longa, mas vale bem a pena. Podemos distinguir nela, de início, três aspectos: 1) a interioridade como cosmos autônomo; 2) o impulso vital, a força que leva o homem a colocar-se dentro da vida, destruindo a autonomia; 3) o papel do tempo, como portador do germe que compõe e destrói as "formas pretéritas" (ou "formas interiores", o que é simples maneira diferente de dizer o mesmo).

A conseqüência do primeiro aspecto é que, sendo autônoma, a interioridade poderá bastar-se a si mesma, o que de saída eliminaria o problema e a possibilidade de romance. Mas o herói é problemático, e a ele não basta a supressão da existência, senão que necessita estabelecer o equilíbrio entre os dois universos. Com efeito, quando Belmiro objeta a Silviano que "fugir da vida, no que ela tem de excitante", não representaria uma solução, mas simples supressão, coloca o problema central de sua busca: não fugir da vida, mas encontrar nela os valores autênticos que permitirão alcançar a totalidade e a redenção. O desalento que se sente quando se constata a inutilidade da busca, seu inevitável fracasso, constitui a essência do lirismo que perpassa o livro e, ao mesmo tempo, a tentativa última de absorver o mundo exterior dentro da interioridade. Neste sentido, compreende-se claramente a citação de Drummond no penúltimo parágrafo do livro:

> "Mundo mundo vasto mundo,
> se eu me chamasse Raimundo
> seria uma rima, não seria uma solução.
> Mundo mundo vasto mundo,
> mais vasto é meu coração."

Só que, entre o amanuense e o poeta, se há uma identificação, há também uma diferença enorme, que provém exatamente do fato de um ser poeta lírico e o outro poeta épico. Drummond, embora reconhecendo que chamar-se Raimundo seria rima, antes de ser solução, acaba por absorver, na interioridade de seu lirismo, no seu coração mais vasto, todo o vasto mundo. E o amanuense? Este sabe também que fugir da vida é antes supressão, mas — aí é que está a diferença — seu coração mais vasto não consegue devorar a amplitude da vida. O lirismo é imóvel, por representar a fixação definitiva, no espírito, de um momento. A épica é ação. O romance é a história de uma alma, e "a ação a nostalgia dessa alma".[8] Então o cotidiano se infiltra, a realidade exterior se impõe, a substância da alma torna-se insuficiente e o espírito procura sua verdade no presente. A autonomia do cosmos interior se rompe, e o homem inicia sua busca.

Mas essa busca não se dá no espaço. "As coisas não estão no espaço; as coisas estão é no tempo", afirma Belmiro. Ou seja, a essência, o que somos, a imanência do sentido à vida, encontra-se no tempo. Anular o fluxo do tempo é reencontrar a vida em sua totalidade. Mas como fazê-lo? Mesmo a interioridade fracassará na tentativa.

> "A mais profunda, a mais humilhante impotência da subjetividade em dar suas próprias provas manifesta-se menos pelo vão combate travado contra estruturas sociais privadas de idéias e contra os homens que as representam do que no fato de ela estar sem forças diante do curso inerte e contínuo da duração; de se encontrar lentamente mas incessantemente rechaçada dos píncaros para onde se tinha penosamente içado [...]"[9]

Vê-se, portanto, que resultará em nada a busca no tempo, pois que este traz consigo um elemento desagregador:

---

[8] Lukács, *op. cit.*, p. 50.

[9] Lukács, *op. cit.*, p. 127.

"Não voltarei a Vila Caraíbas. As coisas não estão no espaço; as coisas estão é no tempo. Há nelas ilusória permanência de forma, que esconde uma desagregação constante, ainda que infinitesimal. Mas não me refiro à perda da matéria, no domínio físico, e quero apenas significar que, assim como a matéria se esvai, algo se desprende da coisa, a cada instante: é o espírito cotidiano, que lhe configura a imagem no tempo, pois lhe foge, cada dia, para dar lugar a outro, novo, que dela emerge. Esse espírito sutil representa a coisa, no momento preciso em que com ela nos comunicamos. Em vão o procuramos depois; o que, então, se nos depara é totalmente estranho." (§ 33, p. 73)

O conteúdo total do romance consiste numa busca da essência e numa impotência para a encontrar; por outro lado, o tempo "é a maneira como a vida puramente orgânica resiste ao sentido presente, a maneira como a vida afirma sua vontade de subsistir na sua própria imanência, perfeitamente fechada".[10] Mas o tempo, como duração, traz consigo o elemento desagregador das coisas, a separação entre o sentido e a vida. "No romance", diz Lukács, "sentido e vida separam-se e, com eles, essência e temporalidade; poder-se-ia quase dizer que, no que ela tem de mais íntimo, a totalidade da ação de um romance não passa de um combate contra as forças do tempo. No romantismo da desilusão, o tempo é um princípio de depravação; o essencial — a poesia — passa necessariamente; ora, é o tempo que, no fim de contas, é responsável por essa ruína."[11]

Essa separação entre sentido e vida nos remete, de imediato, ao "mito da Donzela Arabela". Belmiro, no carnaval, entrevê

---

[10] *Idem, op. cit.*, p. 129.

[11] *Ibidem*.

no meio dos cordões de foliões uma linda moça que lhe estende a mão. A visão parece-lhe extraordinária e ele se lembra da "história da casta Arabela, que morreu de amor e que na torre do castelo entoava doridas melodias", mito de sua infância caraibana. Mas ainda mais extraordinária que a visão, parece-me, é o efeito dela:

> "Efeito da excitação de espírito em que me achava, ou de qualquer outra perturbação, senti-me fora do tempo e do espaço, e meus olhos só percebiam a doce visão. Era ela, Arabela. Como estava bela! A música lasciva se tornou distante, e as vozes dos homens chegavam a mim, lentas e desconexas. Em meio dos corpos exaustos, a incorpórea e casta Arabela. Parecia que eu me comunicava com Deus e que um anjo descera sobre mim. Meu corpo se desfazia em harmonias, e alegre música de pássaros se produzira no ar." (§7, p. 20)

Portanto, a comunhão dos santos, totalidade, plenitude, ou como quer se lhe chame, é conseguida aqui através de um mito infantil, uma "forma pretérita" que permanece na consciência do herói e encarna o ideal a ser atingido. Mas entre a interioridade e o mundo real existe uma simples diferença: o mito não é a moça, Arabela não é Carmélia. A moça real pertence à "haute gomme" de Belo Horizonte. Belmiro é apenas amanuense; a moça real tem vinte anos. Belmiro quarenta; a moça real pertence ao sistema filistino, Belmiro ao "sistema Borba"; tudo são dificuldades, mas a grande diferença é que Carmélia é real, pertence ao mundo das convenções, e Arabela é uma criação do espírito de Belmiro, o elemento mediador entre ele e a transcendência.

No romance, a Carmélia real quase sempre cede lugar à Carmélia inventada. Na verdade, o que há são duas personagens, Arabela e Carmélia, que são simultaneamente as duas faces de um só personagem: Belmiro. O mito Arabela é a interioridade, a moça Carmélia é a realidade objetiva. No movimento entre os dois mundos o amanuense hesita entre a criação de seu espírito e a existência real, e sente que é impossível conciliar os dois pólos. A tentativa de adequação entre a essência (que é Arabela) e a existência (que é Carmélia); ou a tentativa de adequação entre a interioridade (que é o mito, "forma pretérita", existente apenas no tempo interior) e a realidade (que é o amor real da moça Carmélia); ou ainda a tentativa de atingir a plenitude, a totalidade, e o fracasso dessa tentativa constituem, como diria Lukács, "o objeto mesmo da narrativa".

Escrevendo sobre *Abdias*, segundo romance de Cyro dos Anjos (muito próximo, temática e formalmente do primeiro), Ledo Ivo fez uma observação aguda: "E as palavras com que o viúvo Abdias, ouvindo a *Nona Sinfonia*, se despede do leitor e de si mesmo, dado o acento privado de suas confidências, não deixam dúvidas *sobre o papel de mediação exercido pela mulher*, quer quando representa a fantasia e a aventura, como a jovem Gabriela, quer quando encarna o círculo doméstico, o amor estabilizado em 'uma existência a dois, no plano da alma', como a consistente Carlota".[12]

N'*O amanuense Belmiro* sente-se claramente que o amor é entendido como uma força vital: amor é sinônimo de vida. Assim, quando Belmiro deseja o amor de Carmélia, na verdade procura satisfazer os impulsos vitais, realizando-se existencialmente de forma plena. Esta seria a sua fórmula de atingir a felicidade: construir a vida a partir de valores autênticos, exatamente porque vitais. No entanto, a interferência do mito constitui sua única maneira de se aproximar do amor, e o mito não é, eviden-

---

[12] Ledo Ivo, "A moça e o prosador", in *Tribuna da Imprensa*, 25/11/1956 (grifo meu).

temente, um valor autêntico, mas um elemento mediador. A importância dessa mediação dá a medida da degradação em que se desenha a própria busca de Belmiro. O valor mediador, ao afastar o valor mediatizado, torna a procura inautêntica. Dito em outras palavras: a interferência de Arabela, ao afastar a possibilidade do amor real, degrada a busca do amanuense.

Por outro lado, também o universo se encontra degradado, e o fator de degradação é exatamente a tentativa humana de entender as coisas e o mundo, em vez de simplesmente fruí-los. Há uma íntima ligação entre o amor, entendido aqui como fenômeno vital, o mito da Donzela Arabela e este outro problema que ocupa importante lugar no romance: "O eterno, o fáustico — O amor (vida) estrangulado pelo conhecimento", segundo a fórmula de Silviano. O mito Arabela é o símbolo do amor e da vida; entretanto, Belmiro embora sabendo que Arabela não é Carmélia, e que o mito é apenas representação simbólica de algo, insiste em procurar no símbolo a realização de sua felicidade, ao mesmo tempo em que o confronta com a realidade e o desmistifica. No seu "movimento de báscula entre a realidade e o sonho" (repitamos mais uma vez a frase de Antonio Candido), o amanuense cria o impasse: não é totalmente sonhador, e portanto homem instintivo capaz de satisfazer-se com o próprio mito criado; nem é totalmente pragmático, e portanto homem racional capaz de destruir o mito e apoderar-se de vez da realidade. É a consciência viva da insuficiência de sua interioridade que o torna um ser dividido e infeliz. Essa mesma consciência o leva a pensar, com nostalgia, num mundo instintivo em que se viva em comunhão com as forças da Natureza. Homem capaz de encontrar, no "tocante a dado conceito, igual número de argumentos da mesma força, a favor ou contra", é um cético quanto à eficácia da Razão, embora não possa fugir ao exercício da inteligência. Para ele, o pecado do homem, ao romper o liame entre essência e existência, teria sido o pecado do Conhecimento, e a solução seria uma volta ao estado natural:

> "Há muito que ando em estado de entrega. Entregar-se a gente às puras e melhores emoções, renunciar aos rumos da inteligência e viver simplesmente pela sensibilidade — descendo de novo, cautelosamente, à margem do caminho, o véu que cobre a face real das coisas e que foi, aqui e ali, descerrado por mão imprudente — parece-me a única estrada possível. [...] Seria uma fórmula para nos conciliarmos com o mundo." (§ 7, p. 21)

Com efeito, o conhecimento da "face real das coisas" destrói a única possibilidade do amanuense atingir a felicidade através do amor. Compreende-se assim que o mito da Donzela Arabela e sua inadequação à realidade sejam figurações exatas da frase de Silviano: "O amor (vida) estrangulado pelo conhecimento".

Tocamos aqui diretamente na incoerência básica de Belmiro: concebe um amor e, simultaneamente, percebe um mundo em que este amor não pode existir. Ou ainda, em outras palavras: percebe que a construção ideal de seu espírito, os valores éticos autênticos que lhe permitiriam alcançar a totalidade, não são adequados à realidade do mundo. "As moças em flor, elenco obrigatório nos textos de Cyro dos Anjos, não simbolizam apenas o mundo instintivo e sensual, a promessa da fruição dos prazeres terrenos e das satisfações espirituais. Representam a vida, que só pode ser plenamente fruída por aqueles que não tentaram decifrar seu mistério, pelos jogadores que não se dedicaram à tarefa diabólica de querer compreender a *lógica* do jogo, pelos comparsas não contundidos pela ambição fáustica".[13]

Ora, se a fruição plena da vida só é possível para aqueles que não compreendem (os puros de coração ou os pobres de espírito, nunca os *demoníacos*) então a busca do amanuense se torna impossível. Mas o desespero não é a lição final do livro. E — paradoxalmente — isto ocorre porque, além do Belmiro lírico, que procura a transcendência nas "moças em flor", existe um Belmiro sofisticado, irônico, cheio de senso de humor, capaz de compreender, conhecer e aceitar finalmente, embora de forma melancólica, a realidade exterior. Sua resignação final, se bem que permaneça um resíduo de certa recusa ao mundo de convenções, constitui ainda assim uma aceitação da vida: "Que faremos, Carolino amigo?".

---

[13] Ledo Ivo, "Satélites", in *Suplemento Literário de O Estado de S. Paulo*, 1/12/1956.

Leitura de "Campo de flores"

> "Uma abordagem crítica não passa de uma via, mais positiva ou menos satisfatória, riscada sobre o corpo em análise. Abordagem fiel semelhante à de um músico perante a partitura? Não, antes encontro de infidelidades. A obrigação do crítico está em não converter sua infidelidade, quero dizer, a leitura possível que extrai e escolhe entre tantas outras, em arbitrariedade."
>
> Luiz Costa Lima, *Lira e antilira*

1. Atitudes e formas do lírico

O poema é de Carlos Drummond de Andrade, "Campo de flores", e foi publicado no livro *Claro enigma*.[1] A observação teórica que utilizamos para examiná-lo e tentar uma leitura compreensiva, procurando surpreender-lhe a construção, é de Wolfgang Kayser, e diz respeito às atitudes e formas do lírico.[2] Kayser parte inicialmente da concepção estética tradicional do Lírico,

---

[1] Carlos Drummond de Andrade, *Reunião (10 livros de poesia)*, introdução de Antonio Houaiss, Rio de Janeiro, José Olympio, 1969.

[2] Wolfgang Kayser, *Interpretação e análise da obra literária*, 4ª ed., Coimbra, Armênio Amado Editora, 1968, 2 v. (ver especialmente cap. X, v. II, "A estrutura do gênero", de onde foi resumido o que se segue).

do Épico e do Dramático, como atitudes e/ou formas básicas da literatura, resultantes de uma relação sujeito/objeto: a expressão do *eu* como substância do lírico (subjetividade, interioridade), a expressão de um fato exterior como substância do épico (o *ele*, a objetividade) e por fim a síntese dialética dessas atitudes, que resultaria num equilíbrio entre a interioridade e a realidade objetiva e que constituiria a essência do dramático. Esta tripartição, em que pese o seu valor operacional e sua adequação às próprias funções da linguagem, traz dificuldades que residem no fato de que as atitudes não são "puras" e não podem ocorrer sozinhas, mas a subjetividade é sempre a interiorização de alguma coisa que existe fora, assim como a narração de um fato é feita sempre através do eu do narrador. Os fenômenos não se excluem um ao outro, o lírico há de conter sempre algo do épico e do dramático, e assim por diante; e falamos em épico, lírico ou dramático apenas levando em conta a predominância de uma dessas atitudes.

A partir daí Kayser define o lírico como "a passagem de toda a objetividade à interioridade" (p. 220). Mas ainda não é o bastante, o modo como se dará esta passagem, ou seja, as atitudes que, dentro do lírico, são passíveis de serem tomadas perante a relação sujeito/objeto, determinam uma nova tripartição. A primeira dessas atitudes básicas (a enunciação lírica) seria aquela em que o eu, postado frente ao acontecimento, apreende-o e exprime-o. A objetividade não desaparece, continua a existir, e o poema é a expressão do ser objetivo do acontecimento. A fusão alma/realidade ocorre, mas só até determinado ponto, e isto significa que, dentro do lírico, mantém-se uma certa atitude épica. Por outra parte, quando as esferas anímica e objetiva não são confrontadas, mas atuam uma sobre a outra, temos o que Kayser chama de "apóstrofe lírica", isto é, a atitude lírica que contém em si um caráter dramático. E, por fim, quando a objetividade é totalmente interiorizada e a manifestação lírica é "a simples auto-expressão da disposição íntima", temos a atitude designada como "linguagem da canção".

Simplificando, poderíamos dizer que as três atitudes nascem da maior ou menor presença da objetividade dentro da subjetividade: maior presença na *enunciação*, presença média na *apóstrofe* e quase desaparecimento na *canção*. Kayser continua desenvolvendo estas categorias, extraindo subcategorias de cada uma delas. Para nosso fim, entretanto, o que ficou dito é suficiente.

Pois essas observações preliminares são pertinentes e têm muito a ver com a análise que faremos de "Campo de flores". A partir dos conceitos expostos, tentaremos determinar a forma interior do poema e descobrir como os problemas (ou o problema), levantados ali pelo poeta, são exprimidos numa estrutura verbal, numa linguagem construída. A questão da atitude ganha importância, pois é ela que determinará a forma (interior e exterior) do poema, e nos revelará seu significado final.

Qual seria a atitude assumida pelo poeta em "Campo de flores"? Uma primeira suspeita nos ocorre: a atitude enunciativa. E duas razões, pelo menos, concorrem para corroborar esta suspeita inicial. A primeira é a de que se nota, em Drummond, uma constante vigilância, uma espécie de policiamento da subjetividade, que o faz quase sempre preso ao real objetivo. Essa vigilância se patenteia, o mais das vezes, pela presença do humor e da ironia em seus poemas, elementos que permitem um certo distanciamento (mesmo que ainda dentro do mais profundo lirismo) face aos acontecimentos. O analista e o lírico coexistem no poeta, e nasce disso um processo literário de que resultam momentos poéticos da mais alta intensidade. O germe épico implícito nesse distanciamento explicaria, talvez, a tendência para os poemas narrativos ("Caso do vestido", "Morte do leiteiro", "Morte no avião") ou mesmo para a narração disfarçada em poemas não narrativos ("A máquina do mundo", "O mito").

A segunda razão prende-se à impressão inicial que nos fica do próprio poema: seu tom explicativo, sua sintaxe firme, seu desenvolvimento lógico. Mas o poema é, exatamente, o que examinaremos a seguir.

2. A sintaxe

Vejamos, de início, as três primeiras estrofes.

1 "Deus me deu um amor no tempo de madureza,
  quando os frutos ou não são colhidos ou sabem a verme.
  Deus — ou foi talvez o Diabo — deu-me este amor maduro,
  e a um e outro agradeço, pois que tenho um amor.

5 Pois que tenho um amor, volto aos mitos pretéritos
  e outros acrescento aos que amor já criou.
  Eis que eu mesmo me torno o mito mais radioso
  e talhado em penumbra sou e não sou, mas sou.

  Mas sou cada vez mais, eu que não me sabia
10 e cansado de mim julgava que era o mundo
  um vácuo atormentado, um sistema de erros.
  Amanhecem de novo as antigas manhãs
  que não vivi jamais, pois jamais me sorriram."

A análise revela-nos a complexidade e a firmeza da sintaxe. Na primeira estrofe, por exemplo, à oração principal (principal não apenas sintaticamente, mas também de sentido principal...), que corresponde a todo o primeiro verso, seguem-se duas subordinadas temporais ("quando os frutos ou não são colhidos/ou sabem a verme"), que por sua vez estão coordenadas alternativamente. Outra alternativa se intercala na principal do terceiro verso ("ou foi talvez o Diabo"), e o período prossegue no quarto verso com uma oração coordenada aditiva ("e a um e outro agradeço") à qual se subordina a oração seguinte, de valor causal ("pois que tenho um amor"). Coordenação e subordinação, os dois processos básicos da sintaxe, estão presentes aqui e com força poderosa; as orações, em relação hipotática ou paratática, estruturam o pensamento, imprimem-lhe uma lógica e uma continuidade que se tornam cada vez mais claras à proporção que se apóiam na estrutura sintática. O pensamento toma forma de discurso, e as ocasiões, alternativas, adições e causas (orações temporais, alternativas, aditiva e causal), partes deste discurso, se relacionam sintaticamente e resultam em frases seguidas e claras. Socorramo-nos de Antônio Houaiss: "e a sintaxe, manipulada com amplitude [...], não lhe tem sido óbice, num predomínio paratático que não exclui sábios recursos hipotáticos; a sintaxe plena, em suma, porque sua mentação poética multiforme não a podia dispensar, já que o discursivo — no sentido de enlaces sintáticos complexos — sempre, por isso, se lhe fez indispensável, numa das vertentes de sua estruturação poemática, a do cumulativo antenado por todos os lados (por oposição ao serial, quando um só esquema sintático ou uma só relação sintagmática é base para a estruturação poemática)".[3]

Toda a sintaxe do poema obedece ao esquema da primeira estrofe: as orações nascem uma da outra, ou se encadeiam com firmeza, naquilo que Houaiss chama de "enlaces sintáticos complexos". Que conclusão tirar daí? Seguindo a pista dada pelo crítico, isto seria conseqüência de "uma das vertentes de sua estruturação poemática, a do cumulativo antenado por todos os lados". À palavra *antenado* associa-se imediatamente a imagem de alguém que procura captar e decodificar uma mensagem; de al-

---

[3] Antônio Houaiss, "Introdução" à edição citada de *Reunião*, p. XXXVIII.

guém que, posto face a um acontecimento, tenta compreendê-lo, extrair-lhe o significado e exprimi-lo. À imagem do poeta que, posto defronte ao amor, na idade de madureza, ama e investiga, sente e procura a causa do sentir, interioriza e tenta exprimir, no seu poema, o "ser objetivo" daquilo que sente.

Em suma, a atitude lírica que Kayser denomina *enunciação*. O uso lógico da linguagem, apoiada na sintaxe, denuncia, como conseqüência que é, a presença de uma objetividade que não foi completamente interiorizada. A sintaxe torna-se, pois, elemento estruturante e significante do poema.

Intimamente ligado à trama sintática, e também decorrente da presença da objetividade, é o uso, nas quatro primeiras estrofes, da figura que os retóricos chamam de anadiplose: o final do último verso de cada estrofe é repetido no primeiro verso da estrofe seguinte. Este recurso concatena as estâncias, estreitando ainda mais as ligações entre os raciocínios desenvolvidos e dando um caráter discursivo (no melhor sentido) ao poema. Prima próxima da anáfora, a anadiplose desempenha aqui o mesmo papel que sua parenta mais conhecida em outros poemas de Drummond: "[...] a anáfora atua freqüentemente como elemento organizador da estrutura do poema, e, por essa via, do significado: a cada reiteração de um radical, de uma palavra ou grupo de palavras, em posição inicial de sintagma, corresponde quase sempre uma unidade formal do pensamento ou da intenção expressiva, a partir da qual se manifesta a ordem interior de sua composição, às vezes não mais que por ela".[4]

Sintaxe complexa refletindo um desenvolvimento lógico do pensamento; anadiplose estruturando o discurso e gerando uma

---

[4] Hélcio Martins, *A rima na poesia de Carlos Drummond de Andrade*, Rio de Janeiro, Livraria José Olympio, 1968, p. 14.

unidade formal; presença da objetividade; atitude lírica que apreende e exprime o ser objetivo do acontecimento. Mas, se fosse tão simples, "Campo de flores" não seria um dos grandes poemas de Drummond. Paradoxalmente, não é um poema fácil, cujo sentido transpareça de imediato à(s) primeira(s) leitura(s). Pelo contrário, a despeito de todo o esforço lógico revelado pela trama sintática, a ambigüidade — que segundo Empson está na raiz de toda a poesia — atravessa-o de lado a lado. É preciso, então, desdizer o que atrás ficou dito; ou melhor: limitar o alcance de tudo quanto se afirmou e examinar o poema sob este novo aspecto.

3. Reiteração, ambigüidade

O poema é uma estrutura simultaneamente redundante e ambígua. A projeção do eixo de equivalência sobre o eixo de contigüidade, característica do uso poético da linguagem, tende a construir uma equação cujos termos, não sendo exatamente iguais, perdem e adquirem matizes novos, transmitindo à estrutura poemática "sua radical essência simbólica, multíplice, polissêmica", na expressão de Jakobson. Por outro lado, a repetição dentro da seqüência (equivalência projetada sobre a seqüência) transforma a totalidade da mensagem (poema) numa estrutura reiterativa. Os termos da equação se equivalem e, portanto, se reiteram; mas, ao se equivalerem dentro do poema, não anulam os significados anteriores, senão que acrescentam novos significados, o que comunica à estrutura seu caráter necessariamente ambíguo.[5]

---

[5] Cf. Roman Jakobson, *Lingüística e comunicação*, São Paulo, Cultrix, 1969, pp. 149-50.

A contradição anterior (entre a construção rigorosa e estreitamente concatenada da sintaxe e o sopro de ambigüidade que atravessa o poema) fica portanto mais fácil de ser resolvida, já que, em poesia, reiteração e ambigüidade não são conceitos polares, mas complementares. Resta saber como se instila, em meio ao poema, essa "essência simbólica, multíplice, polissêmica".

Comecemos pelas imagens.

Logo nos primeiros versos o poeta afirma:

> "Deus me deu um amor no tempo de madureza,
> quando os frutos ou não são colhidos ou sabem a verme."

As expressões *maturidade* e *idade madura*, para significar certa fase da vida do homem, são metáforas que atendem a uma relação entre o ciclo biológico humano e o vegetal. Mas são metáforas gastas, já incorporadas pelo uso ao nível cotidiano e prosaico da língua, e o clichê é evitado pelo poeta através do uso da expressão revitalizada *tempo de madureza*. Procedendo assim, ele retoma e reforça o primitivo sentido metafórico, que o uso de *maturidade* ou *idade madura*, por muito comuns, deixariam apenas implícito em nossa consciência. Há, portanto, uma explicitação da relação metafórica, que se torna mais presente, mais palpável. Daí ao nascimento imediato de uma nova metáfora vai apenas um passo: *amor* por *fruto*, com efeito, é a conseqüência lógica do que se estabeleceu quando se comparavam os ciclos vitais.

Mas a dificuldade surge na segunda metade do segundo verso

> "[...] ou não são colhidos ou sabem a verme."

Não é lógico: os frutos são colhidos exatamente quando estão maduros. Aqui se revela a primeira falácia da metáfora. Como toda metáfora, esta também é ardilosa e só envolve parte dos dois termos que se quer comparar. Pois é preciso lembrar que *tempo de madureza* é a fase da vida de um homem, não um tempo vegetal; e nesta fase, diferentemente do ciclo vegetativo, o homem se encontra menos apto e menos propenso às aventuras, à colheita e ao desfrute (desfrutar) do amor. Há uma quebra, por conseguinte, da unidade de sentido, e a contradição irrompe de dentro da própria linguagem. Mas também o poeta é ardiloso, e não deixa que esta ruptura destrua a unidade significativa da metáfora. Quando completa seu verso ("... ou sabem a verme") completa também o sentido do tropo, fecha por assim dizer o circuito metafórico. Frutos muito maduros, frutos apodrecidos, sabem a verme; da mesma forma que um novo amor, irrompendo na idade madura de um homem, desequilibra sua vida, torna-se verme/germe que destrói a calma necessária à maturidade.

"Chamamos *integrativa* a uma ambigüidade quando seus múltiplos significados se evocam e se apóiam simultaneamente", escreve Edmund Kris. A metáfora examinada, parece-nos, pertence a esse tipo. Ocorrem simultaneamente um movimento de diferenciação e um de reiteração de significados, que afinal se fundem. Para citar Kris mais uma vez: "Há uma relação de estímulo-resposta entre os dois termos, assim como no interior deles. Influem-se reciprocamente para produzir um esquema complexo e móvel; ainda que múltiplo, o significado está unificado".[6] Para nosso fim: ainda que unificado, o significado é múltiplo. E assim fica compreendido como é que o poema pode dar a um só tempo a impressão de estrutura repetitiva, lógica, apoiada numa sintaxe poderosa e envolvente, e a impressão de duplicidade intrigante, de ambigüidade radical.

A ambivalência está presente ainda em outras imagens. Nos versos 7 e 8 por exemplo:

---

[6] Edmund Kris, *Psicoanálisis y arte*, Buenos Aires, Paidós, 1955, p. 269.

> "Eis que eu mesmo me torno o mito mais radioso
> e talhado em penumbra sou e não sou, mas sou,"

em que as imagens do "mito radioso", porém "talhado em penumbra", perfazem um jogo de luz e sombra, que aparece mais adiante, de novo, no verso 14:

> "Mas me sorriam sempre atrás de tua sombra"

em que a idéia de sorrir, ligada anteriormente à imagem das antigas manhãs, carrega um clarão de sol que se oculta "atrás de tua sombra". As oposições de imagens procuram revelar algo cuja essência é profundamente contraditória: o amor, sombra e luz, juventude que irrompe na idade madura. E as imagens espelham a contradição:

> "Mas me sorriam sempre atrás de tua sombra
> imensa e contraída como letra no muro"

Os qualificativos se opõem, mas é da oposição que nasce a verdadeira qualificação da essência. (Entre parêntesis: a segunda parte do verso é intrigante. É difícil perceber direito o significado deste "letra no muro". No mesmo livro em que foi publicado "Campo de flores", *Claro enigma*, encontra-se o soneto "Oficina irritada", no qual há um verso: "Ninguém o lembrará: *tiro no muro*", onde *tiro* é o verbo do poeta, seu poema, sua poesia, e *muro* é imagem evidente da barreira que existe entre o verbo e a própria poesia. *Muro*, em Drummond, seria então um tropo de incomunicabilidade? A "sombra imensa e contraída", o amor contraditório, presente e ausente, seria como a poesia, presente e inexprimível, "letra no muro"?

A oposição expressiva surge ainda na correlação de duas imagens que introduzem uma das idéias básicas do poema: o amor presente como resultado necessário de amores passados. Eis os versos:

> "De tantos que já tive ou tiveram em mim
> o sumo se espremeu para fazer um vinho
> ou foi sangue, talvez, que se armou em coágulo."

Do sumo para o vinho compreende-se; e do vinho para o sangue a correlação é fácil. Por outro lado, sangue e sumo estão relacionados, e se identificam como substância do mesmo sentimento. A rede entre os quatro termos da imagem estaria perfeitamente cerrada se, entre vinho e coágulo, não houvesse uma discordância básica: um é líquido, e se associa a recordações agradáveis de embriaguez, fluidez; o outro é o contrário de tudo isso, e sua intromissão destrói (destrói? seria melhor dizer amplia, abre novas possibilidades) a metáfora que se armara. Graficamente, teríamos a seguinte relação:

sumo .... vinho
sangue .... coágulo

O coágulo está aí como a pedra no meio do caminho. Ou como o grão de angústia que o amor nos oferece na sua mão esquerda. O grão de angústia que é o responsável pela tensão interna do poema, pelo jogo de paradoxos e de antinomias que se instala no seio das imagens e, por que não?, no seio da própria sintaxe, antenada por todos os lados exatamente na tentativa de captar a multiplicidade de significados deste amor que porta um grão de angústia e se instala no tempo de madureza. Porque a tensão nasce do conflito entre o amor/juventude e a situação do poeta, posto num tempo de madureza.

Compreende-se assim que a sintaxe seja tão complexa, e compreende-se assim que a intuição primeira (a enunciação lí-

rica...) está certa: entre o amor e o poeta, impedindo o sentimento plenamente vivido, a interiorização total que levaria à canção, há um grão de angústia.
Vejamos isso melhor.

4. Tensão e ironia

Desnecessário mostrar mais exemplos de antinomias. Importante agora é mostrar como as contradições são progressivamente vencidas, à medida que o poeta penetra o ser objetivo do acontecimento que dá origem ao poema. Estabelecido que há uma tensão básica entre o amor e a situação do poeta, entre o sentimento e o homem maduro; estabelecido que esta tensão gera a estrutura formal do poema (forma interior e forma exterior), façamos agora o caminho inverso, regressando da análise à síntese.

Uma das formas de vencer as antinomias é a construção progressiva de uma afirmação que, saindo das negativas e alternativas que se apresentam, fecha vigorosamente cada unidade do poema. Todas as estrofes, com exceção da terceira e da quarta, terminam por uma afirmação que pretende superar o conflito. Relacionemos:

1ª "e a um e outro agradeço, pois que tenho um amor."

2ª "e talhado em penumbra sou e não sou, mas sou."

5ª "Onde não há jardim, as flores nascem de um secreto investimento em formas improváveis."

6ª "o sagrado terror converto em jubilação."

7ª "e o mistério que além faz os seres preciosos à visão extasiada."

8ª "e estou vivo na luz que baixa e me confunde."

Cada uma dessas afirmações é retomada na estrofe seguinte (diretamente, através do recurso à anadiplose, ou apenas de maneira implícita) e confrontada com novas dificuldades, surgindo novos conflitos, que por sua vez serão resolvidos parcialmente adiante. A terceira e a quarta estrofes são exceções, mas não totalmente, pois a negação com que terminam transforma-se em afirmação na seguinte; é o mesmo processo, invertido. Assim da terceira para a quarta:

3ª "que não vivi jamais, pois jamais me sorriram."

4ª "Mas me sorriam sempre atrás de tua sombra"

Enquanto que, da quarta para a quinta, temos:

4ª "ou foi sangue, talvez, que se armou em coágulo."

5ª "E o tempo que levou uma rosa indecisa"

em que a negação amor/ coágulo se transforma na afirmação amor/ rosa.

Podemos suspeitar que, no processo descrito, exista uma marcha progressiva em direção à afirmação final, que sugere as contradições. E ocorre mais ou menos isto mesmo. A quinta e a sexta estrofes encerram decididamente um número muito menor de antinomias e sugerem que a tensão foi superada. O melhor é transcrevê-las:

"E o tempo que levou uma rosa indecisa
a tirar sua cor dessas chamas extintas
era o tempo mais justo. Era tempo de terra.
Onde não há jardim, as flores nascem de um
25 secreto investimento em formas improváveis.
Hoje tenho um amor e me faço espaçoso

> para arrecadar as alfaias de muitos
> amantes desgovernados, no mundo, ou triunfantes,
> e ao vê-los amorosos e transidos em torno,
> 30   o sagrado terror converto em jubilação."

Não há como deixar de perceber que as negativas aqui sejam em número muito menor que nas estrofes precedentes. E — o que é mais importante — são negativas fracas, e se anulam logo que confrontadas com as afirmações positivas do poeta. Assim, a forte impressão dada pelo verso 24 é a de que "as flores nascem"; e ao adjetivo "desgovernados", no verso 28, segue-se "triunfantes", bem mais enfático. Além disso, ocorrem nessas estrofes os *enjambements* mais acentuados de todo o poema (versos 24/25, 26/27, 27/28). Mas, para entender seu caráter expressivo, é preciso examinar antes, rapidamente, a estrutura rítmica do poema.

A maioria dos versos de "Campo de flores" tem doze sílabas (trinta versos, no total de 42); um tem quinze sílabas, três têm quatorze sílabas mas, desses três, dois (versos nº 3 e 4) podem ser decompostos em versos de sete e seis sílabas; três têm treze sílabas, e desses os versos nº 15 e 19 podem ser decompostos em versos de seis sílabas; um tem onze sílabas (verso 27), mas graças ao *enjambement* ganha a última sílaba átona do anterior, o que perfaz doze; um tem dez sílabas, e pode ser decomposto em quatro e seis; três têm seis sílabas. Um exame mais profundo revela que todos os versos de doze sílabas se decompõem em dois versos de seis sílabas cada um, exceto o de nº 32, que se decompõe em um verso de quatro e outro de oito sílabas. Pela altíssima proporção em que surge pode-se dizer que o verso de seis sílabas é a unidade métrica básica do poema.

O ritmo é muito variado, mas a regularidade da cesura na sexta sílaba tem, sem dúvida, um valor significativo: dividindo o verso ao meio, decompondo-o em partes iguais de seis sílabas cada, estabelece uma oposição e explicita, dessa maneira, no arcabouço sonoro do poema, a mesma tensão básica que vínhamos examinando. Ocorre portanto uma "antinomia rítmica", se é que se pode falar assim. E interessante é observar que a ocorrência isolada dos três únicos versos de seis sílabas corresponde exatamente à superação das contradições.

Também os *enjambements* (versos 24/25, 26/27, 27/28) são formas de atenuar o ritmo e, portanto, de atenuar a tensão. Falando sobre o valor expressivo do *enjambement*, afirma Dámaso Alonso: "Penso, pelo contrário, que estes conflitos [entre metro e sintaxe — nota minha] se resolvem sempre num ceder, ou numa indecisão entre sentido e ritmo, com o que se enriquece o matiz, a capacidade expressiva: como sempre que no verso se atenua o ritmo assaz evidente".[7] Há uma indecisão entre sentido e ritmo, vale dizer, um diluir-se da tensão rítmica que espelha as contradições em que vinha emaranhando-se o poeta. Esses recursos explicam a sensação de quase plenitude que encontramos nestas duas estrofes, quando parece que o poeta vai atingir o tom da canção, erguer um canto de júbilo e abandonar de vez os paradoxos em que se debate. Mas o tom derrapa logo adiante:

"Seu grão de angústia amor já me oferece
na mão esquerda."

O "princípio de corrosão" que Luiz Costa Lima aponta como elemento básico da visão-de-mundo de Drummond aparece concretamente aqui: o grão de angústia.[8] A percepção de que

---

[7] Dámaso Alonso, *Poesia espanhola*, Rio de Janeiro, INL, 1960, p. 52.

[8] Luiz Costa Lima, *Lira e antilira (Mário, Drummond, Cabral)*, Rio de Janeiro, Civilização Brasileira, 1968.

o amor se divide, de que — enquanto a mão direita cria a forma e toca "o mistério que além faz os seres preciosos à visão extasiada" — a mão esquerda porta um grão de angústia, amplia consideravelmente a tensão. Com efeito, percebemos agora que esta é radical e essencial: não se origina apenas da situação do homem maduro que vive um amor de primavera (para empregar a imagem usada por Luiz Costa Lima), mas sim de uma oposição radical que vive no seio mesmo do próprio amor.

A percepção dessas contradições está na base geradora do poema. Falamos atrás da "ironia", que seria uma constante na poesia de Drummond. A ironia deve ser entendida, aqui como em muitos outros de seus poemas, não como sarcasmo ou como simples figura de linguagem, mas como uma postura básica, que apercebe-se do contraditório que existe nas coisas e apossa-se do doloroso que daí resulta. Compreendida desta forma, a ironia (ou a corrosão...) torna-se elemento estruturante do poema e torna fácil compreender o porquê do tom de canção jamais ser alcançado. A postura irônica é essencialmente objetiva, impede que a interiorização do sentimento seja plenamente realizada. Daí a derrapagem e a retomada, logo a seguir, do tom enunciativo.

> "Mas, porque me tocou um amor crepuscular,
> há que amar diferente. De uma grave paciência
> ladrilhar minhas mãos. E talvez a ironia
> tenha dilacerado a melhor doação.
> Há que amar e calar."

Calar, quer dizer, não cantar. Mas, se é impossível elevar a canção, isto significa que a afirmação última — que vinha sendo progressivamente desenvolvida —, a afirmação que supere as contradições, tornou-se também impossível? Sim e não. Há aqui um compromisso claro: amar e calar. Embora a postura objetiva tenha impedido a canção, embora a ironia tenha dilacerado a melhor doação, permanece como existente uma opção de saída, que se traduz na afirmativa vigorosa: há que amar. Os dois últimos versos coroam o significado do poema.

> "Para fora do tempo arrasto meus despojos
> e estou vivo na luz que baixa e me confunde."

A contradição inicial — um amor no tempo de madureza — era uma contradição temporal, e eis que o poeta se arrasta para fora do tempo. Ora, superar o tempo é superar a própria existência — já que, contingentes, nós somos no tempo — e com a existência todos os conflitos. Mas, simultaneamente, suprimir o tempo significa assumir a essência, abandonar o devir e atingir o Ser. Assim, o "estou vivo" do último verso deve ser compreendido como um peremptório sou, a afirmação final do poeta perante este amor/luz crepuscular que baixa e confunde.

Há, sem dúvida, um último paradoxo, pois não se pode suprimir a existência e permanecer vivo ao mesmo tempo. Mas o fato de se ter logrado exprimir esta contradição — e me refiro a todo o poema — não é, já, uma posse e uma superação?

Estética e ideologia: o Modernismo em 30

O estudo da história literária coloca-nos sempre diante de dois problemas fundamentais, quando se trata de desvendar o alcance e os exatos limites circunscritos por qualquer movimento de renovação estética: primeiro, é preciso verificar em que medida os meios tradicionais de expressão são afetados pelo poder transformador da nova linguagem proposta, isto é, até que ponto essa linguagem é realmente nova; em seguida, e como necessária complementação, é preciso determinar quais as relações que o movimento mantém com os outros aspectos da vida cultural, de que maneira a renovação dos meios expressivos se insere no contexto mais amplo de sua época. Para retomar a distinção apresentada pelos "formalistas russos", diríamos que se trata, na história literária, de situar o movimento inovador em primeiro lugar dentro da série literária; a seguir na sua relação com as outras séries da totalidade social. Decorre daí que qualquer nova proposição estética deverá ser encarada em suas duas faces (complementares e, aliás, intimamente conjugadas; não obstante, às vezes relacionadas em forte tensão); enquanto projeto estético, diretamente ligadas às modificações operadas na linguagem e, enquanto projeto ideológico, diretamente atadas ao pensamento (visão-de-mundo) de sua época.

Essa distinção é útil porque operatória; não podemos entretanto correr o risco de torná-la mecânica e fácil: na verdade o projeto estético, que é a crítica da velha linguagem pela confrontação com uma nova linguagem, já contém em si o seu projeto ideológico. O ataque às maneiras de dizer se identifica ao ataque às maneiras de ver (ser, conhecer) de uma época; se é na (e pela) linguagem que os homens externam sua visão-de-mundo (justificando, explicitando, desvelando, simbolizando ou encobrindo suas relações reais com a natureza e a sociedade), investir contra o falar de um tempo será investir contra o ser desse tempo. Entretanto, consideremos o poder que tem uma ideologia de se disfarçar em formas múltiplas de linguagem; revestindo-se de meios expressivos diversos dos anteriores, pode passar por novo e crítico o que permanece velho e apenas diferente. Pensemos, por exemplo, em certo aspecto exaltador do futurismo marinettiano, que, pretendendo-se expressão da moderna vida industrial, representava de fato o prolongamento anacrônico de consciência burguesa otimista e "progressista" do século XIX; ou lembremos ainda a retórica popularesca e demagógica de contra-revoluções como o fascismo e o nazismo, com seu apelo à mobilização das massas, instaurando na simbólica partidária a fraude ideológica. Por outro lado, é também verdade que Marinetti e o fascismo — para continuar com nosso exemplo — em muitos dos seus aspectos representam inovações radicais na literatura e na retórica política e nesse sentido devem ser vistos como rupturas parciais com o passado; nesse caso, apesar da postura ideológica reacionária de base, a linguagem contém elementos pertencentes à modernidade.

Modernismo: projeto estético e ideológico

Assim, é possível concluir que, a despeito de sua artificialidade, a distinção estético/ ideológico, desde que encarada de forma dialética, é importante como instrumento de análise. O exame de um movimento artístico deverá buscar a complementaridade desses dois aspectos, mas deverá também descobrir os pontos de atrito e tensão existentes entre eles. Sob esse prisma, podemos examinar o Modernismo brasileiro em uma das linhas de sua evolução, distinguindo o seu projeto estético (renovação dos meios, ruptura da linguagem tradicional) do seu projeto ideológico (consciência do país, desejo e busca de uma expressão artística nacional, caráter de classe de suas atitudes e produções).

A experimentação estética é revolucionária, e caracteriza fortemente os primeiros anos do movimento: propondo uma radical mudança na concepção da obra de arte, vista não mais como mímese (no sentido em que o Naturalismo marcou de forma exacerbada esse termo) ou representação direta da natureza, mas como um objeto de qualidade diversa e de relativa autonomia, subverteu assim os princípios da expressão literária. Por outro lado, inserindo-se dentro de um processo de conhecimento e interpretação da realidade nacional — característica de nossa literatura —, não ficou apenas no desmascaramento da estética passadista, mas procurou abalar toda uma visão do país que subjazia à produção cultural anterior à sua atividade. Nesse ponto encontramos aliás uma curiosa convergência entre projeto estético e ideológico: assumindo a modernidade dos procedimentos expressionais, o Modernismo rompeu a linguagem bacharelesca, artificial e idealizante que espelhava, na literatura passadista de 1890-1920, a consciência ideológica da oligarquia rural instalada no poder, a gerir estruturas esclerosadas que em breve, graças às transformações provocadas pela imigração, pelo surto industrial, pela urbanização (enfim, pelo desenvolvimento do país), iriam estalar e desaparecer em parte. Sensível ao processo de modernização e crescimento de nossos quadros culturais, o Modernismo destruiu as barreiras dessa linguagem "oficializada", acrescentando-lhe a força ampliadora e libertadora do folclore e da literatura popular. Assim, as "componentes recalcadas" de nossa personalidade vêm à tona, rompendo o bloqueio imposto pela ideologia oficial; curiosamente, é a experimentação de linguagem, com suas exigências de novo léxico, novos torneios sintáticos, imagens surpreendentes, temas diferentes, que permite — e obriga — a essa ruptura.

Tal coincidência entre o estético e o ideológico se deve em parte à própria natureza da poética modernista. O Modernismo brasileiro foi tomar, das vanguardas européias, sua concepção de arte e as bases de sua linguagem: a deformação do natural como fator construtivo, o popular e o grotesco como contrapeso ao falso refinamento academista, a cotidianidade como recusa à idealização do real, o fluxo da consciência como processo desmascarador da linguagem tradicional. Ora, para realizar tais princípios os vanguardistas europeus foram buscar inspiração, em grande parte, nos procedimentos técnicos da arte primitiva, aliando-os à tradição artística de que provinham e, por essa via, transformando-a; mas no Brasil — já o notou um crítico — as artes negra e ameríndia estavam tão presentes quanto a cultura branca, de procedência européia. O senso do fantástico, a deformação do sobrenatural, o canto do cotidiano ou a espontaneidade da inspiração eram elementos que circundavam as formas acadêmicas de produção artística. Dirigindo-se a eles e dando-lhes lugar na nova estética, o Modernismo, de um só passo, rompia com a ideologia que segregava o popular — distorcendo assim nossa realidade — e instalava uma linguagem conforme a modernidade do século.

Outro fator que permite essa convergência é a transformação socioeconômica que ocorre então no país. O surto industrial dos anos de guerra, a imigração e o conseqüente processo de urbanização por que passamos nessa época, começam a configurar um Brasil novo. A atividade de industrialização já permite comparar uma cidade como São Paulo, no seu cosmopolitismo, aos grandes centros europeus. Esse dado é decisivo já que a literatura moderna está em relação com a sociedade industrial tanto na temática quanto nos procedimentos (a simultaneidade, a rapidez, as técnicas de montagem, a economia e a racionalização da síntese). É de se notar, entretanto, que no Brasil a arte moderna não nasce com o patrocínio dos capitães-de-indústria; é a parte mais refinada da burguesia rural, os detentores das grandes fortunas de café, que acolhem, estimulam e protegem os escritores e artistas da nova corrente. Mário de Andrade insiste nesse aspecto em várias partes de sua conferência "O movimento modernista", afirmando com humor: "Nenhum salão de ricaço tivemos, nenhum milionário estrangeiro nos acolheu. Os italianos, alemães, os israelitas se faziam de mais guardadores do bom-senso nacional que Prados e Penteados e Amarais...".[1]

Há uma contradição aparente no fato de a arte moderna, implicando todas aquelas ligações com a sociedade industrial, ter sido patrocinada e estimulada por fração da burguesia rural. O paradoxo, todavia, fica ao menos parcialmente resolvido se atentarmos para a divisão de classes no Brasil, durante a década de 1920; apesar da insuficiência de estudos a esse respeito, parece hoje confirmado que, além das relações de produção no campo paulista já terem caráter nitidamente capitalista por essa época, uma importante fração da burguesia industrial provém da burguesia rural, bem como grande parte dos capitais que permitiram o processo de industrialização.[2] Daí não haver, de fato, nada

---

[1] Mário de Andrade, "O movimento modernista", in *Aspectos da literatura brasileira*, São Paulo, Martins, s.d., p. 241.

[2] Ver a respeito: Edgard Carone, *A Primeira República e República Velha*, São Paulo, Difusão Européia do Livro, 1969 e 1970; Boris Fausto, *A Revolução*

de espantoso em que uma fração da burguesia rural assuma a arte moderna contra a estética "passadista", "oficializada" nos jornais do governo e na Academia. Educada na Europa, culturalmente refinada, adaptada aos padrões e aos estilos da vida moderna, não apenas podia aceitar a nova arte como, na verdade, necessitava dela. Por outro lado — e isso ajuda a explicar o caráter "localista" que marca tão fundamente o Modernismo —, a par do seu "cosmopolitismo", a burguesia faz praça de sua origem senhorial de proprietária de terras. O aristocratismo de que se reveste precisa ser justificado por uma tradição que seja característica, marcante e distintiva — um verdadeiro caráter nacional que ela represente em seu máximo refinamento. É interessante observar que, ainda em "O movimento modernista", Mário de Andrade assinala a "imponência de riqueza e tradição" no ambiente dos salões, e se refere várias vezes ao cultivo da tradição, representada principalmente pela cozinha, de cunho afro-brasileiro, aparecendo em "almoços e jantares perfeitíssimos de composição". Dessa forma, os artistas do Modernismo e os senhores do café uniam o culto da modernidade internacional à prática da tradição brasileira. "Desrecalque localista; assimilação da vanguarda européia", sintetiza um crítico. A convergência de projeto estético e de projeto ideológico deu as obras mais radicais, mais tipicamente modernistas (e talvez mais "modernas", vistas da perspectiva de hoje) do movimento: o *Miramar* e o *Serafim*, de Oswald de Andrade, o *Macunaíma* de Mário, a contundência estética da poesia Pau-Brasil. A ruptura na linguagem literária correspondia ao instante em que o curso da história propiciava um reajustamento da

---

de 1930, São Paulo, Brasiliense, 1970; Caio Prado Jr., *A revolução brasileira*, São Paulo, Brasiliense, 1966; Celso Furtado, *Formação econômica do Brasil*, Brasília, Editora da Universidade de Brasília, 1963.

vida nacional: "É a coincidência da primeira construção brasileira no movimento de reconstrução geral. Poesia Pau-Brasil", intuiu Oswald.[3] Daí a força renovadora modernista, seu caráter marcadamente nacional e o viço de contemporaneidade que, cinqüenta anos depois, faz com que suas obras mais representativas mantenham o traço da vanguarda.

Da "fase heróica" aos anos trinta

Vimos que, por uma razão de ordem artística (a natureza intrínseca da linguagem modernista solicitando a incorporação do popular e do primitivo) e outra de ordem ideológica (a burguesia apoiando-se em sua origem e revalorizando, através da transmutação estética modernizante, hábitos e tradições culturais do Brasil arcaico), os dois projetos do Modernismo se articulam e se complementam. Podemos agora levar um pouco mais longe o raciocínio e indagar das condições sociais e políticas que, a essa época, permitem a complementação.

Para situar corretamente o Modernismo é preciso pensar na sua correlação com outras séries da vida social brasileira, em especial na sua correlação com o desenvolvimento da economia capitalista em nosso país. Aí parece estar o fulcro da questão: atentando para a efervescência política dos anos 1920 o observador poderá inferir que o Brasil atravessa uma fase de transformações profundas, tendentes a configurar um quadro econômico-estrutural mais complexo que o sistema agrário-exportador herdado do Império. As modificações no sistema de produção

---

[3] Oswald de Andrade, "Manifesto da poesia Pau-Brasil", *Correio da Manhã*, 18/3/1924.

datam, naturalmente, de muito antes da década de 1920: vêm de antes da Abolição, com o emprego do trabalho assalariado, e passam pelos sucessivos surtos de industrialização, pela política do Encilhamento, pelas várias levas imigratórias, pelas inúmeras agitações operárias do começo do século, tudo caminhando em direção a uma complexidade crescente, tanto da nossa vida econômica, quanto da nossa vida cultural. Apesar de não afastar do poder as oligarquias rurais, a burguesia (comercial, financeira, industrial; sozinha ou aliada aos interesses capitalistas imperialistas) se encontra em franco processo de ascensão; cresce também a classe média, forma-se nas cidades um proletariado que sabe, às vezes, demonstrar sua agressividade. Nos três primeiros decênios do século XX os velhos quadros econômicos, políticos e culturais do século XIX são lentamente modificados e acabam por estourar na Revolução de 1930.

Há durante esses anos, não obstante, a resistência das superestruturas: permanece a política dos governadores, a serviço das oligarquias; permanece em suas linhas básicas a política financeira protecionista do café, gerando atritos com a burguesia industrial; permanecem ainda, em alto grau de diluição, o Naturalismo e o Simbolismo do século anterior. Durante os anos de 1920 esses óbices vão sendo mais vigorosamente atacados: o "tenentismo" é a clara expressão de um desejo de modificação do país, assim como a fundação do Partido Comunista e a formação, por Jackson de Figueiredo, de um grupamento pequeno-burguês católico e direitista. Trata-se, no fundo, do processo de plena implantação do capitalismo no país e do fluxo ascensional da burguesia, dois fatores que mexem com as demais camadas sociais e são espelhados por tal agitação.

Nesse panorama de modernização geral se inscreve a corrente artística renovadora que, assumindo o arranco burguês, consegue paradoxalmente exprimir de igual forma as aspirações de outras classes, abrindo-se para a totalidade da nação através da crítica radical às instituições já ultrapassadas. Nesse ponto o Modernismo retoma e aprofunda uma tradição que vem de Euclides da Cunha, passa por Lima Barreto, Graça Aranha, Monteiro Lobato: trata-se da denúncia do Brasil arcaico, regido por uma política ineficaz e incompetente.

Mas, notemos, não há no movimento uma aspiração que transborde os quadros da burguesia. A ideologia de esquerda não encontra eco nas obras da "fase heróica"; se há denúncias das más condições de vida do povo, não existe todavia consciência da possibilidade ou da necessidade de uma revolução proletária.

Essa é a grande diferença com relação à segunda fase do Modernismo. O decênio de 1930 é marcado, no mundo inteiro, por um recrudescimento da luta ideológica: fascismo, nazismo, comunismo, socialismo e liberalismo medem suas forças em disputa ativa; os imperialismos se expandem, o capitalismo monopolista se consolida e, em contrapartida, as Frentes Populares se organizam para enfrentá-lo. No Brasil é a fase de crescimento do Partido Comunista, de organização da Aliança Nacional Libertadora, da Ação Integralista, de Getúlio e seu populismo trabalhista. A consciência da luta de classes, embora de forma confusa, penetra em todos os lugares — na literatura inclusive, e com uma profundidade que vai causar transformações importantes.

Um exame comparativo, superficial que seja, da "fase heróica" e da que se segue à Revolução, mostra-nos uma diferença básica entre as duas: enquanto na primeira a ênfase das discussões cai predominantemente no *projeto estético* (isto é, o que se discute principalmente é a linguagem), na segunda a ênfase é sobre o *projeto ideológico* (isto é, discute-se a função da literatura, o papel do escritor, as ligações da ideologia com a arte). Uma das justificativas apresentadas para explicar tal mudança de enfoque diz que o Modernismo, por volta de 1930, já teria obtido ampla vitória com seu programa estético e se encontrava, portanto, no instante de se voltar para outro tipo de preocupação. Veremos adiante. Por enquanto importa assinalar essa diferença: enquanto nos anos 1920 o projeto ideológico do Modernismo correspondia à necessidade de atualização das estruturas, proposta por frações das classes dominantes, nos anos 1930 esse projeto transborda os quadros da burguesia, principalmente em direção às concepções esquerdizantes (denúncia dos males sociais, descrição do operário e do camponês), mas também no rumo das posições conservadoras e de direita (literatura espiritualista, essencialista, metafísica e ainda definições políticas tradicionalistas, como a de Gilberto Freyre, ou francamente reacionárias, como o Integralismo). Na verdade os dois projetos ideológicos parecem corresponder, para retomar aqui uma proposição de Mário Vieira de Mello, a duas fases distintas da consciência de nosso atraso: nos anos 1920 a tomada de consciência é tranqüila e otimista, e identifica as deficiências do país — compensando-as — ao seu estatuto de "país novo"; nos anos 1930 dá-se início à passagem para a consciência pessimista de subdesenvolvimento, implicando uma atitude diferente diante da realidade.[4] Dentro disso podemos concluir que, se a ideologia do "país novo" serve à burguesia (que está em franca ascensão e se prevalece, portanto, de todas as formas — mesmo destrutivas — de otimismo), a consciência (ou a "pré-consciência") pessimista do subdesenvolvimento não se enquadra dentro dos mesmos esquemas, já que aprofunda contradições insolúveis pelo modelo burguês.

A diferença entre os projetos ideológicos das duas fases vai principalmente por conta dessa agudização da consciência polí-

---

[4] Mário Vieira de Mello, *Desenvolvimento e cultura (o problema do estetismo no Brasil)*, São Paulo, Nacional, 1963, *passim*.

tica. O "anarquismo" dos anos 1920 descobre o país, desmascara a idealização mantida pela literatura representativa das oligarquias e das estruturas tradicionais, instaura uma nova visão e uma nova linguagem, muito diferentes do "ufanismo", mas ainda otimistas e pitorescas, pintando (como na poesia Pau-Brasil e em *João Miramar*, na *Paulicéia desvairada* e no *Clã do jabuti*, no verde-amarelismo) estados de ânimo vitais e eufóricos; o humorismo é a grande arma desse Modernismo e o aspecto carnavalesco, o canto largo e aberto, jovem e confiante, são sua meta e seu princípio. A "politização" dos anos 1930 descobre ângulos diferentes: preocupa-se mais diretamente com os problemas sociais e produz os ensaios históricos e sociológicos, o romance de denúncia, a poesia militante e de combate. Não se trata mais, nesse instante, de "ajustar" o quadro cultural do país a uma realidade mais moderna; trata-se de reformar ou revolucionar essa realidade, de modificá-la profundamente, para além (ou para aquém...) da proposição burguesa: os escritores e intelectuais esquerdistas mostram a figura do proletário (*Jubiabá*, por exemplo) e do camponês (*Vidas secas*), instando contra as estruturas que os mantêm em estado de sub-humanidade; por outro lado, o conservadorismo católico, o tradicionalismo de Gilberto Freyre, as teses do Integralismo, são maneiras de reagir contra a própria modernização.

Entretanto, não podemos dizer que haja uma mudança radical no corpo de doutrinas do Modernismo; da consciência otimista e anarquista dos anos 1920 à pré-consciência do subdesenvolvimento há principalmente uma mudança de ênfase. Assinalemos, por exemplo, o *Retrato do Brasil*, oscilando entre o pessimismo da análise (de que foi tão acusado) e o otimismo do *Post-Scriptum*, confiante na "revolução"; ou *Macunaíma*, cuja agudeza satírica parece, em 1928, mostrar já o instante da virada, ressaltando em tom alternadamente humorístico e melancólico (principalmente ao final do livro) o "não-caráter" do brasileiro. As duas fases não sofrem solução de continuidade; apenas, como dissemos atrás, se o projeto estético, a "revolução na literatura", é a predominante na fase heróica, a "literatura na revolução" (para utilizar o eficiente jogo de palavras de Cortázar), o projeto ideológico, é empurrado, por certas condições políticas especiais, para o primeiro plano dos anos 1930. E mais: essa troca de posições vai se dando progressivamente e durante todo o período modernista: o equilíbrio inicial entre revolução literária e literatura revolucionária (ou reacionária, conservadora, tradicionalista: pensemos sempre na direita política) vai sendo lentamente desfeito, e a década de 1930, chegando a seu término, assiste a um quase esquecimento da lição estética essencial do Modernismo: a ruptura da linguagem.

Vanguarda e diluição

Esse último ponto, pelo que encerra de complexidade, deve ser mais detalhadamente matizado. Com efeito, a opinião unânime dos estudiosos do Modernismo é que o movimento atingiu, durante o decênio de 1930, sua fase áurea de maturidade e equilíbrio, superando os modismos e os cacoetes dos anos 1920, abandonando o que era contingência ou necessidade do período de combate estético. Tendo completado de maneira vitoriosa a luta contra o passadismo, os escritores modernistas e a nova geração que surgia tinham campo aberto à sua frente, e podiam criar obras mais livres, mais regulares e seguras. Sob esse ângulo de visão, a incorporação crítica e problematizada da realidade social brasileira representa um enriquecimento adicional e completa — pela ampliação dos horizontes de nossa literatura — a revolução na linguagem.

Tal análise aparece-nos, ainda hoje, como essencialmente correta. É fato que a década de 1930 deu-nos algumas das obras mais realizadas e alguns dos escritores mais importantes da literatura brasileira. Na poesia bastaria lembrar a qualidade dos dois estreantes (em livro) de 1930, Carlos Drummond de Andrade e Murilo Mendes, acrescentando ainda que o período tem *Remate de males, Libertinagem* e *Estrela da manhã*, além de Jorge de Lima; na prosa de ficção o romance social de José Lins do Rego, Jorge Amado e Rachel de Queiroz, o ponto alto atingido por Graciliano Ramos, a direção diferente de Cyro dos Anjos; no ensaio os estudos históricos e sociológicos de Gilberto Freyre, Caio Prado Jr., Sérgio Buarque de Holanda, o próprio Mário de Andrade.

Essa produção, pelo alto nível que atinge, coroa sem dúvida o Modernismo; aqui, a vanguarda vitoriosa mostra-se no que tem de melhor e de mais completo, abarcando além disso o campo dos problemas sociais. A Revolução de 1930, com a grande abertura que traz, propicia — e pede — o debate em torno da história nacional, da situação de vida do povo no campo e na cidade, do drama das secas etc. O real conhecimento do país faz-se sentir como uma necessidade urgente e os artistas são bastante sensibilizados por essa exigência. A *Revista Nova*, por exemplo, marca de forma bem clara, em seu primeiro editorial, o novo roteiro do Modernismo; seus diretores (Paulo Prado, Antônio de Alcântara Machado e Mário de Andrade), justificando-se com o "imenso atraso intelectual do Brasil", explicam o caráter abrangente da publicação e escrevem: "Com tal intuito a *Revista Nova* não se cingirá à pura literatura de ficção. Nem mesmo lhe reservará a maior parte do espaço. O conto, o romance, a poesia e a crítica deles não ocuparão uma linha mais do que de direito lhes compete numa publicação cujo objetivo é ser uma espécie de repertório do Brasil. Assim o interessado encontrará aqui tudo quanto se refere a um conhecimento, ainda que sumário desta terra, através da contribuição inédita de ensaístas, historiadores, folcloristas, técnicos, críticos e (está visto) literatos. Numa dosagem imparcial".[5]

Peguemos o problema por esse ângulo: nos anos 1920 a grande discussão é eminentemente literária e se trava em torno da questão (básica) da linguagem nova inaugurada pelo Modernismo; no raiar dos anos 1930 já se quer uma "dosagem imparcial" e já surge uma revista que se deseja "uma espécie de repertório" do Brasil. Em termos de *mudança de ênfase* essa modificação é significativa, principalmente porque, com o decorrer dos anos, a imparcialidade da dosagem vai sendo levemente alterada; se os primeiros tempos do decênio assistem à alta produção da maturidade modernista, assistem também ao início da diluição de sua estética: à medida que as revolucionárias proposições de linguagem vão sendo aceitas e praticadas, vão sendo igualmente atenuadas e diluídas, vão perdendo a contundência que transparece em livros radicais e combativos da fase heróica, como as *Memórias sentimentais de João Miramar* e *Macunaíma*.

Tal diluição, aliás, começa antes de 1930, começa no interior mesmo do movimento modernista e já na hora mais quente da luta. O crítico Haroldo de Campos, examinando a dialética entre vanguarda e *kitsch*, observava com acerto que o Verdeamarelismo e a Escola da Anta dissolveram e aguaram a escritura vanguardista.[6] Mas é principalmente na segunda metade da década de 1930 que a *kitschização* da vanguarda parece se tornar mais aguda, mais grave, até desembocar, já nos anos 1940,

---

[5] *Revista Nova*, ano I, nº 1, 15, III, 31, pp. 3-4.

[6] Haroldo de Campos, "Vanguarda e *kitsch*", in *A arte no horizonte do provável*, São Paulo, Perspectiva, 1969, p. 199.

numa literatura incolor e pouco inventiva, e numa linguagem novamente preciosa, anêmica, "passadista", pela qual é principalmente responsável a chamada "geração de 45".

Mas que tem isso a ver com o projeto ideológico do Modernismo, com a intensidade da luta política que se trava após a Revolução de Outubro, com as novas posições assumidas pelos intelectuais e artistas brasileiros, com os extremismos partidaristas do período que nos interessa? A nossa hipótese é esta: na fase de conscientização política, de literatura participante e de combate, o projeto ideológico colore o projeto estético imprimindo-lhe novos matizes que, se por um lado possibilitam realizações felizes como as já citadas, por outro lado desviam o conjunto da produção literária da linha de intensa experimentação que vinha seguindo e acabam por destruir-lhe o sentido mais íntimo de modernidade.

Vejamos, de forma rápida, alguns exemplos. Na poesia tal modificação se dá principalmente por causa de uma reação de fundo "direitista", que vem do grupo espiritualista encabeçado por Tasso da Silveira, corre paralelamente ao Modernismo com as revistas *Terra de Sol* e *Festa*, e vai encontrar sua realização maior nos poemas prolixos e retóricos de Schmidt. Esse poeta, tanto como os seus seguidores de menos talento e menos técnica (e que proliferaram no decênio de 1930), parece-nos um bom exemplo de diluição: desejando combater as "exterioridades" do Modernismo, o que fez na realidade foi incorporar o que havia de mais propriamente exterior no movimento (verso livre, inspiração solta, neo-romantismo), esquecendo-se do que este possuía de mais contundente (coloquialismo, condensação, surpresa verbal, humor). Se Schmidt foi capaz de rotinizar, isto é, de adotar e aplicar com relativa mestria alguns processos poéticos de compor, preconizados pelos modernos, foi incapaz de manter a tensão de linguagem que caracterizou a vanguarda, dissolvendo-a no condoreirismo reacionário que Mário de Andrade soube ver e denunciar.[7]

Na prosa de ficção esse balanceio entre rotinização e diluição (ou entre "vanguarda" e *kitsch*) fica bem mais claro principalmente no romance de denúncia, no romance "social", "político", "proletário", "nordestino", que é a grande novidade do decênio. Incorporando processos fundamentais do Modernismo, tais como a linguagem despida, o tom coloquial e presença do popular, esse tipo de narrativa mantém, entretanto, um arcabouço neo-naturalista que, se é eficaz enquanto registro e protesto contra as injustiças sociais, mostra-se esteticamente muito pouco inventivo e pouco revolucionário. Colocados ao lado de *Serafim Ponte Grande* (escrito em 1928, embora publicado em 1933) ou *Macunaíma*, deixam entrever a pequena audácia e a curta modernidade de seus esquemas.

Não cabe nos estreitos limites deste ensaio — repetimos — uma análise da evolução estética do Modernismo nos anos 1930. Limitamo-nos aqui a esboçar o roteiro de um conflito que se nos afigura importante para compreender e situar os problemas que serão enfrentados pela crítica nesse momento. A tensão que se estabelece entre o projeto estético da vanguarda (a ruptura da linguagem através do desnudamento dos procedimentos, a criação de novos códigos, a atitude de abertura e de auto-reflexão contidas no interior da própria obra) e o projeto ideológico (imposto pela luta política) vai ser o ponto em torno do qual se desenvolverá a nossa literatura por essa época. Desse conflito é que nascerá uma opinião bastante comum nos anos 1930: a suspeita de que o Modernismo trazia consigo uma carga muito grande

---

[7] Mário de Andrade, "A volta do condor", in *Aspectos da literatura brasileira*, cit., pp. 141-171 (principalmente partes IV e V).

de cacoetes, de "atitudes" literárias que era preciso alijar para se obter a obra equilibrada e bem realizada. Na verdade esse questionamento tinha um ponto de razão; mas, na medida em que foi exagerado (e nisso a consciência política, tanto de direita quanto de esquerda, exerceu forte influência), afastou das obras então produzidas grande parte da radicalidade da nova estética. No (bom) exemplo que é a reação espiritualista em poesia, parece-nos que o peso da ideologia é claramente o fator responsável pela diluição, pois insistindo em que a literatura devia tratar temas essenciais e elevados caminhou para a eloquência inflada e superficial; no (bom) exemplo que é o romance neo-naturalista, foi também a consciência da função social da literatura que, tomada de forma errada, conforme os parâmetros de um desguarnecido realismo, provocou o desvio e a dissolução.

O estudo da literatura na década de 1930 (e até o fim da guerra), vista do ângulo dessa tensão entre o projeto estético da vanguarda e as modificações introduzidas pelo novo projeto ideológico, ainda está por ser feito. Há, naturalmente, problemas intricados a serem resolvidos; para ficar num caso apenas, podemos exemplificar com as alterações formais na linguagem do romance, operadas em compromisso com as estruturas narrativas do século XIX (os modelos romântico e naturalista), o que constitui por si só um campo vasto de discussão.

O mundo à revelia

"'— ... É, é o mundo à revelia...' — isso foi o fecho do que Zé Bebelo falou."

Guimarães Rosa, *Grande sertão: veredas*

1. Dois capítulos perdidos

O primeiro capítulo de *S. Bernardo* — três concentradas páginas — alcança ao leitor boa quantidade de informação. Logo nas linhas iniciais, declarado o propósito do narrador de escrever um livro "pela divisão do trabalho", somos lançados em meio a um torvelinho de nomes, ocupações, preferências e aptidões: Padre Silvestre, João Nogueira, Arquimedes, Lúcio Gomes de Azevedo Gondim, o próprio narrador, todos esses personagens surgem em apenas um parágrafo, sumariamente caracterizados, através da função que cada um deles cumpriria na execução coletiva do projeto. Eufórico, o narrador declara a seguir que esteve "uma semana bastante animado", vendo já os "volumes expostos, um milheiro vendido", todas as dificuldades aplainadas pela manobra que, facilmente, "mediante lambujem", executaria. E logo, sem transição, brusco, sem ênfase, sem lastimação, anuncia o fracasso do plano: "Mas o otimismo levou água na fervura, compreendi que não nos entendíamos".

O ritmo rápido dessas primeiras linhas prossegue. O leitor, apanhado por sua rapidez, não precisa esperar muito tempo para saber as razões do fracasso. João Nogueira e Padre Silvestre não servem: o primeiro, porque queria o livro em "língua de Camões"; o segundo, porque andava em maré aguda de patriotismo revolucionário, de cara torcida para o narrador. Este, em ambos os casos, denotando altiva superioridade, afasta-os com comentários secos e diretos. E concentra suas esperanças no último que lhe resta, Azevedo Gondim, agora caracterizado como "periodista de boa índole e que escreve o que lhe mandam".

O projeto inicial, de construir o livro pela divisão do trabalho, começa a ser executado. Enxergamos uma fazenda: Azevedo Gondim pedala pela estrada de rodagem que Casimiro Lopes está consertando, do alpendre da casa (depois do conhaque trazido por Maria das Dores e enquanto se fuma) vêem-se novilhas pastando, a mata, o telhado vermelho da serraria. O narrador se entusiasma de novo, esquece as duas goradas tentativas iniciais com João Nogueira e Padre Silvestre. Ajeitando o enredo, as idéias fervilhando, chega a considerar o Gondim "uma espécie de folha de papel", destinado a receber — passivamente, como folha de papel — o que lhe passa pela cabeça.

Mas de novo, e brusco como antes, sem transição e sem ênfase (como antes), declara: "O resultado foi um desastre". Os dois capítulos que o Gondim lhe trouxera estão cheios de besteira. Para atacá-los sua linguagem ganha uma brutalidade extraordinária: "— Vá para o inferno, Gondim. Você acanalhou o troço. Está pernóstico, está safado, está idiota. Há lá ninguém que fale dessa forma!".

Gondim replica, amuado, recolhendo "os cacos da sua pequenina vaidade", que não se escreve como se fala. Seu Paulo (sabemos apenas agora que o narrador se chama assim) parece conformar-se, afasta-se, vê um touro conduzido por Marciano, vê a velha Margarida, o paredão do açude. Ouve uma cigarra e um pio de coruja. Estremece, pensa em Madalena. Depois volta ao assunto, encerrando-o: "— É o diabo, Gondim. O mingau virou água. Três tentativas falhadas num mês! Beba conhaque, Gondim".

Nesta paráfrase talvez um pouco longa (e com certeza muito fascinada pelo vivo andamento estilístico de Graciliano Ramos) gostaria de assinalar uns pontos importantes e elementares de técnica narrativa. O que ressalta primeiro, naturalmente, é a maneira direta de tratar o assunto. Há algo para ser dito e se vai até lá sem rodeios, há um projeto a ser cumprido e se tenta cumpri-lo de imediato. As dificuldades aparecem e, numa penada, são explicadas e postas de lado: João Nogueira, Padre Silvestre e Azevedo Gondim, os parceiros da empreita fracassada, são afastados com segurança pelo narrador, que demonstra saber o que deseja e ter energia suficiente para executá-lo. Energia — é o que ressuma destas três primeiras páginas. O leitor dança entre nomes, profissões e características dos personagens que vão surgindo não se sabe de onde. Que é o *Cruzeiro*, a *Gazeta*, S. Bernardo? Que paisagem é essa que surge aos pedaços, aqui uma estrada, ali um pasto, adiante uma serraria? E, por fim, quem é este narrador que nos fala e parece dispor assim das pessoas que o cercam? Que livro é esse, que deseja tanto escrever?

O leitor foi — de chofre — empurrado para dentro de um mundo que desconhece. Não há, na entrada de *S. Bernardo*, nem uma palavra que sirva para localizá-lo, nenhum painel descritivo que lhe permita conhecer de antemão o mundo que vai agora visitar. Foi lançado diretamente na ação, no meio dos fatos. Apenas uma voz narrativa, falando em primeira pessoa, o dirige. E dirige o resto também — os outros personagens e o projeto em execução. Sua força cobre tudo, e aquilo que de mais forte nos fica das páginas iniciais é a impressão da sua figura. Sem nos dizer nada explicitamente sobre si mesmo, fornece-nos no entanto a sua imagem: um homem empreendedor, dinâmico, dominador, obstinado, que concebe uma empresa, trata de executá-la, utiliza os outros para isso e não se desanima com os fracassos.

Paulo Honório surge quase inteiro no primeiro capítulo. Mais tarde iremos compreender a gramatiquice do advogado João Nogueira, o patriotismo do Padre Silvestre, a literatice servil do Azevedo Gondim. Mais tarde saberemos quem é o Casimiro Lopes que conserta a estrada, quem é o Marciano que conduz o touro, quem é a velha Margarida. Depois conheceremos Madalena, saberemos por que o pio da coruja se associa à sua lembrança. Por enquanto são apenas nomes que não retemos, personagens que surgem confusamente diante de nós. Mas desde já — e embora nem lhe saibamos o nome — o "eu" que narra se imprime em nossa memória. Agindo sem parar, emitindo opiniões sobre os outros, concebendo e buscando realizar um plano, este narrador avulta e toma forma. À imagem de seu estilo, é direto e sem rodeios, concentrado sobre si mesmo e sobre seu trabalho, decidido, brusco. E, no segundo capítulo, quando se decide a iniciar o livro valendo-se de seus próprios recursos, nós o vemos de novo obstinado, lutando agora com as dificuldades de tarefa que nunca antes acometera. Ficamos sabendo então que é a sua história que deseja contar. E ficamos sabendo que tem cinqüenta anos, que é fazendeiro, "versado em estatística, pecuária, agricultura, escrituração mercantil, conhecimentos inúteis" para esse novo gênero que pretende enfrentar: a narrativa. E impacienta-se: "Dois capítulos perdidos".

O caso é que não o foram. Sua figura dominadora e ativa está criada. Fomos já introduzidos em seu mundo — um mundo que, em última análise, se reduz à sua voz áspera, ao seu comando, à sua maneira de enfrentar os obstáculos e vencê-los. Um mundo que se curva à sua vontade.

Em termos de técnica narrativa não poderia haver solução mais coesa: totalmente imbricados surgem, à nossa frente, personagem e ação. Paulo Honório nasce de cada ato, mas cada ato nasce por sua vez de Paulo Honório. Nós o vemos através das ações; mas, por outro lado, é ele quem deflagra todas as ações. Este caráter compacto e dinâmico, esta ligação íntima entre o homem e o ato (espelhada pela linguagem direta, brutal, econômica, pelo ritmo rápido dos dois capítulos), esta interação entre o ser e o fazer vão compor a construção do romance, que parece correr fluentemente diante de nós, em direção a um objetivo marcado.

2. A posse de S. Bernardo

E sem mais delongas começa a história de Paulo Honório. Um capítulo (o terceiro) recua no tempo, cinqüenta anos atrás. Através de um modo de narrar conciso, que descarta os episódios menos importantes e conta por alto os mais decisivos, ficamos sabendo sua infância miserável, o crime que o deixou "três anos, nove meses e quinze dias" na cadeia, os primeiros negócios e violências no sertão. Algumas páginas cobrem toda sua vida, da meninice à idade de homem feito.

O andamento vivo dos dois primeiros capítulos se mantém aqui, inclusive um pouco mais acelerado. O seu primeiro ato "digno de referência" (o esfaqueamento de João Fagundes, por causa da Germana) é narrado apenas no essencial, sem detalhes específicos, sem justificativas, sem reflexões: "Depois botou os quartos de banda e enxeriu-se com o João Fagundes, um que mudou o nome para furtar cavalos. O resultado foi eu arrumar uns cocorotes na Germana e esfaquear João Fagundes".

A distinção teórica entre "sumário narrativo" e "cena", os dois modos básicos da narração, pode ser aqui de alguma utilidade, para entendermos melhor o processo compositivo que está sendo usado. O "sumário narrativo", explica-nos Norman Friedman, "é a exposição generalizada de uma série de eventos, abrangendo um certo período de tempo e uma variedade de locais"; a cena, por sua vez, implica a apresentação de detalhes concretos e específicos, dentro de uma estrutura bem determinada de tempo e lugar. A diferença fundamental entre os dois modos reside, pois, na oposição entre o geral (sumário narrativo) e o particular (cena). Ou ainda, colocando em outros termos: quando o que interessa é o acontecimento em si, temos a cena, e aparecem então os detalhes; mas, se o que releva não é o acontecimento, e sim a atitude do narrador, se o dominante não é o evento, mas o tom em que é narrado, então temos o sumário narrativo.[1]

Ora, neste terceiro capítulo o tempo é vasto e os eventos são muitos. O fato é que Paulo Honório não se detém neles, narra-os por cima e depressa. Sobre os violentos negócios no sertão diz apenas que brigara com gente que fala aos berros e efetuara transações comerciais de armas engatilhadas. A título de exemplo conta o caso do Dr. Sampaio. Nem aí, entretanto, se pode falar de cena: apesar dos detalhes que surgem, o que importa é o tom do narrador, a atitude dominadora e dura que Paulo Honório assume diante das dificuldades, arrostando-as e vencendo-as. O que fica, portanto, dos episódios narrados, é menos a sua lembrança do que a lembrança do personagem narrador. Guardamos menos o acontecido do que as atitudes de Paulo Honório. De novo, como nos capítulos iniciais, a ação reflete-se para iluminar o agente. Sem nenhuma análise psicológica, mas graças à modulação do tom narrativo, ficamos conhecendo o caráter violento e maciço do herói. Ao mesmo tempo os fatos se desenvolvem, a narrativa progride e avança. Já estamos em Viçosa, Ala-

---

[1] Para essa distinção ver Norman Friedman, "Point of view in fiction", in Philip Stevick (org.), *The theory of the novel*, Nova York, The Free Press, 1967, pp. 108-137.

goas, e o fito de Paulo Honório, apoderar-se das terras de S. Bernardo, está prestes a realizar-se.

A apropriação da fazenda é contada com a mesma objetividade que caracteriza todo o romance. Essa objetividade, reflexo do personagem, deixa-se surpreender de modo fácil num recurso de estilo curioso: a marcação obsessiva do tempo que, cronometrado com precisão pelo narrador, delimita as ações de forma clara e — no caso — produz um efeito de crueldade.

Paulo Honório inicia sua manobra peruando Padilha no jogo, por *meia-hora*, tempo suficiente para se convencer de que "o rapaz era um pexote". Em *dois meses* empresta-lhe dinheiro, que ele queima *depressa*, e um *dia* (véspera de São João), convidado para a festa na fazenda, estica-lhe mais quinhentos mil réis.

Durante a festa dois momentos são assinalados: *à noite* Paulo Honório aconselha Padilha a cultivar S. Bernardo; *de madrugada*, bêbado, o rapaz já se mostra influenciado. E por fim, já *no dia seguinte*, decide-se a seguir o conselho, decisão que vai levá-lo a endividar-se, a hipotecar a fazenda e a perdê-la.

Essa marcação temporal é feita muito naturalmente pelo narrador, muito de passagem. Mas sua importância é evidente, em vários níveis. Primeiro porque confere exatidão e veracidade à história narrada, objetivando-a em um tempo preciso e conhecido. Depois, porque o jogo de Paulo Honório depende, para seu êxito, do enredamento de Padilha, em um tipo especial de tempo — o dia em que as promissórias vencem, o prazo. Assim, todo o capítulo quarto é permeado por estas marcações e estas manobras, que vão culminar na cena de negociações, depois da qual Paulo Honório se torna dono de S. Bernardo.

A cena, que é um dos pontos máximos do romance, começa com o tempo claramente assinalado: "A última letra se venceu num dia de inverno. [...] De manhã cedinho mandei Casimiro Lopes selar o cavalo [...]. Duas léguas em quatro horas. [...]".

Paulo Honório encontra Padilha dormindo, cobra-lhe a dívida, discutem. Padilha pede mais prazo, "uns dias". E Paulo Honório: "Não espero nem uma hora". A negociação que se segue é um jogo de negaceios, avanços e recuos, propostas e contrapropostas. "Debatemos a transação até o lusco-fusco." Afinal, mais forte nesta disputa com o tempo, Paulo Honório vence: "Arengamos ainda meia-hora e findamos o ajuste./ Para evitar arrependimento, levei Padilha para a cidade, vigiei-o durante a noite. No outro dia, cedo, ele meteu o rabo na ratoeira e assinou a escritura. [...] Não tive remorsos".

O rolo compressor em que Paulo Honório se transformou encontra neste assinalamento preciso do tempo sua expressão simbólica. Na verdade, a rapidez rítmica da sucessão de fatos — aqui explicitamente ligada ao fator "propriedade" — reforça a caracterização de Paulo Honório como um elemento dinâmico por natureza, cujo impulso arrasta o mundo atrás de si. Padilha, mole, preguiçoso, sem iniciativa, é por ele dominado com facilidade. Também com facilidade aparente cedem os obstáculos que surgirão depois: em dois capítulos (o quinto e o sexto) a dificuldade maior é literalmente eliminada: o velho Mendonça morre com uma bala no peito. A falta de crédito, a safra ruim de mamona e algodão, os preços baixos, as ameaças, todos estes empecilhos vão sendo enfrentados e superados graças à vontade e energia do herói.

V. Propp demonstrou que os contos populares se constituem sempre em torno de um núcleo simples. O herói sofre um dano ou tem uma carência, e as tentativas de recuperação do dano ou de superação da carência constituem o corpo da narrativa.[2] Atentando para a estrutura da parte inicial de *S. Bernardo* constatamos ali a existência deste esquema amplo. Os dois primei-

---

[2] V. Propp, *Morfología del cuento*, Madri, Editorial Fundamientos, 1971.

ros capítulos formam, neste sentido, um núcleo: há a necessidade de se compor o livro, há as dificuldades que surgem e há sua superação pela força do herói. A seguir, tudo se organiza em torno de um segundo objetivo (ou "carência", na terminologia de Propp), expresso nestas palavras do narrador: "O meu fito na vida foi apossar-me das terras de S. Bernardo, construir esta casa, plantar algodão, plantar mamona, levantar a serraria e o descaroçador, introduzir nessas brenhas a pomicultura e a avicultura, adquirir um rebanho bovino regular".

Os capítulos de três a oito compõem sua unidade convergindo para a realização de tudo isso. Primeiro Paulo Honório vence os obstáculos iniciais de sua miséria (capítulo três), depois conquista S. Bernardo (capítulo quatro), a seguir elimina o Mendonça e enfrenta as dificuldades dos primeiros tempos de fazendeiro (capítulos cinco e seis). Finalmente, no capítulo oito, que resume os problemas anteriores e mostra as obras já concluídas, recebe a visita do Governador e se apresenta como vitorioso.

Mas o que impressiona é a maneira direta de contar todos estes fatos, como se seguissem em linha reta e em velocidade enorme. O narrador diz o contrário: "Ninguém imaginará que, topando os obstáculos mencionados, eu haja procedido invariavelmente com segurança e percorrido, sem me deter, caminhos certos. Não senhor, não procedi nem percorri". Apesar da advertência, é essa a impressão que nos fica. Da leitura destes oito primeiros capítulos (e o fato de o narrador sentir necessidade de dizer o contrário só vem corroborar a existência do efeito) aparece um personagem esmagador, que ruma direito e firme para seus fins, um Paulo Honório que governa o mundo e imprime-lhe seu ritmo.

A história de Seu Ribeiro, contada no capítulo sete, interpolada às ações vitoriosas do herói, funciona visivelmente como contraponto. Seu Ribeiro é um homem derrotado. Já mandou no seu mundo, já governou seu povo. Mas agora, afastado pelo progresso, pela urbanização e crescimento do lugarejo onde vivera, está reduzido à miséria e à fraqueza. Paulo Honório comenta, ao ouvir sua história: "Tenho a impressão de que o senhor deixou as pernas debaixo de um automóvel, Seu Ribeiro. Por que não andou mais depressa? É o diabo".

De fato, é o diabo. Compreendemos então o que Paulo Honório representa e compreendemos a velocidade da narrativa. Seu Ribeiro, que se prendera ao ritmo lento da vida patriarcal, é afastado do governo do mundo. O elemento novo, que chega trazendo estradas, máquinas, eletricidade, apuradas técnicas de pecuária e agricultura, impõe-se e domina. Paulo Honório traz a força de tempos novos que surgem, vencendo a inércia e quebrando os obstáculos. Pernas contra automóveis. Daí o torvelinho em que, desde o começo, fomos apanhados. Daí a coesão da narrativa, que une indissoluvelmente personagem e ação. Pois Paulo Honório, representante da modernidade que entra no sertão brasileiro, é o emblema complexo e contraditório do capitalismo nascente, empreendedor, cruel, que não vacila diante dos meios e se apossa do que tem pela frente, dinâmico, transformador. "A construção de um burguês: eis o conteúdo da primeira parte de *S. Bernardo*", observou com acerto Carlos Nelson Coutinho.[3]

Ação transformadora, velocidade enérgica, posse total: aí estão três características e três ideais da burguesia. O herói de *S. Bernardo* os possui em alto grau e os imprime a fundo na tessitura da narrativa. A objetividade do romance nasce da postura do narrador face ao mundo: ele nada problematiza, de nada duvida, em ponto algum vacila. Tudo que importa é possuir e diri-

---

[3] Carlos Nelson Coutinho, "Graciliano Ramos", in *Literatura e humanismo*, Rio de Janeiro, Paz e Terra, 1967, p. 153.

gir o mundo. Para tanto, ele conhece os meios. E não pensa sobre eles: aplica-os.

3. Madalena

Depois da posse de S. Bernardo vem a posse de Madalena. Ultrapassada a unidade que se formara em torno da relação entre Paulo Honório e a propriedade, um outro núcleo começa a se esboçar. O capítulo nono entretece alguns motivos novos — e o leitor percebe que o romance vai ganhar rumo diferente. O estilo se distende um pouco, a tensão arrefece. A preferência do narrador volta-se agora para a técnica da cena, e surgem os detalhes concretos, as caracterizações mais alongadas dos personagens, os diálogos miúdos sobre assuntos do dia-a-dia. O tom compacto se esgarça de leve e a narrativa salta de um tema para outro.

O motivo que deflagra a intriga desta terceira parte é a construção da escola na fazenda. Paulo Honório decide realizá-la como um bom negócio — um negócio que agradará ao Governador e lhe renderá, portanto, certas vantagens. Manda chamar Padilha a fim de contratá-lo como professor e ele vem à fazenda acompanhado por João Nogueira e Azevedo Gondim. Encontra-os, de volta do campo, palestrando no alpendre, "elogiando umas pernas e uns peitos". Elevam o tom da conversa, Paulo Honório afasta-se e trata de negócios com o advogado. Retornam ao alpendre, onde Padilha e Gondim reencetaram os elogios às pernas. "— De quem são as pernas?", pergunta Paulo Honório. Fica sabendo que são de Madalena, uma professora, bonita, loura, que está entre os vinte e os trinta anos.

Depois a conversa toma outros rumos: falam da escola; da velha Margarida que fora localizada; da escola de novo; de Madalena, da escola e do Padilha; de política e do Padre Silvestre;

do Pereira e de negócios. Apesar de Paulo Honório estar sempre na iniciativa, comandando os processos, decidindo vingar-se do Pereira, contratando o Padilha, o tom destas páginas é mais leve, mais descontraído. Os vários motivos que as compõem parecem ligar-se apenas casualmente, como assuntos que brotam com naturalidade do trato cotidiano dos homens e das coisas. Num feriado Paulo Honório zanza à toa pela fazenda, ouve pedaços de conversas, escreve uma carta, visita a velha Margarida.

Mas a casualidade é apenas aparente. De dentro do ziguezague de motivos vai surgindo, aos poucos, o dominante. "Amanheci um dia pensando em casar."

Paulo Honório, sem se preocupar com amores, querendo apenas preparar um herdeiro para as terras de S. Bernardo, fantasia então sua futura mulher: morena, alta, sadia, com trinta anos. Mas se detém aí, pois a imaginação não ajuda e a pregação subversiva do Padilha vem interrompê-lo. Depois de resolver este problema volta ao motivo do casamento, e passa agora em revista as mulheres que conhece, fixando-se em D. Marcela, filha do Dr. Magalhães, juiz de direito. Nova interrupção: a carta de Costa Brito, com chantagens e ameaças. O parágrafo final do capítulo onze mostra (melhor que qualquer análise) a técnica de mistura dos motivos: "Recalquei as idéias violentas e esforcei-me por trazer de novo ao espírito as tintas e os *ss* de D. Marcela. Vieram. Mas afastavam-se de quando em quando — e nos intervalos apareciam Marciano, a Rosa com os meninos, Luís Padilha e Costa Brito".

Está quase tudo paralisado neste ponto quando Paulo Honório, misturando casamento e negócios, decide visitar o Dr. Magalhães e examinar os predicados de D. Marcela. É então que surge Madalena e a história avança, ganhando novo impulso. Mas o tom não muda sem transições: a presença de Madalena insinua-se por entre os retalhos da conversa banal e interesseira na casa do juiz, e sua figura vai aos poucos tomando conta do espírito de Paulo Honório. Esse processo aparentemente simples é na verdade magistral, pois modifica toda a sintaxe narrativa desta parte do romance, estabelecendo uma hierarquia diferente entre os fatos. Vejamos como se dá isso, através de uma rápida análise do capítulo doze.

No princípio Paulo Honório vai à casa do juiz para tentar resolver "o caso do Pereira", que estava dependendo apenas de "uma penada nos autos". E vai também, naturalmente, por causa de D. Marcela. Lá encontra Madalena e sua tia. A primeira notação é precisa e seca, como de hábito. "[...] uma senhora de preto, alta, velha, magra, outra senhora moça, loura e bonita." O segundo olhar, mais detido, já é avaliador. "D. Marcela sorria para a senhora nova e loura, que sorria também, mostrando os dentinhos brancos. Comparei as duas, e a importância da minha visita teve uma redução de cinqüenta por cento."

A comparação entre D. Marcela e Madalena liquida, para Paulo Honório, o valor da primeira. Por isso afasta-a do espírito e trata de arrancar do juiz o despacho de que precisa. Mas, se D. Marcela foi afastada, é a vez de Madalena penetrar nas suas preocupações; o terceiro olhar (a terceira notação) mostra, não apenas a observação fria do primeiro ou a aprovação tácita do segundo, mas um certo grau de envolvimento e de fascinação. "A loura tinha a cabecinha inclinada e as mãozinhas cruzadas, lindas mãos, linda cabeça." O diminutivo (mãozinhas, cabecinha) não descreve apenas, imprime à descrição um certo grau de afetividade que a repetição do adjetivo (lindas, linda) vem reforçar.

Neste ponto o Dr. Magalhães fala, Paulo Honório responde, empenhado de novo na questão do Pereira. Afinal, esta era a questão importante da noite, por este motivo estava ali. Mas, não. Madalena irrompe de novo, desta vez definitivamente: "Observei então que a mocinha loura voltava para nós, atenta, os grandes olhos azuis./ De repente conheci que estava querendo bem à pequena. Precisamente o contrário da mulher que eu andava imaginando — mas agradava-me, com os diabos. Miudinha, fraquinha. D. Marcela era bichão. Uma peitaria, um pé de rabo, um toitiço!".

A diferença de linguagem quando se refere a Madalena e quando se refere a Marcela é significativa. O mais importante, entretanto, é que Madalena passa a ocupar, a partir deste instante, o lugar central dos acontecimentos: "Como o silêncio se prolongasse, repliquei ao Nogueira, *quase me dirigindo à lourinha* [...]". E depois: "Percorri a cidade, bestando, impressionado com os olhos da mocinha loura e esperando um acaso que me fizesse saber o nome dela".

Falei atrás em modificação da sintaxe narrativa. Explico-me. Do capítulo nove até o ponto que estamos examinando os motivos se encadeiam, justapostos, como num período composto só de orações independentes, coordenadas entre si. A partir do capítulo doze, com o surgimento deste outro motivo — Madalena — tudo se subordina a ele. Todos os motivos temáticos — manobras, negócios, brigas — convergem e encontram sua unidade no novo fito de Paulo Honório, a posse da mulher. Neste sentido, é importante assinalar que o capítulo treze, narrando a viagem à capital, as chicotadas em Costa Brito, a conversa com D. Glória, é todavia uma simples preparação para o encontro com Madalena, o que, aliás, é enunciado na sua primeira frase: "Tornei a encontrar a mocinha loura". Por isso, também não procede a dúvida técnica do narrador, enunciada ao final. "E não tenho o intuito de escrever em conformidade com as regras. Tanto que vou cometer um erro. Presumo que é um erro. Vou dividir um capítulo em dois. Realmente o que se segue podia encaixar-se no que procurei expor antes desta digressão. Mas não tem dúvida, faço um capítulo especial por causa da Madalena."

Na verdade, está de acordo com as regras: Madalena merece destaque especial, pois se transformou no objetivo de Paulo Honório. Assim como procedeu para apropriar-se de S. Bernardo, caminhando em linha reta, assim ele procederá agora. Até a marcação rigorosa do tempo, o jogo da velocidade e os recuos temporários, voltam a encontrar sua expressão precisa. *Um dia*, insinua a D. Glória a idéia de casamento; desaparece durante *duas semanas*, ocupado com a colheita do algodão; reaparece de novo e faz diretamente o pedido a Madalena, que pede tempo para refletir. Mas, à semelhança do que fizera com Padilha, ele é como sempre muito rápido: "Uma semana depois, à tardinha, eu, que ali estava aboletado desde meio-dia, tomava café e conversava, bastante satisfeito". Entra Azevedo Gondim e, indiscreto, revela que todos conhecem o projeto de casamento de Paulo Honório. Este não perde tempo, insiste com Madalena e acaba obtendo seu consentimento. Para percebermos o que existe de decisivo nesta manipulação do tempo basta citar:

> "[...] Vamos marcar o dia.
> — Não há pressa. Talvez daqui a um ano... Eu preciso preparar-me.
> — Um ano? Negócio com prazo de ano não presta. Que é que falta? Um vestido branco faz-se em vinte e quatro horas.
> Ouvindo passos no corredor, baixei a voz:
> — Podemos avisar sua tia, não?
> Madalena sorriu, irresoluta.
> — Está bem.
> [...]
> — D. Glória, comunico-lhe que eu e sua sobrinha dentro de uma semana estaremos embirados. Para usar linguagem mais correta, vamos casar. [...]"

É de novo a ação decidida, o gesto oportuno, a rapidez e o conhecimento do instante propício que tornam Paulo Honório vitorioso. Aqui ele parece triunfar novamente, e parece apossar-se de Madalena. As dificuldades cedem sob sua força e o mundo se curva à sua vontade.

4. Dínamo emperrado

Até este ponto procurei mostrar como a estrutura do romance se forma pela subordinação de seus elementos a dois deles: a ação, ou o enredo "cerrado", para utilizarmos a clássica distinção de Forster,[4] e o personagem. De tal modo isto é feito que dificilmente poderemos distinguir entre Paulo Honório e seus atos, assim como dificilmente localizaremos na narrativa elementos que não estejam ligados a ambos de forma coesa e indissolúvel. Neste sentido, já vimos também como a marcação muito nítida do tempo imprime ao livro características de precisão e dinamismo, que refletem a vontade e a força enérgicas do herói. Também o estilo, direto e brutal, feito de movimentos bruscos (como vimos no exame dos dois primeiros capítulos), serve ao tipo de enredo que se desenvolve e à caracterização dos personagens: "[...] extraio dos acontecimentos algumas parcelas; o resto é bagaço", afirma a certa altura Paulo Honório.

Em outro nível já observamos também como esta objetividade implacável tem sempre endereço certo — a apropriação de alguma coisa, seja da fazenda S. Bernardo, seja da mulher com quem pretende casar. De fato, o sentimento de propriedade cons-

---

[4] E. M. Forster, *Aspects of the novel*, Nova York, Harcourt, Brace and World, Inc., s.d.

titui um dos elementos temáticos que unificam o livro. Paulo Honório, afirma Antonio Candido, "é modalidade duma força que o transcende e em função da qual vive: o sentimento de propriedade. [...] *S. Bernardo* é centralizado pela irrupção duma personalidade forte, e esta, a seu turno, pela tirania de um sentimento dominante. Como um herói de Balzac, Paulo Honório corporifica uma paixão, de que tudo mais, até o ciúme, não passa de variante".[5]

Se alinharmos todas as características examinadas — ação, energia, objetividade, dinamismo, capacidade transformadora e sentimento de propriedade — torna-se inevitável o surgimento de uma analogia entre o herói e a burguesia como classe. Já vimos, também de passagem, que Paulo Honório parece ser o emblema contraditório do capitalismo nascente em nosso país. O contraste que ele mesmo estabelece entre o ritmo veloz de sua apropriação e o passo lento do patriarcalismo de Seu Ribeiro, é demasiado evidente para que o deixemos passar despercebido.

Sem entrarmos aqui nas complexidades implicadas pelo estudo da implantação do capitalismo no Brasil (existência de relações pré-capitalistas, relações de compadrio, persistência ou não de restos do modo de produção feudal), o que podemos afirmar, sem sombra de dúvida, é que Paulo Honório simboliza, no interior do romance, a força modernizadora que atualiza de forma devastante o universo de S. Bernardo. A roça de Seu Ribeiro foi calma e sem problemas, no tempo do Imperador; Luís Padilha tem uma vida estagnada e preguiçosa; Paulo Honório é, ali, o dínamo que gera energia e arrebata tudo, provocando uma completa e incessante modificação nas relações globais daquele mun-

---

[5] Antonio Candido, *Ficção e confissão*, Rio de Janeiro, José Olympio, 1956, pp. 25 e 30 [há edição mais recente: São Paulo, Editora 34, 1992, pp. 24 e 27-8].

do. Ação, transformação, sentimento de propriedade — a analogia é forte.

Mas o dínamo não pode existir indefinidamente. Mais do que uma esperança, sua destruição é uma possibilidade concreta e próxima. Seu mecanismo sujeita-se ao desgaste e ao esgotamento, suas possibilidades de gerar transformação têm um limite. As peças que o compõem não são totalmente harmônicas, no seu corpo acham-se instaladas contradições que podem a qualquer instante emperrá-lo e tirar-lhe o governo do mundo.

Uma das mais sérias conseqüências da produção para o mercado (característica do capitalismo) é o afastamento e a abstração de toda qualidade sensível das coisas, que é substituída na mente humana pela noção de quantidade. O valor-de-uso que toda mercadoria possui é distanciado e tornado implícito pela produção de valores-de-troca. Este fenômeno, classicamente designado pelo nome de "fetichismo da mercadoria", dá origem a uma reificação global das relações entre os homens. Mediada sempre pelo mercado, a consciência humana tende progressivamente a fechar-se à compreensão dos elementos qualitativos e sensíveis da realidade. Todo valor se transforma — ilusoriamente — em valor-de-troca. E toda relação humana se transforma — destruidoramente — numa relação entre coisas, entre possuído e possuidor.[6]

Tal é a relação estabelecida entre Paulo Honório e o mundo. Seu desenvolvido sentimento de propriedade leva-o a considerar todos que o cercam como coisas que se manipulam à von-

---

[6] Para o conceito de reificação ver Lucien Goldmann, "A reificação", in *Revista Civilização Brasileira*, nº 16, Rio de Janeiro, Civilização Brasileira, nov.-dez. 1967. Para o estudo do problema em *S. Bernardo*, ver Luiz Costa Lima, "A reificação de Paulo Honório", in *Por que literatura*, Petrópolis, Vozes, 1966.

tade e se possuem. Luís Padilha (vimos atrás) transforma-se em suas mãos num objeto. Marciano e Rosa, Seu Ribeiro, D. Glória, Casimiro Lopes — todos são coisas que servem a seus desígnios. Mestre Caetano, entrevado no leito, deixa de merecer sua consideração: "Necessitava, é claro, mas se eu fosse sustentar os necessitados, arrasava-me". Os despossuídos, os cabras que trabalham no eito de sua fazenda, são considerados apenas do ponto de vista da quantidade de trabalho que podem oferecer. Repare o leitor como, nesta notação dura, a objetividade do estilo desvela o mundo reificado:

> "[...] Essa gente quase nunca morre direito. [...]/ Na pedreira perdi um. A alavanca soltou-se da pedra, bateu-lhe no peito e foi a conta. Deixou viúva e órfãos miúdos. Sumiram-se: um dos meninos caiu no fogo, as lombrigas comeram o segundo, o último teve angina e a mulher enforcou-se./ Para diminuir a mortalidade e aumentar a produção, proibi a aguardente."

A reificação é um fenômeno primeiramente econômico: os bens deixam de ser encarados como valores-de-uso e passam a ser vistos como valores-de-troca e, portanto, como mercadorias. Mas sabemos que a consciência humana se forma no contato com a realidade, na atividade transformadora do mundo, que é produção de bens. Assim, as características do modo de produção infiltram-se na consciência que o homem tem do mundo, condicionando seu modo de ver e compondo-lhe, portanto, a personalidade. A reificação abrange então toda a existência, deixa de ser apenas uma componente das forças econômicas e penetra na vida privada dos indivíduos. "Creio que nem sempre fui egoísta e brutal", afirma Paulo Honório. "A profissão é que me deu qualidades tão ruins./ E a desconfiança terrível que me aponta inimigos em toda parte./ A desconfiança é também conseqüência da profissão./ Foi este modo de vida que me inutilizou. Sou um aleijado. Devo ter um coração miúdo, lacunas no cérebro, nervos diferentes dos outros homens. E um nariz enorme, uma boca enorme, dedos enormes."

O homem reificado é este aleijão que ele nos descreve e vemos por toda parte: o coração miúdo e uma boca enorme, dedos enormes. O sentimento de propriedade, que unifica todo o romance do qual o ciúme é apenas uma modalidade, distorce o homem desta maneira radical. A vida agreste, que o fez agreste, é a culpada por Paulo Honório não ser capaz de enxergar Madalena. A vida agreste são as lutas pela propriedade, pelo rebanho, pelas plantações de algodão e mamona, pelo poder e pelo capital. O homem agreste é aquele ser no qual se transformou Paulo Honório: egoísta e brutal, não consegue compreender a mulher, pois é incapaz de senti-la em sua integridade humana e em sua liberdade, e a considera apenas como mais uma coisa a ser possuída.

Como Madalena se recusa a alienar-se, entrando no jogo da reificação, os choques são inevitáveis. A ação narrativa se concentrará, agora, em torno desse novo obstáculo que Paulo Honório terá de enfrentar. Um novo núcleo se abre, e os novos motivos que surgem se organizam em torno deste motivo central: a tentativa de Paulo Honório de reduzir Madalena a objeto possuído. Na medida em que a mulher escapa a seu controle, na medida em que ela é capaz de apiedar-se dos trabalhadores miseráveis que vivem na fazenda, na medida em que Madalena se afasta de seu universo de proprietário e escapa, portanto, à sua compreensão, Paulo Honório sente ciúmes.

Já o primeiro choque, "oito dias depois do casamento", se dá em torno de questões financeiras. Madalena acha pequeno o ordenado de Seu Ribeiro, Paulo Honório se abespinha e retira-se da mesa. A segunda desinteligência, o espancamento de Marciano, tem também o dinheiro como origem: são os seis contos de réis gastos em material de ensino, por insistência de Madalena, que irritam Paulo Honório, levam-no a exagerar o descuido do empregado e a maltratá-lo. O terceiro incidente está ligado ainda ao motivo do dinheiro: D. Glória, com sua tagarelice, atrasa o serviço de Seu Ribeiro e por isso é humilhada por Paulo Honório.

Cada uma dessas brutalidades horroriza Madalena, que não pode aceitá-las. Por seu turno, Paulo Honório espanta-se de que ela não compreenda seu comportamento. Afinal, construir uma propriedade como S. Bernardo implica em certos atos necessários. Por exemplo, espancar Marciano, que "não é propriamente um homem". E, se D. Glória não troca Madalena por S. Bernardo, isto são puras vaidades: "Professorinhas de primeiras letras a escola normal fabricava às dúzias. Uma propriedade como S. Bernardo era diferente".

Madalena se recusa à reificação e Paulo Honório se espanta. Já não compreende a mulher, sente que ela não joga de acordo com as regras de seu jogo. Sua irritação vai num crescendo constante: "Além de tudo vestido de seda para a Rosa, sapatos e lençóis para Margarida. Sem me consultar. Já viram descaramento assim? Um abuso, um roubo, positivamente um roubo".

A ação do romance se transforma neste instante num ziguezague nervoso, compondo uma estrutura de idas e vindas até certo ponto semelhante à que examinamos atrás, nos capítulos anteriores ao conhecimento de Madalena. Novamente aqui os motivos temáticos se misturam, aparentemente justapostos mas, na realidade, convergindo para o motivo central: o ciúme, ou o sentimento de posse com relação à mulher.

Quanto a este ponto o capítulo vinte e três é exemplar: "Era domingo, de tarde, e eu voltava do descaroçador e da serraria, onde tinha estado a arengar com o maquinista. Um volante empenado e um dínamo que emperrava. O homem prometera endireitar tudo em dois dias. Contratempo. Montes de madeira, algodão enchendo os paióis". Encolerizado por causa deste problema Paulo Honório vai visitar Margarida e irrita-se mais, sabendo das roupas que Madalena dá à velha. Encontra Marciano tangendo o gado e examina o último bezerro nascido. Não estava, mas sua irritação faz com que ache que estava magro. Aí a mistura de motivos é clara: "A culpada era Madalena, que tinha oferecido à Rosa um vestido de seda".

E o capítulo prossegue dessa maneira, com Paulo Honório dando voltas sempre em torno do mesmo problema, remoendo sempre o ressentimento por Madalena. Sua anterior linha reta de ação está aqui enovelada. Criticando D. Glória, que vivia de expedientes, sempre cuidando de pequenos trabalhos, dissera pouco antes não concordar com tal esbanjamento de energia. "A gente deve habituar-se a fazer uma coisa só!" No entanto, aqui é ele quem vagueia e dá voltas. Volante empenado e dínamo emperrado — os dois signos saltam aos olhos do leitor. O dinamismo de Paulo Honório encontra-se constrangido, impedido de se desenvolver plenamente, pois Madalena não se submete.

A solução do conflito, desfecho da narrativa, é a morte de Madalena, vitória da reificação que destrói o humano, derrota de Paulo Honório. A técnica utilizada para contar esta parte da história é em tudo semelhante à anterior. Em primeiro lugar, os motivos se reúnem solidamente, em torno do motivo central do ciúme e a ele subordinados. Transcrevo alguns trechos do capítulo vinte e quatro, procurando assinalar o procedimento:

> "De repente invadiu-me uma espécie de desconfiança.
> Já havia experimentado um sentimento assim desagradável. Quando?"

> "Quando? Num momento esclareceu-se tudo [...]"

"Sim senhor! Conluiada com o Padilha e tentando afastar os empregados sérios do bom caminho. Sim senhor, comunista! Eu construindo e ela desmanchando."

"— É a corrupção, a dissolução da família, teimava Padre Silvestre."

"Qual seria a opinião de Madalena?
— Aí Padre Silvestre tem razão, concordou Gondim. A religião é um freio. [...]
Qual seria a religião de Madalena? Talvez nenhuma. Nunca me havia tratado disso.
— Monstruosidade. [...]
Materialista. Lembrei-me de ter ouvido Costa Brito falar em materialismo histórico. Que significava materialismo histórico?"

"Comunista, materialista. Bonito casamento! Amizade com o Padilha, aquele imbecil! 'Palestras amenas e variadas.' Que haveria nas palestras? Reformas sociais, ou coisa pior. Sei lá! Mulher sem religião é capaz de tudo."

"Confio em mim. Mas exagerei os olhos bonitos do Nogueira, a roupa bem feita, a voz insinuante. [...] — e comecei a sentir ciúmes."

A citação longa dispensa maiores comentários: comunismo, corrupção, dissolução da família, ausência de religião, monstruosidade, materialismo — todos são temas que estamos acostumados a ver (aqui e agora e sempre) ligados ao tema dominante da propriedade. E nesta página perfeita vão desaguar nas palavras finais: "e comecei a sentir ciúmes".

Os capítulos seguintes são terríveis. Agora em linha reta o dínamo enlouquecido degrada-se e degrada Madalena até a destruição de ambos. A cena decisiva que antecede a morte de Madalena, a cena na igreja, está curiosamente permeada pela mesma obsessiva marcação do tempo que assinalamos na cena em que Paulo Honório toma a fazenda de Padilha e naquela em que convence Madalena a casar-se com ele. Também começa com o claro assinalamento temporal ("decidido a acabar *depressa* aquela infelicidade"), também joga com o tempo ("Nove horas no relógio da sacristia"; "Nem sei quanto tempo estive ali, em pé"), mas desta vez cedendo ("À medida porém que as horas se passavam, sentia-me cair num estado de perplexidade e covardia"), lutando durante três horas ("O relógio da sacristia tocou meia-noite."), e acabando por fim derrotado, perdida a noção do tempo ("O relógio tinha parado, mas julgo que dormi horas"). *Parado*. Com a mesma notação constata, instantes depois, a morte de Madalena: "Aproximei-me, tomei-lhe as mãos, duras e frias, toquei-lhe o coração, parado. Parado".

O desfecho, se elimina fisicamente Madalena, destrói por completo a vida de Paulo Honório. Agir, mandar, cultivar S. Bernardo, nada disso terá mais sentido para ele. O mundo desgovernou-se, só lhe resta sentar e buscar, compondo a narrativa de sua vida, o significado de tudo que lhe escapa. A composição do romance (chegamos ao presente da escritura) vai-se modificar agora sensivelmente.

Mas, antes de passar a esta parte final, gostaria de figurar aqui, no esquema abaixo, o que parece-me constituir a estrutura da narrativa, tal como a vimos até este ponto: partindo da relação indissolúvel entre ação e personagem, encontramos algumas características (dinamismo, objetividade etc.) que, subordinadas ao tema unificador (sentimento de propriedade), constróem o universo reificado do romance e levam à destruição final. O esquema permite fácil visualização e resume o analisado até agora:

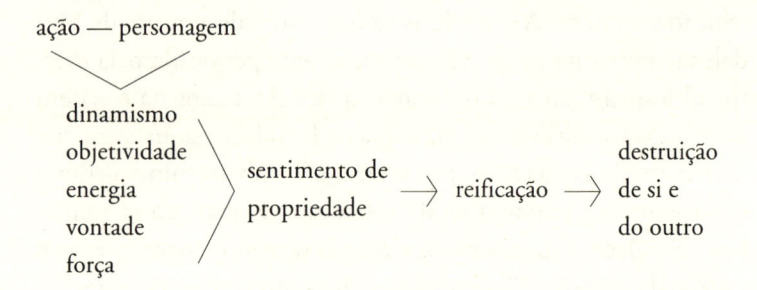

```
ação — personagem
        ↘   ↙
dinamismo
objetividade                                destruição
energia        sentimento de  →  reificação  →  de si e
vontade        propriedade                   do outro
força
```

5. Narrativa e busca

Após a morte de Madalena, Paulo Honório tenta retomar o ritmo anterior de sua vida, lançando-se ao trabalho, mas logo esfria o entusiasmo e a lembrança da mulher morta impõe-se ao seu espírito. Entediado, vagueia pela casa de forma inconseqüente, sem saber direito o que fazer, perdido em "intermináveis passeios, de um lado para o outro". Um a um os moradores mais chegados vão abandonando-o: D. Glória, depois Seu Ribeiro, e enfim o Padilha — o Luís Padilha que era a imagem completa da submissão e da subserviência e que desaparece para juntar-se aos revolucionários.

Com a revolução o mundo de Paulo Honório descaminha de forma definitiva. "O mundo que me cercava ia-se tornando um horrível estrupício. E o outro, grande, era uma balbúrdia, uma confusão dos demônios, estrupício muito maior." A vitória da revolução traz-lhe problemas com a propriedade. Reacendem-se antigas questões de limites, seu crédito é cortado, os preços dos produtos caem, S. Bernardo transforma-se numa fazenda abandonada. Os amigos, que o freqüentavam regularmente, são obrigados a afastar-se, e ele fica sozinho, com seus intermináveis passeios.

É, enfim, o mundo à revelia, fora de seu controle. "E os meus passos me levavam para os quartos, como se procurassem alguém." Nesta última frase do capítulo trinta e cinco o estilo revela a impotência do herói. A sinédoque se engasta na estrutura ação/personagem, mostrando que o comando dos atos foi perdido por Paulo Honório: não é ele quem anda em seu quarto, mas são suas pernas que o levam. O desnorteamento é paralelo à perda do mando.

Entramos agora numa outra etapa, a vida atual de Paulo Honório. Em contraste com a narrativa do passado, o tempo que se instala agora traz problemas diferentes e, em conseqüência, provoca modificações no conteúdo e na composição do livro. Embora o romance mantenha do começo ao fim uma extraordinária unidade estilística (muito visível em vários planos, da escolha do léxico à construção sintática das frases), sua composição geral se altera levemente, o bastante, entretanto, para imprimir a *S. Bernardo* uma dimensão nova.

A duplicidade temporal — existem representados o tempo do enunciado (os eventos que ocorreram na vida de Paulo Honório) e o tempo da enunciação (o movimento em que se escreve o livro) — está ligado ao problema do ponto de vista narrativo. O romance é narrado em primeira pessoa, por um "eu protagonista"[7] que, distanciado no tempo, abrange com o olhar toda sua vida e procura recapitulá-la, contando-a para si e para nós, leitores. É este distanciamento que lhe dá uma pseudo-onisciência, concomitante à existência do olhar abrangente, capaz de determinar os momentos importantes de sua evolução. Este procedimento é responsável por boa parte da objetividade que, como vimos, ressuma por toda a narrativa. Não é entretanto o único responsável, pois a objetividade nasce — como também já vimos — da atitude que caracteriza o narrador face a tudo que lhe acon-

---

[7] Utilizo aqui a terminologia de Norman Friedman, no ensaio já citado.

tece. Na verdade, existe uma conjugação funcional dos dois procedimentos: o conhecimento pelo distanciamento temporal funde-se à caracterização do personagem narrador e os dois juntos criam a postura objetiva que dá o tom do romance.

Neste momento, todavia, entramos no presente da enunciação e o distanciamento desaparece. Por outro lado, o caráter ativo de Paulo Honório está emperrado, paralisado pela derrota definitiva que foi a morte de Madalena. É forçoso que os procedimentos técnicos se modifiquem e a narrativa ganhe uma textura diferente. A linguagem seca do tempo do enunciado cede lugar à lamentação elegíaca do tempo da enunciação, e o ritmo rápido da narrativa é substituído pelos compassos mais lentos de uma reflexão problematizada, difícil e tortuosa:

> "Aqui sentado à mesa da sala de jantar, fumando cachimbo e bebendo café, suspendo às vezes o trabalho moroso, olho a folhagem das laranjeiras que a noite enegrece, digo a mim mesmo que esta pena é um objeto pesado. Não estou acostumado a pensar. Levanto-me, chego à janela que deita para a horta."

A verdadeira busca começa onde termina a vida de Paulo Honório. A busca verdadeira, entenda-se, a procura dos verdadeiros e autênticos valores que deveriam reger as relações entre os homens. A vida terminou, o romance começa. O romance, segundo Lukács, é a história da busca de valores autênticos por um personagem problemático, dentro de um universo vazio e degradado, no qual desapareceu a imanência do sentido à vida.[8] Ora, só neste instante o herói se torna problemático, o universo

---

[8] Georg Lukács, *A teoria do romance*, tradução de Alfredo Margarido, Lisboa, Editorial Presença, s.d. [há edição brasileira, ver nota à p. 26 deste volume]. Para uma análise postulada sobre Lukács, mas diferente da nossa, ver o ensaio citado de Carlos Nelson Coutinho.

surge como vazio e degradado, o sentido da vida desaparece. Antes, Paulo Honório fora um personagem coeso e forte, movendo-se em um mundo de objetivos claros e (ainda que ilusório) repleto de significado: a propriedade. O suicídio de Madalena desmascara a falsidade do sentido e problematiza tudo. Agir para quê? — pergunta-se ele. "Nesse movimento e nesse rumor haveria muito choro e muita praga."

Paulo Honório abandona a ação e volta-se sobre si mesmo, buscando na memória de sua vida o ponto em que se desnorteou, "numa errada". Nesse debruçar-se o estilo se tinge de lirismo e a objetividade épica fica abalada. É preciso assinalar que o fato de o romance estar narrado na primeira pessoa não é gratuito nem inconseqüente, mas deixa suas marcas na composição da narrativa. O estatuto do "narrador onisciente" (intruso ou não) difere sensivelmente dessa posição aqui adotada, na qual um "eu protagonista", aproveitando-se da distância, nos conta sua história. Não que seja impossível falar de si mesmo com objetividade (na medida em que possa existir realmente objetividade) — coisa que Paulo Honório demonstra, aliás, de forma cabal no decorrer de livro. Mas, no instante em que o tempo da enunciação começa a ser representado, notamos imediatamente a infiltração dos signos da subjetividade, a irrupção do monólogo interior, o abalo do ponto de vista pseudo-onisciente.

Esse processo se instala um pouco antes, no decorrer mesmo do tempo do enunciado, quando o ciúme retira a segurança do narrador e o faz duvidar do que vê: "Será? Não será?". Ou mais adiante, no capítulo vinte e nove: "Os meus olhos me enganavam. Mas se os olhos me enganavam, em que me havia de fiar então?".

É certo que permanecem no romance, muito bem delimitados, os dois níveis de representação, e o leitor percebe de maneira clara o que é real e o que é deformação provocada pelo ciúme. *S. Bernardo* mantém sempre uma objetividade que o torna diferente de certos romances contemporâneos, nos quais os planos da memória, da imaginação e da realidade se confundem e se embaralham.[9] Nem por isso, entretanto, a objetividade deixa de ser questionada de várias maneiras. Uma delas é a marcação do tempo, que vimos atrás ser feita de forma obsessiva e precisa, e que agora parece escapar ao domínio do narrador: "Uma pancada no relógio da sala de jantar. Que horas seriam? Meia? uma? uma e meia? ou metade de qualquer outra hora? [...]/ Segunda pancada no relógio. Uma hora? uma e meia? Só vendo. [...]/ Ah! sim! ver as horas. Empurrava a porta, atravessava o corredor, entrava na sala de jantar. Sempre era alguma coisa saber as horas." Se a capacidade de controlar o tempo estava ligada atrás à capacidade de ação e domínio, neste momento a incerteza simboliza a impotência e insegurança a que está reduzido o narrador. Simboliza, em última análise, sua oscilação diante do mundo que já não pode reduzir à objetividade da medida exata, que já não pode controlar.

Mas a subjetividade penetra mesmo, de forma avassaladora, é quando começa a ser representado o tempo da enunciação, o instante em que Paulo Honório escreve. O belíssimo capítulo dezenove, colocado no centro do romance, embaralha de fato consciência e realidade, memória e presente, objetividade e subjetividade. Como afirma Lukács, a mais humilhante impotência da subjetividade manifesta-se menos no combate contra estruturas sociais vazias do que "no fato de ela estar sem forças diante do curso inerte e contínuo da duração."[10] Paulo Honório escreve seu livro e busca o sentido de sua vida. Através da escritu-

---

[9] Ver o ensaio de Antonio Candido, citado, pp. 37 e 46.

[10] Lukács, *op. cit.*, p. 127.

ra faz emergir um mundo reificado e cruel, repleto de corujas que piam agourentas, de rios cheios, atoleiros e "uma figura de lobisomem". O que surge é afinal o seu retrato: penetrando dentro de si mesmo, arranca um mundo de pesadelos terríveis, de signos da deformação e da monstruosidade. Um mundo objetivamente real acaba revelando-se, através da subjetividade. Mas é, por outro lado, um mundo alheio a Paulo Honório, um universo que anda indiferente à sua vontade. O tempo histórico continua a decorrer, à sua revelia.

"O que não percebo é o tique-taque do relógio. Que horas são? Não posso ver o mostrador assim às escuras. Quando me sentei aqui, ouviam-se as pancadas do pêndulo, ouviam-se muito bem. Seria conveniente dar corda ao relógio, mas não consigo mexer-me."

A objetividade da representação é atingida pela subjetividade do narrador, mas ambas acabam interpenetrando-se, compondo uma unidade dialética. "O sujeito poético, que se emancipa das convenções da representação objetiva, confessa ao mesmo tempo a própria impotência, a prepotência do mundo reificado que volta a apresentar-se no meio do monólogo."[11] O recurso

---

[11] T. W. Adorno, "La posición del narrador en la novela contemporánea", in *Notas de literatura*, Barcelona, Ed. Ariel, s.d., p. 51 [há edição brasileira: *Notas de literatura I*, tradução de Jorge de Almeida, São Paulo, Duas Cidades/Editora 34, 2003]. A posição do narrador em *S. Bernardo* parece-me conferir ao livro uma dimensão nova, que o torna diferente do romance realista cuja estrutura Lukács descreveu em suas análises de Balzac, Stendhal e Mann. A subjetividade do ponto de vista provoca certas modificações essenciais na estrutura, das quais o monólogo interior é apenas uma. A "narrativa problemática" parece esboçar-se, aqui, nos instantes em que Paulo Honório alude à sua dificuldade de contar a história e elementos de metalinguagem se intrometem. A utilização de categorias diferentes das

ao monólogo interior, portanto, ajuda a compor a busca de Paulo Honório. E é através dela que surge o mundo de S. Bernardo, *S. Bernardo* romance, tentativa de encontrar o sentido perdido e o encontro final e trágico consigo mesmo e com a solidão. "E eu vou ficar aqui, às escuras, até não sei que hora, até que, morto de fadiga, encoste a cabeça à mesa e descanse uns minutos."

Com estas palavras o romance se fecha, mostrando a vitória da reificação e a derrota total do herói, que é incapaz de mexer-se, modificar-se. Penso em outro personagem, de outro romance: "'Ah, o que eu não entendo, isso é que é capaz de me matar...' — me lembrei dessas palavras. Mas palavras que, em outra ocasião, quem tinha falado era Zé Bebelo, mesmo".[12]

---

de Lukács poderia lançar uma outra luz sobre o livro. Penso, especialmente, nos "modos da ficção trágica", propostos por Northrop Frye (*Anatomia da crítica*, São Paulo, Cultrix, 1973). *S. Bernardo* estaria talvez na passagem entre os modos que Frye chama de "imitativo baixo" e "irônico". Todavia, lanço a idéia apenas como hipótese, pois isso daria matéria para outro ensaio.

[12] J. Guimarães Rosa, *Grande sertão: veredas*, 4ª ed., Rio de Janeiro, José Olympio, 1965, p. 249.

Batatas e desejos

1. Iluminação e técnica da inteligência

O livro de Roberto Schwarz sobre Machado de Assis[1] é desses trabalhos cuja leitura produz uma impressão enorme de inteligência ativa. Explico-me: há livros de crítica literária que provocam sensações de beleza e acabamento harmônicos, outros que tiram sua força das novidades que encerram, ou da erudição acumulada e trabalhada. Pois o texto de Roberto Schwarz, em parte por lidar com um sistema de contradições tramado em muitos níveis, mostra-nos uma inteligência forte, sempre pronta a perfurar a aparência de um problema e ir verrumando por dentro, tensa e aguda, nunca distendida. Uma sensação incômoda, às vezes, mas de qualquer modo uma leitura mais que estimulante: obriga-nos a pensar o tempo todo, a permanecer ligados ao texto, acompanhando e refazendo seus meandros.

Quando passei essa correnteza, e tentei situar o livro em algum lugar, dois trechos de outros autores me vieram à cabeça. O primeiro é de Walter Benjamin, que conceitua, num ensaio

---

[1] Roberto Schwarz, *Ao vencedor as batatas*, São Paulo, Duas Cidades, 1977 [há edição recente: São Paulo, Duas Cidades/Editora 34, 2000].

sobre o surrealismo, aquilo que ele chama de "iluminações profanas". A iluminação, para Benjamin, é o instante em que a consciência, ativada, rompe a espessura das coisas e produz o conhecimento, "para além do mistério e do enigma em que elas, as coisas, parecem se envolver". Tratando-se de literatura — esse indizível no qual nos enredamos com facilidade — o caráter profano da iluminação precisa ser acentuado, para afastar qualquer possibilidade de êxtase romântico. "Sublinhar, patética ou fanaticamente, o lado enigmático do enigmático, não nos faz avançar", diz Benjamin. E prossegue, numa frase que me parece descrever bem o modo de Schwarz abordar a literatura: "Penetramos melhor no mistério apenas na medida em que o reencontramos no cotidiano, por força de uma ótica dialética que percebe o cotidiano como impenetrável e o impenetrável como cotidiano".[2]

Ora, a atitude vigilante da consciência, que reconhece e recusa o inefável (desconfiança diante do enigma da sereia), só pode se traduzir pela permanência obstinada do ato de pensar. Trata-se de um constante estado de alerta intelectual que, paradoxalmente, contém em si uma componente de embriaguez. A investigação apaixonada é o pensar apaixonado — iluminação profana, modo de conhecimento que a crítica toma da experiência mística, da criação artística, das atitudes mentais abertas ao mistério, e aplica de maneira dessacralizada ao cotidiano como ao impenetrável.

Tudo isso para caracterizar um aspecto do método crítico de Roberto Schwarz. Aparentemente, nada tão distante do êxtase do que aquela linguagem minuciosa e entrelinhada. Mas há no desenvolvimento geral do livro qualquer coisa vertiginosa, a força

---

[2] Walter Benjamin, *Iluminaciones — 1*, tradução de Jesús Aguirre, Madri, Taurus, 1971, pp. 58-59.

do raciocínio, que não se detém diante das dificuldades e se arma da maior complexidade para penetrar no centro dos problemas. Metódica e disciplinada, essa abordagem deixa vibrar também uma nota pessoal de envolvimento, que recobre a matéria tratada e, de certo modo, imprime a ela uma dimensão crítica notável. Roberto Schwarz é um técnico da inteligência (dizer intelectual seria mais simples, mas a palavra anda desgastada). Entretanto, é preciso entender "técnica", aqui, na acepção em que Mário de Andrade gostava de empregar o termo, dando-lhe um sentido mais amplo que o de simples artesanato, ou mesmo de virtuosismo, para conferir-lhe o significado de "técnica pessoal", de "processo de realização do indivíduo, a verdade do ser, nascida sempre da sua moralidade profissional", capaz de produzir um pensamento "inconformável aos imperativos exteriores".[3]

É na linhagem pouco comum das iluminações e da grande técnica da inteligência que se situa esse ensaio sobre Machado de Assis. Boa linhagem, a melhor possível. O próprio Machado, como também o assinala Mário de Andrade, pertenceu a ela. Para Mário, a maior lição de Machado é sua "técnica maravilhosa", que o transformou no "artista incomparável" em quem devemos buscar "aquela necessidade, pela qual todos os grandes técnicos são exatamente forças morais".[4] Será necessário explicitar o que Mário de Andrade entende por "forças morais": na sua posição de escritor empenhado, posição ética por princípio, é esse conceito de técnica que permite ligar o individualismo da criação artística à sua necessária dimensão social. E, ampliando-se isso para o intelectual, pode-se dizer que, embora reflexão e confor-

---

[3] Mário de Andrade, *Aspectos da literatura brasileira*, São Paulo, Martins, s.d., p. 194.

[4] Mário de Andrade, *op. cit.*, p. 95.

mismo sejam "menos incompatíveis do que se pensa" (como diz Roberto Schwarz referindo-se à primeira fase machadiana), é também verdade que o apreço pela razão e pela análise constituem o passo mais vigoroso para a formação de um pensamento crítico.

Razão, análise, crítica — esses são os componentes da iluminação profana que o inteligente leitor de Machado (e da sociedade brasileira no século XIX) produz e apresenta-nos. Acompanhar a sua complexidade, entender e discutir sua leitura, não é coisa que se possa fazer com facilidade. É preciso uma atenção especial, uma aderência dedicada aos volteios da linguagem que — insistente e sutil — tenta trançar níveis diferentes no exame dos problemas, tecendo considerações de ordem teórica e relacionando-as à análise concreta dos romances e da situação histórica.

2. Forma literária e processo social

Nem vou tentar reproduzir, em resenha, as passagens centrais do livro, pois cada passo é continuidade tão perfeita do anterior que resumi-los resulta forçosamente em fazer uma redução simplificadora. Limito-me, correndo entretanto o mesmo risco, a apresentar o esquema geral de desenvolvimento do estudo, para em seguida destacar um problema que gostaria de discutir.

Ao vencedor as batatas está composto por três partes: na primeira, o capítulo introdutório, que procura especificar um mecanismo histórico-social, a comédia ideológica brasileira no século XIX, vista concretamente nos nexos entre escravidão, liberalismo e "favor", e analisada como "uma espécie de chão histórico [...] da experiência intelectual" (p. 24); na segunda parte, o capítulo intitulado "A importação do romance e suas contradições em

Alencar" busca estabelecer as conexões entre forma literária e processo social, mostrando como a matéria histórica, descrita de modo estruturado no primeiro capítulo, constitui o centro formal do romance *Senhora*; finalmente, a terceira parte compõe-se de quatro capítulos, em que três romances da primeira fase machadiana são verdadeiramente esquadrinhados: a racionalização do paternalismo é examinada em *A mão e a luva*, *Helena* e *Iaiá Garcia*, e o leitor percebe como, à crescente complexidade das posições de Machado de Assis diante das relações sociais, corresponde um aumento substancial na aquisição e no uso (complexos) dos recursos literários empregados pelo romancista.

Talvez fosse desnecessário frisar que Roberto Schwarz jamais sobrepõe — ou justapõe — a sociologia à crítica ou à análise literária. Mas é bom repetir isso aqui. Primeiro, porque uma das suas mais sensíveis qualidades é a capacidade de relacionar estruturas literárias e estruturas sociais, avançando muito neste sentido, com uma precisão que dificilmente se encontra tanto em nossos historiadores e sociólogos como em nossos críticos. Depois, porque elementos específicos da forma artística, tais como enredo, construção das personagens, estilo e tom, possuem em seu trabalho um relevo grande. (Aliás, deve-se dizer que apenas agora, a partir destes estudos, os elementos propriamente técnicos dos primeiros romances machadianos encontram-se compreendidos de modo amplo, em seu funcionamento interno e em sua necessidade formal). E, afinal, é bom repisar a dimensão de crítica literária do livro porque um dos seus capítulos, "As idéias fora do lugar", teve um destino polêmico que, enfatizando as descobertas sociológicas do autor, deixou um pouco à sombra muitos dados interessantes para a discussão de história, crítica e teoria da literatura.

Quero tomar aqui exatamente um destes dados: o modo como Roberto Schwarz abordou o romance *Senhora*. Sendo um dos mais belos estudos do livro, a análise do romance de Alencar é também uma das suas passagens cruciais. Depois de ter mostrado como a vida ideológica brasileira, no século XIX, compõe as idéias liberais burguesas com o sistema escravista e com as relações paternalistas do "favor"; e depois de ter mostrado como essa composição produz, na esfera da cultura, uma "dissonância propriamente incrível" e um "sistema de impropriedades" que desequilibram até o detalhe nossas produções culturais — o crítico parte para a demonstração concreta de sua tese, através do exame de *Senhora*.

3. Romance, mímese e ideologia

Para Schwarz, a forma do romance estava entre nós, como as idéias do liberalismo europeu, deslocada: correspondia a uma realidade que não era a nossa, e seus pressupostos, em razoável parte, não se encontravam no país, ou se encontravam alterados. Assim, o escritor que pretendesse utilizar essa forma deveria realizar nela as modificações que a ajustassem à realidade, sem o que correria o risco de estar apenas reiterando, em nível formal, a mesma dissonância que nos fazia pensar em categorias impróprias. Ora, o crítico acredita que a literatura de Alencar apresenta fraquezas que não são acidentais nem decorrentes da falta de talento, mas justamente assinalam "os lugares em que o molde europeu, combinando-se à matéria local [...] produzia contra-senso. Pontos, portanto, que são críticos para a nossa literatura e vida, manifestando os desacordos objetivos — as incongruências de ideologia — que resultavam do transplante do romance e da cultura européia para cá" (p. 31).

Como se dá isso em *Senhora*? Roberto vê dois tons no romance: na periferia do conflito o tom é desafogado, verista e localista, sem chegar ao conformismo (pois não justifica), ou à crítica (pois limita-se a anotar); no centro, onde estão Aurélia e o dinheiro, o tom se adensa, a reflexão toma o alento e o estilo carrega-se de princípios, mas o resultado é uma mistura de revolta e conformismo, já que a riqueza é reduzida a um problema moral, polaridade sem complexidade entre virtude e corrupção, pureza e degradação. A diferença entre os dois tons é qualitativa: o do centro é problemático, o outro não o é. Note-se que, apesar de observar que o tom do centro "faz efeito pretensioso" e é infeliz em seu convívio com o tom da periferia, o crítico assinala também, com razão, a importância do fato de Alencar ter ousado criar o centro denso: isso constitui um salto do pequeno-realismo à Macedo para a contemporaneidade do grande realismo europeu.

O problema está em que Alencar, imitando a vida social brasileira (que é imitação européia), imita-a também segundo a moda européia, o que acentua o caráter ornamental de sua literatura. "Eis o problema: trata como sérias as idéias que entre nós são diferentes; como se fossem de primeiro, ideologias de segundo grau." (p. 36) Daí o problema artístico da unidade formal do livro, que não se realiza porque a discrepância entre a dicção localista (capaz de surpreender as relações de favor) e a dicção européia (centrada na ideologia liberal e no modelo do romance realista burguês) mantém-se como incongruência.

É curioso: a inconsistência formal é mímese da realidade, onde coexistem favor e liberalismo. Entre o defeito de composição do romance e sua força mimética há esta relação: o descompasso entre os dois tons imita o descompasso existente na vida ideológica.

A análise continua por caminhos importantes para a compreensão de Machado de Assis e de muitos outros problemas (atuais) da criação cultural no Brasil. Mas paremos a resenha por aqui, pois agora já é possível levantar nossa questão. Como vimos, o romance *Senhora* é analisado como se o seu centro — ou em outros termos, a espinha de seu enredo — tentasse reproduzir os grandes movimentos do romance realista burguês, isto é, o curso do dinheiro e seu trajeto modificador das relações sociais. Vimos, mesmo, que este tom problemático do romance é tido pelo crítico como a grande audácia artística de Alencar, sua marca de modernidade (ainda que manchada pela "repetição ideológica de ideologias").

Mas será verdadeira e correta esta leitura? Não digo que não. Digo, apenas, que há em *Senhora* uma camada significativa importante que o crítico não considerou: o romanesco. Praticamente toda a crítica brasileira tem insistido neste ponto, que parece mesmo constituir uma chave para a compreensão adequada dos romances de Alencar. O fato de Roberto Schwarz ter abandonado esta perspectiva surpreende: mais de que uma simples diferença com relação à fortuna crítica de Alencar, sua abordagem constitui verdadeira novidade. Apenas em uma nota ele considera o "contraste entre narrativa pré-capitalista e romance" (p. 56-59), mas mesmo aí creio que a questão do romanesco não está bem equacionada. No restante, o modelo do realismo burguês está absolutizado, o que rende muito, do ponto de vista teórico em que o livro foi escrito e também para a compreensão de Machado. Vantagem sem dúvida trazida pela inovação na leitura, mas que deixa um ponto aberto na teoria.

4. Mudando a leitura

Proponho, rapidamente, uma leitura diversa, que não se preocupe de início com o enredo, mas com o estilo metafórico do romance. A Aurélia, em poucas linhas do primeiro capítulo,

Alencar confere vários emblemas de majestade: estrela e rainha; deusa, musa e ídolo; rica e formosa; flor em vaso de alabastro; raio de sol em prisma de diamante. Logo em seguida atribui-lhe um passado misterioso e introduz os motivos arquetípicos da orfandade e da mãe postiça, guardiã aparente que, todavia, é verdadeira serva da moça, cujo domínio se estende sobre todos. Mais adiante ainda, no começo e no fim do segundo capítulo, Aurélia é envolvida pela luz do sol, que primeiro "debuxa com a suavidade do nimbo o (seu) gracioso busto", e depois jorra em cascatas "sobre a régia fronte coroada do diadema de cabelos castanhos", revestindo suas "formosas espáduas como uma túnica de ouro", de modo que a "fada encantada", com o roupão ondulando "voluptuosamente", transforma-se em "ninfa das chamas", "lasciva salamandra" etc. — como diria talvez o próprio Roberto Schwarz.

Mas que importância têm estes caprichos do estilo? É evidente que a linguagem metafórica, desconhecendo os limites da descrição realista, insiste em criar um mundo de sonho em que triunfam a beleza e a fortuna. É certo, por outro lado, que o enredo reintroduz o mundo "real" — o dinheiro, o interesse, as conveniências, a reificação — e esse é demoníaco e degradado. Digamos que, no conjunto, *Senhora* oscila entre o mundo do desejo e o mundo do não-desejo, entre o mito do Amor invencível e a realidade decepcionante da experiência. Se é mímese da sociedade fluminense, é também a projeção forte de uma subjetividade poética que não se reduz ao esforço imitativo, ou melhor, que não desloca os seus padrões míticos subjacentes (para adequá-los às regras da verossimilhança) *ao menos do mesmo modo que a tendência realista.*

O substrato mítico é palpável. Apenas para reforçar a argumentação, e sem me deter na sua análise, chamo a atenção para algumas passagens do romance: a descrição da câmara nupcial, transformada em lugar celeste, *ponto de epifania* contaminado pela degradação do contrato; o *ponto ritual de sacrifício*, o instante em que Aurélia e Seixas tombam como mortos, ela "sem sentidos sobre o tapete", ele respirando como "uma criatura fulminada"; a *longa noite de agonia*, da qual Fernando Seixas ressurge em contato com a natureza do jardim, ao sol nascente, depois de ter recebido (comprado) de um mensageiro (mascate italiano) dois objetos que simbolizam a decisão de modificar sua vida (um pente e uma escova de dentes).

Esta engraçada oscilação da narrativa, entre o modo romanesco e o modo realista, encontra ainda em *Senhora* uma imagem extraordinária, que a resume e representa perfeitamente. É o episódio do retrato de Seixas encomendado por Aurélia. Na primeira versão do quadro surge, desagradável e fiel, a expressão seca de Fernando. Aurélia não gosta disso, reclama, e o pintor retruca dizendo ter pintado o que vira, sem fazer obra de fantasia. Aurélia-Pigmalião pede tempo, adula o marido e consegue devolver-lhe o sorriso à fisionomia. Então o pintor pode refazer o desagradável e pintar... Seixas? Antes o desejo de Aurélia, aquilo que ela quer que seja.

No processo ficcional de Alencar há alguma coisa desta anedota, e nela encontra-se também o possível alcance da presente discussão. O objetivo crítico de Roberto Schwarz é detectar "a espinhosa passagem" do social ao literário, descobrir, por trás das articulações internas da forma, a matéria pré-formada onde "imprevisível dormita a História". Tal direção foi tomada pela melhor parte da crítica literária no Brasil, há muitos anos, desde o século XIX, e este estudo sobre Machado é hoje a ponta-de-lança desta tendência. O que submeto à reflexão não é a teoria, e nem mesmo a sua aplicação brilhante que, com certeza, não sai abalada pelas restrições feitas. Proponho a inclusão de um dado diferente: o estudo da forma, relacionado ao estudo do processo social, deve levar em consideração o problema do gênero, em sua história interna. Diz Northrop Frye que "um grande escritor de estórias romanescas deveria ser examinado nos termos das convenções que escolheu", e acrescenta que "não é boa crítica cuidar apenas de seus defeitos como romancista".[5]

Bem sei que, quanto ao segundo ponto, Roberto Schwarz não pode ser atacado. Ao contrário, tomou um momento forte de Alencar romancista, para mostrar uma evolução que existe na história do romance brasileiro. Mas não o tomou nos termos das convenções que Alencar escolheu. E estas convenções, o modo romanesco, não terão também alguma relação com o processo social que ocorreu no século XIX, no Brasil?

É claro que, em *Senhora*, romanesco e romance estão mesclados; ora, se a forma do romance foi criada e prosperou em condições históricas determinadas, por sua parte a estória romanesca corresponde a instâncias ideológicas cujo chão social é outro. Esta constatação teórica complica um pouco o esquema de Roberto Schwarz (embora, como é evidente, não o invalide). No deslocamento e na absorção do liberalismo pelo "favor", como explicar a "insidiosa presença"[6] da representação idealizada? Talvez exatamente pelas características do sistema paternalista, que tende a criar para si uma esfera ilusória de auto-estima e de brilho, e que pode buscar também num passado imaginário o lustre de que necessita. Mas, se são verdadeiras essas colocações, torna-se necessário rever um pouco a cerrada leitura dos inícios do romance brasileiro, feita pelo crítico.

---

[5] Northrop Frye, *Anatomia da crítica*, São Paulo, Cultrix, 1973, p. 300.

[6] Walnice Nogueira Galvão, *Saco de gatos*, São Paulo, Duas Cidades, 1976, pp. 35 ss.

Traduzir-se
Ensaio sobre a poesia de Ferreira Gullar

"Traduzir-se

Uma parte de mim
é todo mundo:
outra parte é ninguém:
fundo sem fundo.

Uma parte de mim
é multidão:
outra parte estranheza
e solidão.

Uma parte de mim
pesa, pondera:
outra parte
delira.

Uma parte de mim
almoça e janta:
outra parte
se espanta.

Uma parte de mim
é permanente:
outra parte
se sabe de repente.

Uma parte de mim
é só vertigem:
outra parte,
linguagem.

Traduzir uma parte
na outra parte
— que é uma questão
de vida ou morte —
será arte?"

Um repórter de seu tempo?

Ao publicar *Toda poesia*, reunindo trabalhos de 1950 a 1980, Ferreira Gullar nos dá a oportunidade de repensar não só seu próprio trajeto de escritor, mas também toda uma época (afinal são trinta anos) da poesia brasileira. Aspectos importantes do desenvolvimento cultural do nosso país, nesse período, estão inscritos com toda clareza na obra do poeta que, estreando dentro do clima esteticista da geração de 45, passou pela ruptura do Concretismo e do Neoconcretismo, pelo discurso populista do CPC e pelo demorado, ainda inconcluso, processo atual de travessia de uma situação difícil para a criação poética. Entretanto, diante dos vários livros que compõem o volume agora publicado, somos tentados a enxergar não apenas os reflexos de nossos movimentos literários, mas também os signos de diferentes momentos políticos e sociais.

De fato, as pesquisas de linguagem presentes em *A luta corporal*, embora questionando da maneira mais profunda o rumo estetizante da geração que sucedera ao Modernismo, mantêm ainda muito do retórico, algo amaneirado, que caracterizou a prática literária da época. Nessa há uma diluição da ponta-de-lança modernista, coisa que se explica em parte pelo esgotamento das possibilidades inovadoras do movimento, mas que se explica também por homologia à situação político-social do país nesses anos. Saída do grande impulso burguês da década de 1920, a Revolução de 1930 transformara as instituições republicanas e dera lugar ao debate ideológico que, por sua vez, fornecera a consistente substância dos poemas e romances que se construíram sobre a herança vanguardista imediatamente anterior. No entanto, a necessidade de eliminar as lutas sociais e constituir um estado estável levou as classes dominantes à opção da ditadura e ao sufocamento do debate. Em oito anos, de 1937 a 1945, o regime atingiu seus objetivos: o impulso revolucionário (que escritores mais ligados ao Modernismo, como Mário e Oswald de Andrade, ou ainda Drummond e mesmo Graciliano, souberam guardar) não encontrou eco na nova geração, mais tendente ao sonho e ao mito que à realidade da política.

Assim, o período "democrático" e medíocre do general Dutra, bem como os primeiros anos 1950, já com Vargas no poder, além de terem o sentido de um ordenamento institucional do país, representaram uma espécie de acomodação geral da burguesia e uma forma de estagnação do ímpeto renovador de 1930. À sua imagem, a literatura também se estagna, condenada a girar num círculo pacificado de versos medidos, revoltas contidas, sonetos. E sobretudo numa linguagem cuidadosamente rebuscada, propositalmente literária, longe da fala cotidiana e desabusada que inseminara de modo tão produtivo as criações modernistas. Essa contenção, que é também recalque e repressão, marca de modo característico vários poemas de *A luta corporal* — ao ponto de podermos dizer que a luta referida no título é esforço tremendo contra o repressor, procura de liberdade que se expressa, sob metáforas, de diferentes maneiras nos diversos poemas.

Com tudo que o separa dos poetas de 45 (inquietude, inconformismo, tendência à ruptura e ao desequilíbrio), Gullar nos exibe em seu primeiro livro o problema mais sério que eles tiveram de enfrentar (e não enfrentaram) e que conformou de maneira profunda a poesia de todos eles: a força repressiva e castradora do Estado Novo, que impediu a vivacidade da relação com o real e os confinou ao alheamento estético. (Mais à frente retomaremos este ponto para explicá-lo melhor.)

O fim do governo Vargas e o período Kubitschek vêem renascer o debate político mais amplo, com as lutas em torno da criação da Petrobrás e com o progressivo crescimento da ideologia nacional-desenvolvimentista. Um projeto de industrialização do país começa a ser elaborado (e executado), e a dinâmica das formas sociais de vida se acelera. O plano de metas e o slogan "cinqüenta anos em cinco" — enfim, a imagem de JK como presidente atuante, sempre pronto a embarcar num avião para percorrer o território nacional — são símbolos de um arranque rumo ao futuro, rumo à modernização capitalista. Literariamente, o fato coletivo importante é o movimento da poesia concreta, gestado na maior concentração industrial do país, desde o início da década, por Décio Pignatari e Augusto e Haroldo de Campos.

O poeta de *A luta corporal*, que já chegara por meios próprios à fragmentação do discurso e ao rompimento do passadismo da geração de 45, pesquisa também na nova área aberta pela retomada de nossa modernidade. Seus "Poemas concretos/neoconcretos", escritos entre 1957 e 1958, além de estarem entre os mais belos que a nova poética produziu, testemunham o instante de atualização da cultura brasileira: a construção do poema deixa de ser o exercício de tensões subjetivas, projetadas na linguagem, para procurar a objetividade do produto acabado, mercadoria no universo do consumo. Poesia e indústria, construtivismo e desenvolvimentismo, mundo de objetos e criação de um mercado nacional, orgulho da poesia-exportação e nacionalismo. A racionalidade literária nascida em São Paulo é paralela ao esforço racionalizador do grande capital, que procura modificar as estruturas do Brasil. O plano-piloto da poesia concreta lembra o cimento armado de Brasília, o nosso crescimento urbano, a virada que esvaziará os campos e concentrará as grandes massas nas cidades. E ainda aí a inquietude de Ferreira Gullar se comprova: atravessando o Concretismo, abre logo a dissidência neoconcreta, que se apresenta ao mesmo tempo como crítica do conceito reificante de poema e aceitação suicida da morte da arte, na fabricação de não-objetos poéticos, na realidade bens perecíveis, rapidamente consumidos.

O governo Jango é, sob todos os seus aspectos, uma conseqüência da política desenvolvimentista, seja enquanto reação ao avanço do capital, que estende de modo amplo as práticas espoliadoras, seja enquanto necessidade de adequar — modernizando-as, reformando-as — as estruturas sociais às novas formas econômicas. Ainda hoje é difícil distinguir, no período "populista", essas duas faces do reformismo, uma voltada para a justiça social, outra voltada para a remoção dos entraves ao desenvolvimento capitalista. O golpe de 1964 viria desfazer as ambigüidades, pondo (por exemplo) a Sudene, órgão inicialmente destinado a trabalhar no sentido de reduzir as disparidades regionais, a serviço aberto dos grandes industriais do Sul, que podem — graças ao sistema de incentivos fiscais — reaplicar seus excedentes e realizar mais lucros sobre a pobreza nordestina. De todos os modos, quando nada disso era claro ou estava definido, a literatura pendeu para a esquerda, abandonando a poética industrializante do Concretismo e optando por um recuo formal que desse conta de outras faces da vida brasileira.

Lembremo-nos de que, depois do surto da indústria nos anos 1920, em São Paulo, o Modernismo afastou-se das teorias vanguardistas e adotou, na década de 1930, uma tonalidade política de combate. Assim parece ter ocorrido também no início dos anos 1960: os programas de vanguarda foram criticados como formas alienadas da realidade brasileira, como aliados do capitalismo internacional e como adversários da revolução; as sofisticações pound-eliot-joycianas foram substituídas pela rusticidade do cordel, pelas arengas reivindicatórias e pelo verbalismo derramado da má consciência que se acusa. É a época do nacional-popular, projeto de uma literatura antiimperialista, voltada para dentro do país, destinada ao consumo e à educação do povo (poderíamos apontar seu análogo nas aspirações políticas, então muito ativas, de criação de um mercado interno, suficiente, não dependente, existindo em função das necessidades nacionais e populares). A luta é grande e utópica, talvez impossível. Mas Ferreira Gullar estará dentro dela, acreditando, criticando e produzindo. O caráter socializante dessa nova concepção de arte contornará o defrontamento individualista e suicida da "teoria do não-objeto", e permitirá o prosseguimento da obra poética, no entanto consideravelmente simplificada, reduzida ao elementar da literatura de combate.

E vem a deposição de Jango, o início dos governos militares e da "longa noite escura" ditatorial, que Ferreira Gullar, menos negativista, prefere chamar de "noite veloz". Nesta época, a poesia como fenômeno coletivo parece deslocar-se, no Brasil, para a música popular — primeiro nas canções politizadas e, logo a seguir, no movimento tropicalista. Após o AI-5, com a pesada censura dos meios de comunicação, ocorre um refluxo forte, um relativo isolamento dos artistas e dos intelectuais em geral, prensados entre as realidades extremas da repressão, da luta armada e dos tóxicos. Nesta fase, que poderíamos situar aproximadamente entre 1969 e 1974, são duas as grandes linhas da produção poética, ambas de certa forma derivadas do impacto da Tropicália: por um lado, a prática tropicalista reacende a curiosidade pelo experimento, de caráter construtivista e racional, e os concretos voltam à boca-de-cena, com o apoio do estruturalismo e através de revisões constantes do movimento modernista (lembremos que em 1972 é comemorado o cinqüentenário da Semana de Arte Moderna e surgem várias reedições dos escritores mais importantes do movimento); por outro lado, também prolongando uma vertente do Tropicalismo, na pista do *rock* e da arte *pop*, descola-se uma linha contestatória irracionalista, apologista da droga e da marginalidade social.[1]

Nesses anos, a poesia explicitamente política quase desaparece, alijada pela repressão que se desencadeia sobre a luta armada e sobre toda a esquerda. Talvez por isso não seja possível situar Ferreira Gullar dentro de qualquer movimento mais amplo da época. Enquanto tudo acontecia, ele vivia no exílio, dentro ou fora do Brasil, a sua "noite veloz". Nos primeiros tempos, antes do Ato 5, sua participação política se dá principalmente no teatro, no grupo Opinião, de forma muito ativa. E alguns poemas de resistência surgiram ainda nas páginas da *Revista Civilização Brasileira*, no contexto de oposição à ditadura, num espírito que mantinha sem dúvida pontos de contato com a canção de protesto. Mas como se pode ver hoje, tratava-se de afinidade apenas aparente: na verdade, o poeta começava a modificar outra vez sua técnica e sua concepção de poesia, abandonando o discurso simplificado e didático dos tempos do CPC, e adotando uma postura reflexiva, mais densa, nada propagandista, vazada numa linguagem em que o tom direto e coloquial coloria-se de emo-

---

[1] Sobre este roteiro, é preciso consultar o livro de Heloísa Buarque de Hollanda, *Impressões de viagem: CPC, vanguarda e desbunde, 1960/1970*, São Paulo, Brasiliense, 1980.

ção profunda e de participação afetiva, pessoal, nos acontecimentos políticos.

É uma reação curiosa e cheia de significados: a perda das ilusões faz com que o poeta avance num caminho novo, diferente de tudo quanto ele fizera até então. Em certo sentido ele retoma a lição do Modernismo, trabalhando várias formas de tratamento do coloquial e do cotidiano: a tarde na leiteria, o trajeto do ônibus, a caminhada na avenida Nossa Senhora de Copacabana — é em torno desses motivos do dia-a-dia que vão surgir as posições políticas, não mais como algo de fora (a favelada Aparecida e o cabra João Boa-Morte, realidades sobre as quais se fala), mas como algo interior, da vida do poeta, e do qual se fala. Essa mudança de perspectiva, que acende um lirismo forte, é visível mesmo nos textos cuja temática se distancia mais de nós. No meio de um poema sobre o Vietnã, por exemplo, interpola-se de repente uma cena sobre o Rio de Janeiro ("Por você por mim"); ou ainda, em "Dentro da noite veloz", os procedimentos utilizados nos levam para muito perto da narrativa da morte de Che Guevara. A proximidade, portanto, não deriva apenas dos temas, mas os envolve através da criação de uma atmosfera íntima, de vida cotidiana, da qual o leitor participa.

Nenhum ponto de contato entre estes poemas e o Tropicalismo, a mais forte corrente poética da época. Apesar do retorno ao movimento modernista, perceptível em ambos, é fácil notar que, enquanto aos tropicalistas interessa sobretudo a linha oswaldiana, Gullar optou por uma aproximação a Drummond (que o marca muito), Manuel Bandeira e Mário de Andrade. Isso será mais visível no passo seguinte, o *Poema sujo* (1975), em que estes poetas brasileiros (e mais alguns outros, em particular João Cabral) são estilizados, imitados, às vezes parafraseados. Apoiando-se em nossa tradição literária recente, Ferreira Gullar exercita um virtuosismo estilístico de longo fôlego. Neste instante, parecem ter sido superadas as angústias de *A luta corporal*, a objetividade dos poemas concretos e neoconcretos, e o desvio populista do cordel: pelo mergulho na memória e na infância, o poeta consegue fazer emergir um quadro que é ao mesmo tempo seu (individual) e brasileiro (social), buscando uma linguagem que equilibre rigorosamente a liberdade individualista da expressão e a necessidade socializante de comunicação.

Dos textos escritos durante a fase mais repressiva da ditadura, se não podemos dizer que eles reflitam as correntes literárias da época (mas essas foram tão pobres...), podemos entretanto dizer que eles, a seu modo, refletem a atmosfera brasileira daqueles anos. Lá estão representados o golpe de 1964, com seu cortejo de ilusões perdidas, a guerra do Vietnã, a guerrilha boliviana do Che, a sucessão de exílios. E sobretudo está ali o clima da vida intelectual de então, em poemas como "Agosto 1964", "O prisioneiro", "Exílio", "Por você por mim", "Dentro da noite veloz", e ainda outros, que tematizam momentos de esperança ou desencanto, às vezes de raiva e amargura, mas sempre guardando a perspectiva do futuro. Essa linha ampla e complexa, que revela o poeta amadurecido buscando uma cada vez maior compreensão das coisas e dos fatos, terá prosseguimento no último livro, intitulado *Na vertigem do dia* (1980), que forma com os dois anteriores um conjunto bastante homogêneo, do ponto de vista temático-estilístico.

Este paralelismo rudimentar basta para nos mostrar a ligação que existe entre a obra poética de Gullar e a história recente do país. No entanto, serve apenas para explicar seu aspecto mais superficial e para situar-nos diante da sucessão de estilos que ela apresenta; não nos leva à compreensão interna das várias passagens nem à motivação dessas. Porque Ferreira Gullar não é apenas (como um repórter) um poeta preocupado em perseguir os acontecimentos e em retratá-los. Se ele faz isso, se ele busca esta sintonia constante, é porque obedece a alguma necessidade profunda que certamente estará inscrita em seus poemas e que — descoberta — nos dará a chave para entendê-los melhor.

Penso que uma frase de Sérgio Buarque de Holanda, na curta "Introdução" a *Toda poesia*, destaca esta necessidade interior que devemos procurar. Depois do endosso às opiniões sobre Gullar, de Vinícius ("é o último grande poeta brasileiro") e de Pedro Dantas ("é a última voz significativa da poesia"), Sérgio Buarque de Holanda amplia o elogio dizendo que, salvo algumas peças de Mário de Andrade e Drummond, Gullar "é o nosso único poeta maior dos tempos de hoje". E acrescenta: "Mas em Gullar a voz pública não se separa em momento algum de seu toque íntimo, de seu timbre pessoal, de esperanças e desesperanças, das recordações da infância numa cidade azul, evocada no meio de triste exílio portenho".[2]

Deixemos de lado o tamanho do poeta e as comparações com Mário e Drummond, tão contestáveis. Interessa a observação final, que sublinha aquilo que de fato me parece a característica mais evidente da poesia de Ferreira Gullar. Sem dúvida, dentro dela avulta o lado público, a preocupação com a história, o direcionamento para o combate ideológico. Neste sentido procede bem a comparação com os dois modernistas, principalmente com o primeiro, um dos mais engajados de nossos escritores. Mas não há como negar o caráter subjetivo que, nesta poesia, se sobrepõe às vezes à sua dimensão empenhada na luta política. Salvo o tempo curto do CPC — de resto, o mais pobre, embora não pouco importante —, o leitor destes textos experimenta a sensação muito clara de estar diante de um "eu" atormentado, que

---

[2] *Toda poesia*, Rio de Janeiro, Civilização Brasileira, 1980 (cf. "Introdução", p. 5. Todos os poemas serão citados de acordo com esta edição).

busca definir-se diante de problemas como a natureza da poesia, o fluir do tempo, a deterioração do corpo, a memória de fatos e pessoas, a morte, a fragilidade das coisas, as relações sociais, as atitudes humanas etc. O que vemos emergir dos textos, de acordo com a definição clássica de lirismo, é esta subjetividade crispada face às dores da vida, o "toque íntimo", como diz Sérgio Buarque de Holanda, que não se separa — e isso fique claro — da "voz pública".

Um dos objetivos deste ensaio é discutir as idéias e a prática de Ferreira Gullar com relação ao problema do "nacional-popular", isto é, de uma arte e uma literatura que sejam capazes de expressar a "nação brasileira" e o seu "povo". A formulação desta idéia ocupa um instante muito preciso da trajetória do poeta, o momento dos Centros Populares de Cultura, da União Nacional dos Estudantes, e tem a seguir (no fim dos anos 1960 e na década de 1970) um desenvolvimento mais esbatido e flexível, como se pode deduzir dos seus últimos livros. Entretanto, creio não ser possível estudá-la diretamente, isolando-a de outras características da obra e focalizando-a de modo pontual.

Isso, em primeiro lugar, porque a idéia de uma literatura nacional-popular é tão velha quanto a própria literatura brasileira. E ainda, o que é mais decisivo, porque a junção entre timbre pessoal e voz pública modula o problema de vários modos, diferente em cada escritor que decidiu-se a enfrentá-lo. Para lembrarmo-nos de como este último aspecto é importante, basta nos reportarmos ao Modernismo, que já nos primeiros anos se dividiu entre tantas formas de representação da nacionalidade e do povo, concebendo-os em tantos matizes diferentes entre si (e até mesmo opostos) quantas eram as cabeças pensantes. Só para concretizar melhor: em Mário de Andrade, por exemplo, a paixão pela cultura popular vai combinar-se com a informação erudita e mesclar-se, ainda, com obsessões muito pessoais, para produzir os sucessivos tipos "brasileiros" e "populares" de que sua obra está cheia. Do Cabo Machado, "bandeira nacional", em *Losango cáqui*, passando pelos sofredores do subúrbio paulistano, nos *Contos de Belazarte*, e pelo folclore do *Clã do jabuti* até *Macunaíma*, "herói sem nenhum caráter", todos eles apresentam sutis ou grandes diferenças, em relação uns com os outros. Sua unidade nasce, muito menos de uma suposta realidade brasileira (à qual, não obstante, ela deve sempre alguma coisa), do que de um timbre pessoal, um colorido completamente mário-andradino.

Se o compararmos agora com Drummond, veremos que as distâncias se alargam: o aproveitamento do popular no poeta mineiro, conquanto seja amplo e tenha contribuído de modo decisivo para a grandeza de sua obra, tem pouco a ver com a sistemática e espetacular incorporação realizada por Mário. Em Drummond a assimilação é discreta e seletiva, realizando-se em função de uma sensibilidade fechada e pudica, generosa também, mas contidamente reservada. E se resolvêssemos pensar em João Cabral, Guimarães Rosa...

Por enquanto, pelo menos, a melhor maneira de abordar as preocupações com a idéia de uma literatura nacional-popular é estudá-las no instante em que elas surgem, no contexto que lhes dá origem. Ou melhor: no interior da obra do escritor que resolveu enfrentá-las, e procurando sempre relacioná-las com as outras preocupações temáticas e estilísticas que se combinem com elas. Por isso este ensaio, embora não pretenda ser uma leitura de toda a poesia de Gullar, deve entretanto encará-la globalmente, descendo a particularidades que, na aparência, estarão muito distantes deste nosso objetivo. Mas logo se verá (eu espero) que as digressões confluem todas para o mesmo ponto nuclear: a idéia de se representar, na literatura, uma identidade nacional, está em estreita relação com a tentativa de fazer surgir, através da pesquisa poética, uma identidade pessoal que, por sua vez, retire força e substância de uma identidade cultural. Os percalços da viagem, afinal a própria matéria da poesia, relacionam-se com acidentes de toda ordem, desde os mais íntimos (disposição afetiva, conflitos amorosos, peculiaridades do sujeito) aos mais amplos e gerais (situação política, ideologias de grupos, tradição literária etc.). Tentemos avançar a pesquisa.

Gullar e a geração de 45

De que forma o Modernismo foi encalhar na geração de 45, isso ainda é um mistério. A explicação corrente mais aceita procura mostrar tal desenlace como conseqüência da reação formal contra a agressividade da vanguarda, busca de maior rigor poético em substituição à liberdade anárquica da experiência. Mas este tipo de resposta — situada no interior da "série literária" e obedecendo a uma dialética restrita — é no mínimo insuficiente. Compreende-se que, a um período de experimentalismo acentuado, suceda uma fase de maior contenção inventiva e de maior respeito às regras do bem-fazer poético. Isso, entretanto, não basta para esclarecer as causas da rigidez, disciplina e estreitamento de horizontes que caracterizam o grupo de poetas saídos da ditadura Vargas.

Na verdade, devem existir outros motivos, de ordem social e ideológica, que nos ofereçam um esclarecimento mais convincente. Não descartamos a hipótese da evolução formal: houve de fato desgaste do experimentalismo modernista e necessidade de substituí-lo por formas expressivas mais apuradas. Mário, Bandeira, Drummond, Murilo, Jorge de Lima — estes poetas alcançaram nos anos 1930 uma verdadeira superação das inovações técnicas que o Modernismo havia introduzido entre nós. No entanto, paralelamente a essa decantação da experiência, no início confundindo-se com ela, surgiu uma outra linha que retomava vários elementos do Simbolismo do início do século XX e que, dentro de uma visão mística, espiritualista da poesia, reagiu contra o coloquial e o cotidiano, afastando-se para regiões solenes. A palavra de ordem passou a ser a seriedade contra o espírito moleque dos anos 20 — como se o humor modernista não tivesse condições para habitar as altas esferas da literatura. Daí para a eloqüência e para as formas enfatuadas foi um passo.

A dificuldade está em determinar a conjuntura social e ideológica que permitiu este passo. É preciso lembrar a intensa disputa política que ocorre no Brasil na época. Da Revolução ao golpe de 1937, a burguesia se divide em lutas pelo poder e pela definição do papel do Estado; grupos liberais, fascistas ou de esquerda tomam posição diante dos problemas brasileiros, propõem programas e projetos. E a literatura é totalmente atravessada pelo debate, de tal modo que as preocupações de ordem estética mudam de órbita, abandonando as experiências em torno da crise da representação e voltando-se para os problemas sociais. Aliás, a reviravolta não é só brasileira, mas internacional, pois tanto na Europa e na União Soviética como nos EUA, a literatura e a arte em geral tendem a procurar novas formas de realismo para responder às exigências do momento. No Brasil, entretanto, a marcha destes realismos, que a princípio anunciava-se forte e criativa, sofre um entrave com o Estado Novo e, a seu término, quando o país retoma o regime democrático, a floração de literatura social já havia quase cessado. Houve ainda um curto período de combate, com a inteligência progressista animada pela vitória sobre a ditadura interna e sobre o nazi-fascismo. Mas logo o enrijecimento de posições decorrente da guerra fria, junto a certo sectarismo demonstrado pelas direções da esquerda, vêm espalhar a descrença e o desânimo entre os intelectuais, que preferem então encaminhar-se para um trabalho mais reservado, mais distante dos interesses imediatamente políticos. Este quadro de retraimento geral dominará sobretudo a nova poesia (com algumas exceções, entre elas a de João Cabral de Melo Neto) e só terminará, por paradoxal que pareça, com o governo Kubitschek.

A geração de 45 nasce, portanto, da derrota de uma das tendências do Modernismo. Ou, se quisermos, da incapacidade mostrada por essa tendência para superar o lado de simples denúncia populista, característico da literatura social dos anos 1930, e para ultrapassar o papel de consciência modernizadora que o movimento cumpriu durante algum tempo. De fato, as últimas obras de Mário de Andrade (*Café*, *Lira paulistana* e *O carro da miséria*) bem como *A rosa do povo* e o romance de Graciliano Ramos, mostram essa possibilidade de superação da consciência burguesa: o Modernismo esteve perto de colocar o conflito de classes no centro de sua produção. No entanto, não foi isso que aconteceu, e só razões históricas ainda mal conhecidas poderiam explicar a mudança de rumos operada para a direita. Levantamos algumas dessas razões (a repressão do Estado Novo e o sectarismo da guerra fria), mas elas nos parecem ainda insuficientes, de modo que temos de nos contentar por enquanto com a pura constatação do recuo formal e ideológico observado.

Aliás, notemos que o próprio Mário de Andrade, desde a década de 1930, já diagnosticara e combatera o recuo, num ensaio intitulado "A volta do condor". Ali, a propósito da poesia de Augusto Frederico Schmidt, Mário examinava a crescente tendência retórica, passadista, que começava então a dominar a produção poética. Comparando-a com as realizações do Modernismo, que a esta altura também não o satisfaziam, achava entretanto que as reações do "estilo elevado" não acrescentavam nada de novo à poesia brasileira. Daí a observação dura dirigida a um estreante jovem, em cujo talento acreditava e por quem se interessava pessoalmente. Comentando o verso "Por campos vim cantando ao vento frio e olhando o trigo morto", do primeiro livro de Alphonsus de Guimaraens Filho, escreve ele: "Acho que em grande parte a nova libertação poética de após o pragmatismo nacionalista da minha geração, em vez de conseguir com isso maior intensidade lírica, está voltando, não nos superando não, mas voltando a certos artificialismos tradicionais. Aceito perfeitamente que o poeta esteja livre do tempo e dos espaços. Reconheço também que certos assuntos de alta envergadura exigem uma certa nobreza expressional que impede a linguagem comezinha. Mas é uma facilidade e mesmo uma verdadeira falsificação voltar, por causa dessas verdades incontestáveis, a um vocabulário de estudante de Coimbra, a entonações de oratória convencional, a fraseologias parnasianas ou simbolistas. Infelizmente não consigo descobrir a verdade, mesmo intelectual, de um poeta moço, mineiro da gema, vivendo em Belo Horizonte, inaugurando a avenida do Contorno, que, no momento de ser poeta, me vem falando em frases que reconheço pertencentes a escolas passadas e usando como suas imagens o trigo, o pinheiro, os pastores e os peregrinos".[3]

A crítica punha o dedo na ferida: a reação contra o "pragmatismo nacionalista" do Modernismo — isto é, contra a linguagem cotidiana, vulgarizada, "brasileira", de seus poetas —, em vez de conduzir a um lirismo mais apurado, volta à retórica convencionalíssima de escolas anteriores. E Mário de Andrade, que conhecia bem o problema, não hesita em apontar a componente alienada, sem "a verdade, mesmo intelectual".

É nesse clima de poesia retórica que Ferreira Gullar escreverá as primeiras composições de *A luta corporal*, os seus "Sete poe-

---

[3] Mário de Andrade, "A volta do condor", in *Aspectos da literatura brasileira*, São Paulo, Martins, s.d., p. 161.

mas portugueses", no caso muito bem intitulados: não porque tenham "vocabulário de estudante de Coimbra", mas porque apresentam uma linguagem de corte literário, de gosto arcaizante, mais próxima à tradição simbolista (portuguesa e brasileira) do que às inovações abrasileirantes do Modernismo. São poemas "literários", no sentido negativo que as vanguardas históricas deram a este termo, depreciando o arranjo caprichoso das palavras, a procura rebuscada de melodia, a obscuridade proposital, a ponta de preciosismo que satura e enfeita os textos. Desconheço as influências recebidas por Gullar nessa época (por volta de 1950), mas é fácil perceber que a atmosfera dos "Sete poemas portugueses" se aproxima daquela que existe nos livros da geração de 45. Os "campos noturnos", os "rios noturnos", as fontes, a água e o musgo, a flor e a estrela, os desvãos das "nuvens que fogem" — o vocabulário é similar, comum a esses poetas que tentam criar um universo abrandado de desespero em surdina, de solidão e incomunicabilidade. A destreza verbal demonstrada faz apelo à magia e ao mito, buscando fórmulas de encantação sonora, diluindo os ritmos, afrouxando as cadências do verso por meio do deslocamento dos tempos fortes, de modo que a impressão final seja de algo flutuante e etéreo.

Mário de Andrade talvez estranhasse esse arredondado e penumbroso num poeta jovem que acabava de chegar ao Rio, vindo do Maranhão. E de fato há um artificialismo e um despaisamento (que o título "poemas portugueses" acusa) muito sensíveis nos textos, e que são ainda a marca da pesquisa abstratizante, incolor à força de ser antipitoresca, do grupo de 45. No entanto, no caso de Gullar não seria correto negar pelo menos a procura de uma "verdade" — sob o fluxo retórico (de passagem, assinalo que mesmo a retórica é admirável para os vinte anos do poeta) o leitor sente a força da inquietação que busca expressar-se, rompendo o bem-comportado da surdina:

"[...] as imagens sob os lixos
no chão profundo de osgas vis e auroras
onde os milagres são poeira e bichos;

e sobretudo um tão feroz sossego,
em cujo manto ácido se escuta
o desprezo a oscilar, pêndulo cego;
nada regula o tempo nessa luta
de sais que ali se trava. [...]"

Aqui, não é só o vocabulário que cria a contundência. Ele conta, sem dúvida: lixo, osgas, poeira, bichos — tais palavras ajudam a armar um sistema de referências que agridem o constante desvanecimento do universo poético desses textos. No entanto, é fácil perceber que o léxico é balanceado: o chão é profundo, as osgas são vis, e há auroras e milagres... E apesar disso os versos marcam, deixando uma conotação forte de desassossego, creio que em parte derivada de forma explícita das oposições ("feroz sossego", "manto ácido"), mas também da metaforização do tempo ("desprezo a oscilar", "pêndulo cego"), que apela ao final para a imagem corrosiva da "luta de sais". Mais tarde, as palavras fortes indicadoras de desgaste e a imagística mordente serão as preferidas pelo poeta. Por enquanto, ao fim destes "poemas portugueses", o desespero diante da destruição e do perecimento ficará preso nas formas contidas, algo requintadas — mas muito bonitas —, desses versos em que encontro não sei o que da dicção de Fernando Pessoa, como se eles fossem uma mistura da visão moderna de Álvaro de Campos e da tentação classicizante de Ricardo Reis:

"9

Fluo obscuro de mim, enquanto a rosa
se entrega ao mundo, estrela tranqüila.

Nada sei do que sofro.
>O mesmo tempo
que em mim é frustração, nela cintila.

E este por sobre nós espelho, lento,
bebe ódio em mim; nela, o vermelho.
Morro o que sou nos dois.
>O mesmo vento
que impele a rosa é que nos move, espelho!"

O tema é o tempo, sua passagem desagregadora. Mas é difícil defini-lo com exatidão, pois ele se decompõe nos três focos que o poema fixa de maneira difusa: o "eu", a rosa e o sol. A conjunção desses três elementos forma um instante de beleza, um tempo que cintila pleno na "estrela tranqüila", no vermelho da rosa que se entrega ao mundo, mas que flui obscuro do "eu", em sofrimento, frustração, ódio e morte. O núcleo do poema é este contraste entre o esplendor natural da rosa e o tormento do homem. O "espelho lento" do sol ilumina uma desigualdade: o tempo eternamente belo e calmo da natureza (mesmo que seja efêmero como a beleza da flor) e o tempo circunstancial da vida humana, cujo sentido é o de destruição. A diferença doída, no canto que busca criar a harmonia, é sentida como duplamente irônica: é, primeiro, a impossibilidade de o poeta ser-como-a-rosa, de cintilar tranqüilo — pois nele o tempo não é criador, é frustração; e, depois, como a impossibilidade de o próprio canto cristalizar a beleza, espelhar o vermelho e não o ódio. Essa consciência do tempo humano como incapacidade de plenitude será depois o demônio de sua poesia.

Mas isso veremos adiante. Quero, agora, chamar a atenção do leitor para a linguagem do texto. Notemos que as imagens (rosa = estrela tranqüila; sol = espelho lento; tempo = vento), embora facilmente encontráveis na poesia da época, estão aqui reduzidas ao mínimo; e, o que é mais importante, não são usadas para criar um ambiente *flou* mas, ao contrário, entram em relação de oposição tensa com a idéia de fluxo. Só isso já mostra certo afastamento da geração evanescente de 45. Mas a nitidez de construção do poema, obtida através de repetições e espelhamentos, é o feito mais notável de Gullar. Observemos a disposição espacial dos elementos no texto: no primeiro verso da segunda estrofe, o "espelho, lento" parece corresponder a "rosa" (primeiro verso, primeira estrofe), que está em posição análoga. Ainda "estrela tranqüila" (segundo verso, primeira estrofe) encontra o seu similar semântico e posicional em "o vermelho" (segundo verso, segunda estrofe). Já no terceiro verso, desmembrado nas duas estrofes, o paralelismo se acentua: "Nada sei do que sofro"/ "Morro o que sou nos dois" e "O mesmo tempo"/ "O mesmo vento". E os últimos versos de cada estrofe mostram também similaridades sintáticas e semânticas, terminando ambos com termos do mesmo paradigma (cintila/espelho). Retenhamos essa disposição de espelhos, em que o elemento espacial tem importância. Ela será mais tarde transformada em um dos principais processos poéticos utilizados por Gullar.

Ruptura e retórica

Ao final dos "poemas portugueses", Gullar parece ter rompido suas relações com a geração de 45. Pelo menos não escreverá mais como ela, na forma preciosa de quem procura a palavra poética, o ritmo encantatório e a penumbra da chamada magia verbal. Ao contrário, sua poesia agora se fará contra o poético refinado, contra o requinte literário, contra as zonas escuras de encantação. A luta não será mais para dissolver o veneno, contemplando a fluidez obscura de si mesmo e imergindo nela; no sentido inverso, a luta será para fazer emergir o obscuro e com ele preparar um coquetel de venenos variados, raivosa e decididamente engolidos. O pior dos venenos parece ser a literatura, e o poeta investirá contra ela, ao mesmo tempo apurando-a e tentando destruí-la. O paradoxo que essa atitude contém — e que atormenta todas as artes do século XX — dará o tom moderno dos poemas de *A luta corporal*, a atualidade que ultrapassará o vazio simbolista de 45, conferindo músculos à pesquisa interiorizada.

Se é assim, por que então ligá-lo ao grupo de poetas dominante na época? De fato, Ferreira Gullar é diferente, e tem um toque pessoal, uma originalidade toda sua, e sobretudo um inconformismo que o leva a romper os processos convencionais. Da nossa distância de trinta anos, é fácil ver o quanto ele se adiantou e se afastou de poetas como Ledo Ivo, Mauro Mota, Alphonsus de Guimaraens Filho, Domingos Carvalho da Silva e outros. Resta, entretanto, que na ferocidade demonstrada sobrou sempre um pouco de retórica a mais, um excesso literatizante que encontramos nos textos mais raivosos, mais contrários à literatura. Nos poemas em prosa, por exemplo, nas partes intituladas "Um programa de homicídio", "O cavalo sem sede" e "As revelações espúrias", percebe-se que o alvo principal é a linguagem literária, atacada com o desespero de quem procura liberar-se das fórmulas prontas e encontrar a expressão nova. Pois apesar disso um preciosismo verbal está presente por baixo das grosserias e das blasfêmias, e serve para mostrar até que ponto o poeta estava preso à concepção nobilitante da linguagem literária. Observemos o início do texto "Carta ao inventor da roda":

> "O teu nome está inscrito na parte mais úmida de meus testículos suados; inventor, pretensioso jogral dum tempo de riqueza e providências ocultas, cuspo diariamente em tua enorme e curiosa mão aberta no ar de sempre ontens hojeficados

pela hipocrisia das máculas vinculadas aos artelhos de alguns plantígrados sem denodo. Inventor, vê, a tua vaidade vem moendo meus ossos há oitocentos bilhões de sóis iguais-desiguais, queimando as duas unhas dos mínimos obscurecidos pela antipatia da proporção inelutável. Inventor da roda, louvado a cada instante, nos laboratórios de Harvard, nas ruas de toda cidade, no soar dos telefones, eu te amaldiçôo, e principalmente porque não creio em maldições. Vem cá, puto, comedor de aranhas e búzios homossexuais, olha como todos os tristíssimos grãos de meu cérebro estão amassados pelo teu gesto esquecido na sucessão parada, que até hoje tua mão desce sobre a madeira sem forma, no cerne da qual todas as mecânicas espreitavam a liberdade que viria de tua vaidade. [...]"

O tom continuará o mesmo até o fim, e é ele que nos importa aqui, pois tanto a inovação como a permanência da poesia de Gullar (nessa fase) se dão através dele. Em que inova? Isso é fácil explicar: na agressividade que se obtém através de termos pesados ou chulos, no desprezo da suavidade, na compreensão de que a poesia pode não ser requinte, pode ser também grossura proposital. Inova na medida justamente em que constrói, como poema, um antipoema, anti-sublime, contra o estilo alto. E em que permanece? No retórico, na oratória levada ao limite extremo do jogo de palavras sonoras quase sem sentido, na "nobreza expressional que impede a linguagem comezinha" — como diria Mário de Andrade. Sinto assim, como se Ferreira Gullar, enjoado pela caprichada linguagem literária, levasse o capricho até o seu ponto máximo, esticasse a retórica até a beira do ridículo. Como o *dandy*, que busca ultrapassar a elegância exagerando-a, tornando-se elegantíssimo — e dessa maneira indiscreta caricaturando o elegante, deformando-o.

É nesse sentido que vejo *A luta corporal* como um livro ainda característico do período esteticista que vai do fim do Estado Novo até o Concretismo. Disse — no começo deste ensaio — que a linguagem contida, típica da poesia da época, parecia o correspondente literário da repressão que acompanha o processo de institucionalização do país. Nestes poemas o que se vê não é a aceitação submissa do bom comportamento mas, pelo contrário, a rebeldia. No entanto, o recalque não é vencido completamente e a forma poética não se libera das regras literárias nem se expande de maneira ampla. Ainda submetidos ao jugo do recalque, os textos se deformam, conciliando o impulso blasfemo, sacrílego, à linguagem solenizante, empostada (empolada?), que termina ressacralizando aquilo que se queria profanar. Para continuar com a metáfora, em termos freudianos talvez abusivos: não há uma sublimação completa, há uma espécie de formação de compromisso, em que recalque e liberdade se compõem.

No entanto, trata-se claramente de um processo de procura da expressão, que não se contenta com a literatura disponível, que arremete contra a linguagem, e que vai acabar por destruí-la. Vejamos agora como se dá este processo.

Canto e contingência

O primeiro grande poema de *A luta corporal* é o conhecido "Galo galo", que tematiza também, como o número 9 dos "poemas portugueses", a precariedade do canto. Mas aqui, em vez de focalizar a precariedade no tempo, o autor vai preferir centrar-se no nascimento do canto e na sua impotência contingente: fora do galo, o grito, "fruto obscuro", "é mero complemento de auroras".

A primeira coisa interessante dessa poética é a completa mudança de linguagem. Embora tratando os mesmos temas de antes, a expressão ganha a contundência que não possuía. O clima de sonho é substituído pela apresentação clara dos objetos, que se presentificam diante de nós como reais e concretos, como se fossem desenhados pelos procedimentos icônicos empregados. O novo estilo não dispensa os adjetivos, mas usa-os de forma quase substantiva ("galo galo" é o exemplo extremo), muito sóbria, apenas para ressaltar a figura, nunca para solenizar (como em "chão profundo", do "poema português" número 9) ou para mitificar (como "longo rio solitário", do "poema português" número 7). Simplificação de recursos, empobrecimento de meios que resulta em riqueza expressiva.

> "O galo
> no saguão quieto.
>
> Galo galo
> de alarmante crista, guerreiro,
> medieval.
>
> De córneo bico e
> esporões, armado
> contra a morte,
> passeia.
>
> Mede os passos. Pára.
> Inclina a cabeça coroada
> dentro do silêncio
> — que faço entre coisas?
> — de que me defendo?
>
>   Anda
> no saguão.
> O cimento esquece
> o seu último passo."

Só para explicitar a mudança, que já é tão evidente na simples leitura: o tom obscuro dos "poemas portugueses" é substituído pela visão nítida, econômica, que parece desenhada a bico-de-pena, de tal modo que a subjetividade dos primeiros textos, de impregnação difusa, passa aqui para o segundo plano. Mas não some. De fato, não se trata de uma descrição, trata-se da criação de um símbolo; e a subjetividade vai penetrar no poema, transformando o galo no "correlativo objetivo" dos sentimentos do poeta — isto é, metaforizando-o. Na segunda estrofe, "alarmante" já tem um aspecto subjetivo; na terceira estrofe, o "armado contra a morte" já prepara o clima que será desenvolvido depois; na quarta estrofe, o galo que medita sobre a sua situação no mundo já está personificado; na quinta estrofe (notemos aqui de passagem o belo movimento dos versos "Anda/ no saguão", em que o arranjo espacial reforça de novo o sentido) até as coisas ganham vida: o cimento esquece o último passo.

Temos a metáfora galo/poeta. É preciso confrontar ainda com o nono "poema português" para ressaltar outra diferença: ali comparava-se (de modo implícito) o canto do poeta com o brilho da rosa, "estrela tranqüila". Aqui a comparação vai mais em direção aos espinhos que à flor. "alarmante crista, guerreiro,/ medieval", e "córneo bico e/ esporões". A concepção da poesia mudou, não se insiste mais sobre o seu caráter de plácida cintilação. O desacordo, antes só do homem, estende-se agora para além dele e toca os próprios elementos da natureza. E o canto, coisa viva, em que se trabalha, é inquietude, luta contra a morte. Isso surgirá em seguida:

"Galo: as penas que
florescem da carne silenciosa
e o duro bico e as unhas e o olho
sem amor. Grave

solidez.
Em que se apóia
tal arquitetura?

Saberá que, no centro
de seu corpo, um grito
se elabora?

Como, porém, conter,
uma vez concluído,
o canto obrigatório?

Eis que bate as asas, vai
morrer, encurva o vertiginoso pescoço
donde o canto rubro escoa.

Mas a pedra, a tarde,
o próprio feroz galo
subsistem ao grito.

Vê-se: o canto é inútil."

 Desenvolvimento seco, bonito. Primeiro, a retomada objetiva (e totalizante) da descrição do galo, em que os traços mais agressivos são ressaltados: as penas guerreiras, o bico, as unhas e o olho "sem amor". A solidez da construção é minada entretanto por uma dúvida: em que se apóia? E da dúvida passa-se para a interrogação sobre o canto, no interior do galo. Duas estrofes em forma de pergunta introduzem este tema de maneira imediata. E o poeta parece considerar o canto como inconsciente (o galo saberá dele?), espontâneo (o grito se elabora) e inevitável (obrigatório, é impossível contê-lo). Há uma necessidade por baixo de tudo, e é como se, cantando, a figura do galo se completasse, se arrematasse, definitiva. O trecho encerra uma visão extremada e idealizada da poesia, uma visão de plenitude e totalidade. Apesar da diferença entre o símbolo suave da rosa e a ferocidade do galo, ambos têm isso em comum: o seu brilho é (ou deveria ser) a iluminação decorrente de um sistema interno de necessidades — natural, portanto —, e no seu máximo consumaria tudo, extinguindo qualquer confronto. Uma vez concluído o canto, que desapareçam o cantor e o mundo à sua volta.

Esta concepção apocalíptica esbarra na realidade, na simples impossibilidade do absoluto. Fica uma nostalgia do todo, da divindade. Desejoso de perfeição, o canto é apenas contingente, não culmina coisa alguma; logo — vê-se — ele é "inútil", é canto mas ao mesmo tempo é nada. Nesses extremos, a poesia aparece como inessencial, pois não atinge seu próprio objetivo:

"O galo permanece — apesar
de todo o seu porte marcial —
só, desamparado,
num saguão do mundo.
Pobre ave guerreira!

Outro grito cresce
agora no sigilo
de seu corpo; grito
que, sem essas penas
e esporões e crista
e sobretudo sem esse olhar
de ódio,
    não seria tão rouco
e sangrento.

    Grito, fruto obscuro
e extremo dessa árvore: galo.
Mas que, fora dele,
é mero complemento de auroras."

Redução da linguagem, maior agressividade dos símbolos, colocação mais direta dos problemas — nesses três pontos pode-se resumir o passo adiante dado por Ferreira Gullar com o poema "Galo galo". Abandonando a tonalidade diluída dos textos anteriores, ele se colocava no centro contraditório da literatura contemporânea: anseio de totalidade e consciência de que ela é impossível; desejo de imanência do sentido nas coisas, e compreensão de que o sentido é transcendente, alça-se para fora do sujeito e depende de algo que está além dele; procura da harmonia geral, e encontro com um universo de oposições e indiferenças, em que o desejo humano esbarra no alheamento do outro. Num mundo de mônadas, de coisas fechadas em si mesmas, o canto do galo (o poema) soa desamparado e impotente.

Corpo, linguagem, tempo (mastiga-se)

Essa visão da totalidade que não se atinge será a substância de *A luta corporal*. O ideal da poesia que se baste a si mesma, que se consuma e consuma o mundo no seu próprio fogo, será o objetivo impossível perseguido pelos poemas. Daí resultará a ironia, compreendida aqui esta palavra em duplo sentido: consciência corrosiva da plenitude irrealizável, e como processo literário, que consiste em acentuar de forma escarninha os contrastes que impedem a harmonia. Daí resultará, ainda, a fixação temática na desagregação, na passagem indiferente e destruidora do tempo, cuja ação simbolizará, de forma preferencial, seja o alheamento entre as coisas, seja a degradação física, o apodrecimento que conduz à morte ou que a segue — à morte, ponto máximo da perda do sentido. Por fim, daí resultará também a destruição da linguagem, que provém diretamente do enjôo com relação à insuficiência da expressão verbal — do poema, em última análise —, para captar o todo que deveria ser a poesia.

Dizer isso, entretanto, não resolve nem esgota o significado da procura que os textos de *A luta corporal* encarnam. No nível mais imediato, trata-se sem dúvida da "procura da poesia", uma pesquisa que já ocorre no universo carregado de símbolos obscuros dos "poemas portugueses", e que continuará também nas outras etapas, como uma espécie de constante. Só que modificada: poderíamos determinar um outro nível, em que a "procura da poesia" se transforma em meditação sobre a passagem do tempo, sobre a solidão no meio de objetos irredutíveis entre si, sobre os limites da linguagem e suas falhas no instante de exprimir a experiência, sobre o caráter fugidio, quase inapreensível da beleza. Aquilo que domina esse segundo nível é o movimento irônico a que nos referimos, a consciência de que a iluminação epifânica é breve e insuficiente. Por isso a sensação do tempo corruptível, que apodrece os frutos e estraga o corpo, estará sempre presente, como base das metáforas. E por isso o livro terminará num fogo de destruição geral — do sentido, da linguagem articulada, do poema.

Tempo e linguagem são, de certo modo, os dois pilares sobre os quais os textos se assentam; trata-se da busca da beleza no tempo, na linguagem, busca atormentada que leva à destruição. Mas há ainda um outro pilar, soldado a esses dois: é o "eu" que nos fala, uma *persona* lírica também se buscando de poema a poema, em cada um deles. Esse é outro nível, igualmente indispensável para a compreensão da pesquisa que é o livro: na medida em que tenta captar a beleza, confrontada ao tempo e à linguagem, o poeta busca de modo simultâneo definir-se, descobrir aquilo que ele é, seja diante da rosa, "estrela tranqüila", seja diante do galo, "desamparado num saguão do mundo", seja diante do girassol, que se vê com assombro na sua precariedade. Cada uma das "revelações espúrias" é revelação do mundo e do próprio "eu". Estas passagens do texto 1 de "Um programa de homicídio" mostram de maneira explícita a conjunção dos três temas básicos:

> "Tempo acumulado nas dobras sórdidas do corpo, linguagem. Meu rosto esplende, remoto, em que ar?, corpo, clarão soterrado!
>
> Calcinação de ossos, o dia!, o escorpião de que o mover-se é brilhos debaixo do pó.
>
> Mar — oh mastigar-se!, fruto enraivecido! — nunca atual, eu sou a matéria de meu duro trabalho.
>
> [...]
>
> Chego e os gerânios pendentes fulguram. As cousas que estão de bruços voltam para mim o seu rosto inaceitável, e consome as palavras o meu dia de trezentos sóis próximos.
>
> [...]
>
> As minhas palavras esperam no subsolo do dia; sobre elas chovera, e sóis bebidos trabalham, sem lume, o seu cerne; tempo mineral, eu as desenterro como quem desenterra os meus ossos, as manhãs calcinadas — carvões!
>
> [...]
>
>   construo, com os ossos do mundo, uma armadilha; aprenderás, aqui, que o brilho é vil; aprenderás a mastigar o teu coração, tu mesmo"

O trecho mostra como estamos longe e perto do nono "poema português". A imagem final é a mesma — o brilho; mas está aqui com valor trocado, passou de "cintilação" a "brilho vil". A frustração e o ódio que tanto incomodavam o poeta são agora assumidos por ele, que se dispõe a trabalhar contra o luminoso e o cintilante, pela destruição. As imagens são expressivas: a "calcinação de ossos", o escorpião, os verbos como mastigar e queimar etc. E sobretudo a afirmativa "eu sou a matéria de meu duro trabalho", que opõe (ao mesmo tempo com determinação e desespero) o esplendor natural das coisas — do mar, da rosa, do girassol, do gerânio, das frutas que amadurecem plenas na fruteira —, à solidão do homem, ser incompleto, que deve destruir-se e reconstruir-se incessantemente. O "duro trabalho" do poeta é a destruição: o mesmo tempo que faz as coisas fulgurantes, acumula-se para ele "nas dobras sórdidas do corpo, linguagem". Construir-se é mastigar-se; fazer o poema é rebentar a linguagem.

Peras maduras, corpo gasto

O poema "As peras" é uma descoberta do tempo, de si, do outro, dos limites do canto. É também um passo à frente do poema "Galo galo", no sentido de que o poeta aprofunda e radicaliza sua experiência, descobrindo nela novos aspectos:

"As peras, no prato,
apodrecem.
O relógio, sobre elas,
mede
a sua morte?
Paremos a pêndula. De-
teríamos, assim, a
morte das frutas?
   Oh as peras cansaram-se
de suas formas e de

sua doçura! As peras,
concluídas, gastam-se no
fulgor de estarem prontas
para nada.
 O relógio
não mede. Trabalha
no vazio: sua voz desliza
fora dos corpos."

A visão plástica predomina como sempre: essa "natureza morta" com o toque moderno do relógio é um quadro, paralisado diante de nós. Paradoxalmente, dentro dele tudo se move, tudo é fluxo de tempos — o das frutas, o do relógio e (sentimos) o do observador, nós mesmos ou o poeta. Reconciliados na linguagem, no quadro, na harmonia do poema, esses tempos e esses objetos são no entanto irreconciliáveis, cada um vivendo sua vida própria, alheio ao outro. Poderíamos dizer que a consciência desse fato restabelece as relações entre eles, e recompõe assim sua unidade; mas que pode a consciência contra o passar do tempo, que apodrece as peras fora dela?

Constatar essa impotência da subjetividade humilha duramente, porque é uma ferida no narcisismo poético. Diz Gullar: "Eu estava descobrindo o seguinte: que eu sou uma coisa e o mundo é outra coisa. Então, nesse poema das peras, o dia comum, o dia de todos é a distância entre as coisas. Quer dizer, o dia comum não é a solidariedade entre as pessoas, não é a comunicação de uma pessoa com a outra, não é a soma de interesses que constitui a comunidade. Não, não. O dia de todos é a distância entre as coisas, quer dizer, as pessoas como as coisas estão todas isoladas e morrendo. Então, a pera está apodrecendo, o relógio sobre elas mede a sua morte? Não, não mede, o barulho dele escorre fora delas e elas apodrecem nelas mesmas. E na medida em que elas apodrecem elas vão ficando douradas, pra nada, vão ficando belas, refulgentes, pra nada".[4]

A visão é realmente, como ele diz também, "barra pesada". Constatar que o mundo é um, e eu sou outro, é pôr em xeque a própria essência do lirismo, que deseja a todo custo ser "um-no-outro", ser fusão e identidade absolutas. O dia das peras — seu canto — é um refulgir solitário, "para nada". O instante do canto é plenitude, é tudo; mas quando ele pára, defronta-se com a morte, o vazio que é o nada. Também aqui construção e destruição convergem numa mesma coisa. Mas o poeta levanta a hipótese esperançosa de que o canto permaneça, e assim consiga burlar a morte:

"O dia das peras
é o seu apodrecimento.

É tranqüilo o dia
das peras? Elas
não gritam, como
o galo.

Gritar
para quê? se o canto
é apenas um arco
efêmero fora do
coração?

Era preciso que
o canto não cessasse
nunca. Não pelo

---

[4] Ferreira Gullar, "Depoimento" gravado na Funarte, Rio de Janeiro, 1980, datilografado, pp. 13-14.

>   canto (canto que os
>   homens ouvem) mas
>   porque can-
>   tando o galo
>   é sem morte."

Era preciso que o canto fosse perene para driblar a morte e que a plenitude fosse eterna para reconciliar eternamente as coisas entre si, eliminar a existência de vários tempos contraditórios. Eliminar o tempo — eis tudo; porque se a qualquer instante o absoluto fosse atingido, o sujeito viveria para sempre fora do tempo, numa eternidade que implicaria também uma identidade absoluta com todo o resto, o desaparecimento de todas as diferenças. Mas: "eu sou uma coisa e o mundo é outra coisa"... O ideal de Narciso, que é o de recolher todo mundo em si mesmo (como a poesia lírica), choca-se com a realidade da diferença: cada coisa é ela mesma, com seu próprio tempo finito, e está destinada à destruição. O canto do galo é efêmero como o brilho maduro da fruta, e ambos se dirigem, isolados, em direção à morte. A ilusão (de que a plenitude da poesia lírica possa contornar esse corte que impede a unidade de tudo) desaparece no passo seguinte, e o poeta passará a encarar a morte de frente. Toda a parte "Um programa de homicídio", assim como "O cavalo sem sede" e "As revelações espúrias", repisará sem cessar as mesmas imagens: o podre, o asqueroso, a vileza e a fatalidade do brilho, a inutilidade do canto, a morte.

No fundo, trata-se de uma depreciação violenta da literatura, que é também uma autodepreciação violenta. Mas há nisso uma força crítica que, ao contrário, não deve ser desprezada: o poeta recusa o mito da eternidade, firma-se na constatação do perecimento de tudo, na solidão como elemento essencial, para compor uma espécie de antimitologia antiliterária. O fato de ser *anti* não elimina, é claro, as dimensões da mitologia e da literatura; os textos continuam a tecer os seus símbolos no quadro de um discurso que apresenta sempre as características literárias. Mas é importante frisar o seu caráter crítico. O confronto com a realidade temporal desgastante faz desconfiar das belas palavras, da bela consciência que se levanta acima das contradições — a rigor, o confronto leva a desconfiar da beleza e da harmonia e a procurar seus avessos. Nesse sentido, a negatividade é o ponto forte desses poemas. O caminho percorrido por Gullar, da vaga nostalgia dos "poemas portugueses" até aqui, constitui uma luta constante contra a poesia, contra o brilho vil da carne, porque (como diz a "Carta do morto pobre")

"[...] se não é da carne brilhar, qualquer cintilação sua seria fátua; dela é só o apodrecimento e o cansaço."

Por outro lado, gostaria de sublinhar também o fato de que essa autocrítica representa (mesmo se de modo involuntário) uma crítica ao esteticismo da geração de 45, na medida em que este não desconfia dos brilhos verbais, das imagens de beleza e harmonia acalentadas. A luta corporal de Gullar, investindo sobre as cintilações fátuas, desnuda o caráter de artifício dessa beleza, expondo assim sua mentira. A uma velha e acomodada concepção de literatura — ideológica desde a raiz — ele vai opor a realidade do corpo/linguagem desgastado, em plena decadência, sórdido. Transcrevo o poema número 3 da parte "Um programa de homicídio":

"Não conte casos, a senhora está velha. As suas mãos secam, os seus dedos, os braços. As unhas, sem brilho, cansaram de crescer. Não finja, não brinque com crianças.
                                    Não esqueça o
seu corpo! Os cabelos embranquecem e caem. Os dentes apo-

drecem e caem. A senhora está gastando, sozinha, como os seus móveis de jacarandá em sua alcova. O nariz perde a forma, engrossa, é uma tromba. O rosto apagado (como um sol morto que nunca foi vivo) e enxuto — os olhos rodeados de infinitas pálpebras e melancolias — me lembra o pó o pó o pó irremissível!

A senhora tem quarenta e nove anos, não é? e as suas pernas afinaram; as nádegas, amolecidas na paciente rendição ao urinol cotidiano, as vossas severas nádegas, minha senhora, murcham sob as roupas. Triste cabelo, o que resguarda o seu sexo. Contra quê? Não espere mais, a senhora sabe que já não seria possível.

Comovem-me os seus pés ossudos, velhos de séculos, como os dum galináceo. A senhora é grave, apesar de todos os seus vícios; apesar do *bâton* e do *rouge* tardios e das sobrancelhas tiradas em vão. Apesar da forma ridícula que o corpo ganha e perde no arco do sentar-se.

O silêncio do seu corpo em pé, erguido ao ar dos dias, desamparado como uma janela (que em tarde qualquer não estará aberta, nem fechada, em parte alguma do mundo).

Não saia. Sente-se nesta cadeira. Ou naquela. Olhe o assoalho poeirento, que a senhora há duzentos anos pisa sem ver: olhe a luz nas tábuas, a mesma que incendeia as árvores lá fora. A tarde nas tábuas. Deixe que lhe penetre a densa espera do chão."

O tema mais imediato deste texto é a destruição provocada pelo tempo, o feio tomado como contraste para a beleza procurada. A carne gasta, seca, enrugada, podre, aparece como o contrário do brilho. Entretanto, se as "cintilações da carne" são uma imagem da poesia, é perfeitamente possível ler este texto de outro modo: como uma variação do tema da "literatura, velha prostituta". E, lido como alegoria, o texto nos permite ver a junção clara dos três elementos que (como dizíamos atrás) estão na base da pesquisa poética de Gullar: o tempo, a linguagem e a própria identidade.

Sobre este último ponto — da identidade — gostaria de insistir um pouco mais. O tom geral dos poemas é sempre o da subjetividade. São textos saturados pela presença forte de um "eu", presença devorante apesar da pretensão de ser objetivo. Às vezes o poeta fala de coisas aparentemente alheias a ele, que não são e não se reduzem a ele: o galo, as peras etc. É preciso entender que esse alheamento, embora essencial, é também figura, imagem, porque falando de objetos autônomos, encerrados em si mesmos, ele fala sempre de sua própria solidão. A objetividade externa dos poemas mascara (como vimos em "Galo galo") uma profunda pesquisa subjetiva, que ultrapassa o psicológico para atingir o estatuto de interrogação de ordem filosófica sobre o ser, o estar no mundo entre coisas.

Como interpretar isso? Penso que, por um lado, não se deve limitar o nível de leitura: as imagens se referem, ou pretendem referir-se, ao âmbito humano mais geral, são perguntas sobre a natureza do homem, feita de tempo e linguagem. Mas por outro lado elas revelam também uma crise do indivíduo, não apenas de ordem psicológica, mas de ordem existencial: o ser que procura situar-se diante do mundo. Estes dois aspectos (nos quais é fácil encontrar um eco da problemática existencialista) são reveladores de que a pesquisa poética, além de encerrar uma reflexão sobre o tempo e um combate com a linguagem, é ainda a tentativa de trabalhar um "eu", de compor uma identidade. Tentativa que parece destinada ao fracasso, à dissolução e à desintegração do "eu". Pois o ponto de chegada, como estamos vendo, é a destruição da linguagem — o silêncio — e a destruição do "eu", o suicídio.

Depois de "As revelações espúrias", Gullar tentará ainda o retorno ao discurso, com os poemas de "A fala" e "O quartel". São textos nos quais a tensão diminui, como se o poeta fizesse um recuo tático, buscando a saída para o impasse a que chegara. Prosseguir na linha anterior seria de fato impossível: ao apontar a insuficiência do canto — e ainda mais: a sua falsidade — só lhe restava por coerência calar-se, de nada adiantando prosseguir no esbravejamento da denúncia. Foi a decisão de Rimbaud, por exemplo. A outra solução, no primeiro instante, é renovar a confiança na linguagem e apelar para "A fala", na tentativa de ultrapassar o oco do silêncio. Os versos dessas composições, pelo menos nos poemas iniciais, são longos e descansados, parecendo buscar a placidez do discurso cotidiano. As imagens são de novo radiantes — fruto, sol, verão —, e tudo indica que uma certa felicidade, talvez decorrente da aceitação do mistério, substituirá a angústia dos poemas em prosa. Mas rapidamente a linguagem se embaralha, deixa de lado a simplicidade e volta a exprimir a contradição:

> "Fora, é o jardim, o sol — o nosso reino.
> Sob a fresca linguagem, porém,
> dentro de suas folhas mais fechadas,
> a cabeça, os chavelhos reais de lúcifer,
> esse diurno.
>
> Assim é o trabalho. Onde a luz da palavra
> torna à sua fonte,
> detrás, detrás do amor,
> ergue-se para a morte, o rosto."

Eterno retorno? Breve deixará de ser. Depois do estranho "O quartel", o poema "há o trabalho e (há) um sono inicial" empreende o passo à frente, da poesia para o silêncio. E finalmente o texto — será possível falar ainda de poema? — "Roçzeiral" completa a caminhada. Feito de grunhidos, de sons sem sentido, ele é um desmantelo raivoso da linguagem. De certo modo ele é o poema — na medida em que leva ao limite extremo a concepção da literatura como expressão: puro grito primitivo, que recusa enfeites, falsidades, ideologias. Principalmente ideologias. A linguagem rasgada incorpora (meio patética) o sem saída da condição humana, que é alçar-se sem esperança para a beleza. Trata-se de um ponto de culminância que encerra essa verdade, dita da maneira mais clara possível. E neste sentido o poema significa. Significa globalmente, embora suas palavras — e nem são palavras... — nada signifiquem, embora não se depreenda das suas partes o sentido racional. Tomado no conjunto, entretanto, ele está repleto de significação: é o nojo mais forte contra a falsificação retórica da linguagem, contra os simulacros da beleza, contra qualquer "brilho vil" que degrade. Sendo anticomunicação, ele assume em sua própria forma tanto a sua solidão social, como a solidão da morte que está no fim de todos os indivíduos.

Poucos artistas (e não só no Brasil) tiveram a coragem de caminhar em linha reta até um "Roçzeiral". Isso conta imensamente a favor da arte de Ferreira Gullar, coerente em seus propósitos até o fim. No entanto, é preciso pensar no outro lado, e admitir que a caminhada em linha reta costuma desconhecer as complicações mais sutis dos arredores. Em outras palavras: é preciso observar que essa concepção de literatura errava por falta de flexibilidade. De fato, os problemas que ela coloca não são errados, mas são colocados de forma incompleta. O defeito estará no ponto de partida, lá no início dos "poemas portugueses": o que desespera é a impossibilidade de aceitar que o momento de absoluta plenitude é impossível para o homem; e mais, é a impossibilidade de reconhecer que a própria idéia de coincidir com o absoluto encerra uma distorção.

A exigência de totalidade, aspiração à beleza suprema, corresponde ao desejo sem fundo (e real) de superar o intervalo entre os homens, ou entre os homens e as coisas. Trata-se do "sentimento oceânico", encontrável na base das religiões, e que Freud tentou explicar desvelando a nostalgia inconsciente de um universo unificado e sem desníveis. É também o sentimento dionisíaco que Nietszche deu como presente no espírito da música, na origem da tragédia e no mais interno da grande cultura grega. E é, ainda, o impulso religioso que Lukács enxerga por baixo das direções alegóricas da arte contemporânea, sua busca idealista da totalidade e seu fracasso diante de uma transcendência vazia. Aquilo que parece faltar ao radicalismo dessa passagem para o grunhido, na poesia de Gullar, é o contrapeso necessário que lhe dê um balanceio mais dialético. Digamos, em termos freudianos, que falta opor ao instinto de morte, regressivo, igual força contrária de preservação da vida, o impulso erótico que permita sublimar a ferida narcisista da separação. Ou, em termos nietszcheanos, que o espírito dionisíaco precisaria ter sido reconciliado com a forma apolínea, sob pena de o artista perder-se (como aconteceu) na exaltação de suas próprias descobertas. E, por fim, mas agora como crítica à falsidade completa das concepções de *A luta corporal*, na linha lukacsiana se argüiria ao poeta sua extrema arbitrariedade, sua subjetivação do tempo (que é para ele puramente interior, não histórico), sua tendência abstratizante, sua incompreensão do concreto.

Esta última direção é a mais radical de todas, como crítica, e veremos adiante que foi por ela que Gullar optou, quando se tratou de rever o rumo de sua poesia. No entanto, não estou convencido de que ela seja a objeção mais correta. De fato, a noção de tempo que acabamos de examinar nestes poemas refere-se a uma realidade subjetiva, e falta-lhe a dimensão histórica que permitiria suplantar a sensação de vazio, ao oferecer um sentido concreto àquilo que o "eu" percebe como ausência de sentido e arbitrariedade. Nesse caso, o fazer-se, o construir-se, deixaria de ser mera destruição de si mesmo, na medida em que um fim, para o qual tendem todos os acontecimentos de maneira objetiva, permitiria articular a visão de totalidade capaz de conferir sentido ao vazio. Nem o canto do galo, nem o brilho da pera seriam inúteis, destinados apenas à morte, mas teriam uma função de beleza (e outras), sempre numa direção positiva. E isso porque o "eu" também não se sentiria apenas destinado à morte: pertencendo a uma totalidade social (vista e compreendida), o seu dia seria o dia de todos, o dia comum da solidariedade, não do isolamento. O aspecto comunicativo da linguagem ganharia preponderância sobre o seu aspecto meramente expressivo e individualista, e assim se contornaria a obrigatoriedade de escrever sempre destruindo.

Este parece ter sido o caminho escolhido nos últimos tempos por Ferreira Gullar: o *Poema sujo* é uma celebração do dia comum, e "Bananas podres" contrasta com "As peras" exatamente por tentar descobrir as relações que existem entre o azul do mar — "nosso horizonte" — e as frutas que apodrecem na quitanda. Essa visão, no entanto, não supera sempre de modo satisfatório as posições de *A luta corporal*: ao substituir o impulso religioso e a transcendência vazia por um outro tipo de finalismo (materialista que seja), ela tende a divinizar a história humana — transformada em História, "nosso horizonte" —, e assim não só recupera a religiosidade como, o que é pior, repõe uma positividade que muitas vezes falsifica a literatura, ideologizando-a e fazendo com que ela perca seu caráter crítico. Esta perda de negatividade examinaremos adiante.

A negação é — como vimos — a grande virtude desses poemas: negando a retórica, a eloquência, a facilidade das imagens, eles se destacam da massa anódina de textos da sua época. A desconfiança está instalada na raiz da linguagem, e toda palavra é suspeita de conduzir uma falsificação. O poeta afasta este perigo desgastando os seus significados, examinando-os, refazendo-os, e assim opera uma verdadeira crítica ideológica deles, já que contesta o seu uso habitual. No entanto, ao adotar uma atitude "perspectivista", enche-se de otimismo e afasta a desconfiança da base de sua prática, substituindo-a pela fé nas novas convicções. A positividade toma conta do poema, permitindo o retorno da retórica.

Mas toda esta discussão já avança sobre o período "nacionalista" de Gullar, e ainda não estamos prontos para ir até lá. Gostaria aqui só de sugerir que a crítica lukacsiana ao solipsismo de poemas como "Roçzeiral" é perigosa porque desconhece o caráter de "negação da negação" que experiências individualistas deste tipo encerram. Seria preferível pensar, como o faz Adorno, que estes extremos da arte contemporânea escapam da falsidade ideológica justamente porque recusam o mito perspectivista e encaram as relações sociais como elas são no mundo atual, em que os indivíduos vivem de fato como mônadas isoladas no interior da sociedade. Mas, sem deixar de reconhecer essa virtude nos poemas finais de *A luta corporal*, seria também preferível criticá-los pelo que eles não souberam conter de sua força destrutiva, e pelo que eles não conseguiram realizar enquanto esforço de reconstrução formal. Quero dizer, apenas, que uma melhor dialética entre dionisíaco e apolíneo teria evitado o beco-sem-saída de "Roçzeiral" e de "Negror n'origens", permitindo ao poeta exercitar a corrosividade de sua visão dentro de um quadro ainda intelectualmente delimitado.

Vil, mas metal

É isso, aliás, que provam os poemas escritos entre 1954 e 1960, e reunidos em *O vil metal*. Ao lado de certas peças de circunstância, encontramos textos extraordinários em que os velhos temas são retomados com maior amadurecimento, com maior controle da linguagem e com a mesma visão amarga, temperada agora com a espécie de calma que têm os grandes artesãos. Veja-se, por exemplo, este poema "Escrito", cuja força plástica só pode ser obtida através de uma depuração que seleciona os signos com "a precisão do maduro":

"Escrito

A prata é um vegetal como a alface.
Primaveril, frutifica em setembro.
É branca, dúctil, dócil (como diz a Lucy)
e, em março, venenosa.

O cobre é um metal que se extrai da flor do fumo.
Tem o azul do açúcar.
É turvo, doce e disfarçado.

O ouro é híbrido — flor e alfabeto.
Osso de mito, quando oiro é teia-de-abelha.
A precisão do maduro. Dele se fabricam a urina e a velhice."

Trata-se de novo de um quadro, e de novo o tema que desliza entre os objetos retratados é o tempo. É fácil, entretanto, notar a diferença de enfoque: da prata primaveril ao cobre (outonal? o poema sugere isso pela justaposição dos metais) e ao ouro maduro, vai apenas a gradação, valorizada, do envelhecimento, não o consumir-se das peras e do canto. Não há também o desejo de calcinação ou de apagar o brilho, cuja força notávamos, no texto 1 de "Um programa de homicídio". Em "Escrito", o olhar pára meditativo sobre as coisas, procurando apreendê-las de uma maneira muito interior, como se houvesse uma substância comum que as unisse ao "eu": a prata como a alface, o cobre como o fumo, o ouro como flor e alfabeto — e todos *como* o homem. Essas comparações já não privilegiam o intervalo entre as coisas; ao contrário, buscam (como comparações...) as relações que possam uni-las.

Não se pense por isso que a corrosão desaparece do poema completamente, pois o último verso de cada estrofe insinua o sentido negativo, sob a forma de veneno, de turbidez e disfarce, ou de urina e velhice. Na verdade o tom calmo do poema harmoniza tensões, e sua beleza nasce da descoberta dessa harmonia. É o caso, parece-me, de equilíbrio apolíneo conseguido sobre o tumulto dionisíaco — o mundo vegetal e mutável é paralisado no mundo mineral, e este por sua vez ganha o movimento e a capacidade de transformação dos vegetais. Como ambos estão referidos ao "eu", a subjetividade impregna as forças opostas e parece (como a linguagem) tensa e controlada.

Seria exagerado considerar este texto como uma poética? A última estrofe nos permite esta interpretação. O ouro híbrido, "flor e alfabeto", natureza e cultura, é também símbolo da poesia, "osso de mito", que se vê agora de modo mais tangível do que antes, menos volátil, menos inalcançável. Por outro lado, é preciso notar que a imagem tradicional está modificada: embora o ouro mantenha suas qualidades nobres (é "osso de mito" e "teia-de-abelha"), e seja exaltado ("a precisão do maduro"), ele se degrada como "urina" e "velhice", ou ainda como hibridez — e esta última imagem é dupla, irônica, pois tem um sentido positivo (de riqueza, "flor e alfabeto") e outro negativo (perda de pureza). Não é nada exagerado entender este ouro como o "vil metal" do título do livro, o qual sem dúvida faz referência à poesia. Entretanto, o que se nota aí não é a recusa do "brilho vil", como nos poemas de *A luta corporal*, mas uma aceitação madura, algo irônica, do metal ao mesmo tempo vil e precioso — o poema.

Não apenas este, mas vários outros textos da mesma época procuram vencer o desespero da destruição completa, presente em "Roçzeiral" e em "Negror n'origens", através do recurso à linguagem seca, precisa, curta, essencial, que caracteriza uma aproximação à tendência construtiva. Vejo esta mudança de poéticas também como mudança de éticas: é pelo esforço da vontade (e pelo desejo igualmente, poderíamos dizer) que o poeta nega o sentido destrutivo e redescobre, detrás da destruição, detrás da morte, o impulso de continuar vivo. Isto se percebe em poemas como "Recado", em que o "eu" reage ao ciclo mortal para afirmar que tem "um sexo/ e um nome que é mais que um púcaro de fogo", e para concluir em seguida:

> "Às mortes que me preparam e me servem
> na bandeja
> sobrevivo,
> que a minha eu mesmo a faço, sobre a carne da perna,
> certo,
> como abro as páginas de um livro
> — e obrigo o tempo a ser verdade"

Verdade, ainda, é que nem sempre este impulso de vida é dominante. Em textos como "Fogos da flora" (o primeiro do livro), "Vida" e "Réquiem para Gullar" (os dois últimos), aproximamo-nos de novo das experiências extremas de *A luta corporal*, embora com menos nojo e menos infelicidade de vida. Mas penso que no fundo a característica mais marcante ainda é a procura de equilíbrio e construção, a tentativa de vencer a tendência mortal do dionisismo. Para que o leitor compare com os poemas citados anteriormente, transcrevo apenas mais um, cujo tema é de novo o brilho das frutas, mas cuja conclusão é bem diferente.

"FRUTAS

> Sobre a mesa no domingo
> (o mar atrás)
> duas maçãs e oito bananas num prato de louça
> São duas manchas vermelhas e uma faixa amarela
> com pintas de verde selvagem:
> uma fogueira sólida
> acesa no centro do dia.
> O fogo é escuro e não cabe hoje nas frutas:
> chamas,
> as chamas do que está pronto e alimenta"

Da música à pintura

Iniciando uma pequena nota sobre pintura, Gullar escreve o seguinte. "O poeta Apollinaire, que teve olhos para apreender o novo que os pintores faziam surgir de suas experiências no começo do século, percebeu, diante dos *Discos* de Robert Delaunay, que a pintura ali aspirava à condição de música".[5] Ocorre-me estender este tipo de comparação à sua própria poesia, para dizer que, se às vezes ela se encaminha em direção ao *melos* — e neste caso se aproxima vertiginosamente do puro som desarticulado —, ela possui também uma vocação plástica que se

---

[5] Ferreira Gullar, "Benevento", *Revista Isto É*, São Paulo, 8/7/1981, nº 237, p. 8.

manifesta sobretudo no desejo de salvar o poema de sua simples consumação pelo fogo do lirismo. Nada a estranhar: Dioniso é o deus da música, Apolo é o deus das artes plásticas — e entre os dois não é só Gullar que oscila, mas toda a arte contemporânea, em suas grandes tendências. Nada a estranhar — mas mesmo assim o fato é notável: da completa desarticulação dos últimos textos de *A luta corporal*, o poeta saltou (é verdade que com a mediação de *O vil metal*) para a atitude sob certos aspectos oposta.

De fato, o construtivismo da poesia concreta destrói a linearidade da linguagem, implodindo não só a sintaxe como o próprio vocábulo, mas faz isso visando à reconstrução posterior, que é de fundo intelectual e racionalista. O princípio de desmontagem se subordina ao princípio maior de montagem, e o que importa não é tanto o processo de fragmentação, é antes o processo inverso de recomposição. O contrário, justamente, do que ocorre nos poemas de Gullar, na fase do primeiro livro, quando o desejo é o de consumir em chamas a linguagem, até que dela reste apenas o princípio da destruição. E é deste extremo destrutivo que o poeta parte, em meados da década de 1950, para o extremo oposto do construtivismo.

A necessidade dessa passagem torna-se evidente quando pensamos no silêncio que se seguiria obrigatoriamente a "Roçzeiral" (ponto último da experiência de fragmentação), e na característica radical da prática poética de Gullar, que o impele sempre para as soluções finais. O equilíbrio de *O vil metal*, que a meu ver permitiu-lhe composições de excelente nível, deixava-o entretanto insatisfeito: experimentador por princípio, era certo que ele não se contentasse com um estilo já estabilizado e procurasse novas formas de expressão. Uma anedota, narrada pelo próprio poeta, mas a propósito de João Cabral, talvez nos ajude a entender melhor o porquê de o caminho escolhido ter sido o Concretismo. Segundo Gullar, Cabral mostrou-lhe certa vez (em

1968) um álbum de pintores da escola de Ulm; e como Gullar lhe dissesse que os quadros geométricos pareciam envelhecidos, o pernambucano respondeu-lhe: "Eu preciso de ordem, basta o caos que eu já tenho em mim mesmo".[6]

A historinha é significativa e serve para explicar ao menos parte do impulso que leva de "Roçzeiral" à poesia concreta. Não é preciso muita perspicácia para perceber que, no seguinte poema, a mesma temática de sempre encontra uma cristalização que exorciza o perigo do caos:

```
mel                                          laranja
        lâmina                    mel
              sol    lâmina
              laranja   mel
        sol                       laranja
lâmina                                          sol
```

Ao analisar atrás o nono "poema português", chamei a atenção para o sistema de espelhos que constituía a sua estrutura: os elementos, colocados em posições equivalentes nas duas estrofes, compunham uma rede de relações espaciais, refletindo-se aos pares, uns nos outros — espelho/rosa, estrela/vermelho, sofro/morro, tempo/vento, cintila/espelho. Dizia, então, que o elemento espacial, ali apenas latente (e afogado pela música do poema), seria mais tarde transformado no principal processo poético utilizado por Gullar. Aí está, e é como se todo o resto fosse atirado fora para ficar apenas a "calcinação de ossos".

Mas não se trata de simples depuração. Trata-se ainda de substituir um princípio musical — que organiza o verso —, por

---

[6] Ferreira Gullar, "Depoimento" à Funarte, citado, p. 12.

um princípio plástico — que organiza os signos de forma nítida na página branca. Como em certas composições de Apollinaire, a poesia aí aspira à condição de pintura, e Apolo toma o lugar de Dioniso. À dissolução sonora (tendencial) do neo-simbolismo dos "poemas portugueses", substitui-se a clareza concretizadora do desenho.

O processo tem pelo menos três grandes vantagens: em primeiro lugar, permite que o poeta continue a escrever, mesmo depois de ter chegado à situação-limite anterior; em segundo lugar, sendo uma atitude tão radical quanto a outra, baseia-se entretanto num princípio construtivo, o que contribui para exorcizar o caos; e em terceiro lugar, finalmente, permite-lhe prosseguir com suas próprias experiências, com sua própria temática obsessiva — o que é muito importante.

Ao adotar os princípios da poesia concreta, Gullar não abandonou por um só momento as suas antigas imagens e obsessões. Apenas deu-lhes uma configuração nova, potenciando e explicitando seu caráter plástico, como fica visível na comparação que acabamos de fazer. Uma coisa, entretanto, muda radicalmente: a experiência concretista reintroduz em sua poesia a dimensão social, que ela estava para perder.

Esta afirmativa pode parecer um paradoxo, para os que estão acostumados a ver o movimento da poesia concreta como desligado da *práxis* social — como algo encerrado nas experiências de linguagem, nas reflexões metalingüísticas e na obliteração sistemática da denotação. Isso realmente ocorre; e, no entanto, o Concretismo não pode ser reduzido a isso. Toda a teoria modernizadora que ele contém possui relações estreitas com o mundo racional da indústria, da produção em massa de objetos para o consumo; e a equivalência que ele estabelece entre o poema e a produção material de signos revela o desejo de enraizar-se numa realidade atual, presente à nossa volta. O rumo abstratizante de vanguardas como a poesia e a pintura concretas, no Brasil dos anos 1950, precisa ser compreendido e estudado no interior dessa relação com a sociedade, que surge na superfície, e apenas nela, com ares paradoxais, mas que se impõe na medida em que aprofundamos o problema.

No caso de Gullar, é fácil constatar como a poesia concreta permitiu-lhe manter, por certo tempo a mais, uma escrita comunicável: o recuo e a busca de equilíbrio, em *O vil metal*, parecendo insuficientes à sua ânsia de experimentação — talvez fossem virtudes velhas demais para os tempos que ele se propunha exprimir — o resultado provável seria a volta ao subjetivismo solipsista que provocara a grande destruição da linguagem. O Concretismo funciona como contrapeso razoável, dose de social que impede o puro afundamento na subjetividade. Os temas de antes — o brilho das frutas, o alheamento entre os seres, a dissipação da poesia — encontram mais uma possibilidade de se colocarem como forma. A concepção concretista do poema enquanto objeto (somada a seus postulados anti-subjetivistas) tem um valor oposto ao dionisismo que levou Gullar ao impasse do silêncio.

Polaridade: ou eu ou o mundo

Mas a fase concretista é muito curta, e foi justamente a questão da subjetividade que afastou o grupo carioca do paulista e abriu a dissidência do Neoconcretismo: por não concordarem com as proposições contidas no texto "Da fenomenologia da composição à matemática da composição", de Haroldo de Campos, os cariocas romperam com os poetas de São Paulo, acusando-os de pregarem novas poéticas de sonetos, e defendendo a expressão subjetiva das emoções como base da poesia. A objetividade do poema concreto ficava assim atacada, e o "quase romântico" (a expressão é de Mário Pedrosa, para caracterizar o grupo do Rio) Ferreira Gullar retoma, de forma ainda mais radical, a linha destrutiva. Data daí a "teoria do não-objeto", uma experiência situada entre o ritual e o *happening*, em que os poemas são "coisas" feitas para serem experimentadas, consumidas rapidamente. Assim Gullar os descreve: "Saio dos livros para os poemas espaciais. O gesto é o acionador desta linguagem materializada no espaço: uma caixa branca, a palavra dentro; uma placa, a palavra sob um cubo azul. Era o que chamei de 'não-objeto'. Eles se multiplicavam. Onde guardá-los? Como mostrá-los? Como passá-los adiante? Imaginei espalhá-los pelos jardins da cidade. Imaginei uma exposição que terminaria, meia hora depois de inaugurada, com a explosão dos poemas expostos. O último 'não-objeto' concebido já não tinha nenhuma palavra dentro...".[7]

Assim terminava, de novo no silêncio, a caminhada vanguardista. Depois dos anos 1950, a questão seria o marxismo, a poesia de fundo social, engajada numa via revolucionária. Antes de discuti-la, porém, devemos nos perguntar sobre o significado dessa primeira parte da aventura. Afinal, são cerca de dez anos de produção intensa, em que o poeta persegue corajosamente algo que lhe escapa sempre — mas sempre deixando no caminho o resultado de sua perseguição, os poemas. Bons ou maus (e na sua maioria eles são bons), o que mais importa neles é o fato de serem tais marcas da procura, da busca que o próprio Gullar chamou de "busca da realidade". De qual realidade? Insisti, ao longo deste texto, em que se trata sobretudo de uma pesquisa do "eu"; de um "eu" situado diante do tempo, da beleza, do canto, da impossibilidade de dizer, do caráter impenetrá-

---

[7] Ferreira Gullar, "Em busca da realidade", in *Cultura posta em questão*, Rio de Janeiro, Civilização Brasileira, 1965, p. 123.

vel das coisas, do alheamento, da destruição, da morte etc. Todos estes temas, enfeixados, constituem a "realidade" que o poeta procura; o feixe todo, entretanto, está referido a uma mesma pergunta, modulada na linguagem de muitas maneiras: quem sou "eu"? Mesmo a procura da poesia, que sob tantos aspectos é a viga-mestra da indagação, pode-se no fundo considerar como subordinada à procura da identidade; o enfoque sobre o canto do galo ou sobre o brilho das peras, sendo um enfoque sobre a natureza do poema, é também um enfoque sobre a existência do poeta. O cantor e o canto estão de tal modo identificados, que destruir a linguagem é ao mesmo tempo destruir-se, assim como construir o texto é ao mesmo tempo construir-se.

Colocando as coisas de maneira bem direta: há aí uma apaixonada busca da identidade, que se objetiva enquanto investigação da beleza, do sentido do tempo, da poesia. A "realidade" é a existência humana — mas é também em primeiro lugar a minha própria existência, para a qual é preciso achar um sentido. A forte subjetividade dos poemas não deixa dúvidas sobre essa direção. Inclusive, é preciso entender a recusa do Concretismo menos como derivada de razões externas, de programa estético, do que como conseqüência da expulsão do "eu" do centro do poema, realizada pelos concretos. Um romântico, para falar com Mário Pedrosa, busca antes de mais nada a si mesmo.

Esta procura, no entanto, acaba mal, porque chega à destruição da linguagem, à ruptura com o social e à autodestruição. Por que ocorre isto? Segundo Ferreira Gullar, porque o conceito inicial de realidade, do qual partiu a investigação, estava distorcido; e porque os instrumentos empregados na investigação também não eram adequados. "Um dado é evidente e constante ao longo de toda esta experiência", diz ele, "a rejeição de qualquer explicação lógica da realidade. Dir-se-á que essa rejeição é, com diferenças de grau neste e naquele poeta, condição mesmo da poesia. Mas essa resposta não resolve o problema, uma vez que resta ainda responder por que razão determinado homem escolhe a poesia — e não a linguagem conceitual — como seu instrumento de compreensão do mundo. Ele a escolhe, precisamente, porque necessita escapar às contingências concretas de sua vida, e a poesia se lhe oferece como caminho — oferecendo-se, ao mesmo tempo, como uma 'nova realidade', mais perfeita e mais real."[8]

Um parêntese, antes de comentar essas afirmativas. Elas foram feitas no corpo do ensaio intitulado "Em busca da realidade", que é ao mesmo tempo um depoimento e uma autocrítica: Gullar examina passo a passo os poemas de *A luta corporal*, explicando como eles foram escritos, quais as preocupações do autor na época de sua gênese, como ele modificou-se, a cada etapa, na maneira de encarar os temas e as técnicas etc. Trata-se de um texto importante, não apenas com relação à poesia de Gullar, mas como texto crítico simplesmente. Numa literatura pobre como a nossa, é fundamental que se escrevam depoimentos assim, mostrando um conhecimento interno dos problemas da criação poética. Creio, inclusive, que as interpretações de poemas ali contidas são impecáveis e nos oferecem a melhor visão possível de *A luta corporal*.

Isto não impede, entretanto, que se discorde completamente das conclusões a que ali se chega. O texto, escrito em 1963, é uma autocrítica em dois sentidos, e, no sentido político, apresenta uma grande fragilidade. Visível, aliás, no trecho acima citado. Primeiro, não é possível aceitar que "a rejeição de qualquer explicação lógica da realidade" seja um dado "evidente e constante" nos poemas de *A luta corporal*. Mesmo a "explicação lógica" que está

---

[8] Ferreira Gullar, "Em busca da realidade", citado, p. 124.

postulada por trás desta afirmativa — o marxismo — não pode recusar, senão de forma dogmática, a verdade e a coerência da exploração estilístico-temática realizada nos poemas. O argumento aqui é insuficiente, e percebe-se que à oposição racionalismo/irracionalismo Gullar superpõe confusamente a oposição conceitual/poético. Daí a absurda frase seguinte (absurda, bem entendido, no contexto em que está colocada), onde se afirma que um determinado homem escolhe a poesia porque necessita "escapar às contingências concretas de sua vida". Como se a poesia se resumisse a uma fuga e não tivesse nem valor de conhecimento, nem valor de crítica, nem a capacidade de opor utopias (novas realidades, mais perfeitas e mais reais...) à degradação da vida.

Há um fundo irracionalista nos poemas de *A luta corporal*? Se dermos a essa palavra um sentido ao mesmo tempo muito amplo e muito rígido — pelo qual, tudo que seja obscuro e misterioso se torna, *ipso facto*, irracional —, então, sim. Há muita obscuridade e muito mistério naqueles textos. Por outro lado, não há também um enorme esforço de compreensão, e uma recusa total de mistificação? Essas duas características parecem-me essenciais inclusive para se entender o processo todo. Dizer de uma determinada linguagem que ela é irracional só porque ela penetra em zonas não explicadas, é diminuir demais o conceito de razão — ou dogmatizar a partir de uma posição que se supõe dona da verdade absoluta. A crítica lukacsiana ao "irracionalismo" tem destes exageros, cujo resultado final é a condenação em bloco da arte contemporânea, tida como antiprogressista por se encerrar num pessimismo sombrio e suicida, ignorante das virtualidades históricas.

Já me referi atrás a este problema, que voltará ainda a aparecer. Não me parece (repito) que o desvio principal seja para o lado do irracionalismo; mais simplesmente, penso que o enrijecimento em torno de certas polaridades é que provocou o impasse do silêncio, levando o poeta a posições extremas, carentes de dialética. E isto tanto na fase individualista quanto na fase seguinte (no início dos anos 1960) de poesia social. Vejamos um exemplo esclarecedor. No mesmo "Em busca da realidade", ao comentar os poemas de "Um programa de homicídio", Gullar recapitula suas descobertas anteriores e esclarece: "Constatado, pelo autor, que o mundo objetivo é enganadora aparência encobrindo a realidade única: o tempo, a deterioração, a morte; constatado que, por isso, cada coisa como cada homem guarda em si mesmo sua 'verdade', isto é, sua morte; constatado isto, o poeta conclui que o único comportamento honesto seria manter-se fiel a esta 'verdade', e o poema não seria mais que, como o fruto, um fenômeno necessário do homem; mas necessário como o canto é necessário ao galo, como a praia é necessária ao mar, como o amadurecimento é necessário à pera".

E prossegue, para tirar a conclusão: "Ora, em termos de poética, resulta que a realização do poema deveria ser manifestação natural, sem artifícios, de experiências reais. Não se trata de escrever poemas, mas de exprimir-se enquanto existência. Tal ponto de vista exige uma total identificação entre a experiência e sua expressão que, de saída, repele as fórmulas. Trata-se de recomeçar a linguagem a cada poema, porque a forma deste deve ser resultante da forma de vivência que ali se exprime".[9]

Mas desde que cada forma nascida tende a cristalizar-se como técnica, ela tende também a sufocar a expressão natural da vivência. É a contradição entre poesia (absoluta) e arte poética (os meios de se alcançar a poesia) — a mesma tensão entre "lirismo" e "técnica" que perturbou Mário de Andrade no início do Modernismo. Gullar redescobriu, na época de *A luta corporal*, o

---

[9] *Ibidem*, p. 104.

ponto de choque entre o fluxo criativo individual e a necessidade de socializar a expressão. Da busca do lirismo mais puro, da subjetividade mais poderosa, até o silêncio, a morte, vai um passo, que deve necessariamente abandonar o papel socializador da linguagem. Neste ponto, Ferreira Gullar enrijece suas posições, destruindo a dialética entre os lados expressivo e comunicativo da língua. Ao aprofundar-se na subjetividade, perde de vista o aspecto de comunicação social; logo depois, caminhará com igual ferocidade para o lado oposto: morte ao individualismo, viva a Revolução. Assim, todo o delicado movimento de equilíbrio da poesia lírica fica reduzido a um jogo de radicalismos que, nos dois casos, compromete a literatura: empobrecida, a língua é ou o instrumento de expressão imediata da existência (o que levará a "Roçeiral"), ou o meio de comunicação dos conceitos (o que levará a "Quem matou Aparecida" e aos poemas do CPC). Será preciso esperar até 1964 para que a exclusão mútua seja superada.

As bases teóricas do nacionalismo

É no interior deste impasse de ordem pessoal que Gullar chega à literatura política e de combate. Já vimos que a experiência concretista representou uma espécie de reintrodução, através da objetividade, do mundo real numa poesia que ameaçava calar-se para sempre ao coincidir com o grito. Foi a primeira tentativa de contornar o silêncio, e ela deve muito ao mundo da indústria, que começava a impor-se no Brasil. A segunda tentativa, que renega toda a obra anterior, brota do conhecimento do marxismo e da participação nas lutas político-sociais que ocorrem então no país.

No *front* cultural, Ferreira Gullar tem um papel importante. Tendo sido nos anos 1950, junto com Reynaldo Jardim, dirigente do *Suplemento Dominical do Jornal do Brasil* — que teve uma função modernizadora, de feição cosmopolita, à altura da grande mudança internacionalizante que nossa sociedade sofreu naquela época —, ele já era o que se chama um intelectual de prestígio, respeitado como poeta, crítico de arte e jornalista. Sua conversão ao marxismo, a abjuração da vanguarda e a passagem à poesia política tiveram certa influência sobre os meios intelectuais brasileiros. Entretanto, o que me interessa sobretudo é o seu caráter exemplar: ao explodir com a retórica da geração de 45, no início da década de 1950, ele já dera um sinal dos novos tempos, redirigindo a nossa literatura para os rumos da modernidade; com o *SDJB*, a adesão ao Concretismo, a dissidência do Neoconcretismo e a teoria do não-objeto, ele se colocara como uma figura de vanguarda, na capital do país que erguia Brasília, criava a indústria automobilística e explodia em cidades enormes; agora, ao voltar-se para o cordel e para a miséria rural e urbana, ele apontava de modo pioneiro o novo tipo de sensibilidade que dominaria boa parte dos nossos intelectuais na primeira metade dos anos 60.

Essa nova sensibilidade volta-se para problemas do tipo morte da cultura, funções atuais da arte, nacionalismo e internacionalismo artísticos, questão do popular, subdesenvolvimento e outros. Sobre estes temas Gullar produz dois livros: *Cultura posta em questão*, publicado em 1965, contendo oito artigos escritos pouco tempo antes; e *Vanguarda e subdesenvolvimento*, publicado em 1969. Vejamos em que consistem as idéias aí expostas.

Em *Cultura posta em questão*, distingo três núcleos que, a meu ver, são os pontos em torno dos quais se organizam os argumentos dos oito ensaios: uma crítica às direções contemporâneas da arte; uma crítica à situação cultural do Brasil; e uma proposta de cultura nacional e popular. Embora os textos não se coloquem no livro nessa ordem (e até pelo contrário: a proposta do nacional-popular já aparece nos dois primeiros ensaios), sente-se que o raciocínio de Gullar passa pelas três etapas, repetindo a análise marxista tradicional da cultura burguesa, aplicando-a ao caso brasileiro e tirando as conclusões costumeiras sobre a necessidade de engajamento do artista.

Lidos hoje, quase vinte anos depois de terem sido escritos, os textos não apresentam grande novidade. É preciso pensar, no entanto, no começo dos anos 1960 no Brasil, quando estas idéias agitavam a juventude universitária, introduzindo-a no grande debate teórico sobre a relação entre arte e sociedade, ao mesmo tempo que encaminhavam-na ao conhecimento dos problemas nacionais. Nesta perspectiva já histórica a importância do livro fica ressaltada, embora nem por isso se atenue a fragilidade de algumas interpretações e certo esquematismo que se pode atribuir, sem injustiça, ao uso algo ortodoxo e simplificado do marxismo.

Neste último caso enquadra-se, evidentemente, a questão da "morte cultural da arte"; apesar de as colocações feitas por Gullar serem na sua maioria pertinentes, elas ressentem-se às vezes do *parti pris* ideológico adotado pelo autor. Assim, por exemplo, o julgamento de artistas contemporâneos, como Beckett, parece prejudicado pela exigência política de uma literatura esperançosa e positiva. Para Gullar, a literatura de Beckett "é a mais imediata expressão de uma visão simplista e negativa do mundo". E acrescenta: "Se há um escritor que reduz o instrumento literário a mero veículo de uma tese é Beckett. No entanto, críticos que se dizem politicamente avançados aceitam a obra de Beckett 'por sua força expressiva', como se tal força pudesse estar desvinculada da mensagem que a obra transmite — e essa mensagem é a negação de toda esperança".[10]

---

[10] Ferreira Gullar, "Função do artista", in *Cultura posta em questão*, Rio de Janeiro, Civilização Brasileira, 1965, p. 23.

É difícil concordar com as afirmativas de que a visão de Beckett seja "simplista" e de que ele reduza o instrumento literário a "mero veículo" de uma tese. O que está na base delas é, ainda, a interpretação lukacsiana do "irracionalismo" e da "a-historicidade" das vanguardas. E os vícios dessa posição podem levar, como sabemos, à condenação de toda arte do século XX, envolvendo no mesmo anátema o Cubismo, o Dadaísmo, o Surrealismo e as demais correntes estéticas vanguardistas. E a partir daí Ferreira Gullar não vacila em atingir formulações mais grosseiras: depois de admitir que, no Impressionismo, ainda havia elementos críticos à sociedade burguesa, ele adianta que, depois da valorização dos pintores impressionistas pelo mercado, o artista, sem se dar conta disso, "tornou-se na realidade o mero instrumento da classe dominante, da qual depende para sobreviver, já que a grande maioria do povo não toma conhecimento dele".[11]

Espanta, sobretudo, o radicalismo dessas proposições. Uma coisa é constatar a importância do mercado na produção artística e a mistificação imperante em função do próprio mercado; transformar esta importância na determinação básica de tudo que se faz, e negar valor às obras contemporâneas por causa disso, é outra coisa muito diferente. No entanto, tal é na época a posição de Gullar, mesmo que ele (contraditoriamente) afirme também que esta arte não é "mera resultante da irresponsabilidade do artista", nem "o fruto de uma chantagem conscientemente armada para tomar o dinheiro do burguês", mas sim "a própria arte, a verdadeira arte de nossa época" — isto é, uma conseqüência do mundo no qual se vive, dos seus valores culturais e sociais.

---

[11] Ferreira Gullar, "Morte cultural da arte", in *Cultura posta em questão*, p. 60.

Neste caso, o anátema é lançado por causa do desligamento entre as obras e os verdadeiros problemas da sociedade — o que ainda continua espantoso. Então, Picasso, Braque e Léger não tocam nos "verdadeiros" problemas sociais do século XX? E não o fazem de forma crítica? Os últimos a fazê-lo foram os... impressionistas? A carga é muito forte.

Os ensaios que compõem o livro armam-se sempre da mesma maneira: entre quantidade apreciável de observações pertinentes, de descrições exatas e sensíveis, desliza vez por outra um julgamento de valor, extremado e injusto, ou uma interpretação menos maleável, que não dá conta da complexidade do assunto. Quando o caso brasileiro é examinado, repete-se o esquema. Gullar observa com agudeza que as influências européias no pósguerra (quando o isolamento brasileiro é rompido) atrapalham a evolução interna de nossa pintura, pois esta já possuía, com Portinari, Segall, Guignard, Di e Pancetti, uma tradição imediatamente anterior, seguida pelos jovens artistas, e que tendia a aprofundar-se, não fossem os influxos sucessivos do Concretismo, Neoconcretismo, Tachismo, Neofigurativismo e outros. Gullar lamenta que estas injunções do mercado de arte impeçam o aprofundamento e a continuidade da experiência, e afirma conscientemente que o caminho "é voltar-se para o que já foi feito entre nós, ou para o que, lá fora, melhor afina com a necessidade cultural interna, e apoiar-se na temática que o país oferece".[12] Posições que soam como sensatas e perfeitas — exceto quando se pergunta se as influências externas seriam mesmo pura macaqueação ou se, pelo contrário, não corresponderiam também a necessidades internas, ditadas pelo nosso crescente processo de internacionalização. A última hipótese me parece mais provável

---

[12] Ferreira Gullar, *Cultura posta em questão*, p. 11.

(basta ver a importância que, na Tropicália, ganhará o Concretismo literário), e penso que o esquema de Gullar, embora compreensivo, tende a enrijecer-se quando examina as relações entre o nacional e o internacional.

Isto está cheio de conseqüências. Um escritor engajado como Mário de Andrade, por exemplo, mesmo nos instantes mais radicais, soube balancear com cuidado cosmopolitismo e localismo, entendendo a necessidade de cada um deles. Sem fugir à idéia de criar uma expressão literária "nacional" — isto é, adequada à realidade concreta brasileira —, jamais recusou as experimentações vanguardistas, originárias da Europa, reconhecendo nelas o timbre de modernidade que também, ao menos em parte, já era nosso. Daí a riqueza de suas colocações críticas, cuja amplitude de interesse abarca do folclórico e do regional até a mais refinada moda parisiense — sem esquecer-se de referi-los todos a uma concretude social ou vivencial.

Este ar tolerante falta aos ensaios de *Cultura posta em questão* (embora não lhes falte generosidade): escritos para o combate imediato, sua argumentação afunila-se até desembocar na tese pretendida, e com isso perde-se substância crítica. "Situação da poesia brasileira", penúltimo texto do livro, sofre um pouco disso. Sendo uma descrição em linhas gerais exata da evolução da poesia brasileira, de 1922 até o engajamento cepecista, consegue com precisão apontar as conformações estilísticas decisivas e explicar seus fundamentos sociais. Muita coisa, entretanto, fica na sombra. Manuel Bandeira, cuja poesia escapa do esquema geral, é a omissão mais importante. No entanto, mesmo valorizando Drummond — cujo coloquialismo tenso é tido como o modelo da poesia social —, por razões óbvias não deixa de repetir o lugar-comum da esquerda, a propósito de *Claro enigma*: "O poeta brasileiro que, na época moderna, mais avançara no rumo de uma poesia de massa voltada para a realidade social, recua e fecha-se em sua torre".[13] Desta torre, fechada e recuada, Drummond escreverá alguns dos maiores poemas da literatura brasileira. Mas isto o objetivo político do panorama deixará passar sem ser dito.

Por que tal afunilamento? Uma palavra de ordem política basta — a não ser que a política, no caso, exclua a dialética e despreze toda a riqueza da criação artística. Neste caso, trata-se de uma política irrealista, que acabará por se chocar com os fatos. E foi mais ou menos o que aconteceu, na medida em que todo o programa de cultura nacional-popular colidiu no golpe militar de 1964, indo a pique imediatamente, na sua parte mais ambiciosa, o contato educativo com o povo, e afundando mais devagar, até 1968, na sua parte mais eficaz, a radicalização intelectual e afetiva da classe média. Pode-se argumentar que isto decorreu da pressão exercida pela ditadura. É verdade, em parte. Mas sem dúvida, também, a fragilidade interna do programa cultural da esquerda contribuiu para este fracasso. A simples leitura do anteprojeto para o Manifesto do CPC, da "Nota introdutória" ao volume III de *Violão de rua*, do livro de Carlos Estevam, *A questão da cultura popular*, e deste mesmo *Cultura posta em questão* — para ficar nestas fontes[14] — evidencia o esquematismo com que são tratadas, não apenas as relações entre cultura e sociedade, mas as próprias condições concretas da sociedade brasileira.

---

[13] Ferreira Gullar, *op. cit.*, p. 80.

[14] O anteprojeto do Manifesto do CPC e a "Nota introdutória" ao volume III do *Violão de rua* podem ser encontrados no livro *Impressões de viagem*, de Heloísa Buarque de Hollanda (citado). O livro de Carlos Estevam foi publicado no Rio de Janeiro, pela Tempo Brasileiro, em 1963 (aí encontra-se também o anteprojeto do Manifesto, pp. 75-109).

E, justamente, os termos "condições concretas" e "sociedade brasileira" são os cavalos-de-batalha da época. A crítica está sempre centrada neles — e Ferreira Gullar cobra dos artistas, a cada instante, a consciência do subdesenvolvimento, do imperialismo e da luta de classes como *condição concreta* para a representação estética válida da *sociedade brasileira*. Apenas seria preciso lembrar que a consciência artística da sociedade se manifesta sob as mais variadas formas — e isto de certo modo ajuda a constituir a riqueza da arte, contribuindo para aproximá-la das "astúcias do real" —, não sendo portanto correto impor-lhe uma só direção, como se essa fosse a única via possível. Agindo de forma dogmática, o risco que se corre é o de escorregar para a abstração. Ao mesmo tempo que se acusa os outros deste pecado, esquece-se de verificar que, no entanto, as obras supostamente abstratas repousam sobre um fundo de experiência concreta, o qual simultaneamente as torna possíveis e é refletido por elas.

Este paradoxo da crítica *abstrata*, apoiada sobre uma teoria que exige como condição básica a *concretude*, é o grande defeito do outro livro nacional-popular de Ferreira Gullar, *Vanguarda e subdesenvolvimento*.[15] Apesar de mais sutil, flexível e bem informado que o anterior — e apesar de continuar até hoje um livro de todo interesse —, seu núcleo de argumentação apresenta os mesmos desvios. Vejamos três exemplos, interligados.

A dialética do particular e do universal, e os conceitos de símbolo e alegoria (desenvolvidos por Lukács), constituem um dos primeiros apoios teóricos de *Vanguarda e subdesenvolvimento*. Através deles Gullar (re)faz a crítica da vanguarda (que seria alegórica, passando do particular diretamente para o universal)

---

[15] *Vanguarda e subdesenvolvimento*, Rio de Janeiro, Civilização Brasileira, 1969.

e defende o ponto de vista da arte marxista (que seria simbólica, a concretização do particular). Seguindo Lukács, Gullar cita o seguinte trecho de Goethe, que vale a pena transcrever: "Existe uma grande diferença no fato de o poeta buscar o particular para o universal ou ver no particular o universal. No primeiro caso nasce a alegoria, onde o particular só tem valor enquanto exemplo do universal; no segundo, está propriamente a natureza da poesia, isto é, no expressar um particular sem pensar no universal ou sem se referir a ele. Quem concebe este particular de um modo vivo expressa, ao mesmo tempo, ou logo em seguida, mesmo sem o perceber, também o universal".[16]

É o caso de virar o feitiço contra o feiticeiro: boa parte da vanguarda exprime, sem pensar nisto, um universal; particularizando concretamente a solidão do homem, a alienação, a incomunicabilidade, ela está expressando a universalidade das relações sociais reificadas, sob o capitalismo. Já a poesia política, do tipo praticado na época do CPC, que é didática, que deseja "buscar o particular para o universal", costuma não apenas cair na alegoria, mas ainda realizá-la de forma ultra-simplificada, a rigor mais abstrata, porque só deseja explicar um universal: o caráter de classes da sociedade.

Continuando a virar o feitiço, agora com palavras do próprio Gullar: "O poeta 'vê no particular o universal' e não quer explicar essa conexão, mas exprimi-la". O cientista busca no singular a essência que, por sobre a particularidade, o liga ao universal. Para o reflexo estético, o fundamental é a experiência concreta do presente que se nega a aparecer como exemplificação do universal, mas quer ser sua expressão concreta: é, no dizer de Lukács, "a generalização da própria vida, dos fenômenos con-

---

[16] Goethe, citado por Ferreira Gullar, *op. cit.*, p. 58.

cretos da vida". Daí porque o poeta "fala com palavras-coisa, uma linguagem densa e ambígua, nascida da contraditoriedade inerente à experiência vivida".[17]

Pois, se é assim, então poderíamos dizer perfeitamente que a maioria dos textos de *A luta corporal* "exprime", "sem explicar", as conexões entre vivências concretas e universal; mas já "João Boa-Morte, cabra marcado pra morrer" e os demais poemas de cordel querem "explicar" o universal (conscientizar), e por isso a linguagem nem é densa e ambígua, nem nasce da contraditoriedade da experiência vivida, nem é feita de palavras-coisa, mas de palavras didáticas e transparentes. Aliás, falseadas e postiças, distantes do cordel autêntico que, às vezes, por cima da dominação alienadora, através da ingenuidade ao mesmo tempo espontânea e cheia de malícia, consegue ser expressão concreta da experiência concreta do presente.

Logo adiante, é claro, Gullar especificará melhor a crítica da vanguarda, afirmando que ela não capta o universal, perde-se na singularidade, no individualismo, no subjetivismo, porque não compreende o verdadeiro movimento da História, não distingue o essencial do acidental etc. A esta leitura lukacsiana, que vê nas vanguardas apenas abstrações e arbitrariedades, prefiro simplesmente opor a leitura de Auerbach, em *Mimesis*, muito mais abrangente e compreensiva. Ao contrário de Lukács, Auerbach vê na alegoria, na riqueza de pormenores, na arbitrariedade, na subjetividade e na ambigüidade a tentativa enorme de abarcar o real em todas as suas formas variadas e secretas. Concretamente, portanto, já que multiplica as determinações.

Mas passemos ao segundo exemplo a ser discutido.

Trata-se agora do problema do nacional, que *Vanguarda e*

---

[17] *Ibidem*, p. 59.

subdesenvolvimento formula de maneira teoricamente mais rica do que *Cultura posta em questão*. Neste primeiro livro apenas constatava-se que o caráter nacionalista da cultura popular decorria da luta contra o imperialismo: como o imperialismo é o responsável pela maior parte do atraso e da miséria do povo, conclui-se que o artista engajado na "cultura popular" deve, de saída, lutar contra ele. No segundo livro o problema ganha um enfoque mais sofisticado, à luz ainda das categorias do particular e do universal. No seio da realidade internacional (que é o universal), diz Gullar, existem realidades específicas, as diferentes nações, com suas diferentes culturas (que constituem as diferentes particularidades). Nacional (particular) e internacional (universal) são pois "realidades de uma mesma realidade, dialeticamente idênticas e distintas". Sendo assim, "quanto maior consciência tenha um país subdesenvolvido de sua realidade particular, maior consciência terá da realidade internacional e melhor poderá atuar nela e contribuir para modificá-la, conformá-la às necessidades das particularidades que as constituem".[18] Dessa maneira supera-se tanto o nacionalismo como o internacionalismo absolutizantes, postulando-se uma verdadeira dialética entre o termo local e o cosmopolita.

No entanto, a dificuldade é menos a de formular teoricamente o problema do que a de equacioná-lo na análise concreta. O que é essa particularidade da "nação"? Como separar, no interior de uma cultura nacional, o que é específico dela e o que só lhe pertence como participação no concerto das nações? Aqui e ali é possível pinçar algumas coisas — carnaval, futebol, Pelé; ou casa-grande & senzala, mais a cordialidade do brasileiro —, mas por aí sabemos que a arte vira exotismo e as ciências sociais

---

[18] Ferreira Gullar, *ibidem*, p. 66.

viram ideologia. De modo mais agudo, Roberto Schwarz desvendou a dialética da ideologia de "segundo grau" (que seria a descrição de uma especificidade), mas ainda assim a polêmica em torno da expressão (metafórica) "idéias fora do lugar" mostra os embaraços em que nos mete a vertiginosa distinção/identidade entre particular e universal.

Acontece que Gullar, ao lançar-se à análise concreta, repete o vezo de sempre: particular é apenas aquilo que se refira diretamente à realidade do subdesenvolvimento; qualquer reflexão sobre a natureza da arte e da linguagem pertence à esfera do universal. Eis aqui o que ele escreve sobre João Cabral: "*A fábula de Anfion* poderia ter sido escrita por qualquer poeta, de qualquer país, às voltas com a problemática da 'pureza'. Mas *O cão sem plumas* não. Ele é fruto de determinações precisas: fala de um rio determinado, que atravessa uma cidade determinada, e se refere a uma época determinada. Não se trata de o rio, mas de este rio, o Capibaribe. E basta isso para que todas as demais determinações se concretizem: o rio é o Capibaribe, a cidade é o Recife, com todas as suas particularidades de centro urbano do Nordeste brasileiro, atulhada de camponeses famintos vindos do sertão e que terminam se alojando em barrancos à margem do rio. [...] Jamais João Cabral teria feito um poema de tamanha riqueza comunicativa não houvesse partido da realidade, como partiu, mas de um problema, de um dado abstrato. *A fábula de Anfion*, por exemplo, embora escrito por João Cabral no perfeito domínio de sua arte, é pobre quando comparado a *O cão sem plumas*. Em *Anfion* João Cabral exprime um conceito que preexiste ao poema e que permanece inalterado no curso de sua elaboração".[19]

---

[19] Ferreira Gullar, *ibidem*, pp. 78-79.

São afirmativas ao mesmo tempo corretas e incorretas — a bem dizer, incompletas, quase tendenciosas no sentido de favorecer o argumento geral do ensaio. Por brincadeira, para mostrar como elas são absurdas quando levadas a este extremo, diríamos: "*Romeu e Julieta* poderia ter sido escrita por qualquer poeta, de qualquer país, às voltas com a problemática do 'amor impedido'. Já *Ricardo II* não. Ela é fruto de determinações precisas: fala de um rei determinado, que domina um país determinado, e se refere a uma época determinada. Não se trata de o rei, mas de este rei, *Ricardo II*. Etc.".

O absurdo das afirmativas de Gullar está em que elas desprezam de forma absoluta a dialética do particular e do universal quando tratam do primeiro poema. Se qualquer poeta de qualquer país poderia escrever *A fábula de Anfion*, então qualquer poeta de qualquer país poderia escrever *O cão sem plumas*. Nunca escreveriam, entretanto, os mesmos poemas de João Cabral. Foi por se esquecer disso (ou por se lembrar, nunca se sabe) que Pierre Menard concebeu a idéia insensata de se tornar o autor do *Quixote*. Não. É como se o problema da expressão poética não fosse uma realidade concreta (com múltiplas determinações, vá lá) para João Cabral de Melo Neto. Ou para o Ferreira Gullar que compôs *A luta corporal*. Também, é como se os únicos problemas concretos que interessem à literatura sejam os problemas sociais, ou de relações de classe, melhor dizendo, pois não estou nem um pouco inclinado a conceder que a questão da expressão poética não tenha um aspecto social (e o próprio Gullar concordaria com isso). E, por fim, é como se este mesmo problema não pertencesse ao âmbito da particularidade "nação"; tematizado por um escritor de país subdesenvolvido viraria abstração injustificada.

Vejamos agora o terceiro exemplo a ser discutido.

Na terceira parte de *Vanguarda e subdesenvolvimento*, o autor procura mostrar as várias influências recebidas da cultura européia pela cultura brasileira. Faz uma espécie de resumo de nossa história literária, do Romantismo ao Modernismo, procurando mostrar como as influências podem ser recebidas de modo positivo ou negativo. Como em todo esboço, o traço é largo e a malha deixa passar de tudo. No Romantismo, o influxo estrangeiro é bom porque ajuda a libertar-se das tradições coloniais e a criar uma "literatura brasileira autônoma"; já o Naturalismo "está totalmente deslocado da realidade brasileira", e o que sobra dele são "romances de costumes" (cita *O mulato* e *O coruja*, mas se esquece de citar o deslocado e importantíssimo *O cortiço*), que vão desaguar de um lado em Machado e Lima Barreto, do outro em Euclides e no regionalismo. Não explica os motivos do deslocamento do Naturalismo (maior que o deslocamento do Romantismo?), mas é fácil adivinhar as posições de Lukács por trás da recusa que recalca uma obra como *O cortiço*. Já o Simbolismo é outra "inserção inesperada", que não decorre naturalmente da "evolução interna da poesia ou da prosa", mas aparece como "instrumento de afirmação de certos setores da intelectualidade", reação "à objetividade e ao materialismo da burguesia que começa a impor seu caráter à sociedade brasileira".

Quanto ao caso do Simbolismo, creio que seria preciso fazer alguns comentários. Em primeiro lugar, ele surge como reação ao Parnaso, e se isso não evidencia a "evolução interna" que existe na Europa (pois de fato — como ele afirma — nossa literatura não apresenta o mesmo grau de organicidade que a européia), ao menos mostra uma consecutividade formal notável. Em segundo lugar, ele coexiste com o Parnasianismo, e se é verdade que ele significa uma reação "à objetividade e ao materialismo da burguesia", é verdade também que ele aparece como o seu complemento de finura e espiritualidade — não sendo apenas um "instrumento de afirmação de certos setores da intelectualidade". Em terceiro lugar, notemos ainda que o autor, para melhor salientar a característica superficial do Simbolismo entre nós, afirma que ele, mesmo em suas maiores expressões (Cruz e Souza, Alphonsus, Raul Pompéia), não tem "o caráter existencial que há em Rimbaud e Verlaine, nem a essencialidade que há em Mallarmé". O que é verdade e... Que Cruz e Souza e Raul Pompéia tenham feito uma literatura fortemente existencial, parece-me certo. No fundo, a afirmativa só é defensável em função de uma inferioridade global da literatura brasileira face à européia. Assim, Alencar não tem o alcance social de Balzac, Aluísio não tem a amplitude de Zola, Bilac não se compara com Baudelaire, Alphonsus não mostra a essencialidade de Mallarmé etc. Escapa Machado de Assis.

Dir-se-á que estamos criticando minúcias. Talvez, mas isso é importante: é o traço da simplificação que permite a Gullar o lançamento de suas teses. Aquilo que ele procura ressaltar é que, historicamente, os movimentos literários têm no Brasil um sentido diferente do que têm na Europa. Tese geral correta, que no entanto — na análise concreta de cada caso —, mostra pequenas distorções, mais adiante transformadas em grandes. A descrição do Modernismo é de novo exemplar: toda a evolução da poesia européia no século XIX culmina nas vanguardas do início do século XX; já no Brasil, o Modernismo "não é o desaguadouro de todas essas correntes, mas a explosão que as pulveriza". Se pensarmos nos dois séculos de acumulação e tradição literárias e artísticas que antecedem o movimento modernista; se pensarmos nas raízes simbolistas e na lenta evolução de Manuel Bandeira; nas ligações de Oswald com a boêmia parnasiana e nas marcas que isso deixou sobre o seu humor; na formação artesanal de Mário de Andrade, em contato com os "mestres do passado"; nos românticos como exemplo de prática de uma língua literária afastada do uso português; no barroco, como roteiro de uma descoberta; se pensarmos em tudo isso, veremos que a afirmativa tende a simplificar, embora seja correta em si. De fato, o Modernismo é uma "ruptura", muito maior entre nós do que entre os europeus: prova de que a evolução interna das artes apresenta-se na Europa de uma forma mais consolidada e orgânica do que no Brasil. Porém, é preciso insistir: no centro como na periferia, os "modernismos" surgem como conseqüência tanto de modificações econômico-sociais como da evolução interna da superestrutura.

Por que insistir sobre isso, quando o importante parece ser a diferença de graus? Porque na análise da ruptura seguinte Gullar fará justamente o contrário: ao examinar o Concretismo procurará mostrá-lo como conseqüência extrema do formalismo em que degenerou o movimento modernista na geração de 45, ressaltando aí a evolução interna, mas deixando em segundo plano (apesar de apontá-las) as determinações sociais. Isto é, as importações das idéias estéticas, nos nossos Romantismo e Modernismo, se não correspondem à evolução interna das artes, justificam-se pela necessidade histórica e social. Já o Concretismo, não. Seu surgimento indica "a maior densidade da estrutura social, maior autonomia — em termos de dinâmica própria — da superestrutura, isto é, do processo político e cultural". Mas trata-se de uma "resposta inadequada" — porque trata-se também de uma "problemática alheia à nossa realidade, decorrente de uma visão histórica insubsistente num país como o nosso e que, mesmo nos países capitalistas desenvolvidos, pertence ao passado".[20]

O Tropicalismo — que explodia quando estas frases foram escritas — viria mostrar como elas estavam erradas. Não é o caso de defender a poesia concreta, cuja substância social parece mesmo rala. Mas não é o caso, também, de considerar a sua proble-

---

[20] *Ibidem*, pp. 34-35.

mática como "alheia à nossa realidade". Dentro de suas limitações, ela foi capaz inclusive de antecipar o momento internacionalista que (queiramos ou não) vivemos hoje no Brasil.

Mas todo o livro *Vanguarda e subdesenvolvimento* é uma recusa a compreender a internacionalização capitalista, com todas as mudanças que ela traz para a vida social e para as artes. Pode-se contestar esta realidade, criticando seus efeitos trágicos sobre o país. Mas negar sua existência equivale a adotar a política de fechar os olhos para viver dentro de projeções do desejo. É um pouco, embora não seja todo, o sentido do nacionalismo artístico nesta época.

A poesia populista do CPC

E o populismo, a outra face do medalhão nacional-popular? Deixemos um pouco de lado, agora, a poesia de Ferreira Gullar, e tentemos enfocar o assunto de uma maneira mais geral. Ultimamente ele vem sendo muito discutido, e até já é notável o fato de serem tantas as críticas, que muitas pessoas passaram a defender o que ocorreu no governo Jango, recusando o nome de "populismo" para a mobilização então tentada pela esquerda brasileira. Darcy Ribeiro, por exemplo, num debate realizado em São Paulo durante a Bienal do Livro, em 1978, repelia a denominação como limitadora do entendimento correto daquilo que havia acontecido. A linha de defesa, aliás, vai sempre por aí: chamar de populista o período e a ação política da esquerda é desconhecer a realidade do trabalho de mobilização e organização populares que então se desenvolveu.

Carlos Estevam Martins, teórico e primeiro presidente do CPC da UNE, em depoimento concedido também em 1978, defende-se e ataca assim:

"As pessoas que hoje acusam o CPC de paternalismo fariam melhor se pensassem um pouco sobre o seu próprio maternalismo. Elas acham que o trabalhador ou o homem do povo já tem todas as idéias corretas no fundo da sua cabeça, sendo preciso apenas ajudar a botar para fora ou tomar consciência daquilo que ele já sabe, daquilo que lhe foi ensinado por suas próprias experiências de vida. Essa é a concepção de Sócrates, que Platão desenvolveu sob a forma da teoria da reminiscência. [...] O CPC tinha em vista dar uma contribuição para que o homem do povo pudesse superar as inúmeras dificuldades, as enormes desvantagens que ele enfrenta para adquirir uma consciência adequada da sua real situação no mundo em que vive e trabalha. Basicamente, nós éramos pessoas da classe média, a maioria de classe média baixa. As camadas e classes sociais que existiam acima de nós (a classe média alta, a burguesia, os latifundiários e assim por diante), não nos interessavam. O nosso público eletivo era o que estava abaixo de nós. Objetivamente, portanto, tudo que fizéssemos teria que ser necessariamente de cima para baixo. [...] *Queríamos fazer e fizemos* um trabalho educativo que abrisse possibilidades de transformar a realidade. *Não tínhamos nenhuma dúvida* de que estávamos trabalhando pelos interesses mais profundos e históricos das classes populares. [...] *Sabíamos, também, muitíssimo bem* que a nossa atuação 'de cima para baixo', por causa do seu conteúdo e finalidade, destinava-se a produzir alterações de baixo para cima. Mas, o principal para nós não eram as alterações de baixo para cima que as nossas atividades pudessem suscitar no plano cultural. O principal para nós eram as intervenções de baixo para cima nos planos econômico, político e social".[21]

---

[21] Cf. *Arte em Revista*, São Paulo, Kairós/CEAC, ano 2, nº 3, 1980, p. 182 (os grifos são meus).

Como se vê, a repulsa à denominação de populista é clara. Para Carlos Estevam Martins, não se trata de paternalismo ou manipulação, mas de uma prática política conseqüente e — o que é mais importante — a única possível para a época.

Daí um certo cuidado que devemos ter, ao defrontar o assunto. Como falar de uma literatura "populista", se a definição de "populismo" parece tão problemática para nós, hoje? Na introdução ao seu livro *Ideologia e populismo*, Guita Grin Debert mostra-nos como a ambigüidade dos conceitos é um traço marcante das teorias correntes na literatura sociológica, que visam explicar o assunto.[22] Na crítica literária a ambigüidade não é menor. Antonio Candido, por exemplo, fala sempre em "literatura empenhada", "voltada para o social" ou "para o político". No texto "Literatura e cultura de 1900 a 1945", falando dos anos 1930, chega a referir-se a um movimento de "ida ao povo", um *V Narod*, culminância da pesquisa localista do Modernismo e seu ponto ideológico máximo. A palavra "populista" aparece aí com um sentido positivo, que não é de modo algum aquele que ela tem hoje. E, de fato, Antonio Candido (como todos os da sua geração, de intelectuais ligados à universidade, que dificilmente poderiam ser chamados de populistas por quem quer que fosse) sempre manifestou simpatia por este decênio que agora consideramos como uma espécie de "matriz" do populismo brasileiro. Outro texto dele, "Erico Verissimo de trinta a setenta", é bastante significativo a este respeito.

Também Alfredo Bosi, na sua *História concisa da literatura brasileira*, escreve pouco sobre o assunto. Fala de populismo a respeito de Jorge Amado — mas não se estende sobre o tema.

---

[22] Guita Grin Debert, *Ideologia e populismo*, São Paulo, T. A. Queiróz, 1979 (a introdução constitui uma boa resenha crítica da bibliografia).

E quando vai localizar Ferreira Gullar e o período que nos interessa particularmente (a década de 1960), nem sequer utiliza o termo, preferindo expressões como "poesia social", "opção participante" e "poesia voltada para as tensões sociais".

É, portanto, sem apoio em fortunas críticas que devemos aproximar-nos do problema. Houve uma literatura populista no Brasil? Como se caracteriza ela? Que temas explorou, que recursos de linguagem preferiu, como obtinha sua comunicação com o público? Explorou — digamos — os temas da miséria das classes populares e da espoliação do povo, da prepotência dos latifundiários, da dominação do imperialismo, das "tensões sociais". Simplificou a linguagem, usou o coloquial mais direto, carregou o texto de passagens dominadas pela função emotiva, arengou politicamente. Buscou a comunicação com o amplo público através deste seccionamento de temas e desta amputação de recursos lingüísticos.

Talvez isso bastasse para enquadrar parte da obra de Jorge Amado como populista. Mas é fácil ver que, no caso de Graciliano, apesar da presença de algumas destas características, a classificação seria falsa. Por causa da profundidade atingida por ele, de sua complexidade, da ausência de caráter doutrinário? É possível. Porém, se for assim, isso demonstrará que a diferença prende-se a algo mais decisivo que a simples escolha do tema e, mesmo, à manipulação mais ou menos hábil dos recursos literários. Ligada ao tema e ao seu tratamento está uma visão de mundo, uma atitude que importa conhecer para perceber a diferença entre os resultados finais. Seria preferível que tivéssemos antes um modelo claro da atitude populista — uma descrição e uma explicação de sua estrutura e de seu funcionamento — para falarmos com segurança de uma literatura que transponha esteticamente estes dados externos para a sua estrutura interna. Só assim o debate deixaria de girar no vazio.

Mas às vezes (bem verdade que muito raramente) as análises podem começar num fenômeno posterior e lançar alguma luz sobre o que ocorreu antes. Quem sabe discutindo algumas características literárias não poderíamos chegar a conhecer melhor aquilo que gerou uma determinada literatura conhecida como populista? Proponho aqui apenas mencionar um traço que a princípio, como hipótese, me parece distintivo.

Começo voltando ao texto atrás citado de Carlos Estevam Martins. Sublinhei as expressões "queríamos fazer e fizemos", "não tínhamos nenhuma dúvida" e "sabíamos, também, muitíssimo bem". Elas denotam uma certeza forte, uma ausência de qualquer hesitação. O depoente, que foi um ator da história, mesmo depois de passar por reveses que afinal significaram a liqüidação de seu projeto, mantém um certo tom de fala que não admite a possibilidade do fracasso.

Em literatura, esta atitude é um desastre. A confiança absoluta na verdade daquilo que se diz não costuma conduzir os bons escritores. Ao contrário, quanto mais confiança nas idéias circulantes e nas construções verbais que as fazem circular, tanto mais fácil para o escritor diminuir-se e desaparecer numa arte literária pobre e ideológica, no sentido de que reproduz confiantemente o conjunto de falas que giram dentro do sistema dominado. E quanto mais ele desconfia destas idéias e as ataca — escavando o significado das palavras, desconstruindo as fórmulas prontas, pondo em xeque as concepções gerais que regem a sociedade, tanto melhor ele se aproximará de uma literatura mais vital e carregada de interesse.

Num certo sentido, creio que a oposição *confiança* e *desconfiança* caracteriza bem seja a prática política desenvolvida no início da década de 1960, seja a poesia que correu paralelamente a ela, procurando reforçá-la e representá-la. Houve confiança demasiada, e isso em vários sentidos. Meia dúzia de conceitos bastavam para reduzir e explicar a realidade brasileira: restos feudais, burguesia nacional em processo de ascensão, fortalecimento de uma classe média progressista, incorporação de grande parte das populações do campo à cidade, graças à industrialização, imperialismo etc. Sobre um quadro sumário e primário do Brasil, montou-se um esquema de alianças políticas, de ações que visavam a congregar o *povo* (palavra controvertida) num esforço de *construção nacional* (outra palavra controvertida).

Os poemas publicados nos três volumes de *Violão de rua*,[23] quase sem exceção, adotam sem questionamento e dúvida esta imagem simplificadora da realidade. Hoje em dia, reler vários destes textos é uma experiência estranha. Tomemos um exemplo ao acaso, o "Poema para ser cantado", de Paulo Mendes Campos, publicado no primeiro volume da série. Relendo-o, surpreendo-me com a mistura de fé mística e fervor confiante que caracteriza seu tom. Nas piores condições de vida — que o autor descreve — levanta-se a figura do povo como um vitorioso potencial, um mártir que possui extraordinária força de resistência e é capaz de vencer tudo. A dominação que ele sofre aparece-nos como um fenômeno passageiro, superficial mesmo: a potência que ele demonstra e o futuro glorioso que se abre a um passo são infinitamente superiores a ela. O texto é um hino de certezas, e aliás seu refrão é este: "Sei que o povo viverá".

Quem lê o final deste poema de 1962 e pensa no que aconteceu de lá para cá, tem uma sensação penosa: "No Brasil, na Argentina/ USA, Cuba, França, China,/ Flor agreste da campina,/ Só o povo reinará./ Um refrão novo e antigo,/ Em redor da flor do trigo,/ Minha amiga, meu amigo,/ Só o povo reinará./

---

[23] Os três volumes da série, números "extra" dos *Cadernos do Povo Brasileiro*, foram publicados no Rio de Janeiro, pela Civilização Brasileira, em 1962.

Só o povo reinará./ Só o povo reinará./ Só o povo reinará./ Só o povo reinará./ Só o povo reinará. Só o povo reinará./ Só o povo reinará./ Só o povo reinará".

À força de repetir (nove vezes) o verso, o poeta parece querer esconjurar alguma coisa que impeça o reinado do povo. No fundo, talvez a confiança não fosse tão grande. Mas o que resta compacto, ao final do poema, é uma certeza já atualizada nos versos e, apesar do tempo futuro, presentificada como realidade de aqui e agora.

Há um ensaio de Walter Benjamin, no qual ele critica o otimismo da literatura "engajada" francesa e faz o elogio da visão sombria do Surrealismo. Onde estão — pergunta ele — a primavera, os anjos, a vida feliz que os poemas engajados anunciam? Só se vê a realidade dura do nacional-socialismo, da *Luftwaffe*, da I. G. Farben e da guerra.

Um deslize semelhante ocorreu na poesia engajada brasileira da época. Não que seus poetas não falassem de miséria e sofrimento — pois falam, e muito. Mas a perspectiva histórica e política em que estavam montados é que parecia tão falsificada quanto a primavera, os anjos e a vida feliz denunciados pelo pessimismo desconfiado de Benjamin. Por exemplo, em "Canto abrangente", de Heitor Saldanha (publicado no volume II), que termina assim: "Cantaremos!/ Os novos poemas não serão fronteiras,/ mas serão ventres para novos filhos/ e esses filhos não serão bastardos/ sem heroísmo a simular combates,/ e nem serão os químicos do pranto/ a dissecar a lágrima em seu curso./ O horizonte concentrou-se rubro/ e dos escombros vai nascer a aurora./ Cantaremos!".

Nem todos os poemas têm este tom triunfalista e ingênuo, e seria injustiça nivelá-los por aí. Mas o que aparece, como característica geral desta literatura, é a absoluta ausência de desconfiança diante das imagens "redentoristas" do povo, e uma crença quase mágica no verbal. É como se a linguagem política da literatura fosse um constante performativo: enunciados, os fatos se realizam. Ingenuidade política (no sentido de uma avaliação simplista da realidade) e concomitante ingenuidade literária.

Alguém nos explica que depois da guerra não só a Alemanha, mas também a própria língua alemã estavam em farrapos: "Palavras como povo, espaço vital, pátria, terra, sangue, honra, educação, dever, providência, vítima, haviam sido profanadas pelos nacional-socialistas. A propaganda política é capaz de destruir uma língua até as raízes. Como poderia nascer uma nova literatura alemã deste monte de sucata em que estava transformada a língua? [...] Uma poesia escrita em 1945, por Günter Eich, marca a desesperada simplicidade com que os poetas daquela época usavam as palavras: 'Este é o meu boné/ esta, a minha capa/ aqui, o meu aparelho de barba/ no saco de lona. // Latas de conserva:/ Meu prato, meu copo./ Na lata branca/ risquei o meu nome'".[24]

Não cabe, naturalmente, qualquer aproximação entre o nosso nacional-populismo e a situação da Alemanha no pós-guerra. Mas o que desejo frisar é que o escritor contemporâneo tem sempre de lidar com uma língua "em farrapos", com palavras que foram ao longo do tempo sendo degradadas por um uso impróprio, ou mentiroso, ou servil, ou desgastante até que o sentido desapareça. Nossos poetas de *Violão de rua* jamais problematizaram a linguagem que usavam. Que significa mesmo "burguesia", "latifúndio", "patrão", "operário", "camponês", "revolução" etc.? Eles nunca se detinham diante de termos assim. Pelo contrário, apossavam-se deles como de uma novidade (aliás, em ter-

---

[24] Sigried Khale, "Introdução" à *Antologia do moderno conto alemão*, Porto Alegre, Globo, 1969.

mos de literatura brasileira isto é relativamente verdadeiro) e os usavam com a volúpia de quem estava fazendo a revolução, ao lado dos operários e dos camponeses, contra os patrões, os latifúndios e o imperialismo.

A realidade veio demonstrar que eles, ou melhor, que nós nada sabíamos a respeito do significado verdadeiro destes termos. Não sabíamos o que era o latifúndio no Brasil, que coisa era a burguesia nacional, quem era a classe operária, como agia o imperialismo. A língua já estava em farrapos, e a ilusão consistia em usá-la como se fosse algo de íntegro. A retórica populista de *Violão de rua* procedia pela reprodução de um movimento ideológico de seu inimigo: reificava, fetichizava a linguagem, sem indagar de seu verdadeiro significado.

Só um exemplo, que dispensa quase comentário, dessa retórica empolgada e fácil. Moacir Félix, na "Nota introdutória" do volume III, afirma a certa altura que o "trabalho de poetas", "homens da negação", tem "íntima afinidade com aquele impulso ou projeto de desalienação existente na história dos homens, sempre marcada pelas revoluções que a distanciam do *ensombreado chão da Necessidade* para aproximá-la mais e mais do *azulado reino da Liberdade*". E continua, afirmando a necessária aliança dos poetas com o proletariado, "classe por excelência da negação, única classe que luta para negar-se a si própria, para deixar de existir como tal e com isso fundar o novo mundo em que não existam mais classes. Ou seja: a única classe que busca essencialmente realizar o *goetheano anelo*: 'morre e transmuda-te'. [...]" (os grifos são meus).

O que encontramos nesta retórica? Boas intenções, declarações de princípio, imagens idealizadas da poesia, da classe operária e da revolução. Apesar de declarar-se um "homem da negação" (pois poeta), não há em suas frases nenhuma verdadeira negatividade, mas apenas a má positividade de um idealismo que faz (imaginariamente, é claro) o percurso entre o "ensombreado chão da Necessidade" e o "azulado reino da Liberdade".

Trata-se, por fim, de uma literatura bastante afastada daquilo que caracteriza justamente a mais forte parte da produção artística atual, seu lado mais crítico e mais negativo. A literatura populista de *Violão de rua* não contém um pingo de *ironia*. Reconhecimento dramático da condição humana sob o reino da Necessidade (para falar um pouco como Moacir Félix), é a ironia que faz a força crítica da literatura contemporânea. As personagens de Graciliano Ramos, por exemplo, são irônicas (no sentido de Northrop Frye, em que o modo irônico consiste em apresentar os heróis como mais fracos que o mundo que eles devem enfrentar), e é por isso que se abre uma enorme dimensão trágica nas figuras de Fabiano, Sinhá Vitória, os dois meninos, a cachorra Baleia. Já as personagens de Jorge Amado, não: essas são quase romanescas (também no sentido de Frye, em que o modo romanesco consiste em apresentar os heróis como superiores ao mundo que eles devem enfrentar), e é por isso que suas criações parecem-nos tão afastadas da realidade.

Por aí há talvez um caminho que nos permite compreender e conjugar duas coisas distintas: a ingenuidade política e literária da arte "populista" e seu atraso estético como decorrências de uma visão de mundo que se distancia da realidade na medida em que se limita a reproduzir, através de estereótipos, uma ideologia da força, da ação e do heroísmo individual — traços que já sabemos serem constitutivos da ideologia burguesa, desde o século XIX.

Fonseca & Azevedo

"Quem sou?" — com esta pergunta inicia-se o conto "H. M. S. Cormorant em Paranaguá", de Rubem Fonseca.[25] E como em toda boa narrativa curta, as primeiras palavras já destacam o tema e modulam o tipo de tensão que percorrerá o texto. Quem é a personagem que se interroga diante do espelho, vestida de mulher, enquanto sua irmã Luísa arruma o quarto? O leitor não precisa ser muito versado em literatura brasileira para descobrir logo que se trata do poeta Álvares de Azevedo, voltando da festa a que, segundo a lenda, comparecera travestido, e na qual enganara, seduzira e zombara do Conde de Fé d'Ostiani, representante no Brasil do reino das Duas Sicílias, e pretendente à mão de sua irmã.

Uma das linhas de interesse do conto segue por aí, na direção do belo pastiche que Rubem Fonseca faz do poeta romântico, incorporando à sua prosa tão contemporânea a eloqüência exaltada de Manuel. Trechos inteiros de poemas são assim recuperados para nós, e ganham em seu novo contexto prosaico uma força poética que não suspeitávamos que ainda persistisse na retórica juvenil de Álvares de Azevedo.

Mas absolutamente não é o pastiche (ou a estilização) que aprofunda o tema (embora sirva para ilustrá-lo). A pergunta inicial se desdobra ainda em mais dois planos. Num primeiro nível, ela é interrogação sobre a identidade do poeta-personagem, refletido no espelho, homem vestido de mulher. Oscilante entre a prostituta Teresa e a irmã Luísa, Calibã e Ariel na versão mais modesta de Macário e Penseroso, ele é também uma espécie de Hamlet degradado em garoto estudante de direito, na roça

---

[25] In *O cobrador*, 2ª ed., Rio de Janeiro, Nova Fronteira, 1979.

paulistana de 1852. E sob o tema tão romântico da divisão da personalidade, do duplo, o contista vai insinuando, em outro nível, outro motivo mais poderoso. Surge junto a Álvares de Azevedo o espectro de Byron, "bretão de alma de fogo", e os dois conversam entre si, em diálogos nos quais o "poeta altivo das brumas de Albion" faz papel de *alter ego* distante e irônico.

É neste nível que a pergunta inicial ganha mais intensidade. Quem é o rapazola brasileiro diante do lorde inglês que, do alto da força de seu Império, de suas Aventuras, de sua Poesia, olha com indiferença complacente aquele filho indeciso de um país de escravos, que tenta imitá-lo o tempo todo? Colocados face a face, o autor da *Lira dos vinte anos* e o autor de *Childe Harold* conversam sobre a vida e a morte, o amor e a literatura — e sobre política. O centro do conto, que no começo parecia fixado sobre a personalidade íntima de Álvares de Azevedo (amor e medo), desloca-se com firmeza para outro ponto e põe em relevo uma dimensão mais geral: a relação do poeta com seu país. O incidente do navio inglês Cormorant, que em 1850 invadira o porto de Paranaguá e apresara dois navios negreiros de bandeira brasileira, é o episódio que permite a Rubem Fonseca o deslocamento da questão básica.

"Quem sou?" — a pergunta tem agora um sentido diferente. Ela indaga do significado daquele episódio, da importância que ele tem para a soberania do país e das implicações do tráfico de escravos. Os diálogos entre Álvares de Azevedo e Byron são tensos, e as falas de cada um vão recortando semelhanças e diferenças. Na taberna, estudantes e bêbados manifestam-se contra os ingleses, defendendo a soberania brasileira. "Soberania de traficantes de escravos, mofa Byron." Álvares de Azevedo retruca que a Inglaterra descobrira um modo aparentemente limpo de explorar o negro, colonizando-o na sua própria terra, e agora quer acabar com a agricultura do Brasil. "Byron diz que despreza um país onde a economia nacional e o bem-estar de um pequeno grupo de privilegiados se baseia na exploração de escravos ferozmente subjugados." Álvares de Azevedo discursa contra a exploração dos trabalhadores e diz que um povo faminto "tem o direito de fazer tudo, seja o que for, para matar sua fome".

A discussão alcança aí o seu ponto alto. Vale a pena transcrever o trecho:

> "Tu falas dos brancos, diz Byron, e os negros? Enfim, quem sou eu para falar sobre isto, se aqui estou, *oblitus meorum obliviscendus et illis*, esquecendo o meu povo e sendo esquecido por ele. O povo nos esquecerá, a nós poetas? Depois de rolarem as cabeças, depois de passar o odor do sangue derramado e da carne carbonizada, de serem esquecidos o tropel e os gritos, voltaremos a ser necessários? Byron dá de ombros, olhando o papel à sua frente. Uma cortesã chamou minha letra de garranchos de uma lavadeira... Byron é apenas um *scribbler*, e eu um poeta alienado, e aqui estamos nós, *vis-à-vis*, esquecidas nossas diferenças, diluídas as condescendências de um e os rancores de outro. Byron não precisa de mim, nem a Inglaterra do Brasil, ele é o meu paragon e o Brasil uma colônia da pérfida Albion. Ser fraco custa um preço alto, chego às vezes a pensar que o inglês é uma língua mais bonita que a nossa. Cormorant só invadiu Paranaguá porque Byron, Keats, Shelley invadiram antes a minha mente. A Colonização se faz em nome de Deus, da Lógica, da Razão, da Estética e da Civilização. Os imperialistas levam o nosso ouro e corrompem a nossa alma. Byron e Schomberg eram iguais — a Poesia e o Canhão a serviço da Dominação. Nonsense, diz Byron, e desaparece."

A maneira de colocar o problema, encontrada por Rubem Fonseca, é fascinante porque consegue conciliar o exame da personalidade íntima e da face pública, dos amores e da política. Ao pôr em jogo a função da poesia, toca tanto na identidade pessoal do poeta como no seu papel social. Sendo abrangente assim, afasta a dicotomia entre indivíduo e sociedade, pois mostra-nos os dois lados como devem ser vistos, isto é, solidariamente unidos, interdependentes.

É curioso que ele tenha escolhido justamente Álvares de Azevedo — o "intimista", que foi acusado em seu tempo de imitar os autores estrangeiros, pouco contribuindo na formação da literatura nacional —, como protagonista deste conto exemplar. Mas entende-se: era preciso um verdadeiro poeta, no espírito de quem as contradições se cruzassem com força, para delinear este pequeno quadro poderoso, de dúvidas e hesitações, que mostram a condição de nosso escritor. O final do texto, focalizando a morte do poeta, muda a cronologia, deslocando as contradições para o presente. Quem se debate diante da miséria, no meio do imperialismo e da escravidão, não é o moço romântico, mas o pobre narrador: "Levanto-me trôpego e escrevo à frente do meu nome na parede vinte e cinco de abril de mil oitocentos e cinqüenta e dois. Bustamante diz que Byron era incestuoso, fanfarrão, pederasta, sedutor de mulheres, que o Cormorant foi embora, que eu não sou Álvares de Azevedo, que o *schottisch* virou chorinho, que tudo mudou, outros navios de guerra, novos escravos, outros poetas, minha vida se esvai, chamai meu pai".

O final do conto, como o começo, propõe o problema da identidade do "eu" e do país. O "quem sou" do início reaparece na boca do autor contemporâneo. E esse tema tão forte, que atravessa a nossa literatura como uma constante, é que me interessa para retomar a obra de Ferreira Gullar.

Identidade pessoal e social

Recapitulemos um pouco o que foi visto. Afirmei no começo, citando Sérgio Buarque de Holanda, que a conjunção entre "voz pública" e "toque íntimo" parecia a característica mais evidente do poeta. Em *A luta corporal* e em *O vil metal* vimos como a exploração da subjetividade é intensa e como os poemas parecem dirigir-se todos, através dos muitos prismas temáticos, para uma constante pergunta sobre o "eu", até chegar a desintegrar a linguagem, levando-a ao limite extremo do solipsismo. Nos *Poemas concretos/neoconcretos*, vimos a reintrodução da objetividade, que no entanto é logo afastada na "teoria do não-objeto", e substituída por outra espécie de pesquisa subjetivista. De novo o silêncio e o desaparecimento do mundo — até o corte divisório que foi o conhecimento do marxismo.

Poderíamos dizer que da poesia do primeiro livro para o Concretismo há um salto: o enjôo da linguagem discursiva e da exploração do corpo, e a passagem algo esbatida para o outro, para o não-corpo, para a sociedade — mas na forma peculiar que a poesia concreta assume, de adesão ao objeto (o outro como objeto). Daí para a poesia participante há mais um salto: a ampliação das determinações, a descoberta das forças históricas, a passagem agora resoluta para o tema do outro, mas dessa vez como sujeito.

Esta última fase da poesia de Gullar evolui por etapas. A primeira foi a do CPC e dos poemas de cordel, na qual o peso da propaganda política mata a arte. A segunda tem início logo após o golpe militar de 1964, e constitui um verdadeiro retorno à poesia. As composições dessa época, reunidas no volume *Dentro da noite veloz*, têm como principal característica a procura de equilíbrio entre a expressão dos sentimentos subjetivos e a comunicação da visão de mundo. A linguagem poética fica mais complexa e — embora tenha abandonado o agressivo sentido experimental do primeiro livro — impressiona pela facilidade com que desentranha do coloquialismo uma atmosfera poética densa, esplêndida como as peras maduras, mas tranqüila, sem a sombra do desespero. Voltam algumas das imagens prediletas, de iluminação; o significado, porém, mudou muito. Veja-se, por exemplo, o começo do poema "Homem comum":

"Sou um homem comum
    de carne e de memória
    de osso e esquecimento.
    Ando a pé, de ônibus, de táxi, de avião
e a vida sopra dentro de mim
    pânica
    feito a chama de um maçarico
e pode
subitamente
      cessar.
    Sou como você
      feito de coisas lembradas
      e esquecidas
        rostos e
      mãos, o guarda-sol vermelho ao meio-dia
      em Pastos-Bons,
      defuntas alegrias flores passarinhos
      facho de tarde luminosa
      nomes que já nem sei
      bocas bafos bacias
      bandejas bandeiras bananeiras
          tudo
      misturado
        essa lenha perfumada

> que se acende
> e me faz caminhar"

O leitor ainda se lembra do nono "poema português", que começava assim: "Fluo obscuro de mim...". Havia lá uma procura de identidade, que esbarrava na consciência do tempo como destruição e morte. Aqui, o sinal é o inverso: a identidade é transparente ("Sou um homem comum" e "Sou como você"), e o tempo — "essa lenha perfumada" — é feito da memória e do esquecimento de coisas que, acesas, fazem o poeta caminhar. Some a desarmonia: construir não é mais destruir-se ferozmente (como em "Um programa de homicídio"), e a identidade de "homem comum" parece capaz de solidificar um centro forte que domine e vença as contradições. Qual é esta identidade segura? Não mais a do poeta atormentado com a fugacidade da beleza e com o caráter irredutível das coisas:

> "Sou um homem comum
>   brasileiro, maior, casado, reservista,
>   e não vejo na vida, amigo,
>   nenhum sentido, senão
>   lutarmos juntos por um mundo melhor.
> Poeta fui de rápido destino.
> Mas a poesia é rara e não comove
> nem move o pau-de-arara.
> [...]
>   Homem comum, igual
>   a você,
> cruzo a Avenida sob a pressão do imperialismo.
>   A sombra do latifúndio
>   mancha a paisagem,
>   turva as águas do mar

> e a infância nos volta
> à boca, amarga,
> suja de lama e de fome.
> Mas somos muitos milhões de homens
> comuns
> e podemos formar uma muralha
> com nossos corpos de sonho e margaridas."

A ficha civil do cidadão, "homem comum", se opõe ao currículo do poeta "de rápido destino". Esse último ambicionava para a vida um sentido absoluto, eterno, totalizante. Não o encontrando, desesperava-se da poesia, da precariedade do canto, e queimava as palavras em seu próprio fogo. O primeiro descobre um sentido, ainda que relativo: mudar o mundo para melhor. Para isso é preciso abandonar a busca individualista e lutar junto, formar com os corpos de muitos milhões de homens uma muralha "de sonho e margaridas", contra a opressão. Vale dizer: deve-se abandonar aquilo que é a diferença entre os indivíduos (e que constituiu a temática de *A luta corporal*) e reencontrar a *semelhança* que os una. O dia de todos deve ser a proximidade entre os homens, ultrapassando "a distância entre as coisas". A "voz pública" e a "voz íntima" devem ser a mesma.

Duas questões se põem agora. Primeira: isso quer dizer que os poemas de *A luta corporal* nasciam apenas do registro íntimo, não possuindo a dimensão da sociedade? A resposta é não. Eles exprimiam um tormento do "eu", mas exprimiam também (como aliás já deixamos assinalado atrás) o isolamento terrível no qual vivemos dentro da sociedade. Neste sentido, eles davam concretude lírica a uma condição geral que é ao mesmo tempo a condição particular de cada um de nós. Apenas no instante em que a postura subjetivista é exacerbada é que o seu caráter geral fica ameaçado pela destruição (caso de "Roçeiral"). Mesmo aí, no entanto, é preciso ver que existe um instante mimético forte, que do ponto de vista literário não pode ser desprezado: a destruição da linguagem e do indivíduo, no poema, simboliza a possibilidade concreta da destruição da linguagem e dos indivíduos, na realidade da sociedade atual. O dilaceramento do texto funciona como um sinal de alarme, uma advertência.

Segunda questão: o abandono da atitude destrutiva, que nos poemas anteriores tinha o aspecto de combate à falsidade ideológica, significa que os novos poemas irão manchar-se de falsa consciência? Não necessariamente. Às vezes isso acontece, e a linguagem perde sua tensão poética para transformar-se em discurso patético (como no "Poema brasileiro"), ou disfarçadamente sentimental (como em "Notícia da morte de Alberto Silva"), ou apenas prosaico (como em certos trechos desse "Homem comum"). Mas isso ocorre sobretudo nos poemas de cordel do tempo do CPC, e mais raramente nos três últimos livros, porque neles a visão que se tem não é triunfalista nem dogmática. A má positividade é afastada por um movimento de auto-reflexão, que está constantemente colocando o poeta frente a si mesmo. Como no seguinte poema:

"MAIO 1964

Na leiteria a tarde se reparte
    em iogurtes, coalhadas, copos
    de leite
    e no espelho meu rosto. São
    quatro horas da tarde, em maio.

Tenho 33 anos e uma gastrite. Amo
a vida
    que é cheia de crianças, de flores
    e mulheres, a vida,

>   esse direito de estar no mundo,
>   ter dois pés e mãos, uma cara
>   e a fome de tudo, a esperança.
>   Esse direito de todos
>   que nenhum ato
>   institucional ou constitucional
>   pode cassar ou legar.
>   Mas quantos amigos presos!
>   quantos em cárceres escuros
>   onde a tarde fede a urina e terror.
>   Há muitas famílias sem rumo esta tarde
>   nos subúrbios de ferro e gás
>   onde brinca irremida a infância da classe operária.
>   Estou aqui. O espelho
>   não guardará a marca deste rosto,
>   se simplesmente saio do lugar
>   ou se morro
>   se me matam.
>   Estou aqui e não estarei, um dia,
>   em parte alguma.
>   Que importa, pois?
>   A luta comum me acende o sangue
>   e me bate no peito
>   como o coice de uma lembrança."

O leitor terá reparado na beleza sem enfeite da primeira estrofe, cujo tom coloquial afasta a possibilidade de retórica: na leiteria, entre utensílios, refletido no espelho, o rosto do poeta. São imagens que vínhamos encontrando ao longo de toda a poesia — os objetos e a figura do "eu" —, mas agora elas têm um sentido diferente. Não há o sentimento de separação dolorosa que havia antes, há uma espécie de integração natural, como se o "eu" fosse alguém entre coisas, uma pessoa entre outras — ainda o homem comum, que exerce o seu direito de estar no mundo. A imagem no espelho reflete um indivíduo determinado, mas esse indivíduo identifica-se fundamente com os outros: "ter dois pés e mãos, uma cara/ e a fome de tudo, a esperança". E note-se que esta identificação surge de forma natural, como se um impulso de afetividade — e nunca algo exterior — colocasse o poeta diante do próprio rosto e o fizesse ver, refletidos nele, os amigos presos, as famílias sem rumo, a infância irremida da classe operária. Não há só retórica aí. Apesar de a imagem parecer um tanto banal e eloqüente, percebe-se de imediato que ela nasce como o toque de emoção que perturba (talvez) o andamento despojado da linguagem, mas combina-se logo a seguir, de novo, com o coloquial que o texto vinha seguindo: "Estou aqui". Na verdade, estamos longe do poema de tese, engajado à CPC. A voz política nasce de um sentimento íntimo, de um abalo que faz a adesão aos perseguidos surgir inteira, visão de mundo e subjetividade juntas. O poema seguinte também é de reflexão:

"Agosto 1964

    Entre lojas de flores e de sapatos, bares,
        mercados, butiques,
viajo
        num ônibus Estrada de Ferro—Leblon.
    Volto do trabalho, a noite em meio,
    fatigado de mentiras.

    O ônibus sacoleja. Adeus, Rimbaud,
relógio de lilases, concretismo,
neoconcretismo, ficções da juventude, adeus,
    que a vida

eu a compro à vista aos donos do mundo.
Ao peso dos impostos, o verso sufoca,
a poesia agora responde a inquérito policial-militar.

Digo adeus à ilusão
mas não ao mundo. Mas não à vida,
meu reduto e meu reino.
Do salário injusto,
da punição injusta,
da humilhação, da tortura,
do terror,
retiramos algo e com ele construímos um artefato
um poema
uma bandeira"

O início lembra Drummond, "A flor e a náusea". É o mesmo coloquial forte, que organiza as palavras prosaicas numa cadeia de associação de imagens, da qual resulta o efeito poético. Também o despojamento, o modo desalentado de ir indicando sucessivamente, por acumulação, os problemas, lembra a técnica drummondiana. E ainda a força da resistência, o desejo de opor-se à injustiça, que ao final do texto agita no ar o emblema de desafio, sem entretanto qualquer traço da ingenuidade que vimos no *Violão de rua*.

Parece, aliás, que a perda da ingenuidade, do otimismo excessivo (o "adeus à ilusão", não a de que fala o texto, mas outra, a cepecista), é que confere este tom amargo e decidido, o qual modula o tema de modo politicamente tão convincente. Penso que a diferença entre o engajamento pós-1964 e o anterior nasce, em boa parte, da própria experiência da derrota. Neste poema, por exemplo, não há um herói clarividente, todo-poderoso, destinado por princípio à vitória. Ao contrário, "fatigado de mentiras", sufocado ao "peso dos impostos", o poeta "responde a inquérito policial-militar" — e tal diminuição de tamanho corresponde a uma representação ajustada (infelizmente...) ao âmbito da verdadeira realidade. Além disso — e insisto sobre este ponto — a identificação com os outros homens surge como que nascendo do íntimo, espontânea, e a sentimos como natural. Repare-se, a propósito, na quase imperceptível e no entanto decisiva passagem — no antepenúltimo verso — da primeira pessoa do singular para a primeira do plural: "retiramos algo e com ele construímos um artefato".

Eu diria, portanto, que além da linguagem coloquial e da visão política realista, o que mais caracteriza estes poemas é uma exploração intensa da subjetividade. Os acontecimentos exteriores — tais como a guerra do Vietnã, em "Por você por mim", ou a morte do Che, em "Dentro da noite veloz" — são apresentados da perspectiva interior do poeta, tingidos pela sua afetividade. Gullar parece reconhecer assim, ao menos na prática poética, que tematizar as experiências do "eu" não implica, obrigatoriamente, cair no solipsismo subjetivista. É curioso, inclusive, que o passo seguinte seja um decidido mergulho na vivência subjetiva e na memória, pesquisa e redescoberta do tempo perdido, encontro comovido com a cidadezinha da infância — sem que por isso o *Poema sujo* deixe de ser também a descrição de um lugar e de um tempo determinados, a captação de uma concretude social, que é a vida humilde da pequena-burguesia brasileira nas suas cidades pobres. E nesse caso creio que o processo se completa: a procura de si mesmo (que é o primeiro nível do texto) se dá dentro de uma realidade cultural (os hábitos de vida em São Luís do Maranhão) e acaba por nos oferecer a imagem de pelo menos uma parcela da sociedade brasileira. Ou seja: a *identidade pessoal* revela-se como uma *identidade cultural*, inserida dentro de uma mais ampla *identidade nacional*.

Não creio que seja necessário ir tão longe, como o faz Otto Maria Carpeaux, ao ponto de considerar o *Poema sujo* como o "Poema nacional", que encarna "todas as experiências, vitórias, derrotas e esperanças da vida do homem brasileiro".[26] Há um exagero apaixonado nessa afirmativa. Porém não há como negar que ao menos um extenso segmento da vida nacional está representado neste poema de tanto êxito. Sem nacionalismo e sem populismo, mas com uma segura atenção para os movimentos da interioridade; sem zelo dogmático de doutrinas, também, mas com uma liberdade enorme no uso dos processos poéticos, que compreendem a livre associação das imagens, o fluxo da consciência e o tratamento flexível e arbitrário do tempo.

Deixemos os vários outros aspectos de lado, e peguemos apenas o problema do tempo, para compreendermos a continuidade e a diferença que existem, neste particular, entre *A luta corporal* e o *Poema sujo*. No primeiro livro, como o leitor estará lembrado, o tempo era visto como destruição da beleza, como o demônio que desgasta as coisas, impedindo com sua erosão constante o momento de plenitude. Falamos inclusive (seguindo uma indicação de Lukács, em *A teoria do romance*) numa ferida que consistia no estado impotente da subjetividade diante do curso contínuo da duração, que destrói as coisas fora da consciência. Cada coisa tem o seu tempo próprio, alheio ao tempo das outras, e isso era sentido de maneira dolorida.

O mesmo problema se coloca no *Poema sujo*, mas de outra forma. Também lá cada coisa tem a sua velocidade e o seu ritmo próprios, e todos estes diversos tempos estão combinados em sistemas, que têm cada um o seu centro. O dia que passa, por exemplo, tem uma velocidade diferente na quitanda de Newton

---

[26] Otto Maria Carpeaux, citado em *Toda poesia*, p. 444.

Ferreira ou no estrépito da avenida, na cozinha ou na sala da casa, na circulação do tráfego, do dinheiro e das mercadorias, conforme o bairro e a classe. Mesmo no interior da pera que amadurece, os açúcares e os álcoois giram em diferentes ritmos, "compondo a velocidade geral/ que a pera é". No entanto, essa diversidade é vista agora como riqueza, e não mais como dor. A subjetividade, amadurecida, ganhou forças: se antes ela via no fluir da duração apenas o desgaste e a morte, ela vê agora a transformação e o fluxo da vida; se antes o poeta se desesperava por ver na existência de múltiplos tempos um indício da solidão de cada coisa, ao retornar aos dias perdidos da infância — ao tempo subjetivo, ido e vivido — e ao buscar recuperá-los pela memória, comove-se com essa mesma multiplicidade, que lhe aparece como um sinal concreto da pluralidade da vida, manifestando-se sob várias formas, articuláveis na lembrança.

Estamos longe, também aqui, do esquematismo abstrato do nacionalismo e da "cultura popular". Para compensar, estamos mais próximos de uma representação concreta e aberta da realidade.

Traduzir o obscuro

Digamos assim: Rubem Fonseca vê no drama íntimo de Álvares de Azevedo o símbolo do drama maior do escritor brasileiro e, em plano ainda mais amplo, da literatura brasileira. Dos pequenos problemas amorosos até o defrontamento com a miséria do povo e com a força do imperialismo, tudo se articula para compor uma identidade sofrida e contraditória. Expô-la no poema é expor as suas determinações sociais — e isto equivale a reconhecer a própria condição do lirismo, que só fala da sociedade quando fala do mais fundo da subjetividade.

Esse é também o significado da trajetória poética de Gullar. Significado rigoroso, que a acompanha desde os tempos de *A luta corporal* até o último livro publicado. E que encontra uma espécie de explicitação muito bonita em dois textos desse mesmo livro, *Na vertigem do dia*. Um é o poema "Traduzir-se", que usei como grande epígrafe deste ensaio: o poeta é simultaneamente todo mundo e ninguém; multidão e solidão; razão e delírio; rotina e espanto; vertigem e linguagem. Mas ser poeta é saber traduzir uma coisa na outra, a pulsão dionisíaca na forma apolínea, o indivíduo na coletividade.

O outro texto amplia o sentido dessa "tradução":

"POEMA OBSCENO

    Façam a festa
       cantem dancem
que eu faço o poema duro
         o poema-murro
      sujo
        como a miséria brasileira
Não se detenham:
façam a festa
    Bethânia Martinho
    Clementina
Estação Primeira de Mangueira Salgueiro
gente de Vila Isabel e Madureira
                todos
            façam
    a nossa festa
enquanto eu soco este pilão
        este surdo
      poema
que não toca no rádio

que o povo não cantará
(mas que nasce dele)
Não se prestará a análises estruturalistas
Não entrará nas antologias oficiais
  Obsceno
como o salário de um trabalhador aposentado
  o poema
terá o destino dos que habitam o lado escuro do país
  — e espreitam."

Por um lado, é evidente que se trata de uma consigna. Mas prefiro tomá-lo pelo outro lado: como a declaração de que o poema-murro, sujo como a miséria, surdo e obsceno, nasce da realidade brasileira. Vê-se aí, mais do que uma posição política — e acima dela — um traço fundo da poética de Gullar: sua insistência na sujeira, na podridão, na degenerescência orgânica, que vimos aparecer de forma clara desde *A luta corporal* (e que, aliás, está mais presente lá do que no próprio *Poema sujo*). Que significam essas imagens constantes, de miséria e sofrimento?

É o próprio poeta quem nos sugere a interpretação. Ao escrever sobre Augusto dos Anjos, Gullar aproxima-o inesperadamente de Graciliano Ramos e João Cabral. Mostra-nos, em Augusto e Graciliano, a mesma necessidade de expor o real em sua abjeção e em seu mau gosto, e sugere-nos que isto talvez seja um produto do ambiente nordestino; e mostra-nos que, em Augusto e João Cabral, "descendentes de famílias decadentes da oligarquia rural nordestina, dos engenhos, [...] testemunhas de um mundo que deteriora", a presença da morte é obsessiva.[27]

---

[27] Ferreira Gullar, "Augusto dos Anjos ou vida e morte nordestina", in Augusto dos Anjos, *Toda poesia*, Rio de Janeiro, Paz e Terra, 1976, pp. 55-59.

Dir-se-ia que Ferreira Gullar fala de Ferreira Gullar — e certamente é isso mesmo, embora ele fale também de Augusto dos Anjos, de Graciliano Ramos, de João Cabral, "do próprio fenômeno da poesia brasileira moderna" e da "indigência da morte (e vida) nordestina".[28] Assim acontece igualmente neste "Poema obsceno", que nasce do povo apenas porque nasce "do lado escuro do país" — onde o poeta também habita e espreita. Ainda é o movimento de traduzir-se.

---

[28] *Ibidem*, p. 59.

Mário de Andrade, o arlequim estudioso

Teatro Municipal de São Paulo, noite de 13 de fevereiro de 1922. A platéia estava cheia de gente que pagara 186$000 réis por camarotes e frisas, ou 20$000 réis por cadeiras e balcões, e agora ouvia um senhor elegante que falava sobre "A emoção estética na Arte Moderna". O cavalheiro era Graça Aranha, escritor famoso, da Academia Brasileira de Letras. A seu lado, um grupo de artistas pouco conhecidos, quase todos na faixa dos vinte aos trinta anos, e que apenas começavam a se firmar como escritores, músicos, pintores, escultores e desenhistas.

O preço pago pelo público valia para três apresentações. Aquela era a primeira, e transcorreu sem incidentes. Mas o ambiente mudaria muito na segunda, dois dias depois. Os adeptos da arte acadêmica e da poesia parnasiana organizaram um protesto contra os artistas que a imprensa denominava, vagamente, de "futuristas". A noite de 15 de fevereiro reviveu, no Teatro Municipal, velha prática brasileira: o público manifestava-se ruidosamente contra o espetáculo, e com vaias, assovios, gracejos, interrompia a todo instante os poetas que tentavam declamar seus versos, e os prosadores que procuravam ler trechos de romances.

Mesmo assim, o grupo "futurista" levou o programa até o final. No intervalo, no saguão do teatro (onde estava armada a exposição de pinturas e esculturas), um rapaz alto, de queixo proeminente, lábios grossos, testa larga que já mostrava sinais de calvície, voz forte e gestos amplos, reunia em torno de si um punhado de espectadores e tentava explicar-lhes as tendências artísticas contemporâneas. Nesse instante, sem que talvez tivesse plena consciência disso, aquele rapaz iniciava um destino: o de esclarecer, durante anos a fio, através de seus escritos, o sentido e os caminhos atuais das várias artes. Seu nome, o leitor já sabe: Mário de Andrade, um dos principais organizadores daquele festival tumultuado que passaria à história da literatura brasileira como acontecimento da maior importância.

"Na Rua Aurora eu nasci
Na aurora da minha vida
E numa aurora cresci."

Os versos são verdadeiros. Foi na rua Aurora, cidade de São Paulo, em 9 de outubro de 1893, que nasceu Mário Raul de Morais Andrade. E teve uma infância realmente feliz; cresceu em meio a irmãos, primos, primas, tios e tias, a "parentagem infinita, diz-que vinda de bandeirantes, que bem me importa!" — como afirma o narrador de "O peru de Natal", um de seus mais importantes contos.

Seu pai, o Dr. Carlos Augusto de Andrade, era de origem humilde e ascendera socialmente através do próprio esforço. Enérgico, trabalhador, deve ter sido o protótipo de pai pequeno-burguês, ou pelo menos assim aparece (literariamente transfigurado) na obra do filho, sobre quem exerceu forte influência moral que deixou marcas visíveis. Mário tendia a considerar essas marcas de maneira negativa, representando a imagem do pai ora de forma severa e amedrontadora, ora como figura cinzenta e medíocre. Já a mãe, carinhosa e compreensiva, aparece sempre numa atmosfera de ternura. Dona Maria Luísa, com quem Mário morou até o fim da vida, é que descendia de bandeirantes: seu pai, o Dr. Leite de Morais, foi professor da Faculdade de Direito, escritor, político, deputado e governador da província de Goiás.

Apesar da ascendência ilustre, a família não era rica: vivia folgadamente, sem aperturas financeiras, mas também sem luxos ou desperdícios. Primeiro, na rua Aurora; depois no largo Paissandu, onde o escritor passou a mocidade; e por fim na rua Lopes Chaves, endereço que mais tarde se tornou conhecido de todos os artistas do Brasil.

Quando adolescente, Mário não foi estudante modelar. Dispersivo, acumulava notas baixas, bombas e recriminações. Só era bom mesmo em Português. Os elogios todos iam para Carlos, o irmão mais velho, e Renato, o mais moço, que era pianista de talento e faleceu ainda menino. Renato era a esperança da família, e Mário era a ovelha negra, o rapazinho rebelde que vivia fazendo "loucuras".

Mas as coisas mudaram. De repente, Mário começou a estudar. Estudava música durante até nove horas por dia, e não se descuidava das matérias intelectuais. Lia tudo que lhe caía nas mãos, sua inteligência desordenada ia-se disciplinando, e logo começou a adquirir fama de erudito. A família agora reconhecia-lhe o talento — mas continuava achando esquisitas suas preferências literárias. E ele não deixava de cultivar as esquisitices, com o prazer malicioso de ser considerado um ser à parte, que tinha direito de infringir a rotina familiar. "É doido, coitado!" — diziam os parentes. E apoiado nessa complacência que todos têm para com os "doidos da família", o escritor ia adquirindo sua liberdade, afastando-se das convenções.

Mas não foi na vida pessoal que Mário se afastou das convenções. Tinha adoração pela mãe, irmãos e sobrinhos (com quem costumava brincar ruidosamente), e manteve sempre os vínculos familiares. Era homem metódico, com hábitos de trabalho e estudo. Catedrático de História da Música, no Conservatório Dramático e Musical de São Paulo, para sobreviver dava numerosas aulas particulares de piano e escrevia artigos de crítica para diversas publicações. Ainda encontrava tempo para rodas literárias, festas, passeios, o chá das cinco na Confeitaria Vienense, onde começava intermináveis discussões sobre arte moderna com os amigos da revista *Klaxon*, fundada pelos modernistas logo em 1922.

Era uma vida produtiva, movimentada, porém sem episódios espetaculares ou aventurosos. A fama começaria a vir por volta dos acontecimentos da Semana de Arte Moderna, que tiveram grande repercussão. Aos poucos seu nome começou a projetar-se nacionalmente. Seus livros provocavam a admiração de jovens escritores, que viam nele um homem culto, inteligente, dotado de muito humor e criatividade literária. Nesse terreno intelectual é que a liberdade de Mário se expandiu.

A primeira grande explosão tinham sido os versos livres da *Paulicéia desvairada*, que provocou tanto espanto. O segundo livro refinava as experiências do primeiro: *Losango cáqui, ou Afetos militares de mistura com os porquês de eu saber alemão*, tem um subtítulo intrigante, já que o poeta não explica os "porquês" de ele saber alemão. Mas ali aparece sempre uma figura de mulher, "de olhos matinais sem nuvens" e de "cabelos fogaréu", por quem — diz o poeta — "meu coração estrala". Essa amada misteriosa, "parecida com a neve", existiu de fato: tratava-se de uma moça alemã, professora de línguas e preceptora em casa de ricas famílias paulistanas. Ao que parece, Mário de Andrade teve com ela rápida ligação amorosa (sem dúvida, maneira bastante agradável de se aprender alemão), e sua figura servir-lhe-ia, ainda, de modelo para Fräulein, personagem do romance *Amar, verbo intransitivo*.

Mário era muito reservado com relação à sua vida sentimental. Além da alemãzinha, sabe-se que teve várias paixões platônicas, não correspondidas. Uma delas, pela jovem Maria Carolina, filha da milionária e protetora do Modernismo, dona Olívia Guedes Penteado. Outra, pela bonita pintora Tarsila do Amaral, que mais tarde se casaria com Oswald de Andrade.

Comenta-se também que teve várias aventuras nada platônicas, amantes passageiras, "donas de todas as classes sociais e de todos os matizes de pele". Elegante e alegre, compensava a falta de beleza física com uma simpatia cativante, aproximando-se facilmente das mulheres. Uma dessas "donas" inspirou-lhe o "Girassol da madrugada", belo poema de amor. Quem seria? Não se sabe. Quase tudo de sua vida amorosa encontra-se envolvido em segredo, pois as pessoas que conviveram com ele evitam falar sobre o assunto, temendo parecerem indiscretas ou ferirem susceptibilidades de contemporâneos ainda vivos.

De resto, como lembra Sérgio Milliet, o amor sexual ou platônico é inteiramente sublimado pelo poeta no amor à cidade de São Paulo e ao Brasil, que ele conheceu muito bem, principalmente através do estudo, pois, por causa de sua situação financeira, sempre apertada, não foi um grande viajante. Mas interessou-se a fundo pela vida brasileira, e fez pelo menos três viagens que marcaram sua obra: às cidades históricas de Minas Gerais, em 1924; ao Amazonas, em 1927; e ao Nordeste, em 1928/29. Elas lhe deram a possibilidade de unir a pesquisa livresca ao contato com a realidade viva. E delas, certamente, parte o impulso que permitiu a criação de vários livros, como *Clã do jabuti*, *Macunaíma*, *Ensaio sobre a música brasileira* etc.

Depois da Revolução de 1930, os homens do Modernismo voltaram-se quase todos para as preocupações políticas: a consciência da função social da literatura e das responsabilidades dos escritores foi assumida de modo pleno por eles. Em Mário, essa consciência esteve presente desde o começo, mas cresceu e tomou um lugar cada vez mais importante a partir dessa época. A política partidária nunca o seduziu, parecia-lhe suja demais e o deixava enojado. Mesmo assim, houve um instante em que ele se entregou de corpo e alma às atividades de homem público. Convidado para criar o Departamento de Cultura de São Paulo, empolgou-se com o trabalho e dedicou-lhe todas as energias. De 1934 a 1938, chefiou o Departamento, imprimindo à vida cultural da cidade ritmo dinâmico e inovador.

Mas as mudanças políticas forçaram seu afastamento do posto que ocupava, e então, em 1938, ele resolveu mudar-se para o Rio. Lá foi professor de Estética na Universidade do Distrito Federal e trabalhou no Ministério da Educação, elaborando o plano de uma Enciclopédia Brasileira. E continuou com sua atividade nos jornais, retornando à crítica literária que durante alguns anos tinha sido abandonada. Mas a beleza do Rio não foi capaz de substituir para ele a imagem tão querida da sua São Paulo "das neblinas finas". Não se adaptou, vivia abatido, sofrendo depressões profundas, até que, "numa noite de porre imenso", bateu com o punho na mesa do bar e falou para si mesmo: "Vou-me embora pra São Paulo, morar na minha casa".

De volta à Paulicéia, em 1940, trabalhou no Serviço do Patrimônio Histórico, que ajudara a criar e ao qual deu enorme contribuição. E retomou a sua obra. É de 1942 a famosa conferência *O movimento modernista*, na qual faz o balanço e a crítica de sua geração, assinalando os erros do Modernismo. Entre eles, aponta principalmente aquilo que considera o "abstencionismo" diante dos graves problemas sociais do seu tempo.

Mário vive com angústia os acontecimentos que então se desenrolam: a sangrenta Segunda Guerra Mundial, os horrores da ditadura do Estado Novo. Odeia o fascismo, e se dirige cada vez mais para a esquerda, aproximando-se dos comunistas. Deseja uma arte social, utilitária e pragmática, capaz de servir para o aprimoramento do homem.

Entretanto, essas últimas reflexões, que anunciam uma nova etapa do seu pensamento, ficariam inconclusas. Desgastado pelo trabalho e pela amargura que o afligia tanto, o escritor faleceu em 25 de fevereiro de 1945, vítima de ataque cardíaco. Era a mais importante personalidade artística e intelectual no país, e um crítico chegou a comparar a perda que sua morte representava para a literatura brasileira com a perda que foi o falecimento de Machado de Assis. Só esta comparação basta para dar a medida de sua grandeza.

Diversidade pioneira e engajamento são as duas características que mais ressaltam na obra de Mário de Andrade. Ela abrange as várias formas de criação literária, e ainda ensaios sobre música, pintura, desenho, escultura e folclore. Essa grande quantidade de interesse fez dele um escritor complexo, um erudito que dominou muitos ramos do saber e, como poucos, foi capaz de combinar seus conhecimentos com rara capacidade inventiva. Também, como poucos, deu a seus trabalhos um caráter empenhado, procurando sempre atribuir-lhes uma função, seja do ponto de vista político, seja do ponto de vista estético e cultural.

Desde o primeiro livro de poesia, apresenta-se o desejo de participação: *Há uma gota de sangue em cada poema*, inspirado pelos acontecimentos da Primeira Guerra Mundial, mostra um poeta social sensível às carnificinas dos campos de batalha e disposto a combater pela paz. Talvez a única importância desses primeiros versos, publicados em 1917 sob o pseudônimo de Mário Sobral, seja o fato de eles exibirem já essa funcionalidade da obra do poeta, que se acentuaria mais nos anos seguintes. Enquanto poesia, não eram grande coisa; Manuel Bandeira achou-os ruins, mas de um "ruim esquisito" — expressão que encantou Mário de Andrade, pois a seu ver descrevia de modo exato sua produção da época.

E, na verdade, a expressão de Bandeira poderia nos servir para descrever boa parte da literatura de Mário, tantas vezes desigual, apresentando pontos de altíssima realização ao lado de freqüentes quedas de nível. Se há nela trechos ruins, são sempre da espécie do "ruim esquisito", isto é, apesar de falhos, continuam a inquietar e a espicaçar a curiosidade do leitor.

Assim acontece, por exemplo, na *Paulicéia desvairada*, seu primeiro livro modernista, escrito em 1920 e publicado em 1922. Hoje, a impressão deixada pela leitura desses versos é contraditória. A linguagem é retórica, cheia de exclamações, reticências e preciosismos. Trata-se, sem dúvida, de uma realização formal insuficiente, incapaz de conter e de expressar de modo eficaz a emoção que tomava o poeta. Mas, apesar de suas irregularidades, a *Paulicéia desvairada* fez um enorme sucesso quando foi lida para o pequeno grupo de escritores modernistas.

Não era para menos: o verso livre, sem métrica nem rima, a simultaneidade de sentimentos, e o uso constante da ambigüidade poética, todos esses recursos contrastavam de maneira radical com a poesia parnasiana, que era medida, repetitiva, linear, nítida. Tal subversão das regras tradicionais entusiasmou o bando inicial do Modernismo. E, num instante, a *Paulicéia desvairada* transformou-se na bandeira do movimento.

Foi uma fase de combate estético, em que Mário de Andrade desempenhava o papel de professor das novas doutrinas. Escrevia artigos e críticas em jornais e revistas especializadas, e logo tornou-se conhecido nacionalmente como o "papa do Modernismo". De todos os lugares do Brasil, pessoas interessadas no movimento escreviam-lhe cartas, enviavam-lhe poemas, pedindo conselhos e opiniões. E sempre recebiam a resposta.

Quase como continuação natural da *Paulicéia desvairada*, surgiu em 1926 o *Losango cáqui*, contendo textos escritos quatro anos antes. O princípio de composição era o mesmo que comandava a feitura dos poemas "desvairistas": o poeta obedece ao fluxo do lirismo e anota, sem censura, os movimentos do subconsciente, as imagens que lhe ocorrem, fazendo associações livres sobre temas do cotidiano. O resultado deste segundo livro é melhor que o do primeiro: a retórica desaparece e a linguagem torna-se muito mais natural e espontânea.

Entretanto, a "Advertência" que precede o livro mostra os novos rumos que o poeta estava seguindo: em vez do simples registro individualista de momentos líricos, ele passa a afirmar a necessidade de "socializar" o poema, isto é, de pesquisar formas mais enraizadas na coletividade. Faria isso no livro seguinte, àquela altura quase totalmente escrito — *Clã do jabuti*, publicado em 1927.

O primeiro momento do Modernismo foi bastante cosmopolita, acusando forte influência das vanguardas artísticas européias. Mas, em seguida, esse "cosmopolitismo" viria a se combinar com componentes "localistas" (os termos entre aspas são do crítico Antonio Candido), ocorrendo uma fusão feliz entre as novas técnicas literárias vanguardistas e as formas de expressão artística da nossa cultura popular.

O *Losango cáqui* é um primeiro exemplo desse abrasileiramento das influências internacionais. Outro passo nesse sentido é o "idílio" *Amar, verbo intransitivo*, publicado em 1927, e que conta as relações entre o adolescente Carlos, filho de rica família paulistana, e Fräulein, jovem governanta e professora alemã, contratada pelo pai de Carlos para iniciá-lo no amor.

O romance exibe uma técnica narrativa muito moderna, analisando as motivações das personagens e mostrando a impossibilidade de conhecê-las inteiramente. Sua inspiração vem de Freud e da psicanálise, mas a descrição da vida burguesa em São Paulo e a tonalidade geral do relato nada têm de cópia de modelos estrangeiros. Pelo contrário, a crítica gozadora esmiúça os hábitos da burguesia paulista, desmascarando seus ridículos e seus preconceitos, na linguagem desabusada que já encarna o ideal de uma língua literária brasileira, acalentado durante toda a vida pelo escritor.

Nesse mesmo rumo segue a poesia de *Clã do jabuti*, que compõe uma espécie de mosaico das diversas manifestações culturais brasileiras. Encontramos nele, por exemplo, um poema intitulado "Carnaval carioca", outro chamado "Moda da cadeia de Porto Alegre", e mais os "Dois poemas acreanos", o "Noturno de Belo Horizonte", e assim por diante. É a tentativa de mapear (poeticamente) o Brasil, contando suas lendas e sua história, registrando seus costumes, as falas regionais variadas, os ritmos das canções e das danças populares: samba, coco, toada, modinha.

A nova experiência recebeu muitas críticas. Houve quem achasse que o nacionalismo de Mário se satisfazia com o pitoresco e a facilidade das descrições exteriores. Em parte, as críticas estavam certas, pois o impulso participante levava o poeta a exagerar a linguagem, que assim perdia, de novo, a naturalidade e a sutileza. Mas nessa mesma linha e nessa mesma época — durante a qual publicou também o *Ensaio sobre a música brasileira* (1927), programa para o desenvolvimento de uma música nacional —, o escritor produzia sua obra-prima, a "rapsódia" *Macunaíma*, de 1928.

A denominação "rapsódia" alude à construção do livro, que é composto, como a forma musical que tem esse nome, pela justaposição de trechos de procedência variada, que entretanto ganham grande unidade no conjunto da composição. Tomando como fio condutor a personagem Macunaíma, herói de um ciclo mitológico da Amazônia, Mário faz uma colagem dos mais diversos fragmentos, combinando as lendas dos índios com as anedotas da história brasileira, a vida cotidiana nas cidades do Sul com os costumes do Nordeste etc. A geografia e o tempo do romance são totalmente subvertidos, de modo que seu "herói sem nenhum caráter" pode, num mesmo capítulo, estar na cidade macota de São Paulo, viajar para o mítico rio Uraricoera, encontrar o minhocão Oibê, assombração, e fugir dele disparado, correndo por Sergipe, pela Bahia, por Campinas e por Santo Antônio do Mato Grosso, encontrando personagens reais ou lendárias da história do país.

A linguagem do romance é o grande achado de Mário de Andrade. Não se trata de uma "fala brasileira", mas sim de uma língua pessoal e artística, construída também pelo processo de colagem, pela combinação de vocábulos e torneios sintáticos colhidos dos mais variados falares do Brasil. Assim, o escritor forjou um instrumento expressivo de muita força, capaz de transmitir o humor mais fino e o mais debochado, ou um lirismo sutil trançado à vivacidade picante das anedotas — características que fascinam o leitor. Com *Macunaíma*, o ficcionista revelava plena maturidade, domínio completo de seus recursos estilísticos.

E essa maturidade se comprovaria com a publicação de *Remate de males*, em 1930. Era mais outro livro de poesia, e nele Mário de Andrade realizava um balanço da sua produção poética do Modernismo, reunindo composições que mostravam desde o estilo destrutivo dos primeiros tempos até a nova forma a que chegara: os "Poemas da amiga" e os "Poemas da negra", escritos como que em surdina, discretos e suaves. São os poemas de sua "fase azul" — como ele dizia —, feitos mais para serem lidos em silêncio do que para serem recitados em voz alta.

O poeta abandonava o nacionalismo exterior e pitoresco dos anos 1920 e mergulhava em si mesmo, numa sondagem da própria intimidade. Mas demorou onze anos para publicar as composições escritas nessa época: só em 1941 reuniu-as no volume *Poesias*, que apresentava uma antologia dos textos aparecidos nos quatro livros anteriores, e mais dois livros inéditos, *A costela do Grão Cão* e o *Livro azul*, o primeiro com poemas escritos entre 1924 e 1940, e o segundo reunindo três composições longas, datadas de 1931 a 1933.

O problema da identidade se coloca em todos os novos poemas. Na *Costela* temos as imagens de uma crise violenta, textos terríveis, carregados de angústia e marcados pela presença de um ser cindido e dilacerado. No *Livro azul*, funcionando como contraponto, temos a poesia calma e reflexiva, que retoma o mesmo tom esmaecido e silencioso que já aparecera em *Remate de males*. É a literatura da intimidade, composta numa linguagem abrandada e doce, como se desejasse penetrar no interior das coisas.

Mas ao mesmo tempo, em outra vertente, o poeta compunha também uma poesia extremamente política, revoltada contra a miséria e a exploração. São os poemas de *Lira paulistana* e de *O carro da miséria*, escritos durante o Estado Novo e publicados em 1946, logo após a morte de Mário. Aí, a linguagem se torna contundente, a intimidade é exibida pelo avesso, a doçura desaparece, e fica apenas o grito doído de protesto contra as injustiças sociais. Em *O carro da miséria*, procura deliberadamente um estilo dilacerado que vai da paródia ao grotesco, deformando palavras e utilizando termos chulos, no intuito de exprimir desespero e nojo. Em "A meditação sobre o Tietê", longo poema que fecha a *Lira paulistana*, escrito poucos dias antes de sua morte, ele repassa de maneira impressionante lutas e amores, amarguras e esperanças, como se fosse de fato um testamento poético que, ao mesmo tempo, se apresentasse como um testemunho político de oposição.

Mas falamos principalmente do poeta e do romancista. E há ainda, como foi dito atrás, muitos outros Mários de Andrade.

Por exemplo, o narrador denso de *Os contos de Belazarte* (1934), textos impiedosos que focalizam os dramas da pequena-burguesia e do proletariado paulistanos, e dos *Contos novos*, publicados postumamente, em 1947, e nos quais Mário atingiu a técnica mais apurada do contador de casos, escrevendo em estilo desenvolto e preciso, reconstituindo e transfigurando, ora de forma irônica, ora de forma pungente e comovida, episódios pertencentes à sua própria biografia.

É preciso lembrar ainda o crítico literário de *Aspectos da literatura brasileira* (1943) e *O empalhador de passarinhos* (1944), erudito de juízos seguros e pertinentes. E o ensaísta-narrador-dramaturgo de *O banquete*, série de textos publicados em jornal durante o último ano de vida do escritor, e que, sob forma de "diálogo filosófico", constituem uma reflexão cheia de originalidade sobre a natureza e a função das artes debaixo do domínio do capitalismo.

E não é possível esquecer o arguto e divertido cronista de *Os filhos da Candinha* (1943). Nem o musicólogo e folclorista de tantos livros. Nem ainda o crítico de artes plásticas versátil, que soube examinar com igual habilidade o Aleijadinho, Lasar Segall, a arte inglesa ou o padre Jesuíno de Monte Carmelo. E lembremos por fim o incorrigível escritor de cartas para os amigos, autor de um epistolário que (quando reunido) certamente nos dará uma imagem nítida de sua geração.

Enfim, o leitor pode escolher: são trezentos-e-cinqüenta Mários, reunidos em cerca de trinta volumes. É só começar, com a certeza de estar lendo um dos mais estimulantes autores de nossa literatura.

Dois pobres, duas medidas

> "O tempo pobre, o poeta pobre
> fundem-se no mesmo impasse"
>
> Carlos Drummond de Andrade,
> "A flor e a náusea"

Ferreira Gullar comparou certa vez Augusto dos Anjos, Graciliano Ramos e João Cabral. De acordo com ele, os dois primeiros aproximam-se por demonstrarem a mesma necessidade de expor o real em suas formas abjetas e de mau gosto; já o primeiro e o terceiro, "testemunhas de um mundo que deteriora", falam da morte de modo constante e obsessivo. Nos três escritores, sempre segundo Gullar, essa espécie de degradação de tudo aponta para uma realidade social concreta — a pobreza de grandes camadas da população brasileira, a "indigência da morte (e vida) nordestina".[1]

Junto ao paraibano, ao alagoano e ao pernambucano podemos colocar ainda — com facilidade — o maranhense Ferreira Gullar. Assim como os outros, ele demonstra ao longo de sua poesia notável fascínio pelas imagens da podridão, da decadên-

---

[1] Ferreira Gullar, "Augusto dos Anjos ou vida e morte nordestina", in Augusto dos Anjos, *Toda poesia*, Rio de Janeiro, Civilização Brasileira, 1976. Já me referi a este texto anteriormente, em outro ensaio sobre a poesia de Gullar [ver neste volume "Traduzir-se"]. Desenvolverei aqui aspectos diferentes do problema.

cia e da morte. Esse imaginário calcinado e negativo já está presente de modo muito marcante nos poemas de *A luta corporal* (tendo predomínio absoluto sobre os demais recursos estilísticos ali também utilizados), e é, sem dúvida, indício da realidade que o conformou, inscrevendo-o de maneira duradoura, profunda, na consciência do poeta. Mas só se pode afirmar que ele aponta indiretamente para a pobreza brasileira. De fato, o imaginário dolorido daqueles poemas liga-se, em nível imediato, a uma atormentada visão da existência individual, do fluir do tempo, da impossibilidade de atingir — pela linguagem — a plenitude poética. *A luta corporal* é o grande signo de uma batalha destrutiva que a literatura vem travando há tempos, e que pode ser rastreada através das obras de Baudelaire, Rimbaud e Lautréamont, passando pela revolução surrealista até os nossos dias, sem excluir Augusto dos Anjos, Graciliano Ramos ou João Cabral.

No entanto, reconhecida a importância da dimensão literária, nem por isso devemos abandonar de todo a via interpretativa indireta, que nos leva à indigência nordestina. Primeiro, porque os próprios poetas europeus foram inspirados, nesse aspecto particular, pela miséria social que o capitalismo também acumulou em sua ascensão. Depois, porque sob o tom cosmopolita e algo abstrato dos primeiros bons poemas de Gullar, insinuam-se às vezes (verdade que raramente) o detalhe localista, os dias claros, o calor, as frutas maduras. E finalmente porque, no desenvolvimento de sua poesia, volta a mesma temática, voltam as mesmas imagens básicas de "um mundo que deteriora", mas já então referidas à concretude social.

Assim, as peras que apodrecem na fruteira e que deflagram uma reflexão sobre o aspecto destrutivo do tempo e a impossibilidade de plenitude (no poema "As peras", de *A luta corporal*) dão lugar às bananas podres, "carniça vegetal" cujo cheiro desperta no poeta as lembranças entrelaçadas das tardes de São Luís, da quitanda escura de Newton Ferreira, dos "móveis queimados de pobreza", do marulho do mar no barulho das falas das pessoas, do Nordeste "desdobrado em caatingas e castigos" (nos poemas "Bananas podres" e "Bananas podres 2", de *Na vertigem do dia*). À consideração subjetiva do fluir temporal substitui-se a visão, que se quer concreta, do tempo enquanto história — "história brasileira", captada no cotidiano miúdo dos quintais, das quitandas, dos banheiros, das casas pobres do povo. O movimento é esse: passa-se da metafísica pobreza do poeta ("Carta do morto pobre", poema de *A luta corporal*) à pobreza material da sociedade ("Poema obsceno", de *Na vertigem do dia*).

O primeiro pobre

Na transição, é preciso distinguir dois instantes muito diferentes. O primeiro deles ocorre no começo da década de 1960, tempo de política nos Centros Populares de Cultura, da União Nacional dos Estudantes. O vanguardista Gullar acabava de converter-se ao marxismo e adotava uma visão radicalmente "engajada" da poesia. Os experimentos formais dos anos anteriores foram substituídos pela crença na função social revolucionária da literatura. Melhor dizendo: foram substituídos pela convicção de que o fazer literário era algo menor que a atividade política de "conscientização" do povo, e a ela deveria subordinar-se.

A força didático-propagandística dos textos escritos pelos poetas reunidos em torno do CPC da UNE é bastante discutível; sua força literária é nula, ou quase isso. No entanto, no caso específico de Ferreira Gullar, trata-se de uma *passagem* importante: ameaçado pelo impasse do silêncio, a que o levaram suas pesquisas vanguardistas dos anos 1950 (em busca da expressão imaculada da subjetividade), o poeta (re)encontra na visão dos males sociais a fenda que poderia reconduzi-lo à linguagem comunicativa e à alteridade humana. Tratava-se, então, de descrever poeticamente o outro (de classe), e de se fazer por ele compreendido.

O sucesso da tentativa parece-me escasso. Do ponto de vista da literatura, todavia, ela levanta e deixa em suspenso problemas interessantes: representar as camadas oprimidas da população brasileira, utilizando formas literárias compreensíveis (e reconhecíveis) por essas camadas e produzir alterações na consciência política, realizando simultaneamente obras literárias. O problema era encontrar a medida poética capaz de apreender o outro (o despossuído) de maneira eficaz.

Quem é o outro? Quem é o pobre? — Quatro *Romances de cordel*, escritos entre 1962 e 1967, além de um punhado de poemas da mesma época, procuram responder a essa pergunta. Os "romances" focalizam tipos brasileiros de humilhados e ofendidos: o camponês a quem se nega oportunidade de trabalho; a doméstica seduzida e engravidada pelo patrão, depois prostituta e suicida; o cantador cearense, franzino, que leva todo mundo na esperteza, inclusive o Tio Sam; e o militante revolucionário, no caso o valente Gregório Bezerra, cuja coragem e generosidade são apontadas como exemplos para o povo (o texto foi escrito em 1967, em defesa de Gregório, o qual estava preso havia já três anos, sem julgamento e ameaçado de morte).

Os romances de cordel de Ferreira Gullar têm uma intenção ideológica límpida: pretendem ser descrições emocionadas de situações sociais injustas, protestos políticos capazes de esclarecer leitores (ou ouvintes) e levá-los à ação. Os recursos retóricos são aí, portanto, mais relevantes que os poéticos. Mas, escritos *para* o povo, é bem provável que eles tenham achado seu público maior em círculos da classe média, intelectuais e estudantes que foram por eles impulsionados no processo de radicalização da época. Seu alcance político se detém nesse ponto — o que já não é pouco, mas com certeza fica aquém do desejado.

Além disso, a visão de povo que neles se apresenta é bastante esquemática. O camponês João Boa-Morte, "cabra marcado pra morrer", parece uma caricatura do trabalhador rural nordestino; e caricatura é também a favelada Aparecida (do romance *Quem matou Aparecida*), que ateia fogo às vestes depois de ver morrer de fome o filho pequeno.

São histórias exemplares, que Ferreira Gullar vestiu com a medida do cordel. Mas a medida se revela desvantajosa. De fato, se os textos não tiveram grande alcance didático ou de propaganda, também do ponto de vista literário eles comportam tal auto-limitação que só podem ser julgados como outras tantas perdas. Ao deslocar o cordel de suas condições de produção específicas, Ferreira Gullar nem enriqueceu o gênero, nem utilizou-o de modo a enriquecer a tradição literária brasileira, a linhagem participante vinda do Modernismo e à qual ele se filia.

Não enriqueceu o gênero (como o fazem, por exemplo, os poetas nordestinos que migraram para São Paulo), pois tratou-o como simples forma para um esquema ideológico preconcebido. Seus textos são amarrados, previsíveis, pesados, ao contrário do folheto original, que tira grande parte de sua graça das contradições que expõe (de modo voluntário ou não), das incongruências, das quebras de lógica, da surpresa ingênua das descobertas ou da malícia irônica que encobre os malfeitos — elementos esses, todos, componentes de uma cultura dominada mas viva, resistente nas brechas possíveis, fazendo florescer nos limites do heptassílabo sua bricolagem de informações díspares e disparatadas. O peso da análise social (ainda por cima muito empobrecida) destrói a naturalidade da forma e apaga sua pouca luz.

Os textos não acrescentam muito, também, à tradição participante da literatura brasileira. É verdade que os quatro *Roman-*

ces de cordel podem ser considerados, se quisermos, como experimentos radicais, como negação e repúdio à literatura. Mas ainda aí — com qual proveito? A sondagem social realizada por eles é rasa. João Boa-Morte não equivale a Fabiano, e a história da infeliz Aparecida fica longe da pungência acusadora que Clarice Lispector acumularia anos depois (com consciente desajeitamento) em torno da Macabéa de *A hora da estrela*. Esses dois casos, tão diferentes entre si e tão diferentes também da experiência de Gullar — cujo objetivo é imediato, e é político-didático —, podem entretanto servir-nos como termos de comparação. Os três são tentativas de representar literariamente o outro de classe, e é nesse sentido que a poesia dos tempos de CPC mostra-se em toda a sua ineficácia. A opção pelo cordel não resolve o problema político que Mário de Andrade já enfrentara em seu *Café*, e que Drummond e Cabral trabalharam tão longamente. O "romance", concebido como propaganda, de fato ambiciona também ser literatura sobre o povo — coisa que não consegue na medida mesmo em que simplifica e esquematiza.

A segunda medida

Mas os tempos do CPC viram outros tateios, diferentes, nos quais a literatura, ainda que prejudicada, saiu perdendo menos. É o que estou chamando de "segunda medida", uma busca da forma literária capaz de compatibilizar os procedimentos estéticos refinados e o conteúdo político. Não são mais poemas escritos diretamente para ou sobre o povo, embora no começo guardassem ainda certo caráter didático, que aos poucos foi desaparecendo. Nessa segunda medida o poeta parece descobrir outro pobre — não mais seres abstratos como João Boa-Morte, Aparecida, Zé Molesta (e mesmo o Gregório Bezerra de *História de um valente*), mas pessoas recuperadas pela memória da infância, ou flagradas na vivência do cotidiano, na volta para casa depois de um dia inteiro de trabalho, no sentimento de dor do exílio. É nesse instante que se torna verdadeira, também para Gullar, a interpretação oferecida por ele para as obsessões de Augusto dos Anjos, Graciliano Ramos e João Cabral: o imaginário é transpassado pela experiência da pobreza material da sociedade brasileira.

Disse que, nos tempos de CPC, essa nova atitude estilística aparece ainda em forma de tateios, como se o poeta experimentasse um compromisso entre a literatura e o panfleto. É o caso, por exemplo, dos poemas iniciais de *Dentro da noite veloz*, livro que reúne composições escritas entre 1962 e 1975. Já no texto de abertura, intitulado "Meu povo, meu poema", propõe-se uma identificação: a poesia cresce junto com o povo, "como cresce no fruto/ a árvore nova", "como no canavial/ nasce verde o açúcar", "como a espiga se funde em terra fértil".

A identificação parece fácil, espontânea como a natureza. Mas não se enxergue, aí, só a facilidade cepecista, triunfante (que Augusto, Graciliano e Cabral detestariam). Importante é a mudança de atitude. O povo, presente enquanto palavra em todas as estrofes, está na verdade ausente do poema, que é feito apenas de imagens gastas de germinação, aliás inferiores à maior parte do que Gullar escrevera até o momento. No entanto, há já a consciência de uma identidade que será aos poucos procurada, elaborada e finalmente concretizada.

No primeiro passo, a consciência é ainda abstrata; adiante, no poema "O açúcar", por exemplo, ela se tornará um pouco mais concreta — ao adoçar o seu café numa manhã de Ipanema, o poeta reconstitui a fabricação do açúcar, e enxerga na sua pureza de "flor/ que se dissolve na boca" os traços dos canaviais e das usinas escuras, em que trabalham "homens de vida amarga/ e dura". A identificação se dá através de uma contradição (o branco açúcar contrasta com o labor dos camponeses e operários que o produziram, a manhã do poeta em Ipanema choca-se com a vida escura daqueles homens), e isso torna os versos mais complexos. O canto não sai "como cresce no fruto/ a árvore nova", e nem é "como o sol/ na garganta do futuro" — oscila antes entre a beleza afável "como beijo de moça, água/ na pele" e os "lugares distantes, onde não há hospital/ nem escola".

Não só as contradições dão corpo ao impulso participante. Pouco a pouco os textos de *Dentro da noite veloz* vão mostrando uma necessidade crescente de particularizar temas e motivos. Já não se toma mais em abstrato o outro. De repente, a figura central dos poemas se torna o próprio poeta, vivendo na cidade em que trabalha, e percebendo-se comum, igual ao outro que retorna para casa à noite, "fatigado de mentiras". A pobreza para o Gullar de *A luta corporal* era metafísica, a incapacidade humana de obter a plenitude e o esplendor da vida; em *Dentro da noite veloz* ela é material, o poeta fala de coisas que "são de carne/ como o verão e o salário". No poema "A vida bate", a cidade vista do alto parece harmoniosa, com seus bairros, ruas e avenidas, "refúgio do homem".

> "Mas vista
> de perto,
> revela o seu túrbido presente, sua
> carnadura de pânico: as
> pessoas que vão e vêm
> que entram e saem, que passam
> sem rir, sem falar, entre apitos e gases. Ah, o escuro
> sangue urbano
> movido a juros.
> São pessoas que passam sem falar
> e estão cheias de vozes

>   e ruínas. És Antonio?
> És Francisco? És Mariana?
>   Onde escondeste o verde
> clarão dos dias? Onde
>   escondeste a vida
> que em teu olhar se apaga mal se acende?
>   E passamos
> carregados de flores sufocadas."

Não se descrevem as figuras anônimas — quem são? O que se descreve é um sentimento íntimo do poeta dentro da sua cidade, e esse sentimento nasce da multidão que passa sofrida "entre apitos e gases". Não se projeta no poema o desejo de revolução; ao contrário, é a visão da "carnadura de pânico" que se introjetou nos versos. A massa sem nome, de olhos apagados, funde-se aos sentimentos de penúria e insuficiência do próprio poeta. Um se reflete no outro — a linguagem lírica acolhe tensa, em fragmentos, o geral no particular. A vida escassa do "eu" se reconhece vida escassa de Antonio? Francisco? Mariana?

A segunda medida retoma o coloquial modernista, trabalhando-o de uma nova maneira. Falarei disso adiante. O importante agora é notar que a sua chave está no movimento de particularização poética: quando fala de seu íntimo, sem intento didático, o poeta exprime também o segredo da multidão lutando pela vida. Do fundo de si mesmo ele percebe (ouve) a questão mais geral. Como no curto, forte poema seguinte:

> "MADRUGADA
>
> Do fundo de meu quarto, do fundo
> de meu corpo
> clandestino

ouço (não vejo) ouço
crescer no osso e no músculo da noite
a noite

a noite ocidental obscenamente acesa
sobre meu país dividido em classes"

Memória e representação

É de Silviano Santiago a imagem muito boa do movimento de básculo entre Marx e Proust, característico de uma das contradições da "elite pensante brasileira". O crítico foi buscá-la no exame da poesia de Drummond, que dramatiza a oposição entre a revolução político-social (*A rosa do povo*) e o apego às tradições do clã familiar (*Boitempo, Menino antigo*), mas estendeu-a ao "personagem-intelectual, narrador muitas vezes, central e reminiscente sempre, entre Proust e Marx",[2] do romance de 1930 à nossa literatura memorialista mais recente. Para Silviano Santiago, essa ambigüidade ideológica cumpre uma função de espelho — espelho no qual o intelectual-brasileiro-classe-dominante se vê refletido, busca se conhecer melhor em seus acertos e desacertos. Para parafrasear Antonio Candido diríamos: instrumento de autodescoberta e auto-interpretação.

Entretanto, o lado proustiano é contrabalançado por Marx: ainda hoje instrumento de descoberta e interpretação, isto é, espelho que não reflete apenas um Narciso, mas que procura na lembrança o rastro do outro — boa parte da literatura brasileira

---

[2] Cf. o ensaio "Vale quanto pesa: a ficção brasileira modernista", in *Vale quanto pesa*, Rio de Janeiro, Paz e Terra, 1982, pp. 25-40.

contemporânea dedica-se à representação da nossa realidade social. Contar-se é contar também aquilo que nos cerca, nos dá forma, nos determina. É certo que nesse caminho o deslize ideológico é fácil e farto, a apologia da classe dominante coroando muito sincero esforço de representação da "vida brasileira" (que não é senão, nessas obras, imagem idealizada dos verdes anos de juventudes douradas). No entanto, a boa subjetividade poética pode ultrapassar os limites da representação ideológica, e deixar falar, dar voz, ao lado obscuro e dominado:

> "turvo turvo
> a turva
> mão do sopro
> contra o muro
> escuro"

O *Poema sujo* pertence à linhagem memorialista a que se referia Silviano Santiago.[3] Seu herói central e reminiscente — um "eu" lírico — escava o passado em busca de alguma luz que o mantenha vivo no presente. Essa luz brota de São Luís do Maranhão, cidade ensolarada; mas o iluminado não reluz sempre, o ouro suposto é móveis encardidos, quitanda abafada, talheres velhos, assoalhos gastos, formigas negras, lama, água de esgotos.

---

[3] Gullar tentou durante muito tempo, sem êxito, escrever um romance sobre sua infância. Certo dia, em Buenos Aires, no lugar do romance começou a nascer o poema que recuperaria, para o exilado político, as razões mais remotas da sua vida atual (depoimento de Ferreira Gullar na "Semana do Escritor Contemporâneo", promovida pelo CAELL, no Anfiteatro de Convenções da USP, em 8/4/1983). Marx, Proust, a literatura contemporânea e o desenraizamento brutal a que o poeta se vira forçado balizam esse esforço de memória, que é recuperação e reconstrução de um espaço social.

"Mundo sem voz, coisa opaca.
Nem Bilac nem Raimundo. Tuba de alto clangor, lira singela?
Nem tuba nem lira grega. Soube depois: fala humana, voz de gente, barulho escuro do corpo, intercortado de relâmpagos"

Essa "voz de gente" o *Poema sujo* persegue no interior do corpo do próprio poeta. O "eu" fala de si mesmo, e acumula tantas determinações que passa de nordestino a maranhense, daí a sanluisense, e depois a "ferreirense/ newtoniense/ alzirense". O funil das determinações particulariza José Ribamar Ferreira — mas sabemos estar nisso o paradoxo do lirismo, que concretiza o universal fazendo-o surgir do particular. É assim que aparece uma determinada cidade brasileira, com seus horizontes apertados, sua vida difícil, suas "vozes perdidas na lama"; e é assim que a "segunda medida" reveste agora um outro pobre — impresso na memória afetiva do poeta, e falando através de suas emoções vividas, do seu contato cotidiano com ele nas ruas, nos hábitos e costumes de gentes divididas em classes, mas não necessariamente estanques e impermeáveis a ponto de impedir a visão (o *insight*) de semelhanças e contrastes.

No *Poema sujo* dia e noite passam com diferentes velocidades nos diferentes lugares de São Luís; o tempo total, no entanto, é o mesmo, e é a ele que cada um dos tempos particulares vem se agregar, cada um deixando a sua marca impressa. As palafitas da Baixinha, o Forte da Ponta d'Areia, a praia do Jenipapeiro, ou a cidade "amontoada de sobrados e mirantes", todos vêm se amalgamar no sujeito que os acolhe e tenta dar-lhes forma poética, unidade que preserva a diferença. Na memória do poeta ecoa a voz dos trabalhadores da Camboa, dos moradores das palafitas, de Esmagado, e também — um estrato acima — de Bizuza, Alzira e Newton Ferreira, o barbeiro seu Cunha com suas três filhas, o enfermeiro Josias, o Gonzaga, sargento músico do exército, e tantos outros que compõem afinal uma cidade, várias cidades, presentes de muitas maneiras distintas dentro do homem que as recorda.

> "Ah, minha cidade suja
> de muita dor em voz baixa
> de vergonhas que a família abafa
> em suas gavetas mais fundas
> de vestidos desbotados
> de camisas mal cerzidas
> de tanta gente humilhada
> comendo pouco
> mas ainda assim bordando de flores
> suas toalhas de mesa
> suas toalhas de centro"

É justamente a pobreza, uma certa "cultura da pobreza", que unifica afinal o *Poema sujo*. Entre os miseráveis moradores das palafitas e os remediados pequeno-burgueses de casas e roupas gastas, o poeta descobriu algo de comum, o pano de fundo do cotidiano, com suas agruras e seus breves relâmpagos de vida. A medida poética utilizada para exprimir esse outro pobre foi o coloquial, que o Modernismo forjou aproveitando-se, amplamente, da nossa linguagem oral e (em parte) popular. Nacional-popular. O poeta serviu-se à vontade dessa tradição, refundindo-a à sua maneira e obtendo uma dicção nova, muito original. O coloquialismo prestava-se bem a seus propósitos, à necessidade de representar, em tom menor, a vida humilde nos bairros pobres de São Luís do Maranhão. Neste sentido, talvez não seja exagero afirmar que o seu poema estica ao máximo as possibilidades da linguagem modernista de empenho social.

De tudo, entretanto, fica ainda um problema: o recuo da memória é acompanhado por vários outros recuos. O caminho da revolução é, por assim dizer, contornado, evitado: fala-se dela o tempo todo, sem dúvida, mas de um modo absolutamente implícito, e sua presença é como a de um tabu suspenso entre os versos. Também a utilização do coloquialismo modernista é uma volta, com relação a certos poemas do próprio Gullar, muito mais avançados estilisticamente, e no entanto datados dos anos 1950. Ou mesmo com relação a *O carro da miséria*, de Mário de Andrade, onde o destampatório rude imprime ao coloquial uma contundência que o *Poema sujo* não tem.

Esse último talvez seja o ponto principal: produto da memória, o *Poema sujo* evoca com muita nitidez os objetos, as pessoas, as casas, as ruas de nomes sonoros da ilha cortada por um rio Azul que apodrece. Mas o fedor não chega até nós. A miséria vem abafada como um eco, a crueldade de um mundo dividido em classes dilui-se no tom bucólico da pobreza de uma cidadezinha qualquer. A sujeira do poema não é agressiva, é quase calma e às vezes doce como a infância, como o sujo do menino. Onde está a chaga? Lá nos longes das distâncias. Ou melhor: é doída e está presente, mas como lembrança, e a lembrança suaviza a dor. A volta ao estilo modernista faz parte dessa consciência atenuada da realidade, e diminui o impacto de negatividade do poema.

E então ficamos numa espécie de impasse, que não é decorrência das limitações do poeta, mas que o transcende largamente. De fato, parece que aqui, no *Poema sujo*, Gullar operou nos limites da consciência do artista (intelectual) brasileiro contemporâneo, preocupado com os problemas sociais de seu país. Esses limites foram delineados nos anos 1930 e 1940, até o fim da ditadura estado-novista, e muito trabalhados pelo Cabral dos anos 1950, pelos cepecistas dos anos 1960, pelo próprio Gullar desse e de outros poemas, por tantos escritores. Não foram rompidos, porém. Talvez porque, atravessada embora pela miséria social, a nossa "consciência possível" de intelectuais esbarre no círculo-de-ferro de nossa classe, e "o outro" — representado obliquamente, através de suas refrações no sujeito poético — não ganhe nas obras a autonomia e a força capazes de colocá-lo no centro do processo. Seu deslocamento marca a limitação da literatura política possível em nosso tempo.[4]

---

[4] Os poemas (ou trechos de poemas) de Ferreira Gullar estão citados neste ensaio de acordo com a edição de *Toda poesia*, Rio de Janeiro, Civilização Brasileira, 1980.

O romance atual
Considerações sobre Oswaldo França Júnior, Rui Mourão e Ivan Angelo

Comecemos com Oswaldo França Júnior, que já realizou a proeza (considerável para um país como o nosso) de publicar nove romances em dezoito anos. Esse ritmo regular é um feito quantitativo, um indicador seguro da seriedade e do profissionalismo com que ele encara o seu ofício de escritor. E de certa maneira também o distingue e o marca. Existem escritores que pingam três ou quatro livros numa vintena de anos; não serão por isso menos sérios ou menos profissionais, e aí estão nomes como os de Cyro dos Anjos, Murilo Rubião ou Otto Lara Rezende para comprová-lo. Mas trata-se de uma atitude profissional de tipo diferente, atitude quase artesanal, que tende cada vez mais, no Brasil, a ser substituída por uma outra, da qual França Júnior parece ter sido dos primeiros (em sua geração) a praticar. Mesmo que não vivam dos direitos autorais (as tiragens continuam pequenas e são poucos aqueles que permanecem muito tempo nas listas dos mais vendidos), os ficcionistas brasileiros atuais exibem uma regularidade de produção admirável. Assim acontece por exemplo com Moacyr Scliar, Ignácio de Loyola Brandão, Antonio Callado, Fernando Gabeira, Roberto Drummond, Dalton Trevisan e outros. Tudo indica que a nossa indústria editorial expande-se (apesar da crise econômica, foi um setor que cresceu no semestre passado)[1] e cria um mercado de consumo para a ficção que fale de coisas nossas, em que pese a concorrência dos inevitáveis sucessos estrangeiros, geralmente de baixa qualidade.

Essa expansão recente da indústria cultural é complexa, incompleta, desigual, cheia de surpresas, difícil de ser entendida e explicada. Em todo caso, algumas de suas conseqüências são importantes — e importantes não apenas na exterioridade da vida literária (no papel social do escritor, por exemplo, que ganha um novo tipo de relevo e prestígio), mas também no interior da própria prática literária, na busca de temas e assuntos, na escolha dos ângulos de aproveitamento do material, na disposição dos enredos, no tratamento da linguagem, na conformação dos estilos. E — primeira modificação de vulto — na modelagem de um profissionalismo da escrita ficcional, que põe de saída exigências de regularidade no ritmo da produção, no padrão de qualidade, no nível comunicativo da obra e até no número de páginas do livro.

Note-se que estou tentando descrever uma situação tendencial, cujos elementos ainda não estão claramente definidos. Mesmo assim, julgo ser possível vislumbrar desde já, entre as obscuridades do quadro, a figura nascente do escritor profissional moderno, não mais bacharel-e-funcionário-público (escritor por causa da vocação insopitável que o libera das atividades cinzentas do cotidiano burocrático), mas alguém ligado de modo mais

---

[1] Ao menos quanto ao número de títulos lançados no mercado pelas dez maiores editoras do país: segundo *Leia Livros*, houve um aumento de 22,5% do número de obras lançadas por essas editoras durante o primeiro semestre de 1982, em comparação com o primeiro semestre de 1981. Cf. "Quem é quem no mercado editorial", in *Leia Livros*, São Paulo, ano V, nº 49, 15 de agosto a 14 de setembro de 1982, p. 32.

orgânico à indústria e ao mercado do livro, aos mecanismos das tiragens, da publicidade, da vendagem e dos direitos autorais.

Podem me objetar que o quadro é de fato muito obscuro, e que essa nova figura de escritor profissional está ainda muito mal delineada. Concordo em parte, e acrescento ainda que as contradições são mais visíveis que os ajustamentos: o pernambucano Osman Lins, que foi dos primeiros a assumir e defender o perfil moderno da profissionalização, era bacharel e funcionário do Banco do Brasil; assim como bacharel e funcionário é o mineiro Autran Dourado, de público seguro, produção regularíssima, profissionalismo competente — e no entanto capaz de escrever as páginas de irônico elogio ao diletantismo, que encontramos em *O meu mestre imaginário*... É verdade, está tudo mal definido. Mas concedam-me que a emergência das formas sociais modernas se dá sempre (e em particular no Brasil) deste modo contraditório; e procuremos ver de mais perto, com mais nitidez, um caso dessa nossa modernidade: o escritor Oswaldo França Júnior.

Não é mau iniciar com alguns dados biográficos, porque antes de ser escritor França Júnior foi piloto de caça e estudante de economia, e essas duas atividades... profanas já são bem significativas. Acresce que, conforme nos diz Fernando Sabino (*e si non è vero*), a primeira incursão de França Júnior na literatura foi a composição de um conto, empreendida para ganhar dinheiro e comprar uma motocicleta. Parece que não conseguiu nem uma coisa nem outra; mas manteve a idéia originalíssima de que se pode viver de literatura e foi assim que, após ter sido reformado na Força Aérea em 1964, resolveu dedicar-se ao ramo. O que tem feito com rara competência nesses dezoito anos, embora (pelo que sei) tenha sido obrigado também a exercer número espantoso de outras atividades: sempre segundo Fernando Sabino, França Júnior foi promotor de vendas, agente publicitário, corretor, dono de banca de jornais, de carrocinhas de pipoca e de frota de táxis — entre outros negócios miúdos.[2]

Ora, tudo isso parece muito pouco compatível com a imagem tradicional do homem de letras, em moldes europeus e mais especificamente franceses (que nós imitamos ao longo do tempo). Mas foi também tudo isso que nos fez recordar a breve e sugestiva descrição que Jean-Paul Sartre fez do escritor norte-americano (no início de "Situação do escritor em 1947"). De acordo com Sartre, o escritor americano freqüentemente exerceu atividades manuais antes de escrever seus livros, e freqüentemente volta a elas; entre um livro e outro, sua vocação parece estar nas fazendas, nas lojas ou nas ruas da cidade; se mergulha durante meses na feitura de um romance, é para depois sair durante um ano — como Steinbeck — para viver nas rodovias, nas zonas rurais ou nos bares; nos intervalos de seu trabalho de escritor, ele flutua continuamente entre a classe trabalhadora, onde vai procurar aventuras, e seus leitores de classe média (em 1947, Sartre duvidava da existência de uma verdadeira burguesia nos Estados Unidos).[3]

Talvez a descrição esteja um pouco exagerada, a fim de forçar o contraste com a figura burguesa do escritor francês, para Sartre a mais burguesa do mundo. Descontado o pequeno exagero, entretanto, creio que localizamos aí algo da nossa modernidade intelectual (ou antiintelectual, como queiram) do momento. Já o crítico Alfredo Bosi, no texto "Situação e formas do conto brasileiro contemporâneo", notava que a "nova explosão

---

[2] Fernando Sabino, "Oswaldo, o mineiro", in Oswald França Júnior, *O viúvo*, 3ª ed., Rio de Janeiro, Rocco, 1979.

[3] Jean-Paul Sartre, "Situation of the writer in 1947", in *What is literature* (traduzido do francês por Bernard Frechtman), Nova York, Washington Square Press, 1966.

do capitalismo selvagem" fazia aparecer no Brasil um estilo "brutalista", de dicção "rápida, às vezes compulsiva; impura, se não obscena; direta, tocando o gestual; dissonante, quase ruído". E citava como paradigma desse estilo o contista Rubem Fonseca e, na sua esteira, justamente o grupo mineiro do *Suplemento Literário*, e "alguma página de Luiz Vilela, de Sérgio Sant'anna, de Manoel Lobato, de Wander Piroli".[4]

Acrescentaríamos o romancista Oswaldo França Júnior, com ressalvas imediatas: não empregaria o adjetivo "brutalista" para o seu estilo, mesmo porque às vezes ele me parece doce e beirando (apenas beirando) o sentimental; nem diria que sua dicção é "impura, se não obscena", pois a limpidez de linguagem é uma constante sua, e raramente (mas sim, nas páginas finais de *Jorge, um brasileiro*) a violência ganha tonalidades obscenas. Mas trata-se sem dúvida de dicção "rápida, às vezes compulsiva"; "direta, tocando o gestual"; e "dissonante, quase ruído". Como diria Sartre, no seu tratamento da linguagem, ele não tem que se defrontar com cento e cinqüenta anos de dominação burguesa, não inventa sua maneira contra uma tradição — mas à procura de uma — e em certos casos suas mais extremas audácias são ingenuidades (*naivetés*). "O mundo é novo aos seus olhos, tudo ainda está para ser dito, antes dele ninguém falou dos céus e das colheitas."

Isso é rigorosamente verdadeiro, também a respeito deste escritor de Minas Gerais. A sua linguagem rápida, concreta e gestual, desvela realidades brasileiras antes dele nunca ditas em nossa literatura. Fernando Sabino observou bem que não se trata de um "homem de letras", "trilhando caminhos literários já

---

[4] In *O conto brasileiro contemporâneo*, seleção de textos, introdução e notas biobibliográficas por Alfredo Bosi, São Paulo, Cultrix/Edusp, 1975, p. 18.

percorridos no passado", mas de "um dos poucos que estão procurando encontrar uma forma de expressão adequada ao nosso tempo". Sabino compara sua linguagem à de Raymond Chandler, e pode-se estender essa filiação a Hemingway (principalmente o dos contos), talvez a Nathanael West, a certas coisas de John dos Passos. Mas penso que o estilo de França Júnior nasce menos do diálogo com uma tradição literária, do que da relação aberta e direta com a realidade da experiência e da ação. E sobretudo do contato com a realidade maior, determinante das formas da experiência, o trabalho fascinante, destruidor e construtor, que o capitalismo vem realizando no Brasil, ajuntando grandes multidões desarticuladas e criando, no interior delas, as solidões individuais que povoam os livros do romancista mineiro.

Mas todas essas observações visavam sobretudo a delinear a situação de França Júnior, ponta-de-lança de um dos movimentos modernizadores da nossa produção literária. Para concluir essa parte, devo ressaltar que estranho o fato de ele não ser ainda um nome tão conhecido nacionalmente como deveria ser. Pois seus livros estão entre os melhores que se escrevem hoje no país, seja pela força envolvente dos enredos e da linguagem, seja pela qualidade mimética que nos presenteia com vivas cenas brasileiras, arrancadas habilmente ao cotidiano da nossa (como se dizia antigamente) sofrida gente do povo, de certas camadas da classe trabalhadora do país. Isso é o que veremos agora, fazendo um rápido passeio por esses romances.

A estréia é de 1965, com o ótimo *O viúvo*, um romance curto (pouco mais de cem páginas), denso e pungente. O enredo é tão simples que se diria quase nulo: resume-se às atividades um tanto desordenadas do sr. Pedro, o personagem principal, nos meses que se seguem à morte de sua mulher. Vemos um lento "trabalho do luto" se desenvolver: o vazio afetivo é uma náusea que vai passando por diversas formas diferentes — o alheamento, a raiva, a violência, o impulso sexual desprovido de ternura, os passeios sem rumo pela cidade e por seus arredores. Aos poucos, a solidão do viúvo vai-se sublimando no amor aos dois filhos pequenos — os gêmeos Tânia e Ronaldo —, que ele trata de modo nada convencional, permitindo-lhes ampla liberdade. O desfecho traz o agravamento do drama: as crianças se ferem num acidente de ônibus, a personagem sente aumentar seu desespero, e acaba também no hospital, depois de agredir um motorista imprudente e quase ser linchado pela multidão.

Como se nota, há aí matéria para uma história lacrimosa e patética, coisa que França Júnior sabe evitar com habilidade elogiável. O segredo reside na maneira objetiva com que ele compõe o personagem principal (que é também o narrador), na secura crestada da linguagem e, sobretudo, no ângulo narrativo escolhido, sempre de frente para os acontecimentos e em posição de absoluta exterioridade em relação ao narrado. Como não há movimentos introspectivos, análise psicológica, o leitor vê de fora as situações se desenvolverem, e a comoção vai nascendo aos poucos do próprio ritmo errático e fragmentário dos incidentes, acumulando-se em torno de um vazio de sentido que é a chave da angústia despertada pelo livro. Ao final o que se descobre é isso: que o "trabalho do luto" é a forma particular de que se reveste uma história de busca do sentido da existência, e que este sentido ausente é no desfecho um nada, nostálgico e indiferente.

Mas o interessante é que essa "busca do sentido" seja representada concretamente, sem especulação metafísica. O sr. Pedro, comerciante de queijos, não tem inclinação para os mergulhos de profundidade — e o resultado é que uma espécie de grande nuvem opaca recobre os acontecimentos, cujos significados parecem sem espessura, como se tivessem perdido uma dimensão (a metafísica, justamente). Alguns verão nisso um índice das limitações de França Júnior; ao contrário, prefiro ver aí uma das qualidades de sua técnica, capaz de no conjunto criar uma simbologia superadora desses limites. A vida sem horizontes que se desprende de *O viúvo* (na cena final, o horizonte é uma parede em frente ao leito hospitalar) é uma metáfora da vida insignificante e melancólica, miúda, de certa classe média das grandes cidades brasileiras. Nesse sentido, não sei se seria tão despropositado aproximar a ambiência de *O viúvo* à tonalidade desmaiada da vida pequeno-burguesa, presente em algumas páginas de Cyro dos Anjos e de João Alphonsus. Mesmo um certo pendor para o lirismo, como modo de ultrapassar a mediocridade existencial das personagens (tendência constante nos dois grandes escritores mineiros), ressurge na prosa tensa de França Júnior. Basta conferir, n'*O viúvo*, com a cena do baile de carnaval em Lagoa Santa, quando aparece a figura da menina, filha do funcionário público, aparição rapidíssima (ocupa apenas o espaço de uma página), mas de limpidez tão grande que faz prever o momento de epifania, de manifestação da divindade (e, logo, do sentido).

É evidente, entretanto, que é outra a classe média retratada, com uma distância de mais de trinta anos. Além disso, o decidido sr. Pedro não tem nada de amanuense e de intelectual, de modo que a comparação encerra-se também nos horizontes apertados dos personagens. A cidade, agora, está repleta de signos da vida moderna — e o mais óbvio deles é o automóvel. Este — não sei se digo objeto — ocupa um lugar importante na obra de França Júnior. Já Mário de Andrade dizia que fazer arte moderna não significava representar a vida atual no que ela tem de exterior: automóvel, cinema, asfalto (naquela época). Mas acrescentava que se essas palavras freqüentavam os seus escritos, era simplesmente porque ele era moderno, e logo elas tinham razão de ali estarem.

Ora, em França Júnior tal necessidade parece algo mais do que simples decorrência de atualidade. Há uma relação tão forte entre a personagem e o seu carro, que este último deixa quase de ser um mero meio de locomoção, para transformar-se em rigorosa extensão do organismo do primeiro. O sr. Pedro está constantemente "a rodar" pelas ruas de Belo Horizonte, ou em direção à Pampulha, ou rumo a Lagoa Santa; dentro do carro, dirigindo até ao cansaço, esvazia-se de sua angústia; é de carro que passeia com a amante; e é ainda um acidente de ônibus que mutila os meninos, assim como é um acidente de tráfego que prepara o desfecho do romance. A presença do automóvel é, pois, muito marcante, a ponto de assumir às vezes curiosas identificações com o personagem-narrador, como ocorre no capítulo X, por exemplo: depois de uma abafada tarde de sexo, náusea e desentendimentos com a amante, o sr. Pedro volta para casa e põe-se a cuidar do carro escrupulosamente — limpa e aperta parafusos, lava os bancos até não mais sentir "um resto de perfume de Lúcia", enxuga e esfrega o pano "com bastante força" —, um interessante ritual de purificação substitutiva.

Não admira, então, que carros e estradas venham a ocupar um primeiríssimo plano no segundo romance, *Jorge, um brasileiro*, de 1967. Este talvez tenha sido, até hoje, o maior sucesso de França Júnior. História (e estórias) de um caminhoneiro, o livro tem a estrutura de uma grande fala, com casos e mais casos se imbricando e se interpolando. O enredo ganha, assim, uma substância factual que quase não possuía no romance anterior, e adquire um modesto sopro épico — muito discreto —, capaz no entanto de prender por horas a fio a atenção do leitor.

Porque é das primeiras vezes que uma recente realidade brasileira é elaborada pela ficção, e é das primeiras vezes que se representa a pequena epopéia de nossas estradas, penetrando o interior do país e atualizando-o com a civilização do automóvel. Oswaldo França Júnior é aí pioneiro como o seu personagem Jorge: ao substituir o velho tropeiro pelo chofer de caminhão, ele concretiza de golpe uma das mais importantes particularidades de nossa vida social (e econômica) dos chamados "anos JK". Creio não me enganar se disser que os personagens, as paisagens, os problemas, as frações de classes sociais, são novidade em nossa literatura (a rede Globo andou muito atrasada com relação ao motorista Jorge). E novidade apresentada de modo vigoroso: como se fossem nomeados pela primeira vez (parafraseando as palavras de Sartre, citadas anteriormente, sobre os escritores americanos) os vários aspectos de um mundo de trabalhos e canseiras aparecem numa linguagem cujo tom coloquial imita (como bem observou Antonio Olinto) "um traçado também rodoviário, com estradas principais e variantes, entradas em caminhos secundários, e voltas delas".[5] O valor mimético do estilo é muito forte aqui. A oralidade do romance, a estrutura de um-caso-e-depois-outro são bons recursos de que o autor soube lançar mão para transmitir adequadamente um conjunto de experiências fluidas, móveis, dinâmicas. O fluxo da narrativa, ininterrupto, é como o fluxo de uma longa viagem. Também travessia. Mas desta vez o rio é uma estrada — e o mundo não é mais sertão. Transformado pelo capitalismo e pela indústria, ele está povoado de cidades nascentes, oficinas, escritórios de empresas, máquinas, postos de gasolina, botequins à margem.

Impressionante o conhecimento empírico deste mundo, demonstrado por França Júnior. Sem dúvida ele esteve "*on the road*", se não dirigindo caminhão, pelo menos observando de perto o trabalho de um Jorge qualquer, um brasileiro ocupado o tempo todo com o seu serviço. Essa dimensão impressiona igualmente: o personagem está sempre trabalhando, sempre dedicado a algu-

---

[5] Antonio Olinto, "Prefácio" a Oswaldo França Júnior, *Jorge, um brasileiro*, 4ª ed., Rio de Janeiro, José Olympio, 1978, p. 13.

ma tarefa que deve ser realizada e bem realizada. Em *O viúvo* a crise do luto abria no cotidiano um espaço de exceção — daí a personagem vagar meio sem rumo durante o romance inteiro. Mas a partir do segundo livro, e em quase todos os outros, o universo do trabalho vai ocupar um lugar decisivo: o brasileiro Jorge é definido antes de mais nada pela sua relação com ele.

Penso que justamente aí está um dos pontos importantes da ficção de França Júnior, um de seus traços fundamentais. Como se trata, na maioria dos casos, de representação do cotidiano, é natural que isso aconteça. Natural, mas não obrigatório; já se observou que as atividades produtivas do dia-a-dia ocupam uma parte relativamente pequena dos romances, de modo geral; mas em certa linha de realismo ficcional elas avultam e vêm para a frente da cena. É o que ocorre de modo muito nítido, quase descarnado, em *Jorge, um brasileiro*, *O homem de macacão*, *A volta para Marilda* e (em medida menor) em *Um dia no Rio*.

Jorge nos conta sua vida, e ela está completamente entrelaçada com o seu trabalho, a ponto de ser muito exato descrevê-la com o lugar-comum "minha vida é o meu trabalho". As pausas na labuta são mínimas — para o amor, para as refeições, para o breve descanso do sono depois de horas exaustivas — e, mesmo assim, são determinadas pelo ritmo daquilo que deve ser executado. Na difícil viagem das oito carretas de Caratinga a Belo Horizonte, sob chuva constante, passando por estradas enlameadas, ameaçadas por barreiras a ponto de cair, pontes muito frágeis, barrancos apertados, a comitiva só se detém quando um desses obstáculos torna a marcha impossível. Então se descansa — mas mesmo no momento de descanso Jorge está pensando na maneira mais prática de sair da dificuldade.

Há, portanto, uma valorização do trabalho, coisa rara numa literatura que quase sempre o desprezou e evitou representá-lo, que glorificou o malandro e, quando mostrou o trabalhador, foi para exibir a exploração de que ele é vítima e combater politicamente sua opressão. Ou muito me engano, ou os romances de França Júnior vão em outro sentido: seus personagens são espécies modestas — brasileiras? — de *self-made men,* homens que enfrentam as dificuldades da vida e conseguem vencê-las pela habilidade técnica, pelo conhecimento da profissão, e sobretudo pela energia indomável transformada em produtividade.

Fico pensando que tal característica é uma das maiores provas da modernidade de França Júnior. Talvez haja nessa crença no valor do trabalho alguma coisa de muito ideológica, um desconhecimento da alienação que costuma ocorrer sob tais condições de vida. No romance *Um dia no Rio,* o personagem Márcio tenta passar ao largo das manifestações políticas de 1968 e refugiar-se nos seus negócios e na sua família: depois de zanzar todo um dia no meio da violência, o que lhe importa é voltar para casa, não brigar com a mulher que o olharia de expressão dura, alegrar-se com os filhos. Não duvido de que essa atitude represente uma diminuição do mundo, um resguardar-se prudente na própria individualidade. Vejo aí um pouco da sombra da ideologia. Mas pode ser que esteja errado, e justamente o sentido dessa obstinação no trabalho seja outro: em *O homem de macacão,* o mecânico (personagem principal) sente tal prazer com a tarefa bem feita, com a oficina bem aparelhada, com a competência profissional, que não posso deixar de pensar num grande "devaneio da vontade", que sonha recortar no cotidiano duríssimo desses homens um espaço organizado e harmônico, farto e livre das crueldades da carência. Um espaço como a casa sólida que o personagem de *A volta para Marilda* — esse, dono de um depósito de material de construção — deseja recuperar para ali viver uma vida feliz com a mulher amada.

Não posso estender-me mais sobre os romances de Oswaldo França Júnior — pois então não sobraria tempo para os dois outros romancistas de quem devo ainda falar esta noite. Mas quero, antes de passar aos outros, chamar a atenção para a pequena obra-prima que é o livro *Aqui e em outros lugares*. Nele, França Júnior leva ao ponto máximo o seu gosto de representar fragmentariamente o cotidiano, e para isso utiliza uma técnica muito hábil: toma um grupo de personagens, focaliza um momento de suas vidas durante algumas páginas, depois abandona-os, acompanha um segundo grupo que cruzou casualmente com o primeiro, depois abandona este segundo grupo para seguir um terceiro, e assim por diante. O leitor fica suspenso entre essas vidas que apenas se tangenciam e que são mostradas num recorte, sem desenvolvimento. Tudo é narrado de modo muito minucioso e objetivo, em forma de cena explícita, detalhada e sem mistérios. Mas o conjunto ganha uma estranha opacidade: que fazem aqui (e em outro lugares) essas pessoas? Que significado têm os seus pequenos dramas do dia-a-dia? Em que ponto, até agora encoberto, elas poderiam se encontrar e compor a totalidade de um sentido? São perguntas a que o próprio livro nos impele, ele mesmo tendo já desistido de propor uma resposta. E insisto agora em que este é outro traço moderno dessa obra ficcional: a insistência nos acontecimentos exteriores e em si insignificantes pode ser (como nos mostrou Auerbach) uma forma contemporânea de ordenar e interpretar a multiplicidade e a labilidade da experiência. Sem as sínteses de conjunto, os grandes panoramas que encantaram o século XIX, mas com "a confiança de que, no decurso vital escolhido ao acaso, em qualquer instante, está contida a substância toda do destino e que nele pode ser tornada representável."[6]

---

[6] Erich Auerbach, *Mimesis: a representação da realidade na literatura ocidental*, tradução de George Bernard Sperber, São Paulo, Perspectiva, 1971, p. 485.

Escritor de tipo muito diferente — sob certos aspectos de tipo oposto — é Rui Mourão. Nele a modernidade brasileira procura outros caminhos para se expressar, e se apresenta entrelaçada de modo estreito com a tradição anterior, embora mantenha igualmente, com ela, pontos de atrito e tensão. Praticante de vanguarda (ou ao menos de uma das muitas vanguardas existentes), não se pode dizer, entretanto, de seus romances, que eles constituam rupturas radicais com um *continuum* cultural preexistente. O leitor menos avisado pensará isto, e com certo fundamento: é que nesses livros multiplicam-se as experiências com novas estruturas de enredo, de composição dos personagens, de utilização do ponto de vista, de modulação do estilo. Considero todas essas invenções como atritos, tensões e mesmo rupturas reais; todavia, se me debruço mais atentamente, devo reconhecer que sob a parafernália experimentalista continua intocada uma questão essencial: a linguagem aparentemente caótica e tumultuada é, de fato, rigorosamente estudada, polida, penteada, trabalhada — numa palavra: "literária". Se França Júnior escreve livre da tradição (que para ele parece não existir), o autor de *Cidade calabouço* escreve contra a tradição, contra os cento e cinqüenta anos de literatura burguesa que o aprisionam e o atormentam. Mas sendo assim, é natural que permaneça nos seus livros o vulto daquilo que ele combate: de fato, apesar da vontade deliberada de destruição da linguagem, aquilo que mais ressalta nos romances de Rui Mourão é o seu caráter de elaboradíssima construção literária, dentro da qual permanecem inclusive resíduos das formas anteriores. O que temos é um diálogo tenso de formas, uma convivência difícil, agoniada, entre o novo e o tradicional.

Também aqui a biografia ajuda a entender. Pouco mais velho que França Júnior, Rui Mourão começou sua carreira literária com a novela *As raízes* (que infelizmente não pude encontrar), em 1956, nove anos antes, portanto, da publicação de *O viúvo*. E se este curto lapso de tempo quase nada explica, pode ao menos ajudar a entender que um tenha se formado ainda nos anos 1950, sob o influxo das lutas entre o purismo da geração de 45 e as novas vanguardas concretistas — ligadas à industrialização do país —, e o outro tenha encontrado já, nos anos 1960, o campo das disputas estéticas relativamente desbastado. Daí, talvez, que em Rui Mourão esteja mais presente a marca da experiência verbal e a preocupação com as doutrinas, enquanto França Júnior seria (vamos dizer assim) um beneficiário de certa atitude de relação mais direta e mais imediata com a realidade.

Mas as diferenças ficam ainda mais claras quando examinamos a trajetória intelectual de Rui Mourão, que segue ponto a ponto o paradigma clássico brasileiro (e mineiro): bacharel em Direito pela UFMG, foi funcionário público desde os tempos de estudante, tendo ocupado diversos postos de assessoramento no governo do estado. É por essa época (início dos anos 1950) que, junto com Affonso Ávila e Fábio Lucas, entra para valer no mundo das atividades literárias, paralelas aos trabalhos administrativos, fundando uma revista significativamente intitulada *Vocação*. Em 1957, logo após a estréia como ficcionista, é um dos participantes do grupo mineiro de vanguarda que funda a revista *Tendência* e se projeta nacionalmente. Mais tarde vai para a jovem Universidade de Brasília — e é lá que me lembro de tê-lo visto em 1965, funcionando como secretário-executivo do Instituto Central de Letras e escrevendo um livro sobre Graciliano Ramos, publicado em 1969 com o título *Estruturas: ensaio sobre o romance de Graciliano*. Mestre em Letras, leciona em universidades americanas (Tulane, Houston, Stanford) e, no final da década de 1960, volta a Minas e ao serviço público, tendo ocupado desde então cargos importantes nos órgãos culturais do estado.

Longe de mim a pretensão de apresentar — e aqui! — este escritor e homem de cultura tão conhecido de todos. Se repito esse resumo de sua carreira, é porque quero ressaltar a profunda ligação com a literatura que o acompanha durante praticamente toda a vida, em atividades regulares e metódicas, o mais das vezes institucionalizadas. E porque quero ressaltar a diferença entre ele e França Júnior, para que possamos entender melhor as diferenças entre os dois tipos de romance que disputam a representação da nossa atualidade brasileira: um, o de França Júnior, desligado da vida cultural institucional e ligado de modo mais orgânico ao crescimento (desordenado e "selvagem") da indústria do livro; outro, o de Rui Mourão, seguindo passo a passo uma tradição já existente no Brasil — o surgimento da "vocação" nas revistas literárias geracionais, a passagem pela assessoria governamental, a relação com os aparelhos de Estado promotores da cultura (incluindo-se aí a Universidade). Aproveitando a distinção de Gramsci,[7] diria que estamos diante dos dois tipos de intelectual do nosso tempo: o "orgânico", representante de um determinado estágio do desenvolvimento das relações sociais engendradas pelo capital (o que seria o caso de França Júnior); e o "clerical", que preserva a sua herança de cultura e entra em tensão, quando não em choque, com os aspectos mais destrutivos e mais agressivos das formas novas da vida cultural.

Quanto a França Júnior, espero já ter mostrado um pouco de seu perfil; vejamos agora como Rui Mourão pode ser considerado um *clerc*, um homem de letras que enverada pela vanguarda, mas mantém um diálogo constante com as atitudes e as formas a ele legadas pelos seus antecessores.

O romance de que vamos nos ocupar é o segundo do autor: *Curral dos crucificados*, de 1971, um livro ambicioso de quase

---

[7] Antonio Gramsci, *Os intelectuais e a organização da cultura*, Rio de Janeiro, Civilização Brasileira, 1968.

quatrocentas páginas, e no qual vejo cruzarem-se três dimensões principais — a política, a existencial e a literária. Naturalmente esses três planos não estão separados — e naturalmente que para os efeitos de análise será preciso separá-los sempre de forma arbitrária. Mas são dimensões muito visíveis, e acho que elas sintetizam interesses intelectuais que estiveram em voga no Brasil dos anos 1950 e 1960, quando se acirraram os debates políticos, quando Sartre, Camus e Simone de Beauvoir eram traduzidos e invocados nas mesas dos bares (as modificações do comportamento sexual apenas começavam no interior da classe média, amparadas por racionalizações pseudo-filosóficas), quando a literatura possuía ainda um relevo que hoje perdeu. Nesse sentido, o livro reflete uma série de preocupações que eram importantes para a época; e embora seja necessário especificar que o tempo do romance não está datado, é bem provável — a deduzir-se de certos diálogos e certas atitudes dos personagens — que a história se passa na década de 1950.

Curral dos crucificados persegue simultaneamente dois objetivos: realizar uma denúncia político-social (através da história do grupo de retirantes baianos) e narrar a formação de um jovem intelectual de província (através da história do escritor Jonas). Ao fazer as duas linhas do enredo convergirem e se entrelaçarem, rompe a linearidade da narrativa e confere-lhe um toque de novidade, a qual é reforçada ainda (e muito reforçada) por uma linguagem inusitada, um pouco dura e provocadora de estranhamento. Com isso o autor tenta atingir o seu terceiro objetivo — a renovação da forma do romance. E consegue?

Em parte creio que sim. Ainda hoje o leitor sai da experiência de *Curral dos crucificados* sob a sensação do impacto de novidade (e não interessa tanto o juízo de valor, mas a sensação objetiva provocada pelas modificações estruturais e de linguagem). Mas em parte, também, creio que muitas coisas permanecem. Já me referi a uma delas, o caráter fortemente "literário" (entre aspas) da linguagem, um toque de verbalismo que poderíamos chamar de retórico, se entendermos aí a palavra no sentido de abundância e preciosidade. A propósito, falou-se no caráter barroco do livro, o que não deixa de ser pertinente. E esse "barroco" (entre aspas) é, na América Latina, uma das formas de expressão da nossa modernidade contraditória, da qual são exemplos Carpentier, Lezama Lima ou, no cinema, Gláuber Rocha. Mas seu uso pode ser perigoso, dado que a abundância verbal desliza com freqüência para o excesso e a sobra. Veja-se o pequeno trecho seguinte:

> "Espalhou-se cortou-se isolou-se um como que esquecimento para um lado, com o povo ali se atropelando recuando tímido, porque o homem começara entestava o andar naquela direção... Houve um batido desencontro no arremesso das atenções tumultuadas daqueles que esbarravam em quinas de surpresa, de longe querendo entrar passar para dentro do conhecimento do que estava acontecendo, ao mesmo tempo em que estrangulavam as vaias e dispersavam entornavam olhares desvairados perdidos inúteis." (p. 111)

O modo de conceber o esforço descritivo, a ausência de pontuação e até o ritmo das frases pretendem experimentar a criação de novidade — e conseguem mesmo provocar o estranhamento, a singularização. Mas há no trecho alguma coisa de jogo gratuito, um verbalismo que deve ser debitado na conta do apreço à literatura. "Pegue a eloqüência e torça-lhe o pescoço" — foi o conselho de um precursor das vanguardas, que sabia ser a linguagem cultivada um perigo de retorno ao Parnaso. Nem sempre o autor de *Curral dos crucificados* se dá conta disso; bom artífice, dotado de grande capacidade de trabalhar as palavras, parece-me que às vezes se excede no virtuosismo verbal; e se de um lado isso pode resultar em expressão renovadora, por outro lado pode dar a impressão de excessiva eloqüência literária.

A tensão entre novo e velho surge também no tratamento da dimensão política do livro, a história dos retirantes, que é uma das linhas convergentes do enredo. Trata-se de tema que tem forte tradição na literatura brasileira, e Rui Mourão esforça-se para transpô-lo literariamente de modo inovador. A forma tradicional é a do romance neo-realista, seja este um pouco retardatário (como em Rachel de Queiroz ou Jorge Amado), seja ainda ligeiramente modificado por um toque de expressionismo (como em Graciliano Ramos). *Curral dos crucificados* escapa de várias maneiras dos padrões neo-realistas, embora mantendo um diálogo constante com eles: toda a transposição se dá como se o romancista, sobre o esquema básico tradicional, tecesse variações, imprimisse deformações, exagerasse no traço, no desenho e nas cores escuras, até obter uma figura impressionante de desamparo e sofrimento. Assim, a representação expressionista consegue romper a dificuldade de superar o neo-realismo e de compor um tratamento novo para o tema.

Já na outra linha do enredo o autor talvez não tenha sido tão feliz, do ponto de vista da linguagem de vanguarda. De fato, a história da evolução de Jonas nos é contada de uma maneira muito mais próxima da notação realista: vemos, com riqueza de pormenores, o rapaz subir aos poucos os degraus das carreiras burocrática e literária, debater-se nas angústias da criação, discutir e divertir-se com os companheiros de boêmia, seduzir Marta, Odete e Sara, envolver-se aos poucos com essa última, e, enfim, cruzar acidentalmente — nem tão acidentalmente; na verdade, a convergência das duas linhas do enredo é o ponto forte do romance, pois introduz o seu tema mais importante, a má-consciência política do intelectual de classe média — cruzar sua vida com a do Baiano, no desfecho da história. É claro que o autor deve ter posto muito de sua experiência própria e direta neste lado existencial do romance, coisa que explica com certeza a tonalidade quase naturalista do relato. É ao compreender isto que percebemos ser o *Curral dos crucificados* um "romance de formação", cuja estrutura foi alterada pelo rompimento da linearidade do enredo, pela utilização parcial de uma técnica de painel (na parte em que se refere aos retirantes), e pelo tratamento peculiar da linguagem.

Tratar-se-ia então de um romance convencional, revestido pela aparência da vanguarda? Seria absolutamente incorreto (e injusto) concluir dessa maneira. Na verdade, só quem não conhece a dialética das formas literárias poderia pensar assim. Bem no centro da criação artística, mudança e permanência compõem um jogo terrível de fusões e separações, um jogo móvel onde é muito difícil identificar uma e outra.

Quando um escritor nos exibe este jogo, é porque também o traz no centro de seu coração, e faz dele o seu principal problema, o seu desafio pessoal. Lembro-me de certo personagem de Júlio Cortázar (do *Libro de Manuel*), que passa horas ouvindo, numa peça de Stockhausen, a irrupção de um plano nostálgico no meio da sonoridade eletrônica — o velho e o novo se cruzando, estendendo-se pontes, entrelaçando-se. E é em toda complexidade desse enlaçamento que se define uma autêntica procura da modernidade.

Infelizmente, não temos tempo para nos determos nos dois últimos romances de Rui Mourão: *Cidade calabouço* (de 1973) e *Jardim pagão* (de 1979). Eles são muito ricos em outros aspectos, apresentam uma simbologia densa e constituem, sob vários ângulos, consideráveis avanços em relação a *Curral dos crucificados*. Mas a tensão básica que persegue o escritor "clerical" (e que ele persegue, por sua vez) continua presente nos dois livros. Quero apenas chamar a atenção para um aspecto que mudou muito: no *Curral dos crucificados* oscilava-se entre a representação alegórica dos retirantes baianos e a representação simbólica (realista, no sentido lukacsiano) da vida de Jonas (apesar de que também aí entravam elementos alegóricos); em *Cidade calabouço* e *Jardim pagão* o romancista opta abertamente pela alegoria, e despreza, afastando-o de modo completo, o fundo realista. Isso possibilita uma homogeneidade maior do plano da narração, e o lado vanguardista começa a contar pontos de vantagem sobre o lado mais tradicional. No entanto, outros elementos reintroduzem a tensão no campo da narrativa: o ponto de vista onisciente e sobretudo o recorte literário da linguagem são os mais salientes. É uma elaborada voz de narrador que conduz o caos carnavalesco/religioso de *Cidade calabouço* e o caos religioso/carnavalesco de *Jardim pagão* — e esse narrador ainda está preso a uma onisciência muito evidente, muito diretiva.

E agora chegamos ao terceiro e último escritor de quem trataremos nesta noite. Jornalista de profissão, residindo há muitos anos em São Paulo, onde trabalha, Ivan Angelo é, dos três autores aqui focalizados, o de menor produção conhecida: um livro de contos dividido com Silviano Santiago, em 1961 (*Duas faces*); o romance-contos *A festa*, em 1976; e *A casa de vidro*, contos, de 1979. Pois, apesar da pequena produção, é autor reconhecidamente importante, e talvez um nome mais nacionalmente conhecido que França Júnior ou Rui Mourão. Em parte, parece-me que tal popularidade — pode-se usar o termo para falar de um escritor brasileiro? — se explica pelo fato de ser ele um profissional conhecido na grande imprensa (isso sempre ajuda na difusão) e por morar em São Paulo, cuja importância como centro produtor/consumidor é considerável. Mas não farei injustiça com ninguém se disser que o reconhecimento público prende-se sobretudo ao êxito feliz, indiscutível, que foi o romance-contos *A festa*. Tendo surgido num período que nos deu obras notáveis (*Maíra*, de Darcy Ribeiro; *Três mulheres de três pppês*, de Paulo Emílio Salles Gomes; *Reflexos do baile*, de Antonio Callado; *Lavoura arcaica*, de Raduan Nassar; e outros um pouco antes, um pouco depois, mas todos testemunhando um momento de vitalidade da ficção brasileira) — tendo saído neste período fecundo, *A festa* conseguiu destacar-se e conquistar boa parcela do gosto geral. Complexa e simples, ao mesmo tempo, a linguagem desse romance combina refinamento literário com facilidade de comunicação — artes de jornalista tarimbado no batente moderno que é o *Jornal da Tarde*, mas também (e atenção) de alguém que conhece como poucos a literatura contemporânea.

Como já gastei as minhas duas categorias gramscianas, rotulando o França Júnior de "orgânico" e o Rui Mourão de "clerical" (os três que me perdoem), vejo-me agora em dificuldades para achar o rótulo conveniente para Ivan Angelo. O melhor talvez fosse deixá-lo sem rótulo, e até retirar a rotulação dos outros. Mas vamos em frente, quando menos para testar o esquema: seria muito simplificador, muito simplista mesmo, considerar que Ivan Angelo equilibra de modo harmonioso (refiro-me ao romance em pauta) elementos de uma e de outra categoria? Pois *A festa* tem algo da dicção direta e coloquial de França Júnior, e algo do capricho literário de Rui Mourão. Sintetiza dois charmes — e com isso atrai leitores de duas vertentes. Seu grau de novidade fica bem balanceado pelo seu grau de redundância, de tal modo (a teoria da informação explica) que o gosto médio se satisfaz com o seu consumo.

Mas não se trata, bem entendido, de um romance médio, como são alguns do Erico Verissimo da primeira fase, ou certos *bestsellers* que fazem sucesso em todo o mundo. Absolutamente; e é bom explicitar logo que só aquele leitor, acostumado com as experiências contemporâneas realizadas com a estrutura do romance, poderá fruir a construção original e hábil que Ivan Angelo deu ao livro.

Como é essa construção? *A festa* é um romance composto de contos; na verdade, são oito textos autônomos e dotados de unidade, que podem ser lidos isoladamente mas que também extravasam uns nos outros, como se compusessem um sistema de vasos comunicantes — alguns assuntos e personagens são comuns e aparecem em mais de um dos textos. Essa parte corresponde a dois terços do livro e trata basicamente dos antecedentes imediatos ou longínquos da festa — a festa que dá o título e que deveria ser o episódio central do romance, o ponto de encontro de todos os personagens e de todas as histórias.

Mas, justamente, falta esse episódio central. Anunciada em vários dos contos-capítulos, a festa é uma presença constante, no entanto apenas virtual, e o encontro dos personagens acaba não se dando. Ou melhor, ele se dá na última parte, intitulada "Depois da festa", e que funciona como uma espécie de índice remissivo, ou nota de pé de página: aí (cerca de um terço do romance) explicam-se os cruzamentos dos personagens, informa-se sobre os seus destinos, iluminam-se pontos obscuros das histórias, e até discute-se, explicitamente, a criação do livro. Trata-se de uma parte, portanto, que funciona como ata-pontas, arremate e arredondamento, um trecho de metalinguagem em forma de ficção, mas que muda subitamente a estrutura total do relato: de uma ordem aberta e linear, à qual se pode acrescentar novos episódios indefinida e arbitrariamente, passamos a uma forma espiralada, reflexiva, voltando sobre si mesma em círculos cada vez mais amplos.

Essa estrutura é o grande achado original de Ivan Angelo: 1) ela é baseada num princípio muito simples, conhecido desde sempre — o acrescentamento indefinido de episódios; 2) vale-se entretanto de um recurso moderno — a ausência de um ponto de clímax, substituído por uma inflexão, um retorno sobre os passos da própria história — para modificar a forma básica; 3) consegue assim conjugar o interesse da curiosidade (o "e depois?" de que fala Forster, quando trata da *story*) com o interesse mais intelectual da procura de causas (o "por quê?" de que também fala Forster, quando trata do *plot*). Esse movimento envolvente combina de modo muito harmônico os aspectos mais atraentes do "velho" romance (é gostoso de ler, diria o leitor comum) e do romance mais contemporâneo (aí está uma originalidade, diria o leitor crítico).

É claro que isso não é tudo, e com certeza não é sequer o mais importante de *A festa*, embora sirva bem ao meu argumento. Mas chegaríamos à mesma conclusão se examinássemos a alegoria que delineia um retrato cruel do Brasil, no começo dos anos 1970; ou se examinássemos a multiplicidade de registros da linguagem, variando de episódio a episódio, e compondo um mosaico fragmentado, em que o ponto de vista variável é fonte de riqueza e de atração.

Mas já chegou o momento de passar a palavra aos outros.

Sobre o Visconde de Taunay

Rio de Janeiro, véspera do Natal de 1858. O Colégio D. Pedro II, o mais conceituado estabelecimento de ensino do país, realiza a sua cerimônia de colação de grau e entrega de prêmios aos estudantes mais destacados. O salão está repleto de homens de casaca e senhoras em vestidos longos. No trono, em frente à platéia elegante, o próprio imperador, acompanhado de sua esposa, preside à festividade. Ao lado, em torno da grande mesa coberta por uma toalha verde, sentam-se todos os professores da escola, os reitores e o ministro do Império. Começa a distribuição dos prêmios. Alguém chama o segundo colocado, e um rapazinho esbelto, cabelos encaracolados partidos ao meio, trajando casaca e colete feitos no alfaiate da moda, avança em passo ousado na direção do trono. Ao passar diante de um grupo de senhoras, ouve uma mocinha dizer em voz alta: "É o mais bonito de todos".

Contente, recebe das mãos do imperador, que o contempla com afeição, o seu prêmio, um livro de Heródoto, em grego e latim. No mesmo passo, volta para o seu lugar. Alfredo Maria Adriano d'Escragnolle Taunay, o rapazinho bonito, acaba de receber o seu diploma de bacharel em Letras. É ele mesmo quem conta a cena em suas *Memórias*, relembrando na idade madura, com narcisismo simpático e desafetado, uma das muitas passagens felizes de sua vida.

Aliás, ao contrário do protótipo romântico do artista atribulado, Taunay teve uma existência plena mas tranqüila, sem grandes aventuras ou riscos — com exceção, naturalmente, dos tempos que passou em campanha na Guerra do Paraguai, quando enfrentou com bravura os perigos. Mas estava preparado tanto para a vida pacata dos paços de D. Pedro II, quanto para os sobressaltos da guerra.

Artista e militar

Nascido no Rio, em 22 de fevereiro de 1843, era filho de Félix Emílio Taunay e de Gabriela Hermínia Robert d'Escragnolle Taunay. Pelo lado materno, descendia dos condes de Beaurepaire e d'Escragnolle, famílias aristocráticas que, fugindo à Revolução Francesa, foram dar em Portugal e depois no Brasil. Vários homens dessas famílias engajaram-se nas tropas portuguesas de D. João VI, passando por ocasião da Independência para o Exército e a Armada brasileiros.

Já pelo lado paterno, descendia de uma família de artistas. Seu avô, Nicolau Antônio Taunay, foi pintor conhecido na França napoleônica, e imigrou para o Brasil em 1816. Vinha participar, junto com outros artistas franceses, da fundação do Liceu de Artes, mais tarde a Academia de Belas-Artes do Rio de Janeiro. Nicolau Antônio Taunay permaneceu no Brasil durante cinco anos, regressando em seguida à França, mas deixando em seu lugar, como professor da Academia, o filho Félix Emílio Taunay, também pintor e homem de ampla formação artística e humanística. Félix Emílio, pai de nosso escritor, foi um dos preceptores de D. Pedro II e dirigiu durante anos a Academia de Belas-Artes.

Vemos aí, nessa ascendência, os caminhos que se abririam para o jovem Taunay, depois do seu diploma de bacharel em

Letras. Aos dezesseis anos, hesitava entre o Direito e a Medicina, mas a influência dos pais foi decisiva: seria engenheiro militar, faria uma carreira brilhante no Exército. Ingressou assim na Escola Militar, e, aluno dedicado, já em 1864 era segundo-tenente de artilharia. Ocorre então um fato decisivo em sua vida: forçado a interromper o curso, é incorporado às primeiras tropas que o Império envia a Mato Grosso, para combater as forças paraguaias que haviam invadido o país. A participação na guerra, e também o contato direto com o sertão brasileiro, propiciado pela longa viagem pelo Sul, forneceram a Taunay o material e a oportunidade para o seu ingresso na carreira literária.

Junto ao engenheiro-militar surge o artista. Nos intervalos das compridas marchas, da cidade de Miranda até o rio Apa, Taunay desenha as paisagens do sertão e as descreve também por escrito. Assim nasceria o seu primeiro livro, *Cenas de viagem*, publicado em 1868. E, de uma parte dramática da mesma experiência, nasceria também outro volume, que logo ficaria célebre. Como se sabe, entre fevereiro e maio de 1867, uma pequena coluna brasileira, cercada por forças paraguaias, teve de empreender penosa retirada. De regresso ao Rio, Taunay narraria essa manobra militar cheia de heroísmo no seu livro *A retirada da Laguna*.

O escritor e o político

Em 1869, Taunay retorna ao cenário de guerra, como secretário do Estado-Maior do conde d'Eu e encarregado de redigir o *Diário do Exército*, em que reuniu documentação sobre as últimas operações militares realizadas contra os paraguaios. Encerrada a luta, volta a residir no Rio de Janeiro, onde conclui o curso, é promovido a capitão, dá aulas na Escola Militar, entra na política elegendo-se deputado por Goiás, casa-se, é promovido a major e, enfim, nomeado presidente da província de Santa Catarina. Tudo isso no curto período de seis anos — como se vê, uma etapa bastante produtiva de sua vida.

Bastante produtiva também do ponto de vista literário: durante esses anos, publicou quatro romances (entre eles, o que se tornaria mais famoso, *Inocência*, de 1872), além de um livro de contos, *Histórias brasileiras*, de 1874. Não era ainda a sua maturidade de homem, mas era sem dúvida o ponto mais alto atingido pelo escritor.

Depois da presidência de Santa Catarina, o político suplantou o ficcionista. A partir daí, Taunay dedicou-se basicamente às suas atividades de administrador e parlamentar, pertencente aos quadros do Partido Conservador. Tal militância não se dava, entretanto, apenas no plano prático do dia-a-dia; ele também a exercitava no plano intelectual, refletindo sobre assuntos delicados para a época, como o problema do casamento civil e a questão das correntes imigratórias, propondo e executando projetos políticos que revelavam uma visão ampla do futuro.

Presidente do Paraná em 1885, senador por Santa Catarina em 1886, visconde em setembro de 1889, Taunay reunia todas as condições para se tornar um homem público cada vez mais prestigioso. Mas a proclamação da República veio cortar essa carreira: leal ao imperador, afastou-se da política e dedicou-se inteiramente aos seus estudos e à literatura. Antes de sua morte, ocorrida em 25 de janeiro de 1899, escreveu ainda muito, tendo publicado dois romances, *O encilhamento* e *No declínio*. Deixou compostas as suas *Memórias* (editadas em 1948), importantes seja para a análise de sua obra, seja para o conhecimento de fatos e homens do seu tempo.

Do Segundo Império à República

Quando D. Pedro I abdicou do trono e partiu para Portugal, o futuro segundo imperador do Brasil era uma criança que contava apenas seis anos de idade. Teve início então o chamado período das Regências, que se estenderia por nove anos, divididos em três fases diferentes: a Regência Trina Permanente, que apesar do nome durou apenas três anos, de 1831 a 1835; a Regência do padre Feijó (1835-1837); e a Regência de Araújo Lima (1837-1840). Durante todas elas ocorreram diversas conflagrações no país, das quais são dignas de nota a Cabanagem (no Pará), a Sabinada (na Bahia), e a Balaiada (no Maranhão), além da longa Revolução Farroupilha, no Rio Grande do Sul (1835-1845), a mais importante de todas, e que se prolongou pelo início do governo de D. Pedro II.

Por que tantas revoluções? Cada uma delas teve suas causas particulares e suas condições específicas. Mas poderíamos com facilidade levantar algumas causas comuns a todas: a fragilidade dos poderes constituídos, com instituições apenas incipientes, o caráter predatório e ganancioso das atividades econômicas, o arbítrio de autoridades ambiciosas e ávidas de enriquecimento, a violência das relações sociais — fatores estes que não apenas possibilitavam, mas na verdade impunham a formação de grupos armados, pequenos exércitos particulares garantidores das propriedades das elites dirigentes. Tratava-se de um país turbulento, em formação.

Entretanto, já no início do Segundo Império, as coisas começam a mudar. As guerras civis duram ainda nove anos — e nelas se destaca a figura "pacificadora" de Caxias, um militar tão hábil na repressão quanto na negociação política — mas após 1849 abre-se um período de relativa tranqüilidade. As instituições monárquicas haviam amadurecido, bem ou mal o parlamento funcionava, o Exército se disciplinara, a economia conhecia uma fase de expansão, e as tensões sociais arrefeciam. O país começava a se consolidar.

Um período de progresso

Pedro II foi imperador do Brasil durante 49 anos, da maioridade proclamada em 1840 ao advento da República, em 1889. Esse meio século é muito tempo, mesmo se o consideramos numa escala histórica. E foi um período de tranqüilidade interna (exceto, como já foi dito, os nove primeiros anos), em que a instituição parlamentar, à inglesa, pôde ser praticada com continuidade, temperada pelo Poder Moderador que o monarca exerceu com razoável prudência, permitindo a alternância dos conservadores e liberais na chefia do governo. Mesmo porque não havia grandes diferenças entre os dois partidos que disputavam a primazia política durante o Segundo Reinado. Ambos representavam os interesses de poderosa oligarquia rural, proprietária de grandes plantações de cana-de-açúcar e café, já solidamente implantada em fazendas amplas e senhoriais.

O período áureo da Monarquia, "o apogeu do fulgor imperial", como disse o historiador Capistrano de Abreu, foi a década de 1850. Aplacadas as dissensões internas, obtida a pacificação política com a conciliação dos Partidos Conservador e Liberal, o país pôde crescer em paz. Crescimento lento, se comparado com as transformações espetaculares que a industrialização provocava, na mesma época, na Europa Ocidental e na América do Norte. O nosso desenvolvimento prosseguia no modelo colonial, da grande monocultura destinada à exportação. É nesse tempo que o café, descendo do sul de Minas Gerais e do vale do Paraíba, penetra pelo interior de São Paulo e se transforma em nosso principal produto.

Junto com a riqueza cafeeira, alguns melhoramentos são implantados: as antigas trilhas de índios e tropeiros transformam-se em estradas mais seguras e, em 1854, o imperador inaugura a primeira estrada de ferro. Eram apenas 14,5 km de linhas, construídas pelo pioneirismo de Irineu Evangelista de Souza, futuro visconde de Mauá, adepto fervoroso (e frustrado) da industrialização do país. Mas este meio de transporte se ampliou, e, por ocasião da proclamação da República, a malha ferroviária total contava com 3.281 km implantados. Com certeza, era muito pouco para território tão extenso, e parece menos significativo ainda se pensarmos nas redes que os Estados Unidos e países europeus possuíam na época. Mesmo assim, tratava-se de infraestrutura que permitia a circulação das mercadorias, e com isso, aos poucos, as terras produtivas interiores iam aumentando.

A Guerra do Paraguai

A burguesia brasileira cresce durante o Segundo Reinado. Já temos poetas, músicos, pintores e romancistas capazes de uma produção média, ampla e consistente. A alta sociedade carioca fala francês, toca piano, posa de civilizada. Em São Paulo, a Escola de Direito produz gerações de jovens talentosos e preparados para as lides jurídicas. No parlamento os gabinetes ministeriais se sucedem regularmente. Dois grandes abalos, todavia, vão sacudir a paz: a Guerra do Paraguai (1864-1870) e o problema da escravidão negra.

A Guerra do Paraguai foi longa e sangrenta. Suas verdadeiras causas até hoje são pouco conhecidas e estudadas. O fato é que as sucessivas intervenções militares brasileiras na bacia do

Prata, acontecidas desde os tempos coloniais, suscitavam contra nós a desconfiança constante dos caudilhos que governavam os países daquela região. A participação armada do Brasil numa questão de política interna uruguaia, em 1865, só agravou as tensões.

E foi por se sentir ameaçado que o ditador paraguaio, Francisco Solano López, deu início às hostilidades, invadindo, em 1864, o sul do Mato Grosso, e tentando sem êxito tomar a cidade de Cuiabá. A partir daí a Guerra duraria cinco anos, confrontando o Paraguai com a Tríplice Aliança, formada pelo Uruguai, Argentina e Brasil. Cheia de batalhas em que lances de bravura ocorreram de ambos os lados, a luta viria terminar em 1870, deixando um saldo triste de mortos e mutilados: grande parte da população masculina do Paraguai tinha sido dizimada.

O problema da escravidão

O problema da escravidão foi resolvido muito lentamente. Desde a época de D. João VI o tráfico de africanos para o Brasil estava proibido, mas a necessidade de braços para a lavoura era um imperativo mais forte do que os acordos com a Inglaterra, que proibiam o "vil comércio". Na verdade, os interesses ingleses eram menos humanitários que comerciais: a produção de suas colônias competia com as mercadorias agrícolas brasileiras, e extinguir o tráfico era diminuir a concorrência.

No entanto, mesmo para o Brasil, o trabalho escravo, a certa altura, deixou de se justificar do ponto de vista econômico, seja porque o capital empatado na aquisição dos negros era muito pesado, seja porque a produtividade dos trabalhadores livres (colonos europeus imigrados) era maior, bem como menores eram as despesas com eles. Some-se a isso, é claro, o forte conteúdo ideológico do movimento abolicionista (o qual via no escravagismo uma nódoa a nos afastar do concerto das nações civilizadas), e ter-se-ão as condições que permitiram o prolongado processo da abolição.

O caminho seguido foi gradual: primeiro, a partir de 1850, exerceu-se uma fiscalização mais severa para impedir a entrada de escravos no país; depois, em 1871, foi aprovada a Lei do Ventre-Livre; em 1885, após forte campanha abolicionista, sancionou-se a Lei Saraiva-Cotegipe, que libertava os sexagenários; a partir daí vários agricultores começaram, por conta própria, a conceder a liberdade a seus escravos; até que, em 13 de maio de 1888, a regente princesa Isabel assinou a lei de abolição imediata da escravidão. No ano anterior, segundo estatísticas oficiais, existiam 723.419 escravos no país. Mas a população negra era muito maior, e só a lei não resolveu os seus problemas. Sem bens ou propriedades, desamparados, sem possibilidade de se integrarem ao sistema econômico, os negros brasileiros foram atirados numa marginalidade social que até hoje produz reflexos graves.

A República

O último feito do Império não prolongaria a sua vida. A propaganda republicana crescera nos últimos anos, atingindo inclusive parte do Exército, que se colocara sob a influência do pensamento positivista de Augusto Comte. A velhice e a doença do imperador suscitavam questões de sucessão, agitando de novo o ambiente político. De resto, como afirma o historiador João Ribeiro, "o sentimento republicano era e sempre foi uma forma mais ou menos explícita das nossas idéias liberais".

A mudança não poderia tardar muito, ajustando o Brasil à forma de Governo que dominava a América e tendia a se implantar no mundo inteiro. O pretexto foram as "questões militares", conflitos que opunham oficiais do Exército ao Governo, e que culminaram no confronto entre o ministério chefiado pelo visconde de Ouro Preto e o marechal Deodoro da Fonseca. Esse último, impelido pelos republicanos, entre os quais contavam-se numerosos militares, primeiro simplesmente depôs o gabinete Ouro Preto, e depois assinou atos que declaravam instaurado no país o regime republicano.

Era 15 de novembro de 1889, e o Brasil entrava em nova fase de sua história.

Um escritor irregular

Taunay é autor de obra vasta, embora bastante irregular. Dos quase vinte títulos que publicou, pouca coisa apresenta real qualidade. Não deve isso, entretanto, causar-nos grande estranheza, pois os pontos altos da ficção brasileira no século XIX são raros. Alencar e Machado foram as figuras eminentes; mas abaixo deles a linha média realizava produção constante e regular, capaz de ir solidificando entre nós a prática literária. Para citar apenas os romancistas, começando com o pioneiro Teixeira e Souza, alinhemos os nomes de Manuel Antônio de Almeida, Joaquim Manuel de Macedo, Franklin Távora — e, naturalmente, Alfredo d'Escragnolle Taunay. Junto a José de Alencar, estes homens representam diferentes aspectos do Romantismo, e tiveram uma tarefa fundamental: no mesmo gesto em que fundavam a literatura brasileira, iam desvelando, pesquisando, descrevendo e interpretando o país novo, a realidade humana e física de uma nação que se formava.

Neste trabalho de compor o "retrato do Brasil", Taunay tem papel singular. A formação de pintor, engenheiro e militar, aliada à sensibilidade literária, conferem-lhe os dons do observador atento às paisagens e aos costumes, capaz de transpor depois para o papel as impressões deixadas pela experiência daquelas realidades. Pois é da experiência direta da realidade, do contato imediato com o relevo, a vegetação, os hábitos e os tipos humanos do sertão de Mato Grosso, que o observador sensível tira seus primeiros livros, notadamente suas duas obras mais representativas: *A retirada da Laguna* e *Inocência*.

Uma narrativa épica

Taunay se lançou como escritor com as *Cenas de viagem* (1868), a *Viagem de regresso de Mato Grosso à Corte* (1869) e o romance *Mocidade de Trajano* (1871). Os dois primeiros livros deram-lhe desde já alguma notoriedade, pelo interesse imediato do assunto (estávamos em plena Guerra do Paraguai) e pela vivacidade do estilo. Já o romance de estréia despertava menos entusiasmo, e ainda hoje a crítica dedica-lhe pouca atenção: espécie de "romance de formação", entremeado por discursos morais e opiniões políticas e estéticas, apresenta um todo desconjuntado e ingênuo. A primeira grande narrativa seria *La Retraite de la Laguna* (1870), escrita em francês, fato a que José Veríssimo atribui "a sóbria elegância e o intensivo vigor descritivo que a distinguem em sua obra, mas de alguma sorte a desterram de nossa literatura".

Talvez não desterrem tanto. Depois de traduzido, em 1874, para o português, por Salvador de Mendonça, o livro obteve fortuna. Nascida de uma derrota, a narrativa logra recuperar o heroísmo de homens que enfrentaram número superior de inimigos, condições adversas de clima, febres malignas e terreno desconhecido. A "sóbria elegância" e o "intenso vigor" (a que alude José Veríssimo) com certeza não nascem apenas da utilização da língua francesa, mas também da força da vivência, impressa de maneira profunda na lembrança do engenheiro-militar de apenas 24 anos.

Conta Taunay, em suas *Memórias*, que ao regressar de Mato Grosso desejara narrar os sucessos da retirada, e neste sentido fizera algumas tentativas inúteis: a cronologia se embaraçava, confundiam-se datas e locais, episódios importantes pareciam soterrados, enquanto detalhes pouco significativos avultavam. Desanimado, abandonou então temporariamente o trabalho, até que certa noite acordou sobressaltado e "todos os fatos da retirada", diz ele, "se me reproduziram de modo tão claro e tão terrível, que tive violentos calafrios, e tremi de emoção e positivo medo".

Não perdeu a oportunidade: atirou-se às anotações, e de tal maneira que vinte e poucos dias depois o manuscrito estava pronto. Como quer que seja — por ser escrita em francês, ou por ser o relato de uma experiência de extremos —, o fato é que a narrativa viria logo a ser citada como um épico de nossa literatura. Nessa opinião geral com certeza se infiltrava algum patriotismo bélico, sequioso de glórias guerreiras e históricas. Mas isso não desmerece a transposição emocionada e fiel que Taunay realizou, a partir da campanha difícil de que participara.

Dois romances curiosos

Da obra copiosa não se salvam apenas os dois títulos principais. Livros menores, mas ainda de interesse, são por exemplo *Céus e terras do Brasil* (1882) e *Visões do sertão* (1922), além das *Memórias* (1948), de grande importância documental. Para o especialista será sempre útil conhecer seu teatro (*Amélia Smith*, 1886), seus contos ou seus escritos políticos e biográficos. Mas para o público maior a curiosidade talvez sejam dois romances medíocres, mal realizados, e mesmo assim de leitura envolvente.

Um é o romântico *Ouro sobre azul* (1875), título que já evoca a ambientação elegante e mundana em que o entrecho vai se desenvolver. O livro se abre com a descrição de uma manhã de sol no Cais Faroux, no Rio de Janeiro: o ponderado Álvaro Siqueira, moço rico, "na flor dos anos", vai buscar num vapor inglês que acabava de chegar da Europa, o antigo amigo e condiscípulo Adolfo da Silva Arouca, tipo excêntrico que vive a correr mundo, homem inteligente e inquieto. Álvaro está secretamente apaixonado por uma prima, Laura Gomes, órfã rica criada por um tutor riquíssimo, o comendador Faria Alves, caráter bonachão que fazia todas as vontades da moça. A história da paixão de Álvaro por Laura, até o desenlace óbvio do casamento, passando por peripécias rocambolescas, constitui o enredo do livro.

O interesse, todavia, não está tanto no enredo, mas nos costumes da burguesia carioca da época, que o autor descreve com graça e ironia benevolente. São relatados os jantares, as danças, os jogos de salão, os namoros, os ditos espirituosos — costumes de um pequeno círculo endinheirado e despreocupado, envolvido nas tramóias habituais do dia-a-dia, e que o autor apresenta de maneira fácil e bem-humorada.

O enredo é inverossímil, e as personagens não têm maior consistência psicológica — mas que importa? É como se estivéssemos assistindo a uma fútil e divertida "novela das sete" na televisão (guardadas, naturalmente, as diferenças de um século). E como divertimento o livro foi tomado, tendo obtido os favores do público e sucessivas edições.

Outro romance curioso é *O encilhamento* (1894), título que nada tem de romântico e merece uma explicação. Por "encilhamento" ficou conhecida a política financeira posta em prática no começo da República, e que consistia em incentivar a formação de companhias agrícolas, comerciais ou industriais, através do lançamento e da venda ao público de títulos e ações. Tal política não tardou a degenerar, provocando forte abalo na economia do país. Centenas de empresas, sem a menor possibilidade de êxito, foram lançadas, e suas ações vendidas a um público crédulo e ávido de ganhos. Especulou-se à vontade, quanto mais que o Governo não intervinha para pôr fim aos golpes desonestos, às emissões "frias", aos projetos mirabolantes que captavam as pequenas poupanças então existentes. Perdeu-se no "encilhamento" muito dinheiro — dinheiro este que, está claro, apenas mudou dos bolsos de alguns para os bolsos menos escrupulosos de outros.

Por aí se vê que o tema continua atual. O enredo do romance era apenas pretexto para que Taunay, monarquista convicto, atacasse as bandalheiras da República nascente, pondo o dedo na chaga que faria escola: a especulação financeira, justificada pelas alegações de progresso e desenvolvimento do país. Como obra literária, *O encilhamento* é um livro fraco; mas vale a pena lê-lo hoje, pela curiosa captação, ali realizada, de um dos aspectos da nossa vida social.

Inocência: os encantos do romance

De onde nasce o charme do romance *Inocência*, que ao longo de um século vem encantando os leitores mais diversos? Não é fácil responder a esta pergunta, porque o livro é de tal simplicidade, é tão despojado em suas linhas gerais, tão linear e previsível na construção de seu enredo e de suas personagens, que os críticos freqüentemente se embaraçam no instante de analisá-lo. A resposta que acode de imediato é a seguinte: a narrativa de *Inocência* tem a graça das coisas simples, e por isso é que nos atinge de modo tão direto em nossa sensibilidade. Uma história de juventude e amor, contada sem afetação e sem pretensões de grandeza, despida de idealizações eloqüentes, tem a *exemplaridade* dos fatos paradigmáticos, representa com exatidão um dos grandes momentos da vida de cada um de nós.

Nessa linha de raciocínio *Inocência* seria, então, o romance que teria concretizado um arquétipo que todos guardamos no fundo do inconsciente — o primeiro amor, puro como as madrugadas sertanejas, agradável como as noites em que Cirino conversa com sua amada junto ao laranjal, vendo na claridade do céu brilhar o carreiro de São Tiago. Amor primeiro, com seus sustos, suas inquietudes — e sua impossibilidade de realização. Seja por simples incompreensões e desavenças entre os namorados, seja por oposição das famílias, seja por conveniências sociais, os amores da juventude costumam alçar vôo e ter em breve sua rota impedida por dificuldades de todo tipo. Aí desaparecem e os parceiros tomam outros rumos, mas guardando cada um as marcas emocionais da experiência, riscadas fundamente.

A paixão súbita de Cirino e Inocência, a oposição do pai da moça (que, seguindo os costumes sertanejos, já a tinha prometido em casamento a outro), os perigos do namoro vigiado de longe pelo anão Tico, a decisão crescente e o desenlace de morte, todos estes lances têm realmente o caráter exemplar que tanto seduz o leitor. Mas tal resposta apenas baliza o problema, sem resolvê-lo. Pois romances com o mesmo enredo existem aos montes, e nem todos com a eficácia dos efeitos produzidos por *Inocência*. Trata-se de saber que recursos literários usou Taunay, para conseguir o encantamento que se desprende de seu livro.

Um romântico diferente

O crítico José Veríssimo, escrevendo no fim do século XIX, afirmava que os três romances mais queridos do povo brasileiro eram *O guarani* e *Iracema*, de José de Alencar, e *Inocência*, de Taunay. O sucesso dos primeiros, dizia ele, vinha da capacidade de idealização, da força imaginativa criadora de um mundo que sabemos falso, mas aceitamos (graças ao império da arte) como subjetivamente verdadeiro. Já em *Inocência* o mérito era outro:

> "Ela é a representação, na sua máxima exação, do mundo e da vida real, qual ela existe e é vivida, em uma determinada região da terra brasileira. É um quadro realista, na mais pura acepção do realismo na arte; um quadro, uma pintura de mestre — que todos foram de fato realistas —, não uma fotografia."

Um escritor *romântico-realista*. Estranha conjunção de termos! No entanto, José Veríssimo tinha toda razão. O Realismo não é uma escola literária, mas um método de representação artística da realidade. Seu ponto de partida consiste na observação acurada dos elementos mais cotidianos, e na descoberta daquilo que neles é o mais significativo, o mais capaz de representar, em sua singularidade de evento único, o *típico* que existe em todas as situações. Esse é o método utilizado pelos grandes artistas, pertençam a que escola pertencerem.

Notemos que, nas palavras de Veríssimo, o termo comparativo é a pintura, e lembremo-nos da formação em artes plásticas de Taunay. Pintura, não fotografia — e isto quer dizer: não simples cópia, mas observação e transmutação dos dados da realidade. Transmutação feita pela fantasia do artista, modificação dos elementos reais efetuada a partir do modo como eles atingem a sua sensibilidade, despertando nela os ecos de vivências passadas ou de desejos ainda ocultos.

Um romântico diferente da maioria dos nossos românticos, eis o que era Taunay. A educação francesa recebida em casa, baseada na disciplina da pintura e da música, no amor da observação das paisagens, no culto da beleza natural, somou-se naturalmente à educação pragmática da Escola Militar, do aplicado aluno de Topografia e Geografia, do engenheiro que "sonha coisas claras". Combinados, estes fatores dotaram-no da objetividade que, mais tarde, marcaria suas idéias e sua ação política, e, nos tempos de *Inocência*, lhe permitiria participar do movimento de inflexão em direção ao Realismo, movimento que nos anos 1870 (segundo nota Lúcia Miguel-Pereira) a literatura brasileira começa lentamente a cumprir.

Modelos e transformações

Arquétipos românticos e observação realista, portanto. Mas estamos ainda no nível das generalidades. Observação de quê e de quem? — perguntará imediatamente o leitor. Vamos ao primeiro capítulo de *Inocência*. Lá, não há personagens nem história, apenas a paisagem que se abre em frente do narrador (e de nós mesmos). Os campos do sertão mato-grossense, os "cerrados" e os "capões", a areia e os regatos, aparecem descritos com minúcia. Um fogo lavra, cresta a terra; a chuva bate em seguida e a vegetação renasce; ou não vem a chuva, as cinzas pairam durante meses, na paisagem desolada gaviões e carcarás combatem e perseguem suas presas. O sertanejo que passa ali busca com ansiedade as árvores que se aglomeram em torno de alguma nascente; junto à água, as palmeiras formam manchas de verdura que se alteiam para o céu; a copa dos ipês e as folhas dos buritis movem-se ao vento; vem a noite, com todos os seus ruídos, e o sertanejo dorme sossegamente.

Em si, esta abertura nada tem de original. Basta ler as primeiras páginas de *O guarani*, e lá encontraremos descrição de paisagem talvez até mais eloqüente. Mas aí está o ponto: embora a alguns este primeiro capítulo tenha parecido convencional e árido (imitação de modelos batidos), a pintura de Taunay impressiona não pela eloqüência, mas pela exatidão escrupulosa com que é composta. O mesmo José Veríssimo assevera que a impressão de fidelidade absoluta é tão grande, que chega a surpreender quem depois viaje pela região. E Antonio Candido, considerando essas páginas "das melhores da literatura romântica", afirma que nelas "se preformam certos movimentos d'"A Terra" e d'"O Homem" n'*Os Sertões*, de Euclides da Cunha".

A fidelidade, portanto, é uma das qualidades do livro. Mas a fidelidade em literatura tem valor restrito. O artista toma os modelos e transforma-os, reelaborando-os. Assim aconteceu com os personagens de *Inocência*: quase todos foram inspirados por pessoas reais que o autor conheceu por ocasião da sua viagem ao Mato Grosso. No entanto, apenas os modelos transformados não bastariam para dar ao livro a força de vida que ele possui. Interfere aí outro fator, mais profundo. Antonio Candido lembra um episódio contado por Taunay em suas *Memórias*: é a história da indiazinha chané chamada Antônia, bela e jovem, com quem o aristocrata carioca teve autêntico caso de amor, na solidão daquela viagem. "Pensando por vezes e sempre com sinceras saudades daquela época", confessa o visconde, "quer parecer-me que essa ingênua índia foi das mulheres a quem mais amei."

Voltamos ao princípio, vendo agora que um amor da juventude está na base do charme de *Inocência*, um amor vivido no mesmo instante em que as fortes impressões da paisagem e dos costumes — transpostas depois para o romance — se fixam no espírito do autor. São essas emoções que estão na raiz também da criação, e que explicam talvez a felicidade do estilo claro e direto, fiel aos movimentos íntimos das personagens.

Explicariam mesmo? Estou certo de não ter avançado muito no segredo do romance. Ninguém saberia explicar, tampouco, a sensação de beleza que nos toma quando contemplamos uma grande borboleta azul, como aquela que o jovial Meyer batiza de *Papilio innocentia*, e leva em triunfo para a sua universidade alemã. É olhar a borboleta, e ler o romance.

Três teorias do romance:
alcance, limitações, complementaridade

1. Introdução

Faço uma tentativa de ler a obra de Graciliano Ramos a partir de três diferentes suportes teóricos: Georg Lukács, Marthe Robert e Northrop Frye. O tripé assim formado parece (estou de acordo) bem estranho: marxista, psicanalista e poética de fundo aristotélico compõem uma mistura difícil de conciliar, facilitadora de todos os ecletismos.

No entanto, deve-se arriscar. Afirma-nos Ricardo Ramos que Graciliano gostaria de ver *S. Bernardo* lido de maneira menos sociológica, analisado como narrativa de um "drama humano e seus limites"; gostaria, também, de ver *Angústia* menos psicanalisado, compreendido em "suas muitas intenções no campo social". E, por fim, acrescenta ainda o filho do escritor, feria-o "a classificação de sua obra como elaborada e elitista, em contraposição ao que considerava simples e popular".

Como se vê, são problemas apontados por Graciliano, na sua habitual maneira cortante. Tento enfrentá-los. O texto que se segue é o esboço de uma pesquisa que já vai mais adiantada do que parece. Não faço a discussão explícita das três teorias, pois o tempo de exposição não o permite. Mas talvez se veja, sob as observações aqui apresentadas, que elas estão na base e se articulam de maneira às vezes tensa e excludente, às vezes harmoniosa e complementar.

2. De Lukács a Frye

A idéia central desta pesquisa nasceu de uma leitura de *Infância*. Impressionava-me aquele livro seco. Despojado até os ossos, relato minucioso, detalhado, veraz, dos contatos iniciais de um menino com a sociedade humana. Realismo parecia-me um termo insuficiente para descrever o livro. Neo-realismo muito menos: na sua descrição das minúcias da realidade há impressionante ampliação do pormenor, deformação que confere ao relato uma tonalidade diversa da neo-realista.

Já se falou, a propósito da deformação, de "expressionismo", muito visível em páginas de *Angústia*. Mas a explicação, embora correta, parece-me insuficiente. Meu problema era saber em que medida o tradicional e o moderno (o neo-realismo e as conquistas literárias das vanguardas) se combinavam em Graciliano Ramos. Como é que, saindo do "pequeno realismo" de *Caetés*, passava por uma forma realista altamente condensada em *S. Bernardo*, mudava para uma estilização expressionista em *Angústia*, modificava ainda esta estilização em *Vidas secas*, transformava-se outra vez (e para quê?) em *Infância* e *Memórias do cárcere*? Noutras palavras, por que o escritor trocava de modo a cada novo livro?

Julguei achar uma pista na teoria dos modos e das formas de ficção, de Northrop Frye. Sem dúvida, o modo preferencial de Graciliano Ramos é o imitativo baixo, e a forma inicial de sua ficção é o romance. Isto está ligado à situação histórica da produção artística em todo o mundo, nos anos 1930, e em particular à guinada do Modernismo brasileiro para as preocupações sociais e políticas. Está ligado também à formação de Graciliano Ramos, sua predileção pelos grandes romancistas do século XIX, e — por último mas não menos importante que o resto — está ligado a algo de sua personalidade, algo que tentaremos definir nessa pesquisa e que será, aliás, um de nossos objetivos.

No entanto, se a quase totalidade do "romance do nordeste" fica ao modo básico do "imitativo baixo", à forma do romance e ao estilo realista (combinando-o às vezes com o romanesco, como são os casos de José Lins do Rego e Jorge Amado), em Graciliano Ramos a forma do romance começa a ser estourada a partir mesmo de *S. Bernardo*. E o elemento que entra em jogo, provocando a ruptura dos limites, é a ironia.

Caetés (1933) é o romance-crônica. A ação contida em seu enredo é mínima, dilui-se em pequenas histórias paralelas, distende-se ao longo de um fluxo temporal relaxado, da insistente repetição de tiques das personagens, da criação de ambiência. Realismo miúdo, contenta-se em descrever os costumes, encobrindo com isso o núcleo temático de amor e adultério. Em *S. Bernardo* (1934), a ação se concentra em torno de núcleos precisos, as histórias paralelas se reduzem a rápido contraponto do conflito central, o tempo se condensa, as personagens secundárias se encolhem à sombra dominante da personagem central, a ambiência é dada em duas pinceladas. O primeiro livro está para o segundo assim como o tateio está para o gesto incisivo.

Ambos, entretanto, são o que Frye chamaria de imitativo baixo e romance. *Caetés* é a descrição apequenada da vida cotidiana da pequena burguesia numa cidade do interior do Brasil; *S. Bernardo* é a descrição brutal dos atos cotidianos de violência na ascensão social e na apropriação capitalista também no interior do Brasil. Imitativo baixo, os dois livros pretendem representar seriamente a vida social brasileira, como se fossem reflexos da realidade. A seu modo, pertencem àquela corrente de "estudos sérios" deflagrada pela Revolução de 1930, e que Graciliano valorizou como uma das conseqüências mais positivas do movimento revolucionário: o debruçar-se atento sobre as nossas condições de vida, na tentativa de definir o que é a famosa "realidade brasileira".

Imitativo baixo, os dois livros adotam a forma do romance, entendida esta como Frye a definiu por oposição ao romanesco; suas personagens são elaboradas como "gente real", não como arquétipos psicológicos; há nelas maior dose de objetividade, são menos baseadas na projeção que na observação; a tendência à alegoria é minimizada, sua individualidade é trabalhada a partir das relações sociais, das "máscaras sociais"; e, por fim, há um nítido tratamento da estrutura social, num convencionalismo que chega ao limite da meticulosidade. A ação forma o centro, mas reflete-se para o leitor a partir da sua decomposição nas relações pessoais.

(Melhor do que Frye, a descrição estrutural do romance feita por Lukács serve para entender a composição destes livros. Mas deixemos este ponto como um dos implícitos da exposição...)

Nos dois livros, porém, a ironia começa a penetrar na representação imitativa. Em *Caetés* é, por enquanto, uma ironia limitada: o herói é um "homem qualquer", sentindo como "um de nós", no mesmo nível do leitor, apenas mais capaz de confessar suas baixezas. O que é irônico, em primeiro lugar, é o movimento que racha a história em duas: o romance que conta o pequeno drama de João Valério, e o projetado romance histórico que contaria a vida dos Caetés. O romance *Caetés* ironiza por essa via a estória romanesca e, criando a imagem especular de João Valério civilizado/selvagem, ironiza pela mesma via a "máscara social" — suporte da própria forma romance. Desmascarados, a sociedade e o herói diminuem mais ainda: a ironia "que, em relação aos outros, bordeja o sarcasmo e, em relação a si mesmo, a impiedade" (Antonio Candido), parece-me também responsável pela atmosfera de "estagnação espiritual incompatível com a dinâmica inerente à mais rasteira das existências" — que Candido, todavia, atribui ao pós-Naturalismo. Em todo caso, não se trata ainda de ironia estrutural e o livro permanece no imitativo baixo.

(Também aqui Lukács ajuda a entender: trata-se do problema *típico*, diferente da "média cotidiana". Mas outra vez o ponto fica em suspenso, nesta rápida exposição.)

Já em *S. Bernardo* há um fenômeno diferente: na medida em que se trata de uma história de malogro, a derrota de Paulo Honório reduz-se à irônica impotência das páginas finais. Creio não estar forçando o sentido. Quando se narra o fracasso, o livro, que vinha se desenvolvendo de forma extrovertida e interessada na pessoa humana *em sociedade* — características da forma-romance —, ganha um aspecto reflexivo, introvertido, modifica o interesse para a compreensão *intelectual* da pessoa humana; quer dizer, adquire as características da forma-confissão. *S. Bernardo* é, bem entendido, combinação de romance e confissão, mas com nítida preponderância do primeiro. É imitativo baixo combinado, atravessado ao final pela ironia, mas com predomínio do primeiro modo.

Este predomínio, no entanto, vai desmanchar-se em *Angústia* (1936). Romance ou confissão? Como no romance, existe forte interesse nas relações sociais e pessoais, mas, como na confissão, existe interesse igualmente forte nas idéias — e além disso o modo de tratar o tema é introvertido e intelectual. Imitativo baixo ou irônico? Como no imitativo baixo, apresenta um "senso de contraste entre o subjetivo e o objetivo, o estado mental e a condição interior, o individual e as exigências sociais naturais" (Frye), mas o retrato cruel de Luís da Silva, a diminuição violenta sofrida pelo protagonista, permite-nos pensar na presença, desta vez mais nítida, do modo irônico. *Angústia* é imitativo baixo e romance na medida em que constitui a descrição detalhada do cotidiano da gente humilde e representa o pequeno funcionário público em seu círculo social, muito bem concretizado através das limitações de sua pobreza. Desliza, entretanto, para a confissão, a partir do próprio ponto de vista, na medida em que o foco narrativo centrado em Luís da Silva confere ao relato o tom introvertido e intelectual que lhe é característico.

É no entanto a dimensão do herói que parece decisiva. Diz Frye: "Se inferior em poder ou inteligência a nós mesmos, de modo que temos a sensação de olhar de cima uma cena de escravidão, malogro ou absurdez, o herói pertence ao modo irônico. Isso é verdade mesmo quando o leitor sente que está ou podia estar na mesma situação, pois a situação está sendo julgada com maior competência".

Neste sentido, é nos três livros seguintes de Graciliano Ramos que encontraremos com mais nitidez o herói do modo irônico: *Vidas secas*, *Infância* e *Memórias do cárcere*. Nos três, o fato de contemplarmos cenas de esmagamento de criaturas, em condições absurdas, traz à lembrança certa vertente da literatura contemporânea, em que a figura do *pharmakós*, o bode expiatório, ocupa o lugar central.

Digamos que, em *Vidas secas* (1938), Graciliano leva o modo imitativo baixo ao limite extremo, realizando com a maior mestria a descrição de uma realidade social brasileira. Não é de estranhar que a própria matéria tratada tenha inspirado a ruptura do modo: a indigência da família de retirantes, submetida ao despotismo da natureza e da sociedade, suscitaria no espírito do escritor o *páthos* da ironia trágica. Do ponto de vista da literatura, é a maneira de tratar a matéria propriamente prodigiosa: o equilíbrio fino do estilo indireto livre, deslizando da mente do narrador às das personagens, logra ao mesmo tempo traçar o quadro verossímil das vidas destas últimas e estabelecer uma isenção de perspectiva que chega a ser desconcertante.

Na objetividade da narrativa está a força de impacto do ironista. Assim são as coisas, nos diz sua escrita, mas a descrição das coisas deixa de ser imitativa e faz aflorar outro sentido. Frye: "O termo ironia, portanto, indica uma técnica, de alguém parecer que é menos que é, a qual, em literatura, se torna muito comumente uma técnica de dizer o mínimo e significar o máximo possível, ou de modo mais geral, uma configuração de palavras que se afasta da confirmação direta ou de seu próprio e óbvio sentido.[...] A objetividade completa e a supressão de todos os julgamentos morais explícitos são essenciais a este método".

Em *Vidas secas* a existência da família de retirantes é narrada simplesmente a partir do seu cotidiano de privações. Por trás do cotidiano simples, entretanto, a escrita artística faz nascer a visão de humanidade essencial cujo despojamento — chegando aos mitos demoníacos da natureza desapiedada e da sociedade humana infernal — significa alguma coisa além daquelas vidas tomadas em si. Northrop Frye observa ainda que a "ironia", enquanto modo, nasceu do imitativo baixo. Mas o ironista "fabula sem moralizar, e não tem objetivo, a não ser o seu assunto". Observação que lembra a atitude (a ironia é sobretudo uma atitude, de modo) do avô paterno de Graciliano, construtor de urupemas: "Suou na composição das urupemas. Se resolvesse desmanchar uma, estudaria facilmente a fibra, o aro, o tecido. Julgava isto um plágio. Trabalhador caprichoso e honesto, procurou os seus caminhos e executou urupemas fortes, seguras. Provavelmente não gostavam delas: prefeririam vê-las tradicionais e corriqueiras, enfeitadas e frágeis. O autor, insensível à crítica, perseverou nas urupemas rijas e sóbrias, *não porque as estimasse, mas porque eram o meio de expressão que lhe parecia mais razoável*" (o grifo é meu).

A atitude deste avô, de quem o narrador afirma ter herdado "talvez a vocação absurda para as coisas inúteis", é tomada aqui como metáfora clara da própria atitude de Graciliano Ramos diante da escrita. Certamente, ninguém imaginaria chamar a atitude do avô de irônica. No entanto, é ela que está na base da ironia, no caso da escrita. O escritor irônico não visa outra coisa senão à "construção serena de uma forma literária" (Frye); sua matéria, a vida, por certo lhe interessa, e muito, ele a toma tal como a encontra e a representa em seu minucioso vai e vem diário; mas seu fim é a construção da urupema rija e sóbria — não porque a estime (ou talvez a estime secretamente, quem sabe), mas porque lhe parece o meio de expressão mais razoável.

Em parte, isto explica o tematizar constante da escrita nos livros de Graciliano Ramos. Em parte, explica também sua diferença do "romance social" dos anos 1930, estreitamente neo-realista: a atitude irônica, que procura os caminhos próprios da construção literária, é atitude ética (como imitativo baixo), mas é também atitude artística — a mesma postura ética, que aponta a injustiça social e desenha a figura do bode expiatório, é colocada no centro da forma, como exigência construtiva.

3. De Frye à psicanálise

O *pharmakós*, herói por excelência do modo irônico, é o ser desamparado. O menino de *Infância* — desdobrado depois nos heróis de Graciliano — sofre de desamparo. Por aí é possível conduzir a análise para outros níveis: o sociológico (como o faz J. C. Garbuglio) e o psicanalítico, no estudo do *trauma* básico que está presente nas páginas desse livro terrível, e que pretendo aprofundar estudando-o nas outras obras do autor.

Qual é este trauma? É possível enfocá-lo de duas maneiras. Reparemos, em primeiro lugar, que o centro de *Infância* é constituído pela narrativa do aprendizado da leitura. Como todos os outros aprendizados, este se dá através de uma sucessão de choques penosos, de traumas violentos que marcam a criança ("minha irmãzinha engatinhava, começava a aprendizagem dolorosa" — esta frase está no capítulo "Um cinturão"). No caso de alguém que, no futuro, se transformará em escritor, o doloroso da experiência deixa marcas relevantes, que transparecerão na eterna dificuldade da escrita, que perseguirá João Valério, Paulo Honório, Luís da Silva, o narrador de *Memórias do cárcere*... Levanto a hipótese de que em *Infância*, e mais especificamente na narrativa do aprendizado da leitura, encontraremos a gênese desta reflexão atormentada em torno do ato de escrever. Levanto também a hipótese de que a contenção irônica do estilo está relacionada com esta gênese traumática.

Aí está o miolo do trabalho. A ironia, técnica literária, é iluminada — e ajuda a iluminá-las — pelas condições sociais de vida e pelas reações pessoais às determinantes da experiência. Literatura, sociedade e psicanálise juntam-se neste ponto: o menino explica o homem Graciliano (como disse Octávio de Faria), mas não apenas — as condições de vida do menino ajudam a entender o homem *e a constituição de sua escrita.*

Marthe Robert retoma o famoso ensaio de Freud sobre "O romance familiar dos neuróticos" e estende-o ao estudo do romance como gênero literário. Descobre, assim, duas atitudes básicas, que dão origem a dois tipos básicos de romance: a atitude romântica do Enjeitado e a realista do Bastardo.

Na aparência, Graciliano vincula-se à segunda atitude, a do Bastardo: sua exigente visão realista poderia fornecer a prova decisiva a este respeito. No entanto, a observação mais atenta mostra em seus personagens principais a força persistente do

Enjeitado que procura impor seus sonhos de onipotência: João Valério, arrivista por intermédio de Luisa, Bastardo carreirista, tranca-se no quarto de pensão e projeta sua fantasia em Caetés truculentos, que solucionam pela força física, pura e primária, os obstáculos ao desejo; Paulo Honório, arrivista acabado, Bastardo de origem incerta que subiu muito na vida, deseja uma mulher forte que, boa parideira, lhe dê muitos filhos — e acaba apaixonando-se e casando com o contrário desta mulher, a criaturinha frágil que é Madalena, com a qual ele continua a sonhar depois do desenlace trágico; Luís da Silva, que vive dando esbarrões na realidade, tranca-se no banheiro da casa pobre e sonha ser o autor de um romance famoso, que o elevaria acima das misérias de sua vida; Fabiano sonha pouco, Sinhá Vitória e os meninos também, confrontados à aspereza da seca e da propriedade — mas têm seus instintos de devaneio, nos quais projetam o desejo de um mundo melhor e de uma melhor figura de si mesmos.

A atitude realista predomina, sem dúvida. Mas sob ela, resistindo, às vezes irrompendo em momentos decisivos, persiste a atitude sonhadora do Enjeitado. A dialética que se estabelece entre os dois pólos ganha uma característica tonalidade graciliânica: toda vez que surge a possibilidade do sonho, da expansão do desejo, surge por outra parte a realidade para esmagá-la. Dizer isto, entretanto, não significa frisar o seu apego ao real. Significa mais: significa destacar a sistemática luta contra a fascinação do desejo, contra a onipotência do pensamento, contra o sonho e a imaginação. É mais que a atitude realista: é a atitude irônica.

Neste sentido, vejo *Infância* como um livro de inversão crucial; nele, cada elemento de idílio, cada tendência a idealizar os verdes anos, é posto de ponta-cabeça. É como se o maravilhoso fosse rigorosamente parodiado: conto de fadas às avessas. A descoberta do mundo literário, da imaginação livre e criadora, se faz em meio a um processo raro de brutalização. Digamos logo a palavra — de castração. Na verdade, o processo de aprendizagem é, simbolicamente, um processo de castração. "Naquele tempo, quando se acreditava ainda no poder dos desejos..." — esta frase de Grimm serve de epígrafe ao ensaio "Reinos de parte alguma", sobre o conto de fadas, no livro de Marthe Robert. Poderíamos, invertendo-a, tomá-la como epígrafe de *Infância*: "Naquele tempo, quando não se acreditava mais no poder dos desejos...". Em Graciliano tudo se passa como se ele estivesse chocado com a falta de poder dos desejos, com a dura decepção do mundo real, que ele assinala a cada instante.

Ora, uma boa explicação para sentimento tão agudo surgiria se admitíssemos a presença residual de um desejo forte de poder e a persistência de uma crença muito forte no poder dos desejos, contrastada e desmentida a todo momento pela realidade. Neste caso, a figura do Enjeitado onipotente ronda a aprendizagem realística do Bastardo. A realidade é a educação, e esta é sentida como uma desautorização do desejo, uma castração.

O desamparo da criança é o ponto-chave do livro. Sua incapacidade até para articular pequenas parcelas do mundo resulta na representação fragmentária do mundo como antiutopia, antireino de parte alguma. Ora, evidentemente o fato de ser tão anti acaba por construir outra analogia: é o mito de cabeça para baixo de que fala Frye quando se refere ao modo irônico. O reino de parte alguma se transforma numa servidão de todos os lugares. É como se a repressão fosse tão violenta que o próprio sonho se recalcasse. O realismo irônico de Graciliano é tão terrível por causa disso: o reprimido volta sob forma invertida, o devaneio libertador volta como tormento.

Do ponto de vista psicanalítico, seria preciso explorar melhor o problema da castração. Para isso, bastaria analisar detidamente o capítulo "Cegueira", que contém um teor simbólico forte. Os dois apelidos do menino, dados pela própria mãe (*cabra cega* e *bezerro encourado*), remetem sem dúvida ao núcleo da rejeição e a cegueira é este símbolo universal da relação conflituosa desde Édipo.

Dar-se-ia o caso da dificuldade da escrita estar ligada a esta interdição do desejo, sempre proibido de realizar-se? A análise encaminha-se, ao final, para este problema. Resolvê-lo, dizer sim ou não, importa menos, no caso. Banalizá-lo, apontar os indícios, lançar alguma luz sobre o enigma — isso vale a pena. O trabalho com as três teorias caminhará em direção a este objetivo, visando descer mais fundo na obra e compreender melhor a arte de Graciliano Ramos.

A poesia de Mário de Andrade

1. O problema

Como a totalidade da crítica, também penso que o mais curioso da obra de Mário é a sua diversidade de interesses, a aplicação que ele fez de seu talento e de sua inteligência a tantos campos de pesquisa e de criatividade, indo da ficção e da poesia aos ensaios sobre literatura, música, folclore e artes plásticas, sem esquecer o jornalismo mais livre das crônicas, os registros de viagem, a importante correspondência e até a atuação direta nos acontecimentos.

Muitos têm frisado esta multiplicidade característica, ao ponto de a afirmativa desgastar-se em lugar-comum. Outros, em número pouco menor mas nem por isso menos insistente, têm chamado a atenção para o fato de que esta polivalência de Mário, embora muito proclamada, tem sido pouco entendida e menos ainda explicada. Um exemplo ilustre deste último caso é Otto Maria Carpeaux, que na sua *Pequena bibliografia crítica da literatura brasileira*, antes de escolher 39 títulos referentes ao escritor, anota com escrúpulo: "A bibliografia a seu respeito, acompanhando-lhe o caminho dos inícios tempestuosos até a consagração geral, é enorme, mas evidentemente composta, em grande parte, de manifestações de valor efêmero, apenas destinada a intervir — pró ou contra — na luta literária do dia".[1]

Essas simples palavras bastam para compor um quadro das carências brasileiras no campo dos estudos que nos pertencem mais: a bibliografia sobre um de nossos maiores escritores é "evidentemente composta... de manifestações de valor efêmero...". Mas não quero insistir sobre isso; registro apenas o fato, que tem tantas causas já sabidas ou ainda secretas, somente para introduzir o primeiro ponto de meu assunto: os muitos rumos da obra de Mário constituem sem dúvida um dos motivos da paralisia de nossa crítica, que tem esbarrado na sua espantosa complexidade, até hoje não assimilada de forma completa. Apesar de sua influência ter sido determinante nos caminhos da literatura atual (afetando diretamente todas as grandes criações realizadas depois do Modernismo), a discussão a seu respeito continua situando-se, de preferência, no plano das banalidades pertencentes à "luta literária do dia".

Entretanto, em 1946, um crítico já vaticinava que apenas trinta ou quarenta anos depois da morte do escritor o seu perfil seria traçado de maneira mais ou menos satisfatória. No fecho do prazo, é verdade que isso vem ocorrendo. Também alguns trabalhos importantes têm aparecido, e é preciso assinalá-los. Além do pioneiro de Cavalcanti Proença, temos as pesquisas fundamentais de Telê Porto Ancona Lopez, as interpretações (di-

---

[1] Otto Maria Carpeaux, *Pequena bibliografia crítica da literatura brasileira*, 4ª ed., Rio de Janeiro, Ediouro, 1968, p. 272. A respeito do problema, as mesmas considerações são feitas por Joan Dassin, no seu livro sobre Mário que, aliás, constitui contribuição importante no sentido de ir cobrindo esse vazio de nossa crítica. Cf. *Política e poesia em Mário de Andrade*, tradução de Antonio Dimas, São Paulo, Duas Cidades, 1978, pp. 141-151.

vergentes) de *Macunaíma* por Haroldo de Campos e Gilda de Mello e Souza, o livro já citado de Joan Dassin, a crítica musical examinada por José Miguel Wisnik, e alguns outros, poucos e menos detidos, mas que começam a desenhar um rosto inteligível.[2] Suficiente? Longe disso. A maioria tem-se limitado ao plano das indicações superficiais de tendências a serem estudadas melhor, adiando a tarefa, apesar de o consenso geral encarecer a necessidade e a urgência de realizá-la, enxergando nos escritos de Mário uma chave para o entendimento de grande parte da literatura produzida no Brasil durante os últimos (quase) sessenta anos.

No que se relaciona aos estudos sobre sua poesia, a deficiência talvez seja ainda mais grave. As interpretações recentes, por muito que demonstrem de inteligência e de penetração na obra, estão longe de abarcar o significado dessa aventura pela pesquisa formal que compõe as *Poesias completas*. Um crítico tão arguto como Luiz Costa Lima, por exemplo,[3] deixa escapar aquilo que sem dúvida é o melhor de Mário: ao centrar sua leitura no ponto de vista da linguagem poética referencial e antiacariciante de João Cabral de Melo Neto, toma como critério de valor uma suposta contundência que Mário não teria conseguido sempre, devido aos resquícios de subjetivismo romântico que permanecem na sua poesia. Ora, essa poética do referente parece apertada demais para medir a inquietude do modernista Mário de Andrade: justamente, nas variações de registro de sua poesia, que vão desde o "consumo subjetivista" da função emotiva

---

[2] Além dos trabalhos referidos é preciso assinalar que algumas dissertações e teses universitárias têm sido realizadas nos últimos anos.

[3] Luiz Costa Lima, *Lira e antilira (Mário, Drummond, Cabral)*, Rio de Janeiro, Civilização Brasileira, 1968.

até a utilização da função mágica, do coloquial ou da metalinguagem, é que reside seu interesse para a literatura brasileira contemporânea. A variedade técnica e temática, que perturbou de fato a qualidade dos textos, não deveria ser vista apenas no que tem de negativo. O "direito permanente à pesquisa estética", posição vanguardista assumida com todos os riscos muito conscientes, trouxe pelo menos uma conseqüência importante: da *Paulicéia desvairada* a *Café*, a linguagem de seus poemas reflete a mesma inquietação básica e a mesma desconfiança radical que caracterizam grande parte da melhor literatura produzida no século XX.

Até que seria curioso inverter o ponto de vista e ler João Cabral a partir da poética de Mário de Andrade. Não haveria nisso qualquer anacronismo, ao contrário, e teríamos a vantagem de perceber aquilo que a antilira perdeu no caminho percorrido desde o lirismo modernista até o último grande poeta que se beneficiou do movimento. Mas apresso-me a afastar a idéia e qualquer possível polêmica, reconhecendo com Costa Lima que a "traição conseqüente" proporcionou a Cabral uma realização muito mais "perfeita" e regular, artisticamente, do que a obtida por Mário de Andrade.

Este ponto da realização artística, aliás, foi abordado por Álvaro Lins com seu habitual equilíbrio e discernimento num artigo curto, escrito em 1942, mas que ainda é das melhores visões de conjunto existentes sobre a poesia de Mário.[4] O texto inicia-se com uma anotação restritiva: depois de salientar a importância do escritor, Álvaro Lins observa que se trata mais de uma personalidade do que de um autor, pelo menos enquanto

---

[4] Álvaro Lins, "Na primeira linha de vanguarda", in *Poesia moderna do Brasil*, Rio de Janeiro, Ediouro, 1967, pp. 48-56.

poeta. Sua primeira característica é a contradição própria da poesia moderna, "a de um pensamento que procura a sua forma", e o crítico lamenta que esta procura tenha se encaminhado para o mundo transitório e acidental, o que privou sua poesia "de um avanço em maior profundidade". Duas ordens de preocupações — continua ele — revelam-se como dominantes em Mário de Andrade: o sentimento da terra e o sentimento íntimo de homem. Da primeira, nascem os poemas intencionais estética ou socialmente combativos, que fazem dele a personalidade importante em nossa história literária; da segunda, nascem os poemas líricos, que parecem ao crítico mais firmemente realizados e são os que lhe agradam por excelência.

O excesso de intencionalidade — ou, como diria o próprio Mário, seu "pragmatismo" estético e social — leva (segundo Álvaro Lins) a um rebuscamento que mata a espontaneidade: "O seu estilo apresenta certas características magníficas: um forte sensualismo de vocábulos e de construções, agilidade e graça pouco comuns em nossa língua, influência musical que lhe imprime um máximo de subjetividade. Todavia, ao lado dessas qualidades, em ligação com elas, brotam as suas fraquezas: um brasileirismo arbitrário e de gosto duvidoso, excesso de pitoresco, excessivo arrevezamento, certo tom por demais rebuscado. Ou melhor: uma preocupação de modernismo que, tantas vezes, parece mais um preciosismo de roupas novas".[5]

Tanto Costa Lima como Álvaro Lins, como se vê, ressaltam um defeito técnico. Mas, enquanto o primeiro atribui esse defeito a uma supervalorização do "eu" lírico, o segundo localiza-o antes no empenho estético-social do poeta, e chega a dizer que prefere o Mário de Andrade lírico, menos cerebral e mais

---

[5] *Ibidem*, p. 54.

capaz de exibir força íntima, sentimento. "No Sr. Mário de Andrade é o poeta lírico aquele que me parece mais firmemente realizado; e líricos são os seus poemas que me agradaram por excelência nestas *Poesias*", afirma ele a uma altura de seu ensaio. E prossegue: "Alguns poemas líricos do Sr. Mário de Andrade — os que revelam o seu sentimento tão íntimo de homem — transmitem-me, afinal, a certeza de que ele insistiu demasiado em certas atitudes, em certos caminhos que não lhe eram os mais adequados. Tenho a impressão de que a sua atitude mais propícia seria a do poeta solitário que canta o amor impossível, o amor irrealizado, o amor por si mesmo".[6]

Os dois autores representam muito bem o pensamento crítico de suas respectivas épocas. Álvaro Lins, nos anos 1940, está preocupado com a conquista de uma poesia de "maior profundidade", afastada do "mundo transitório e acidental", provida de menos intencionalidade e de mais espontaneidade.[7] Faz a crítica ao Modernismo de um ângulo muito característico de seu tempo, que reprova o pitoresco e a exterioridade, e exige uma poesia mais interiorizada e mais equilibrada. Já Luiz Costa Lima encarna um outro tipo de concepção de literatura, e seu estudo, datado da década de 1960, traz exigências muito diferentes. A reação concretista contra o lirismo anêmico de nossa poesia e a favor de uma linguagem despida e contundente — antilírica — influenciou com certeza muitas de suas idéias. Mas seu livro está escrito principalmente em função da poética de João Cabral — uma poética do rigor, da denotação, da construção nítida e precisa. Daí, como é evidente, sua posição contra a poesia dita profunda, contra o lirismo — e daí também o fato de atribuir o fra-

---

[6] *Ibidem*, pp. 53-54.

[7] As expressões entre aspas estão no ensaio citado, p. 49.

casso técnico da *Paulicéia desvairada* a resquícios de subjetivismo romântico.

É interessante notar como certas necessidades de épocas diferentes determinam ângulos de visão diferenciados e levam a conclusões às vezes opostas. Enquanto Álvaro Lins julga que a solução formal viria de uma introspecção lírica, que livrasse a poesia das impurezas da intencionalidade, Costa Lima pensa que a eliminação do subjetivismo romântico teria levado a uma estruturação poemática capaz de captar a vida urbana.

Embora não endosse todas as afirmativa de Álvaro Lins, acho que pelo menos em um ponto ele terá razão: as melhores composições de Mário de Andrade são os poemas líricos, no quais o "eu" se expande e sujeita o tumulto verbal a uma disciplina interiormente conseguida. O ângulo de visão escolhido por Luiz Costa Lima (a antilira de João Cabral) permite-lhe fazer interessantes observações, mas talvez o tenha impedido de verificar esse fato. A aproximação do poeta pernambucano ao sentimental Mário de Andrade acabou por prejudicar a compreensão da poesia desse último, cuja melhor parte é aprioristicamente recusada. Mas não se trata apenas de recusar o ruim da *Paulicéia desvairada* em nome do critério do rigor formal, trata-se de atribuir o ruim a uma causa — o subjetivismo, o psicologismo —, que não é sua verdadeira causa. Ao contrário, parece-me que boa parte do desequilíbrio formal dos poemas vem justamente do fato de o lirismo não ter sido plenamente realizado, de a objetividade permanecer como um empecilho travando o livre desenvolvimento metafórico do discurso, de o sujeito não estar entranhado o suficiente na linguagem e permanecer como mera matéria sobre a qual se discorre.

Mas deixemos essa discussão. Quero registrar agora a leitura de Antonio Candido, também apresentada num ensaio curto de 1942, e que concorda em pontos importantes com as afirmativas de Álvaro Lins.[8] Examinando o volume das *Poesias*, de 1941, o crítico vê ali um balanço de toda a atividade do poeta, capaz de ressaltar a grande coerência "que se manifesta através de uma precisão cada vez maior na sua maneira poética". E tenta — creio que pela primeira vez — esquematizar os "vários aspectos, várias maneiras, e vários temas" dessa atividade.

Quanto aos vários aspectos, Antonio Candido assinala os seguintes: o poeta folclórico, no *Clã do jabuti*; o poeta do cotidiano, na *Paulicéia desvairada*, no *Losango cáqui* e em parte do *Remate de males*; o poeta de si mesmo, ao lado do qual, e sempre agarrado a ele, está o poeta *eu mais o mundo*, no *Remate de males*, n'*A costela do Grão Cão* e no *Livro azul*; e, por fim, o *criador de Poética*. Entre as várias maneiras, o crítico nota sobretudo três: a maneira de guerra do período inicial do Modernismo; a fase de encantamento rítmico, cheia de virtuosismos saborosos; e a maneira despojada que baixa o tom, esquece o brilho e busca o essencial. Quanto aos temas, a sua variedade escaparia a qualquer enquadramento, e ele limita-se a chamar a atenção para três ou quatro; o tema do Brasil, o tema do conhecimento amoroso (e do amor falhado), o tema do auto-conhecimento e da conduta em face do mundo.

Essa esquematização — "medrosamente aventurada", como diz ele — cumpre o seu objetivo que é o de indicar a riqueza da pesquisa poética de Mário. Tem a vantagem, também, de tirar-nos das afirmativas vagas sobre a diversidade da poesia, e mostrar com clareza os modos dessa diversidade. Ainda hoje, olhando o conjunto das *Poesias completas*, só nos seria possível acrescentar mais um aspecto, uma maneira e um tema, que àquela

---

[8] Antonio Candido, resenha sem título publicada em *Clima*, São Paulo, jan. 1942, nº 8, pp. 72-78.

altura não se poderia mesmo conhecer porque ainda não eram públicos: o poeta político, a maneira de combate engajada e o tema do choque social, presentes em *O carro da miséria*, *Lira paulistana* e *Café*.

Mas mesmo isso já está, de algum modo, insinuado no pequeno ensaio crítico, quando Antonio Candido observa que ao lado do poeta de si mesmo, "e sempre agarrado a ele, está o poeta *eu mais o mundo*".[9] E é nesse ponto que sua crítica parece convergir com a de Álvaro Lins, destacando uma face importante que nos desvenda, não mais a diversidade da poesia, mas a sua unidade. Ambos vêem com muita clareza que o melhor Mário de Andrade é aquele que explora "o seu sentimento íntimo de homem" (Álvaro Lins), aquele "que se retira em si mesmo" (Antonio Candido). Ambos compreendem, também, que esse movimento de exploração da subjetividade acaba por revelar o mundo de forma mais clara do que os poemas intencionais.

Isso, que apenas se deduz do texto de Antonio Candido, Álvaro Lins disse com todas as letras: "Sim, poeta realmente brasileiro, o Sr. Mário de Andrade consegue realizar alguns poemas correspondentemente brasileiros. O que acontece é que os seus poemas de fato brasileiros são aqueles em que não houve intenção deliberada de um objetivo nacionalista. Poemas da espécie de 'Rondó pra você e Maria' [...] são daqueles em que se integra o poeta na comunicação com a sua terra: pela linguagem, pelo sentimento, pela realização. E muitos destes poemas desinteressados, que se me afiguram mais brasileiros do que outros que procuram sê-lo intencionalmente, pertencem à fonte do que chamei o seu sentimento íntimo de homem".[10]

---

[9] *Ibidem*, p. 74.

[10] Álvaro Lins, *op. cit.*, p. 53.

E estamos aqui no centro do problema. O fato é que, se a poesia de Mário de Andrade constitui uma exploração do seu "eu" e conta, como afirma Álvaro Lins, a história "de um homem multiplicado que procura encontrar-se a si mesmo" (e isso explicaria a sua pluralidade de temas e técnicas), ela constitui também uma tentativa de explorar a multiplicidade da cultura brasileira e de contar a história de um intelectual que procura encontrar a identidade de seu país (e isso explicaria melhor as determinações sociais da pluralidade). O movimento é simultâneo e solidário: a busca da identidade nacional (enredada como veremos nos interesses da classe a que pertence o escritor) liga-se "ao problema mais íntimo da descoberta da própria identidade".[11]

Formulada assim, logo percebemos que mesmo a questão tem por sua vez múltiplos desdobramentos. Não é por acaso que a crítica brasileira fica paralisada diante do complexo Mário de Andrade: ele propõe, no limite extremo, o questionamento da auto-imagem do escritor nacional, fazendo refletir sua figura despedaçada em espelhos ("Pirineus" e "caiçaras") impiedosos. Talvez não seja necessário, mas devo explicar que tampouco tenho condições de pegar o boi à unha. Limito-me a cavar um pouco mais o problema, referindo o que já foi dito por outros e tentando certos prolongamentos.

Quem equacionou melhor o assunto em torno de Mário de Andrade, foi Anatol Rosenfeld, no artigo "Mário e o cabotinismo". Ali mostra ele como os temas da sinceridade, da auto-expressão, da identidade do ser consigo mesmo (temas pertencentes à literatura universal contemporânea) complicam-se no caso das Américas, onde "a cultura é em larga medida importada

---

[11] Anatol Rosenfeld, "Mário e o cabotinismo", in *Texto e contexto*, São Paulo, Perspectiva, 1969, p. 183.

e vem acompanhada de uma língua que é produto de outras regiões geográficas e outras condições, tendo por base um substrato social diverso, isto é, quando a questão, de essência antropológica, ainda por cima se reveste de aspectos etnológicos, ao ponto de a busca da sinceridade se confundir com a do ser autóctone".[12] Acrescentaríamos também, à antropológica e à etnológica, a dimensão política, na medida em que cultura, identidade e caráter "nacionais" estão permeados por determinações de interesses de classe.

Marquemos ligeiramente a questão, acompanhando Anatol Rosenfeld. Todo o seu livro é dedicado, através da abordagem de vários autores, ao exame do problema da máscara, do disfarce, do cabotinismo, problema "estreitamente ligado à arte, à ficção e aos fundamentos da comunicação humana". O conceito de máscara está ligado à concepção da pluralidade da pessoa, de sua dissociação, e constitui um tema freqüente na literatura desde o Romantismo. Falando, por exemplo, sobre Pirandello, em cuja obra esse conceito desempenha papel central, Anatol dá as seguintes explicações: "A vida impõe ao indivíduo uma forma fixa, tornada em máscara. O fluxo da existência necessita dessa fixação para não se dissolver em caos, mas ao mesmo tempo o papel imposto ou adotado estrangula e sufoca o movimento de vida. Essa contradição é para Pirandello problema angustiante não só no nível do indivíduo humano, mas também no da sociedade dentro do fluxo histórico".[13] E a contradição angustia não só Pirandello, naturalmente, mas ainda boa parte da filosofia, do século XIX aos dias de hoje (Schopenhauer, Nietzsche, Kierkegaard, Sartre), boa parte da literatura (Thomas Mann, Kafka,

---

[12] *Ibidem*, p. 184.

[13] *Ibidem*, p. 10

Joyce, Fernando Pessoa), a psicanálise etc. No caso de Mário chega a tornar-se uma obsessão permanente, de tal modo que sua obra parece, toda ela, girar em torno da dialética da sinceridade e do cabotinismo.[14] Desde o "Prefácio interessantíssimo", com sua teoria sobre a imediatez da expressão poética, até — digamos — "O movimento modernista", com sua auto-análise cruel e desnudadora, passando por tantos textos intermediários, a reflexão de Mário coloca de muitos jeitos estes problemas: a identidade consigo mesmo, a unidade entre as camadas íntimas do ser e a sua expressão artística.

Mas desde que há reflexão (espelho) há desdobramento e duplicidade. A própria procura da sinceridade, lembra Anatol Rosenfeld, já é sintoma de sua perda: "Perda da unidade e simplicidade em épocas de transição entre a tradição e a renovação, quando o indivíduo, desenvolvendo a plenitude da sua subjetividade (e, no caso, também a consciência da sua peculiaridade nacional), passa a sentir-se separado do espírito coletivo dominante que, ainda assim, o determina em larga medida. Dessa duplicidade decorrem tensões agudas. A própria exigência da sinceridade é, então, sintoma da crise, ou seja, da cisão e do sentimento de fragmentação".[15]

É essa busca "sincera" da auto-identidade, envolvida pela crise que cinde e fragmenta, que tentarei analisar em alguns poemas de Mário. Mas, antes, vejamos pelo menos de forma esquemática o desenvolvimento da procura poética que transcorreu entre 1922 e 1945.

---

[14] Deve-se ler o artigo "Do cabotinismo", in *O empalhador de passarinho*, São Paulo, Martins, 1972.

[15] Anatol Rosenfeld, *op. cit.*, p. 185.

2. Dissimulação e sinceridade

Mário tratou muitas vezes do tema da sinceridade, e seu artigo mais conhecido versando o assunto é o já citado "Do cabotinismo". Mas escolho outro texto para comentar aqui, uma carta escrita a 20 de maio de 1928 para Augusto Meyer, na qual ele se estende em considerações sobre o problema e exemplifica contando a história da criação de seus próprios poemas. Essa carta demonstra (como toda a correspondência com Bandeira, também) que o artista, já àquela altura, possuía uma consciência grande do que fizera, do que estava fazendo e do que pretendia fazer. Ela discute, à luz do problema da sinceridade artística, a questão dos poemas "intencionais" que irritam tanto (e com razão...) a crítica.

Que diz Mário? Augusto Meyer lhe escrevera, fazendo reparos a certas composições do *Clã do jabuti*, que seriam virtuosísticas demais, polêmicas, compilações de ritmos e temas nacionais, tudo "por demais alvejado e consciente". Meyer (como se vê) também já exercia o seu olhar agudo, e acrescenta de fecho estas palavras: "Não me venha afirmar que a sua intenção fica nisso justamente: eu poderia desmenti-lo com outras composições cheias de frescura ou pudor poético". Pois Mário compra a briga com prazer, retrucando. "Ora eu venho afirmar que a intenção fica nisso justamente porém que ela é mais complexa e sincera ao que parece à primeira vista." E se explica "esparramadamente".[16]

Em síntese: conta o transe de inspiração em que escreveu a *Pauliceia desvairada*; as repercussões do livro; a necessidade que

---

[16] In *Mário de Andrade escreve cartas a Alceu, Meyer e outros* (coligidas e anotadas por Lygia Fernandes), Rio de Janeiro, Ed. do Autor, 1968, pp. 49-57 — cito a p. 49.

sentiu de publicá-lo para encorajar o grupo modernista: a intenção de forçar a nota do brasileirismo para, com seus "exageros conscientes", provocar uma libertação da linguagem literária; os resultados positivos conseguidos; e a repetição do mesmo processo provocador com o *Losango cáqui* e o *Clã do jabuti*.

A carta acaba não refutando a crítica de Meyer, no meu entender, porque apenas explica psicologicamente a intencionalidade dos poemas, justificando-a como necessidade social, mas não como necessidade artística. De qualquer maneira, me interessam dois aspectos levantados aí por Mário: a combinação de sinceridade e intencionalismo, e sua consciência do momento histórico vivido, daquilo que era preciso fazer para provocar modificações no ambiente literário.

Para Mário de Andrade, a intenção consciente de criar o poema dentro de um determinado modo não descarta a presença da sinceridade espontânea. Isso ele procura explicar contando a gênese da *Paulicéia desvairada*. Primeiro, havia uma vontade consciente de fazer algo novo, que o livrasse do "enjôo" do Parnasianismo; depois, sob a influência de Verhaeren, havia uma vontade também consciente de fazer um livro de poesias sobre São Paulo; mas o livro não saía, até que, meses após, num estado em que parecia "que o desvairado era eu mesmo" — diz ele —, em cerca de seis dias, foi o livro todo escrito, dando um volume equivalente a "uns três do atual" — e "jamais não vi tanta besteira junta", acrescenta.

Primeira etapa do processo: vontade consciente mas bloqueio do fluxo (espontâneo) de inspiração; segunda etapa: predomínio do fluxo de inspiração, bloqueando a consciência. Mas a terceira etapa é mais interessante ainda: durante a escrita, surgiam-lhe vontades conscientes de escrever coisas para machucar pessoas que com certeza não iriam compreendê-lo. "Então escrevia de propósito coisas incompreensíveis pros outros, fatalmente incompreensíveis, voluntariamente incompreensíveis, e tão, que eu mesmo só chegava no momento (e até agora) a perceber nelas um sentido absolutamente vago, como que uma ressonância de idéias e de sentimentos, e não eles propriamente. E essas coisas deixei ficar conscientemente quando polia o livro."[17]

Desavisado, o leitor poderia achar simples e esquemático. No entanto, é bem complicado: o esforço é de exposição de um "eu", de *sinceridade*; quando se percebe que este "eu" não será compreendido, nasce a vontade de machucar o "outro", vontade que se traduz então em disfarce, em escrever coisas "voluntariamente incompreensíveis", até para o próprio "eu". A "vontade de machucar" é desejo sincero; a escrita do incompreensível é também obediência à espontaneidade, submissão aos movimentos do inconsciente; mas a intencionalidade coroa tudo, armando um jogo de máscaras, um negaceio complexo de exibição e dissimulações.

Mário explica também que, mesmo pretendendo escrever dentro de alguma linha predeterminada, sempre "respeitou-se", isto é, sempre esperou que o poema surgisse espontaneamente, sob o influxo da inspiração. É o caso do *Losango cáqui*, no qual percebendo que o Modernismo havia abandonado o tema da mulher "gostada e gozada", pretendeu retomá-lo. Porém, acrescenta, "conservei minha liberdade nesse sentido que tendo intenção de cantá-lo conscientemente, só o cantei mesmo quando o subconsciente, forçado e orientado pelo consciente, me atirou na boca as cantigas e as notações que escrevi".

Bem vê o leitor como as relações entre "lirismo" e "técnica" são mais emaranhadas do que aparentam. Mas Mário de Andrade expõe, ainda nessa carta, outra atitude intencional sua, que

---

[17] *Ibidem*, p. 52.

julgo importante. Ele se gaba a Augusto Meyer de funcionar como uma espécie de precipitador de mudanças fundamentais e indispensáveis. Da maneira como ele expõe, parece até que sua criação está inteiramente voltada para certas necessidades da vida cultural do país que ele procura preencher. É assim na época de publicação de *Pauliceia desvairada*: sentindo que o grupo modernista hesitava em seguir o caminho do estouro estético, decidiu-se "conscientemente", "friamente" (os termos são dele), a afrontar o escândalo. "E publiquei. Tomei uma feição orientadora e abridora de caminho que me satisfez enormemente. Percebi uma coisa que em geral a gente não percebe bem: meu destino. Augusto Meyer, eu sou um indivíduo egoísta. Posso confessar isso porque meu egoísmo é engraçado: sou egoísta pelo que dou pros outros. E desprendido como ninguém, isso juro."[18]

Dois motivos: um íntimo, de auto-satisfação e egoísmo; outro altruísta, de orientador e abridor de caminhos; juntos, eles formam a sinceridade total de que se fala em "Do cabotinismo", e para a qual Anatol Rosenfeld chamou a nossa atenção de modo tão oportuno. O poeta percebe uma necessidade social, uma necessidade de mudanças que está no grupo todo, e funciona como catalizador da transformação; mas essa mesma percepção corresponde a outra necessidade, de outra ordem, e que se radica no interior do próprio "eu". Por isso, a obra de Mário é simultaneamente uma procura da identidade do indivíduo e uma procura da identidade do grupo (que ele esforçou-se para identificar a toda a cultura brasileira); e por isso, Manuel Bandeira, em "Variações sobre o nome de Mário de Andrade", pôde aproximá-los assim: "Brasil/ Como será o Brasil?/ MÁRIO DE ANDRADE".

Como se deu, ao longo do tempo, essa procura? Vejo, no

---

[18] *Ibidem*, p. 54.

conjunto das *Poesias completas*, um perfeito espelho que reflete com precisão o desenvolvimento das grandes linhas-de-força do Modernismo e, portanto, da história da cultura brasileira no período compreendido entre 1922 e 1945. A agitação intelectual que se processou no Brasil durante cerca de vinte e cinco anos encontra-se inscrita nessa obra. Não apenas nela, naturalmente: quase todos os escritores modernistas, participantes ativos do momento que viviam, registraram com sensibilidade as mudanças históricas. Mas em Mário de Andrade este registro toma um aspecto radical e exemplar, e é nessa perspectiva que é interessante estudá-lo.

O país se industrializa, São Paulo e Rio passam por transformações enormes, viram metrópoles modernas, cosmopolitas, capitalistas — Mário de Andrade escreve *Paulicéia desvairada* e *Losango cáqui*, dentro das mais avançadas técnicas dos países industrializados, modernos, cosmopolitas, capitalistas. O espírito revolucionário dos anos 1920 sente necessidade de conhecer o país, abandonar a orla atlântica e penetrar no interior, tomar o pulso dos problemas (a Coluna Prestes faz isso na sua marcha), tomar contato com a vastidão e a diversidade de nossa gente — Mário de Andrade escreve *Clã do jabuti*, repertório do Brasil inteiro, contato e identificação com as formas populares de cultura das nossas várias regiões. O final da década procura sintetizar as inquietudes, dar um balanço nas experiências, condensar o espírito revolucionário e liqüidar uma etapa de nossa história — Mário de Andrade compõe *Remate de males*, como síntese das direções anteriores e busca de outros rumos, balanço e fecho da primeira fase modernista. A Revolução de 1930 provoca um adensamento e um aprofundamento das discussões sobre os novos caminhos, acirra conflitos, põe em marcha um mecanismo de choques que gera a reflexão sobre a condição e o destino do homem — Mário de Andrade escreve *A costela do Grão Cão* e *Li-*

vro azul, mergulho denso e consistente no interior do "eu", exposições de conflitos e choques que mostram bem a perplexidade do intelectual brasileiro diante das opções abertas pela República Nova. A luta ideológica se agudiza, comunistas e fascistas se organizam, cresce o grau de consciência de classe — Mário de Andrade escreve *O carro da miséria, Lira paulistana* e *Café*, livros políticos que revelam a visão emergente das relações de classe entre os homens no interior da sociedade.[19]

Sei que essas aproximações na base dos reflexos costumam ser perigosas e, na melhor das hipóteses, inúteis. Mas procuro corrigir a órbita: menos que uma homologia entre movimentos sociais e literatura (que existe, mas não é o meu objetivo), aquilo que proponho é que consideremos a poesia de Mário como um conjunto de reflexões (transpostas para o nível artístico) sobre os vários problemas que compuseram o universo ideológico da elite letrada da burguesia brasileira, durante esses vinte e cinco anos. As várias *máscaras* do poeta correspondem a instantes precisos dos movimentos ideológicos dessa burguesia, e constituem verdadeiras cristalizações da auto-imagem que ela procurava fazer-se.

À preocupação cosmopolita, que sucede às grandes transformações urbanas do começo do século, corresponde a fase vanguardista, a máscara do *trovador arlequinal*, do poeta sentimental e zombeteiro que encarna o espírito da modernidade e de suas contradições; à preocupação com o conhecimento exato do país e de suas potencialidades, corresponde a imagem do estudioso que compila os usos e costumes (procurando entendê-los e organizá-los numa grande unidade), a máscara do *poeta aplicado*;

---

[19] Como se vê, deixo de lado *Há uma gota de sangue em cada poema...* pois só o escritor modernista me interessa aqui. No entanto, publicado sob o pseudônimo de Mário Sobral, o livro não deixa de fazer parte também do mesmo processo de construção de uma identidade.

à preocupação com mudanças estruturais em 1930, que para a burguesia significam o realinhamento e o reajuste de suas forças em um novo equilíbrio, corresponde a imagem do escritor dividido entre muitos rumos, do poeta múltiplo, a própria máscara da *diversidade* em busca de unidade; à preocupação com as crises sucessivas de hegemonia com que se defronta o Estado nos anos imediatamente posteriores à revolução, corresponde a imagem da crise (ou a crise da imagem?), a máscara de uma intimidade atormentada, feita de mutilações e desencontros, uma espécie de *espelho sem reflexo*; à preocupação com a luta de classes, que floresce nos anos 1930 e que a burguesia soluciona através da ditadura e da traição aos seus princípios igualitários, corresponde o último rosto desenhado pelo poeta, a figura da consciência cindida que protesta, a máscara do *poeta político*.

Penso que esse esquema situa a poesia de Mário dentro da história da sua época. Mas devo fazer uma observação final, importante para evitar possíveis confusões. Utilizo a palavra "ideologia" no sentido clássico, de interesses particulares mascarados em verdades gerais. Mas gostaria de distinguir aquilo que no universo ideológico é "falsa consciência" daquilo que, mesmo inscrevendo-se como interesse de uma classe na sua representação do mundo, corresponde a uma "consciência adequada" da realidade. Só fazendo a distinção entre essas instâncias (que podem no entanto surgir mescladas em qualquer manifestação cultural concreta) é que poderemos entender como o poeta, embora apresentando no seu pensamento as marcas das determinações de sua classe, possa elevar-se ao plano da obra de arte, acima do puramente ideológico. Além disso, o esquema exposto atrás pode dar a impressão de que Mário foi um simples "intelectual orgânico" da burguesia brasileira, o que seria falso. Veremos no decorrer deste ensaio que, como todo artista autêntico, ele trabalha antes com as contradições e as fraturas de sua classe do que com a apologia de suas realizações. É isso, aliás, que sustenta sua poesia tão irregular: a luta corpo-a-corpo com as aparências, em busca da verdade das máscaras. Dissimulações, disfarces e despistes — mas sempre no caminho da sinceridade.

3. As várias máscaras

A procura da identidade não se faz sem tensões. Pelo contrário, nesse campo atuam forças de todo tipo, em todos os sentidos, e é natural que a linguagem, recebendo essa carga, tensione-se também. Isso ocorre, principalmente, quando a matéria que se toma como ponto de partida para a investigação do "eu" já está em si mesma marcada por um feixe acentuado de conflitos. É o caso da descrição da cidade moderna, lugar de movimento e agitação que se mimetizam em versos feitos para serem berrados, urrados, chorados — como se diz no "Prefácio interessantíssimo".

Arrisco algumas (poucas) observações sobre a linguagem das várias máscaras. A primeira é a do *trovador arlequinal*, pesquisa de identidade do poeta e da sua Paulicéia cosmopolita. É da vivência de suas ruas e multidões — vivência do *choc* de que fala Benjamin — que nascem os poemas novos de *Paulicéia desvairada*, lirismo complexo de um ambiente hostil do qual o poeta tenta extrair a cara, desenhando-a a golpes de sons chocantes, hipérboles, metáforas duvidosas, identificações muito rápidas, naufrágios, alucinações. Há uma dissonância na forma desses textos que nasce (ao menos em parte) da própria matéria que os constitui: "Minha alma corcunda como a avenida São João...".[20]

---

[20] Cito os versos sempre de acordo com a lição das *Poesias completas*, 1ª ed.,

A impressão que se tem ao ler esses versos é contraditória: ao cheiro do novo, que eles ainda têm, junta-se o sentimento de coisa desarrumada, caótica, quase informe. As reticências, as grandes exclamações, os neologismos preciosos (retórica e amaneiramento que o poeta nunca abandonou de todo) são os responsáveis por uma sensação penosa de artificialismo e falsidade. É certo que a São Paulo de 1920 difere muito da de hoje, mas na situação do leitor atual, imerso na fumaça de fábricas e automóveis, é quase fantástico este quadro hiperbólico da "Paisagem nº 1": "Pleno verão. Os dez mil milhões de rosas paulistanas./ Há neve de perfumes no ar". E é que "artificial" e "falsa" são adjetivos que não se aplicam apenas à dicção do livro, mas também à imagem da cidade que ele apresenta. Ou dizendo melhor: não é só a poesia que parece ruim, mas ainda sua matéria nutridora, a cidade que a inspira.

Caetano Veloso, em "Sampa", exprimiu este sentimento que parece ser generalizado: é difícil entender "a dura poesia concreta de tuas esquinas". Para quem vem de qualquer outro sonho feliz de cidade, a metrópole é "o avesso do avesso do avesso do avesso", a realidade que se aprende depressa a nomear assim, mas que o primeiro contato, frente a frente, não hesita em chamar de "mau-gosto". A *Paulicéia desvairada* é mau-gosto. Caetano explica: "É que Narciso acha feio o que não é espelho/E à mente apavora o que ainda não é mesmo velho)".

Esta cidade que não reflete o rosto de seus habitantes é — disse Oswald — a "cidade de Mário de Andrade". Sua duvidosa

---

São Paulo, Martins, 1955. Cotejei, quando possível, com a edição das *Poesias*, São Paulo, Martins, 1941. Embora todas apresentem erros tipográficos, a edição de 1955 pareceu-me a menos ruim. Atualizei a ortografia: até que tenhamos uma edição crítica, este é, a meu ver, o procedimento melhor. (O verso citado está no poema "Tristura").

poesia é áspera, tortuosa, fragmentada; difícil mesmo encontrá-la, exprimi-la ou entendê-la. Mas é isso que Mário tenta fazer, e quando os olhos e a mente se acostumam ao novo (os olhos e a mente do poeta assim como os do leitor), é possível ver surgirem os "deuses da chuva", num poema raro e realizado como este:

"Paisagem nº 3

Chove?
Sorri uma garoa cor de cinza,
muito triste, como um tristemente longo...
A casa Kosmos não tem impermeáveis em liquidação...
Mas neste largo do Arouche
posso abrir o meu guarda-chuva paradoxal,
este lírico plátano de rendas mar...

Ali em frente... — Mário, põe a máscara!
— Tens razão, minha Loucura, tens razão.
O rei de Tule jogou a taça ao mar...

Os homens passam encharcados...
Os reflexos dos vultos curtos
mancham o *petit-pavé*...
As rolas da Normal
esvoaçam entre os dedos da garoa...
(E se pusesse um verso de Crisfal
No De Profundis?...)
De repente
um raio de Sol arisco
risca o chuvisco ao meio."[21]

---

[21] A edição de 1941 modifica o verso 4 para "A importadora não tem impermeáveis em liqüidação".

Nem sempre o poeta consegue uma felicidade de expressão assim, capaz de apresentar as contradições do "eu" e da cidade de forma tão integrada que nos provoque a sensação de beleza harmônica, em vez do sentimento de ferida discrepância que domina os outros poemas. Aqui a garoa sorri triste, o lirismo deve ser disfarçado, os vultos encharcados e curtos contrastam com as moças esvoaçantes — e tudo parece belo, penetrado pelo "raio de Sol arisco". A matéria está dominada pelo sujeito, de tal modo que a paisagem surge através dele tanto quanto ele surge através da paisagem. É este efeito difícil de obter — a essência mesma do lirismo — que o poeta não consegue em muitos textos de *Paulicéia desvairada*. Mas é este efeito que ele persegue: fazer a cidade brilhar no interior do "eu", e este refletir-se na garoa ou no sol da cidade. Já vimos que ele dizia a Augusto Meyer: "Me parece que o desvairado era mesmo eu". A tentativa era de retratar o desvairismo de ambos; a tentativa — tarefa de Narciso — era de contemplar-se no rosto da cidade.[22]

Quem lê os três poemas iniciais do livro percebe com clareza essa tentativa, e as muitas tensões que ela gera, desequilibrando e desentoando os versos. O primeiro texto é "Inspiração", voltado para a descrição da cidade; o segundo é "O trovador", voltado para a descrição do "eu"; o terceiro é "Os cortejos", descrição das multidões que desfilam *dentro dos olhos* do poeta. A linguagem de todos eles é composta por antíteses, embates e con-

---

[22] Daí a impressão traumática provocada por tantos versos deste livro, transposição do *choc* a quem o "eu" se expõe no meio da cidade moderna. Um estudo aprofundado da *Pauliceia desvairada* deveria forçosamente levar em conta as análises de Walter Benjamin sobre as novas formas assumidas pela experiência da vida nas metrópoles capitalistas, e o modo de Baudelaire representá-las em sua poesia. Cf. "Sobre algunos temas en Baudelaire", in *Iluminaciones — 2*, tradução de Jesús Aguirre, Madri, Taurus, 1972.

vergências de sons, cortes bruscos nas frases, associações livres de idéias, suspensão do sentido — uma linguagem que parece não ter referência fixa à qual voltar, dissonante, labiríntica, dispersa.

Se quiséssemos criar uma arquitetura de acordo com o nosso tipo de alma, disse Nietzsche, o labirinto deveria nos servir de modelo. A vanguarda adotou este modelo nietzscheano: sem falar de Borges, tão fascinado pelo tema, lembremos a estrutura do *Ulisses*, que imita também em certa medida — como assinala Arnold Hauser — a estrutura de uma cidade, com sua rede de ruas e praças ramificadas. A cidade moderna é o labirinto arquitetônico que o homem criou à imagem de sua alma. Mário persegue essa identidade nos poemas da *Paulicéia...*: manipulando suas antíteses, reticências e exclamações, cria um traje de arlequim que veste tanto o trovador quanto a metrópole. No poema "Inspiração", a luz e a bruma, o "forno e inverno morno" — que caracterizam o espaço de São Paulo — são transportados para o traje de losângos cinza e ouro do arlequim. No poema "O trovador", as "primaveras de sarcasmo" e o frio intermitente — que caracterizam o "coração arlequinal" — correspondem à luz e à bruma, ao forno e inverno morno do poema anterior. E os versos finais de ambos exprimem a mesma tensão: São Paulo é "Galicismo a berrar nos desertos da América!", enquanto o "eu" se define como "Sou um tupi tangendo um alaúde!".

Não só as tensões próprias da cidade e do homem contemporâneos, mas também a tensão entre duas culturas marca a linguagem dos textos. A *Paulicéia desvairada* é o movimento, feito pela primeira vez pelo Modernismo, no sentido de atualizar "a inteligência artística brasileira". E atualizar significa acertar o relógio de nossa história pela hora dos grandes centros produtores de cultura: importa-se a estética da vanguarda para também produzi-la aqui, e o tupi permanece tocador de alaúde. Aí está a fonte de outra discrepância que atinge a forma dos poemas: algo do artificialismo da *Paulicéia* vem com certeza do fato de que a poética importada não correspondia à realidade local, muito mais limitada e provinciana do que Paris, seu ponto de origem.[23] Isso poderia ser rastreado, por exemplo, no ranço moralista de "A escalada", na exterioridade tumultuosa e forçada de "Rua de São Bento", nas alucinações rebuscadas de "O rebanho", mas sobretudo nos exageros que desequilibram o livro todo, na vontade de ser moderno que tantas vezes parece mais um arremedo do moderno.

Naturalmente, não atribuo todo o desequilíbrio do livro a esse tipo de tensão. Há outros fatores envolvidos, e um que deve ser ressaltado é o resquício parnasiano muito perceptível no preciosismo retórico dos poemas. Uma composição boa como "Paisagem nº 1" termina com este decassílabo fecho de ouro:

"E sigo. E vou sentindo,
 à inquieta alacridade da invernia,
 como um gosto de lágrimas na boca..."

No entanto, digamos que os piores defeitos do livro provêm de certo exagero "desvairado" que demonstra ainda falta de domínio formal. Não técnico, de mera manipulação de recursos, mas formal, no sentido de que a matéria parece exceder os limites e sobrar em restos não polidos ou absorvidos pela subjetividade. De certo modo, esse excesso faz a grandeza de *Paulicéia desvairada*, como testemunho daquilo que seu autor ousou. Mas

---

[23] Inspiro-me, como é óbvio, no livro de Roberto Schwarz, *Ao vencedor as batatas*, São Paulo, Duas Cidades, 1977. Limito-me a fazer a anotação; o desequilíbrio sofrido pela forma importada, no instante de mimetizar a nossa realidade, merecia demonstração mais longa, e que pegasse principalmente o material dos inícios do movimento modernista. Mário é, por sinal, dos mais hábeis na "naturalização" das poéticas européias. Mas, de outros autores, quantas utilizações beirando o "kitsch" não existem na revista *Klaxon*, por exemplo?

do ponto de vista da realização poética, muito mais belos serão os versos que leremos depois no *Losango cáqui*:

"CABO MACHADO

Cabo Machado é cor de jambo,
Pequenino que nem todo brasileiro que se preza.
Cabo Machado é moço bem bonito.
É como se a madrugada andasse na minha frente.
Entreabre a boca encarnada num sorriso perpétuo
Adonde alumia o Sol de oiro dos dentes
Obturados com um luxo oriental.

Cabo Machado marchando
É muito pouco marcial.
Cabo Machado é dançarino, sincopado,
Marcha vem-cá-mulata.
Cabo Machado traz a cabeça levantada
Olhar dengoso pros lados.

Segue todo rico de jóias olhares quebrados
Que se enrabicharam pelo posto dele
E pela cor-de-jambo.

Cabo Machado é delicado gentil.
Educação francesa mesureira.
Cabo Machado é doce que nem mel
E polido que nem manga-rosa.
Cabo Machado é bem o representante duma terra
Cuja Constituição proíbe as guerras de conquista
E recomenda cuidadosamente o arbitramento.
Só não bulam com ele!
Mais amor menos confiança!
Cabo Machado toma um jeito de rasteira...

> Mas traz unhas bem tratadas
> Mãos transparentes frias,
> Não rejeita o bom-tom do pó-de-arroz.
> Se vê bem que prefere o arbitramento.
> E tudo acaba em dança!
> Por isso cabo Machado anda maxixe.
>
> Cabo Machado... bandeira Nacional!"

Aqui, e embora o *Losango cáqui* seja ainda um livro arlequinal, sentimos que começa outra máscara. A pesquisa do "eu" progride e encontra algo que se ajusta melhor ao corpo rítmico do poema. Cabo Machado (que tem tantas características do próprio Mário) é arlequim fantasiando-se de malandro, e essa passagem "naturalizadora" melhora demais a linguagem: a pompa da *Paulicéia desvairada* é corrigida para uma realidade mais modesta, de baixa hierarquia e dentes obturados, mas os versos têm a segurança e o encantamento sonoro que não possuíam antes. Com certeza a mudança de tom perde alguma coisa, o impulso de violência da cidade grande, que é como cicatriz doída nos poemas da *Paulicéia* e agora aparece muito pouco. Mas na correção de rumos, do "cosmopolitismo" ao "localismo", *Losango cáqui* sai ganhando, pois não abandona as técnicas da vanguarda e mesmo assim aproxima-se melhor da realidade que deseja cantar. Um pequeno ajuste que é uma grande vitória da forma: a conquista definitiva para a poesia da linguagem coloquial.

Entretanto, o sentimento "possivelmente pau-brasil" de que nos fala Mário de Andrade na "Advertência", só irá se firmar um pouco mais tarde, em *Clã do jabuti*. Nesse livro, o trovador arlequinal será substituído pela figura do *poeta aplicado*, o estudioso que pesquisa, em manifestações culturais do país todo, um jeito de ser com o qual se identifique.

Publicados em 1927, os poemas pertencentes ao *Clã do jabuti* foram compostos entre 1923 (o "Carnaval carioca") e 1926. Essas datas são significativas, na medida em que mostram como o movimento modernista, mal acabara de surgir no Centro-Sul, já adquiria consciência do resto do país e da necessidade de incorporá-lo à sua estética. Ao fazer isso, o Modernismo retomava uma das funções tradicionais de nossa literatura — a de transformar-se em instrumento de descoberta e interpretação da realidade brasileira, como mostrou Antonio Candido —, mas também respondia a exigências muito características dos anos 1920. Propus atrás, vagamente, uma analogia dessa descoberta do Brasil com a marcha da Coluna Prestes. Parecendo descabida, a comparação procede — se tomarmos o significado mais geral de ambos os fenômenos: eles se inserem, juntamente com muitos outros, na agitação social, política e intelectual, que desde os fins da presidência Epitácio Pessoa, passando pelos quadriênios de Bernardes e Washington Luís, indicavam o colapso das instituições republicanas, dominadas por uma pequena elite que não representava os interesses muito mais complexos da burguesia brasileira, crescida e diversificada.

Não insisto na analogia, que de resto não tem grande importância; mas insisto em assinalar que o poeta aplicado do *Clã do jabuti* condensa uma inquietação que já estava em Euclides da Cunha, e que os anos 1920 potenciam e aprofundam: a divisão entre a orla atlântica, "civilizada", e o sertão interior, "bárbaro", precisa desaparecer. Os poemas dessa época propõem-se a incorporar o folclore, as manifestações da cultura popular, à nossa prática literária erudita. A intenção é de modificar o rosto do Brasil litorâneo, ampliá-lo com os traços da diversidade da nossa gente, e ao mesmo tempo afirmar o desejo de uma possível unificação de sua cultura. Esse desejo de unidade resulta numa tentativa de identificar-se, pelo canto, pela linguagem da poesia, aos vários aspectos diferentes da vida brasileira. E é dele que sai a comoção do "Noturno de Belo Horizonte", nesta passagem, por exemplo, toque de reunir que parece acreditar na força reconciliadora da palavra poética:

"Eu queria contar as histórias de Minas
Pros brasileiros do Brasil...

Filhos do Luso e da melancolia,
Vem, gente de Alagoas e de Mato Grosso,
De norte e sul homens fluviais do Amazonas e do rio
[Paraná...
E os fluminenses salinos
E os guascas e os paraenses e os pernambucanos
E os vaqueiros de couro das caatingas
E os goianos governados por meu avô...
Teutos de Santa Catarina,
Retirantes de língua seca,
Maranhenses paraibanos e do Rio Grande do Norte e
[do Espírito Santo
E do Acre, irmão caçula,
Toda a minha raça morena!
Vem, gente! vem ver o noturno de Belo Horizonte!
Sejam comedores de pimenta
Ou de carne requentada no dorso dos pigarços petiços,
Vem, minha gente!
Bebedores de guaraná e de açaí,
Chupadores do chimarrão,
Pinguços cantantes, cafezistas ricaços,
Mamíferos amamentados pelos cocos de Pindorama,
Vem, minha gente, que tem festa do Tejuco pelo céu!"

O perigo do desvio ideológico se manifesta de imediato: a mais importante diversidade — que é de classe social — nem sequer é aludida. O poeta parece acreditar que as diferenças se reduzem a uma distribuição geográfica variada, que se pode superar por um apelo à união nacional. "Que importa que uns falem mole descansado/ Que os cariocas arranhem o erre na garganta/ Que os capixabas e paroaras escancarem as vogais?/ [...]/ Juntos formamos este assombro de misérias e grandezas,/ Brasil, nome de vegetal!...".

Por aí muitos chegaram depressa ao nacionalismo e ao "caráter brasileiro"; mas por aí Mário não se perdeu. Sua compreensão do fenômeno da cultura era complexa demais para permitir-lhe aceitar tais tipos de generalidades abstratas. O "internacionalista amador" do *Losango cáqui*, além de não acreditar no conceito de "pátria", sabia distinguir perfeitamente entre aquilo que é manifestação concreta da cultura de um povo e aquilo que é sua utilização ideológica. É com raiva amargurada que escreve para Manuel Bandeira, a propósito do *Clã do jabuti*: "Vão julgar meu livro nacionalista, que eu entrei também na onda, sem não ter ninguém capaz de perceber uma intenção minha, que sou o que sou, nacionalista não, porém brasileiro 'et pour cause' desde *Pauli-céia* onde eu falava que escrevia brasileiro e inventava as falas de Minha Loucura e das Juvenilidades Auriverdes, vão me confundir com os patriotas de merda gente que odeio, eu, sujeito que faz muito mandou pra... as pátrias todas deste mundo de imbecis, vão falar todas as bobagens deste mundo e de mim mesmo [...]".[24]

Uma coisa é o nacionalismo como doutrina política, corpo de conceitos que tem mil e uma utilizações e pode ser manipula-

---

[24] *Cartas a Manuel Bandeira*, Rio de Janeiro, Ediouro, 1968, carta de 6/4/1927, p. 208.

do à vontade; outra coisa é reconhecer a fisionomia própria de cada país, a língua com suas peculiaridades, os usos, costumes, crenças e formas de comportamento das pessoas que o habitam. "... sou o que sou, nacionalista não, porém brasileiro..." — todo o problema consiste em determinar o que é *ser brasileiro*, o que caracteriza essa cultura (ainda) informe, espalhada em milhões de quilômetros quadrados. "Trata-se do próprio problema do homem no Brasil. Abstratamente, o problema aqui seria desconversa; mas existe uma realidade concreta, expressa em quilômetros quadrados e em diferenças regionais agudas — uma realidade sóciogeográfica, pois, digamos rebarbativamente, que dá uma conformação obrigatória ao problema do homem brasileiro. É este o aspecto primário da questão, que não se deve perder de vista."[25]

Este "aspecto primário da questão" é abordado com o talento de sempre no *Clã do jabuti*, que procura compor um repertório das muitas manifestações culturais das regiões brasileiras. Mas penso que o livro vai ainda mais longe: bordejando os perigos do "caráter nacional", o que Mário busca no estudo e aproveitamento do folclore e da cultura popular é — de novo — a sua própria imagem, a figura do letrado brasileiro, quer dizer, daquele homem que está sempre premido entre a realidade na qual vive e toda a cultura estrangeira que é a base de sua formação. Trata-se, outra vez, da busca da auto-identidade.

Transcrevo, para não me alongar, dois documentos. O primeiro é o trecho seguinte, tirado de uma carta ao filólogo Souza Silveira, onde o assunto principal é a "língua brasileira" utilizada pelo escritor. Para explicar sua posição, Mário sente necessidade de confessar-se assim. "Ora, eu lhe contei que além desta

---

[25] Florestan Fernandes, "Mário de Andrade e o folclore brasileiro", in *Depoimentos — 2*, São Paulo, Centro de Estudos Brasileiros/GFAU, 1966, p. 131.

volúpia de viver e gozar o momento que passa, eu amo apaixonadamente a humanidade. Há em mim uma íntima demagogia que procuro disfarçar o mais possível. Foi dentro dessa ordem de idéias, sentimentos, e tendências, que organizei meu 'nacionalismo'. Sentindo que não tinha forças suficientes pra me universalizar, sem aquele gênio, ah! que me imporia como brasileiro ao mundo, doutra forma me abrasileirei: dentro da ordem das minhas tendências artísticas, me fiz brasileiro para o Brasil. Resolvi trabalhar a matéria brasileira, especificá-la, determiná-la o quanto em mim [sic] e na complexidade dela. O caso lingüístico não é senão um dos muitos corolários dessa realização de mim. Digo 'de mim' e não do Brasil, porque sabia muito conscientemente desde o princípio que tratava-se de dar a minha contribuição pessoal, e não, com o meu serzinho minúsculo, realizar o sentido e a imagem do Brasil. Não havia folclore musical brasileiro. Fiz folclore musical brasileiro. Não havia crítica de arte em São Paulo, e a pouca brasileira existente era mais que péssima. Fiz crítica de arte. Não havia um tratado de poética, moderno, adaptável ao tempo. Fiz um. Não havia História da Música em nossa língua. As existentes eram simplesmente porcas. Fiz uma, bem melhor que as outras. Etc.".[26]

Como se vê, o poeta aplicado realiza dois movimentos simultâneos: um é a descoberta, a revelação e o aprimoramento do Brasil; outro, a descoberta, revelação e aprimoramento do próprio "eu". O *Clã do jabuti*, o livro mais "socializado", menos "individualista" de Mário de Andrade, é ainda um livro que tenta definir o seu ser — "sou o que sou"... "brasileiro". Aí se coloca

---

[26] Cf. *Mário de Andrade escreve cartas...* citado, pp. 149-150. A carta é de 15/2/1935. Para perceber a persistência do tema, recorde-se "A meditação sobre o Tietê", onde a "íntima demagogia", aqui referida, aparece como motivo principal de extensa passagem.

a dupla questão da língua. Na *Paulicéia desvairada* e no *Losango cáqui*, Mário enfrentara o problema da autêntica expressão do "eu" compondo uma teoria em que o "lirismo", deixado em liberdade, subverteria a máscara convencional da linguagem petrificada, revelando o verdadeiro "eu". Agora, no *Clã*, depois de feita a crítica do individualismo da vanguarda, o mesmo problema é enfrentado de maneira diversa: a revelação do "eu" passa pela "socialização" da linguagem poética, "socialização" que, no caso, significa abrasileiramento, maneira de enfrentar a alienação devoradora dos padrões culturais europeus. O segundo documento que transcrevo, trecho final de "O poeta come amendoim", mostra bem essa crença na relação imediata entre Brasil, língua e "eu":

"[...]
Brasil...
Mastigado na gostosura quente do amendoim...
Falado numa língua curumim
De palavras incertas num remeleixo melado
                                    [melancólico...
Saem lentas frescas trituradas pelos meus dentes bons...
Molham meus beiços que dão beijos alastrados
E depois semitoam sem malícia as rezas bem nascidas...

Brasil amado não porque seja minha pátria,
Pátria é acaso de migrações e do pão-nosso onde Deus
                                              [der...
Brasil que eu amo porque é o ritmo do meu braço
                                              [aventuroso,
O gosto dos meus descansos,
O balanço das minhas cantigas amores e danças.
Brasil que eu sou porque é a minha expressão muito
                                              [engraçada,
Porque é o meu sentimento pachorrento,

Porque é o meu jeito de ganhar dinheiro, de comer e de
[dormir."

Mas há uma euforia nesses versos que o tempo não tardará a desmentir. *Macunaíma* (escrito entre 1926/27 e publicado em 1928), embora concentre grande dose de alegria e confiança, já se mostra marcado por traços francamente pessimistas. A consciência do país, que despertara em meio ao clima positivo que julga descobrir as potencialidades nacionais, aprofunda-se e torna-se problemática. A identificação com o Brasil não se mostra nada fácil — "o herói sem nenhum caráter" chega ao ponto de provar todas as máscaras e preferir a fluidez variada de uma transmutação incessante, apresentando-se simultaneamente com muitas caras. O verso famoso ("Eu sou trezentos, sou trezentos-e-cinqüenta") assume de uma vez a diversidade como drama a ser vivido, e propõe de maneira direta que o problema privilegiado seja este. "Eu sou trezentos" é o poema que abre *Remate de males*, e sua estrofe central contrasta com as afirmativas finais de "O poeta come amendoim":

"Abraço no meu leito as melhores palavras,
E os suspiros que dou são violinos alheios;
Eu piso a terra como quem descobre a furto
Nas esquinas, nos táxis, nas camarinhas seus próprios
[beijos!"

Não há mesmo um alinhamento automático entre o ser e sua expressão, constata o poeta; a "cultura brasileira", que antes servira como ponto de referência capaz de dar unidade às diferentes faces do "eu", mostra-se agora insuficiente. Há algo alheio que se intromete na fala, inevitável, como se fosse o discurso de um outro, desconhecido. Só de relance, "a furto", o poeta pode reconhecer-se.

Remate de males, publicado em 1930, dá o balanço e liqüida a primeira fase do Modernismo. Talvez seja o livro mais variado de Mário, uma exibição extraordinária e depurada de todas as conquistas técnicas dos anos 20. Tem as "Danças", de 1924, no melhor estilo de combate da vanguarda, fragmentário e destruidor; tem o "Tempo da Maria" (1926), construtivo, pitoresco, saboroso e brasileiro como os textos impregnados pelo sentimento "possivelmente pau-brasil"; e tem as experiências finais da década, quando o Modernismo abandona as contingências e a estética de choque, e reflui para uma meditação mais interiorizada: os "Poemas da negra" (1929) e os "Poemas da amiga" (1929-1930), que prenunciam a produção modernista madura e equilibrada dos anos 1930.

Publicado no mesmo ano da revolução que abre um período novo da história republicana, o *Remate de males* é sintomático: a liqüidação geral a que ele procede guarda uma notável simetria com o ímpeto de mudança-de-rumos que gera a revolução. Não é o único livro a anunciar o fim de uma etapa e o início de outra: do mesmo ano são *Libertinagem*, de Manuel Bandeira, *Alguma poesia*, de Drummond, *Pássaro cego*, de Schmidt e *Poemas*, de Murilo Mendes. (Logo depois Mário os discutiria no ensaio "A poesia em 1930".) São "sinais", todos eles. E Tristão de Athayde, a propósito do tom dos poemas de Schmidt, chega a afirmar: "Sua gravidade, sua tristeza, sua inquietação, sua renúncia ao frívolo, ao superficial, ao pitoresco, seus apelos à vida calma, sua vontade de partir, seu messianismo — tudo se ilumina à luz da grande tragédia que se elaborava misteriosamente no seio mais culto de nossa pátria de que muitos descuidaram, atraídos pela calma das aparências".[27]

---

[27] Tristão de Athayde, "Uma voz na tormenta" in *Estudos — 5ª série*, Rio

A poesia de Mário de Andrade

Nessas palavras do crítico vai, naturalmente, um ataque ao que ele considerava o "sibaritismo", a frivolidade da literatura modernista. Mas, isso à parte, de alguma forma ele acertou: a literatura posterior à Revolução de 30 tomará um tom muito mais grave e pesado, muito mais "responsável" e "sério". E também Mário de Andrade acertou: leia-se com cuidado este poema de 1929, que está em *Remate de males*:

"PELA NOITE DE BARULHOS ESPAÇADOS...
(junho de 1929)

Pela noite de barulhos espaçados,
Neste silêncio que me livra do momento
E acentua a fraqueza do meu ser fatigadíssimo,
Eu me aproximo de mim mesmo
No espanto ignaro com que a gente se chega pra morte.

Meu espírito ringe cruzado por dores sem nexo,
Numa dor unida, tão violentamente física,
Que me sinto feito um joelho que dobrasse.
A luz excessiva do estúdio desmancha a carícia do
[objeto,
Um frio de vento vem que me pisa tal qual um contacto,
Tudo me choca, me fere, uma angústia me leva,
Estou vivendo idéias que por si já são destinos
E não escolho mais minhas visões.
A aparência é de calma, eu sei. Dir-se-ia que as nações
[vivem em paz...
Há um sono exausto de repouso em tudo,

---

de Janeiro, Civilização Brasileira, 1933, p. 145. Deve-se ver, aí também, os ensaios sobre os livros de Bandeira, Drummond, Murilo e o próprio Mário.

A dimensão da noite

E uma cega esperança, cantando benditos, esmola
Em favor dos homens algum bem que não virá...
Me sinto joelho. Há um arrependimento vasto em mim.
Eu digo que os séculos todos
Se atrasaram propositalmente no caminho,
Me esperaram, e puxo-os agora como boi fatal.
Me sinto culpado de milhões de séculos desumanos...
Milhões de séculos desumanos me fizeram, fizeram-te,
[irmão;
E pela noite de barulhos espaçados
Não quero escutar o conselho que desce dos arranha-céus
[do norte!
Eu sei que teremos um tempo de horror mais fecundo
Que as rapsódias da força e do dinheiro!

Será que nem uma arrebentação...
Os postos isolados das cidades
Se responderão em alarmas raivacentos,
Saídos das casas iguais e da incúria dos donos da vida.
Havemos de ver muitos manos passando a fronteira,
Haverá pão grátis muito duvidoso,
As salas de improviso se encherão de discussões
[apaixonadas,
Mortas no dia seguinte em desastres que não sei quais.
Será tempo de esforço caudaloso,
Será humano e será também terribilíssimo...
Só há de haver mulheres que não serão mais nossas
[mulheres.
Os piás hão de estar sem confiança catalogados na fila,
E os homens morrerão violentamente
Antes que chegue o tempo da velhice."

Transcrevi por inteiro esse texto pouco comentado de Mário de Andrade, não apenas pela sua excelência formal, nem ainda pelo seu toque profético que é quase inacreditável (e mostra mais uma vez a sintonia subterrânea que os poetas mantêm com a história), mas principalmente porque ele antecipa o núcleo seguinte de composições, que conformam um outro tipo de pesquisa da identidade. Depois de *Remate de males*, em que a variedade do "eu" é apresentada em bloco ao leitor, como problema, Mário passou onze anos sem publicar um volume novo de poesias. Só em 1941, com este título justamente, *Poesias*, é que será editada uma antologia, recolhendo poemas dos anteriores e apresentando dois livros inéditos: *A costela do Grão Cão* e *Livro azul*.

Nesses dois localizo a quarta máscara referida, que chamei atrás de *espelho sem reflexo*, e que me parece constituir a imagem da crise (a crise da imagem...) em que o poeta se vê envolvido. São poemas densos, às vezes explosivos, às vezes contidos, ora registrando uma agitação paroxística, ora beirando a absoluta imobilidade. Aquilo que mais os caracteriza é a funda descida do poeta em si mesmo, uma procura do "eu" que é ao mesmo tempo procura do "outro". E o curioso é que este mergulho na subjetividade acaba por revelar-nos uma dimensão social inegável: a "longa viagem na noite" que o poeta realiza aí, figura, simultaneamente, a intimidade atormentada e as inquietações de um grupo social que perdeu a euforia e a confiança que, antes, permitiram-lhe realizações cheias de vitalidade. Um grupo que tenta se contemplar e não consegue mais enxergar direito.

> "Eu me aproximo de mim mesmo
> No espanto ignaro com que a gente se chega pra morte.
> [...]
> Tudo me choca, me fere, uma angústia me leva,
> Estou vivendo idéias que por si já são destinos

E não escolho mais minhas visões.
[...]
Será que nem uma arrebentação..."

Essa arrebentação estudaremos depois: ela será o objetivo de nosso trabalho.[28] Por enquanto assinalemos apenas que esses poemas, escritos em sua maioria durante os anos 1930 e publicados em plena ditadura, inscrevem em profundidade uma mudança radical na consciência modernista: a visão das potencialidades do "país novo" é substituída pelo questionamento da realidade de opressão e misérias brasileiras. E tal questionamento se faz tanto no nível da opressão e miséria sociais, como no nível da pessoa. De novo, Mário de Andrade não é o único a mostrar a mudança: o Drummond de *Brejo das almas* (1934) e de *Sentimento do mundo* (1940), e o Graciliano de *S. Bernardo* (1934) e *Angústia* (1936), para ficar apenas nestes exemplos, fazem-lhe solidária companhia.

E com um passo já estamos diante de nova atitude de pesquisa, que descobre aspectos insuspeitados do país e conforma outro tipo de consciência: é o *poeta político*, de *O carro da miséria*, *Lira paulistana* e *Café*. Esses livros, algo diferentes entre si enquanto linguagem, têm entretanto vários pontos em comum: a denúncia da exploração social, a revisão amarga daquilo que fora cantado de modo eufórico na juventude, a esperança da transformação, a resistência, e a expressão de uma angústia muito pessoal diante dos desmandos do mundo. O último ponto é, de todos, o mais característico, e prova-nos outra vez como o empenho

---

[28] O presente texto integra um estudo mais amplo sobre o escritor modernista, que constituiu a tese de doutoramento de João Luiz Lafetá, publicada sob o título *Figuração da intimidade: imagens na poesia de Mário de Andrade* (São Paulo, Martins Fontes, 1986). (N. do E.)

interessado do poeta — agora no interior da luta de classes — constitui um prolongamento das suas inquietações íntimas.

O carro da miséria, por exemplo, que dos três livros engajados me parece o mais interessante (porque conjuga a luta política e o estilo da destruição com muita habilidade), nasceu dos incômodos produzidos no poeta por duas revoluções (1930 e 1932), que o fizeram rever antigas crenças e modificar muitas atitudes. A imagem do "eu", postado diante dos problemas sociais, é ainda a imagem do "eu" atormentado, dividido, que se procura sempre. Tal como podemos ver neste trecho final do poema que abre *O carro da miséria*:

> "[...]
> O passado atrapalha os meus caminhos
> Não sou daqui venho de outros destinos
> Não sou mais eu nunca fui eu decerto
> Aos pedaços me vim — eu caio! — aos pedaços disperso
> Projetado em vitrais nos joelhos nas caiçaras
> Nos Pirineus em pororoca prodigiosa
> Rompe a consciência nítida: EU TUDOAMO.
>
> Ora vengan los zabumbas
> Tudoamarei! Morena eu te tudoamo!
> Destino pulha alma que bem cantaste
> Maxixa agora samba o coco
> E te enlambuza na miséria nacionar."

Mas também na *Lira paulistana* (sob tantos ângulos um contraponto à *Paulicéia desvairada*) e no *Café*, o sentimento do mundo e o sentimento do indivíduo aparecem fundidos. Aliás, dessa máscara se pode dizer o mesmo que Antonio Candido escreveu a propósito da poesia de Drummond: "Na fase mais estritamente social [...], notamos, por exemplo, que a inquietude pessoal, ao mesmo tempo que se aprofunda, se amplia pela consciência do 'mundo caduco', pois o sentimento individual de culpa encontra, se não consolo, ao menos uma certa justificativa na culpa da sociedade, que a equilibra e talvez em parte a explique. O burguês sensível se interpreta em função do meio que o formou e do qual, queira ou não, é solidário. ('Assim nos criam burgueses', diz o poema 'O medo')."[29] E essa observação, como nota o próprio Antonio Candido, nos descobre uma verdade velha da estética, a saber, que o canto torna-se geral quando é, ao mesmo tempo, profundamente particular. Creio que foi esse enraizamento que nos deu as três grandes obras políticas, saídas da ditadura do Estado Novo: esses poemas de Mário, os de Drummond e as *Memórias do cárcere* de Graciliano Ramos.

---

[29] Antonio Candido, "Inquietudes na poesia de Drummond", in *Vários escritos*, São Paulo, Duas Cidades, 1970, p. 107.

A dimensão da noite

"O esforço básico tem sido, desde que as posições teóricas e a prática adquiriram certa maturidade, reconhecer três momentos válidos na atividade crítica: enfoque do texto em sua autonomia relativa; consideração dos elementos de personalidade e sociedade; tentativa de estudar estes, não como enquadramento ou causa, mas como constituintes da estrutura. O candidato tem passado pelos três, com inclinação crescente pelo último, que parece permitir o tratamento específico do texto, enquanto sistema que se pode abordar em si mesmo, permitindo ao mesmo tempo manter o interesse pelos aspectos pessoais e sociais, quando for o caso."

Do "Memorial do candidato
Antonio Candido de Mello e Souza"

1

Como os temas de hoje são a crítica e o ensaio de Antonio Candido, gostaria de falar um pouco sobre seu último livro, *A educação pela noite* (São Paulo, Ática, 1987). Na época em que foi publicado despertou pequena atenção na imprensa: apareceram boas resenhas e notas, mas de modo geral o espaço a ele concedido (pelo menos no meu entendimento) foi muito menor do que o desejável. Curiosamente, o livro reúne textos que —

já divulgados antes, em revistas ou jornais de circulação mais ou menos restrita — despertaram na ocasião grande interesse no meio universitário.

Não sei explicar a diferença de recepção: talvez os estudos já tivessem cumprido o seu papel de impacto e de intervenção provocativa no momento cultural. Entretanto, reunidos em livro, compõem um conjunto impressionante pela variedade e complexidade das questões abordadas. Por contraste com o título — e de acordo com ele — são ensaios iluminadores, que projetam uma compreensão nova sobre assuntos tão diversos como ficção e autobiografia, literatura e subdesenvolvimento, origens da teoria do romance ou nova narrativa brasileira.

São também ensaios fecundadores, no sentido de conterem sementes a serem desenvolvidas em várias direções. É o caso de "Os primeiros baudelairianos", que aprofunda veio de literatura comparada e sugere, nos quatro primeiros parágrafos, verdadeira seqüência de estudos sobre a presença de Baudelaire na literatura brasileira: no Simbolismo, onde foi decisiva; na apropriação originalíssima de Augusto dos Anjos; na incorporação realizada pelos modernistas (como já sugeriu em certa ocasião Marlyse Meyer, tal estudo seria indispensável para a compreensão da poesia de Mário de Andrade); e finalmente na celebração acadêmica dos anos 1930. Publicado em 1973, este texto propõe rumo novo para os estudos de literatura comparada no Brasil; funciona como farol que sinaliza o interesse crescente pela área de pesquisas comparativas, que culmina na criação da Associação Brasileira de Literatura Comparada, cerca de quinze anos depois.

Tenho conhecimento de pelo menos um estudo brotado diretamente de "Os primeiros baudelairianos"; os demais, se ainda não foram feitos, deverão vir com o tempo. Mas é claro que a força do texto não nasce só dos temas que ele levanta com tal facilidade; vem, antes, de outra capacidade sugestiva, o modo ao mesmo tempo rigoroso e livre com que ele aproxima o poeta francês de desconhecidos poetas brasileiros como Carvalho Júnior, Fontoura Xavier e Teófilo Dias. Estes moços da década de 1870 foram objeto do olhar atento de Machado de Assis, que em "A nova geração" (1879) também discutiu seus poemas sob o ângulo da influência baudelairiana. Retomando o assunto, de uma distância de cem anos, Antonio Candido alia a erudição histórica a uma penetração crítica que permite destacar, na exacerbação da sexualidade dos jovens poetas — condenada por Machado de Assis —, um conteúdo de verdade: a ousadia do corpo como senso da modernidade, afirmação do tempo presente e de seus problemas.

2

Este senso do tempo presente, que é qualidade crítica e qualidade *da* crítica (literária), é qualidade também do autor do ensaio. Parece ser dela, aliás, que emana parte do fascínio e do interesse de seus escritos. Embora não contenha uma só palavra sobre a atualidade dos anos 1970, "Os primeiros baudelairianos" discretamente dialoga com eles. Ao delinear com precisão e sem desvios uma fase histórica cuja fisionomia a presença de Baudelaire ajudou a definir, Antonio Candido analisa com bem-humorada disposição "a hipertrofia da componente erótica", e ao fazer isto seu texto cria uma irônica, muda relação analógica com as nossas décadas de 1960 e 1970. Falar da rebeldia de Carvalho Júnior, Fontoura Xavier e Teófilo Dias era falar também da rebeldia sexual que então tomava conta da literatura, do teatro, do cinema — e da vida dos jovens. Ler este texto àquela época (ou assistir à aula em que ele foi exposto) equivalia à descoberta surpreendente da história da contemporaneidade: o moderno recuava de um século, e o século se comprimia no presente rebelde.

A convergência dos tempos é uma dimensão importante de *A educação pela noite*. Não por acaso, o livro reúne assuntos que vão desde as origens do romance, nos séculos XVI e XVII, até a narrativa brasileira contemporânea. Este âmbito largo é o da história, que se apresenta em todos os ensaios como característica radical do pensamento que os compõe. Alguns textos são, de fato, sínteses históricas extraordinárias, como os da terceira parte do volume: "Literatura e subdesenvolvimento", "Literatura de dois gumes", "A Revolução de 1930 e a cultura" e "A nova narrativa". Mas refiro-me também aos que abordam autores individuais ou "pequenos grupos" de autores; neles, mesmo quando a abordagem deriva para a análise estético-estilística, a preocupação com o tempo histórico mantém-se intacta e ainda importante.

Neste sentido, leiam-se as páginas dedicadas a Carlos Drummond de Andrade, Murilo Mendes e Pedro Nava, em "Poesia e ficção na autobiografia", conferência de 1976, publicada no ano seguinte. Aqui, o tema escolhido contempla a tensão passado/presente. E, embora o interesse do crítico dirija-se para outro rumo — o estudo do modo como recursos expressivos, próprios à poesia e à ficção, conferem ao relato biográfico caráter de universalidade —, o fato de analisar livros de "memórias" já é em si significativo. A "tendência genealógica" de nossa literatura, apontada em outro texto (e com outro sentido, é claro), é agora base para análise estilística que procura descrever como o jogo dos procedimentos literários contribui para transformar a narrativa do caso pessoal em exemplaridade de valor universal.

Aliás, neste ensaio brilha o crítico literário: as observações que faz sobre os três autores focalizados são notáveis pela clareza e precisão. A leitura de *Boitempo* e *Menino antigo*, por exemplo, mostra como a última lírica drummondiana, levada pela necessidade de realçar o "sentimento vivo do objeto", torna-se mais particularizadora, faz pesar no poema, "com maior impureza do que na obra lírica anterior", a matéria da poesia. A capacidade de detectar esta necessidade formal (que por certo não implica juízo de valor desfavorável) permite compreender melhor não só esta parte da obra do poeta, mas também os momentos anteriores, em que a "mescla estilística" do Modernismo cedera lugar à elevação de tom.

No caso de Murilo Mendes, poeta tão importante e tão pouco estudado — ou mesmo lido, nos dias de hoje —, a análise de *A idade do serrote*, ao mostrar a continuidade entre a memorialística e a poesia deste autor, contribui com observações preciosas para a compreensão da sua maneira de compor, através da variação temática, da modulação do estilo, da transfiguração do cotidiano pelo insólito, da mistura de línguas. O texto termina com versos de Bandeira sobre Murilo: "Saudemos Murilo/ Grande poeta/ Conciliador de contrários/ Incorporador do eterno ao contingente". Mas também as quatro páginas do crítico fizeram jus à (ocasional) concisão murilográfica.

Finalmente, sobre Pedro Nava, rio de porte, Antonio Candido se estende mais. E é que Nava, àquela altura, publicara apenas os dois primeiros volumes das suas *Memórias*, e muitos não percebêramos ainda que estava ali um dos escritores mais importantes do nosso tempo. Este texto terá sido dos primeiros a demonstrar tal fato: por um lado, evidenciando o caráter ficcional de *Baú de ossos* e *Balão cativo*, e, por outro lado, examinando as "técnicas particulares da escrita", que lhe permitiam falar de uma "estilística da universalização em Pedro Nava". Pelos dois ângulos, são análises cuja justeza se confirmaria sempre, a cada novo volume publicado das memórias, e ainda hoje podem servir de fonte inspiradora para interpretações mais amplas e detalhadas. No fundo, diante das duas pedras iniciais da obra de Nava, Antonio Candido mostra seu pleno domínio da capacidade crítica de distinguir, no primeiro instante, as qualidades do escritor e do livro excepcionais — o que já fizera perante Clarice Lispector, João Cabral de Melo Neto e o *Grande sertão: veredas*.

3

Ao lado do olhar crítico, ligado ao presente, está o olhar do erudito, que mergulha até os séculos XVI e XVII, em busca das origens da teoria do romance. "O patriarca" e "Timidez do romance" são trabalhos pioneiros, baseados em pesquisa que extrapola os acanhados limites da teoria literária praticada no Brasil. Conforme às boas regras, o pesquisador vai às fontes primárias e trabalha com livros cuja leitura é feita apenas no mais restrito círculo de especialistas. Ressuscitando as figuras de Giraldi Cintio e François Langlois, vulgo Fancan, contextualizando-os historicamente, apontando a novidade e o peso de suas idéias, Antonio Candido contribui para esclarecer o obscuro instante do nascimento do romance e das teorias sobre ele.

Note-se que a bibliografia especializada, às vezes mesmo a de maior valor, costuma referir-se a este momento com indicações tão imprecisas que deixam o leitor numa espécie de limbo vago de hipóteses: o romance teria nascido como desenvolvimento, fusão e superação de formas narrativas populares medievais, em contato com formas eruditas, relacionadas com a epopéia antiga e forjadas no Renascimento. A esta fórmula geral, um teórico como Lukács, por exemplo, acrescenta que o desenvolvimento burguês, em seu início, ocupa-se quase exclusivamente dos gêneros cujas leis formais poderiam ser tomadas da Antigüidade (drama, epopéia, sátira etc.). "O romance desenvolve-se ao lado do desenvolvimento teórico geral, quase independentemente dele, quase sem ser considerado e influenciado por ele" (cf. *Écrits de Moscou*, tradução de Claude Prévost, Paris, Éd. Sociales, 1974, p. 80). As primeiras anotações sobre a teoria do romance estariam, ainda segundo Lukács, dispersas nos escritos dos primeiros grandes romancistas, e só com a filosofia clássica alemã apareceriam os delineamentos necessários à sistematização de um estudo estético do gênero.

Ora, algo bem diferente mostram as pesquisas de Antonio Candido. Se é certo que houve a "timidez do romance", não é menos certo que houve também, já no século XVI, "uma literatura crítica específica bastante apreciável, que não tem merecido atenção adequada" (p. 73). O "patriarca" Giraldi Cintio, que percebeu na obra de Ariosto o germe do moderno, e o cônego Langlois/Fancan, que quase um século depois escreveu astuciosa justificativa do romance, são figuras cujas idéias merecem ser conhecidas e discutidas — e não apenas por curiosidade de erudito, mas porque mostram as complexidades que envolvem o nascimento de um gênero e o surgimento das reflexões teóricas sobre ele.

Estes dois pequenos ensaios são apenas amostras, entre tantas outras, de uma face do trabalho intelectual de Antonio Candido. Trata-se do entusiasmo e do rigor com que ele pesquisa assuntos tão distantes, fazendo ao mesmo tempo com que eles se aproximem de nós. Sob as idéias de Cintio ou Fancan, discutem-se problemas que interessam ao nosso tempo. Giraldi Cintio, numa época de dissolução dos gêneros, distingue a modernidade de Ariosto e, sobre a obra deste, começa a erguer a teoria de um novo gênero. Em momento de repressão, Fancan justifica a necessidade do romance como necessidade do espírito, desejo que encontra em si mesmo sua própria verdade.

Ficaríamos tentados, talvez, a enxergar o crítico literário brilhando em "Poesia e ficção na autobiografia"; e a ver o trabalho universitário de pesquisa, paciente e sólido, a respaldar "O patriarca" e "Timidez do romance". Esta separação estaria esquematicamente correta, na medida em que a presença do crítico ou do *scholar* é mais forte neste ou naquele ensaio. Mas o importante, sobretudo, é perceber que os dois estão lá, sempre presentes; revezando-se na sombra ou na luz, um complementa o outro.

4

Isto poderia ser longamente demonstrado no exame dos outros textos (ou dos muitos outros problemas) que formam o livro. Fico tentado a resenhar os que falam de crítica literária (sobre Sílvio Romero e Sérgio Milliet), ou as importantes sínteses históricas, chamadas pelo autor, com modéstia, de "crítica esquemática", panoramas "a vôo de pássaro" — mas na verdade ensaios que abriram decisivas perspectivas de análise da nossa produção cultural.

Para finalizar esta intervenção, entretanto, prefiro tomar outro caminho. Falei, no início, na capacidade sugestiva do ensaio de Antonio Candido, que nasceria em parte do modo rigoroso e livre, erudito e criativo, com que ele trata os assuntos. Este modo está ligado a uma escrita despretensiosa, direta e objetiva, cujo desdobramento didático é flexibilizado sempre pela variação de ângulos, pela modificação do tom, pela maneira delicada de concluir sem fechar as questões. Modo ensaístico, no sentido literário do termo, distante das afirmações dogmáticas, mas ainda afirmativo e esclarecedor.

Parece-me que o ensaio que dá título à coletânea, "A educação pela noite", é uma realização primorosa do modelo. A começar pelo próprio título: inspirado em João Cabral de Melo Neto, inverte, no entanto, a direção do sentido — em vez das conotações de peso, dureza e solidez que decorrem de metáfora da "pedra", utilizada pelo poeta, Antonio Candido escolhe a imagem romântica da "noite", com as conotações opostas de imponderável, de fluido e de dissoluto. A capacidade sugestiva do texto começa a nos aprisionar por aí: para encabeçar um estudo sobre Álvares de Azevedo, nada mais adequado que o *topos* da noite; mas não é só a adequação que prende, é também a referência paradoxal ao outro título, e o deslocamento sutil que foi nele operado: no seu sentido mais comum, ilustrado e iluminista, a educação é o espancamento das trevas, o afastamento da noite.

Esta tensão me interessa agora. Como sabemos todos, Antonio Candido é o crítico racional em cujos estudos realça a inteligência esclarecedora e ordenadora. Nunca desdenhou, porém, o fascínio dos temas românticos. Pretendo justamente mostrar, neste final da minha fala, como o crítico tão preocupado com as relações entre literatura e sociedade (literatura e história, literatura e ideologia) não descurou o aspecto psicológico deste mesmo problema, compreendendo como as questões relacionadas à personalidade — tais como transfiguradas na obra criativa — constituem também mediações entre o imaginário e o social. O estudo de temas como a dissociação da personalidade, os avessos do homem, os bichos no subterrâneo, constitui para ele constante fonte de interesse. Daí, na sua formação crítico-teórica, ter-se aberto um lugar para esta dimensão da cultura contemporânea que é a psicanálise.

Mas voltemos ao texto de "A educação pela noite". Ele se abre com um breve comentário sobre a irregularidade da obra de Álvares de Azevedo. Nesta, o "embate das desarmonias" procura superar o "decoro" das normas que regiam os gêneros literários. O resultado é que, nos escritos de nível inferior, a corda rebentou: "O desejo de modular todos os sentimentos costeou o caos psicológico, enquanto o desejo de desrespeitar as normas estéticas tradicionais levou à desorganização do texto" (p. 11). É sobre esta dupla observação, "caos psicológico" e "desorganização do texto", que a interpretação vai se armar.

O ensaio continua no mesmo tom simples do início. Segue-se uma leitura quase parafrásica do *Macário*: através do enredo romântico, que mantém submersa uma "estrutura profunda" marcada pela "dubiedade de significado" e construída sobre "a reversibilidade entre sonhado e real", Álvares de Azevedo (ou será o crítico leitor?) vai suscitando "a noite paulistana como tema, caracterizado pelo mistério, o vício, a sedução do marginal, a inquietude e todos os abismos da personalidade". O "noturno aveludado e acre do *Macário*" está ligado ao tema do enclausuramento e da repressão, "dimensão quase mitológica" de São Paulo, que reponta em poemas de Mário de Andrade, sambas de Adoniran Barbosa e Paulo Vanzolini, filmes de Walter Hugo Khoury, quadros de Gregório Correia, contos de João Antônio.

Em que ponto termina a paráfrase, em que ponto começa a análise? É difícil delimitar. O crítico nos leva com mão delicada por este "vacilante terreno onde, quando pensamos estar num, estamos no outro" (p. 12). E a graça convincente da interpretação, que conduz o leitor quase insensivelmente, brota desta unidade com o texto literário. Com naturalidade, por meio de observações discretas e esparsas, Antonio Candido dirige o aprofundamento de sua leitura e vai desvelando o confronto das forças obscuras do inconsciente, as tensões (as "binomias", no vocabulário do próprio Álvares de Azevedo) que implodem a personalidade (e o texto) do homem romântico. Assim, o crítico vai desentranhando dos disparates do *Macário*, ou da linearidade ensandecida de *A noite na taverna*, uma ordem oculta, a estrutura de um anti-*Bildungsroman*, espécie de romance de formação às avessas. As personagens, vivendo as experiências-limite do incesto, da necrofilia, do fratricídio, do canibalismo, da traição, do assassínio, percorrem as "fronteiras dúbias" entre o homem e o animal, a alma e o instinto, a paixão e a ferocidade. Este conhecimento é "A educação pela noite".

5

Tomei, naturalmente, apenas uma das linhas do ensaio e simplifiquei-o bastante. Mas quis ressaltar este tema e estas preocupações porque penso que eles ajudam também a compreender o crítico. Repito que estamos acostumados a vê-lo como o grande mestre da leitura ideológica da obra literária, das relações entre literatura e sociedade, e às vezes nos esquecemos do peso que tem a análise das questões da personalidade em seu método.

Para perceber isto, no entanto, bastaria reler, ainda a propósito de Álvares de Azevedo, o capítulo a ele dedicado na *Formação da literatura brasileira*, ou o texto "Cavalgada ambígua" (de *Na sala de aula*), análise literária e interpretação psicanalítica do poema "Meu sonho". Ou o livro *Tese e antítese*, em especial os ensaios sobre Guimarães Rosa, Joseph Conrad e Graciliano Ramos. Ou ainda, em *Vários escritos*, "Esquema de Machado de Assis" e "Inquietudes na poesia de Carlos Drummond de Andrade".

Mas talvez fosse necessário apenas prestar atenção na primeira parte deste *A educação pela noite*, inclusive no ensaio que deixo de comentar por falta de tempo: "Os olhos, a barca e o espelho", leitura daquilo que, em Lima Barreto, é fusão de problemas pessoais e problemas sociais, autobiografia e invenção, experiência e literatura — sua dimensão também noturna, apreendida nos escritos íntimos, logo transubstanciada na obra.

A representação do sujeito lírico
na *Paulicéia desvairada*

Para o leitor de hoje, a leitura da *Paulicéia desvairada* é uma experiência ainda capaz de provocar muito estranhamento, mas por motivos obviamente diversos daqueles que comoveram os contemporâneos. O que estranhamos é tomar contato, pela primeira vez, com versos que não foram escritos "para leitura de olhos mudos", mas para serem contados, urrados, chorados — como diz o autor no "Prefácio interessantíssimo". Ao longo do século, a poesia mudou demais, foi baixando de tom, alterou seu registro no sentido de cortar boa parte da eloqüência declamatória herdada do Romantismo e do Parnasianismo. Caminhamos mesmo para a poesia de olhos mudos; o canto, o urro e o choro foram substituídos por uma espécie de *low profile* do verso, que abandonou o destaque hiperbólico em favor da discrição amena do coloquial. E é assim que, acostumados à força insinuante de Manuel Bandeira, ao poder suave da fala de Drummond, ao encanto antidiscursivo de João Cabral, é inevitável que tenhamos a estranha sensação de deslocamento diante desse que foi o primeiro esforço de se criar entre nós o verso moderno, capaz de representar a agitação e o tumulto da vida nas grandes cidades — agitação e tumulto que de resto, hoje em dia, também nos parecem tão relativos.

Mas tal sentimento não nos desobriga da necessidade de tentar compreender o fenômeno da *Paulicéia desvairada* no instante de seu nascimento. Como este livro pôde entusiasmar tantos jovens escritores e poetas da época? Como conseguiu ele levar Oswald de Andrade a escrever o comovido texto "O meu poeta futurista"? Sabemos que as leituras feitas por Mário para pequenos grupos de amigos obtinham grande sucesso, e que o próprio Manuel Bandeira impressionou-se vivamente com os poemas: o autor de *Carnaval* e de *Cinza das horas* (que mais tarde, falando sobre *Há uma gota de sangue em cada poema*, acharia a fórmula lapidar do "ruim esquisito" para qualificar a poesia "passadista" do amigo), saiu do encontro realizado na casa de Ronald de Carvalho, em 1921, estimulado a modificar seus rumos criativos a partir do impacto da *Paulicéia*.

Outras conversões, se podemos falar assim, ocorreriam nos anos subseqüentes. O livro escandalizava os arautos e fascinava os espíritos mais livres e criativos. De certo modo, como um evangelho estético, ele trazia a boa nova das mudanças imediatas e necessárias — e o contato de suas palavras catalizava as vontades transformadoras, precipitando aquilo que a própria época preparara. Mantidas as escalas, ocorria com a *Paulicéia desvairada* algo parecido com o que Lacan[1] nota a respeito da força da psicanálise em seus primeiros anos: sua novidade desarmava e desconcertava as resistências.

Está claro que isto serve para explicar, e ainda assim apenas em parte, somente o impacto inicial da obra de Mário de Andrade. Certo: é preciso vê-la em seu desenvolvimento ao longo dos primeiros anos do Modernismo — vê-la modificar-se e avul-

---

[1] "Para que a mensagem do analista responda à interrogação profunda do sujeito, é preciso com efeito que o sujeito a ouça como a resposta que lhe é particular, e o privilégio que tinham os pacientes de Freud de receber a boa palavra da boca mesma daquele que era o anunciador, satisfazia neles essa exigência". *Escritos*, São Paulo, Perspectiva, 1978, pp. 155-56.

tar, em apenas quatro anos, entre 1921 e 1925, do ritmo harmônico da *Paulicéia* ao registro coloquial do *Losango cáqui*, e daí à variedade da pesquisa etnográfica do *Clã do jabuti* —, é preciso entender sua inquietante exploração de tantos ângulos da cultura internacional e brasileira, para podermos aquilatar sua influência decisiva nos jovens poetas da época, nomes como Drummond, Murilo Mendes ou Jorge de Lima, que chegaram a assimilar até mesmo seus cacoetes. Mas se nos limitarmos ao exame do fenômeno da *Paulicéia desvairada*, veremos que seu caráter de novidade desconcertante tem papel decisivo na recepção entusiástica dos contemporâneos. O charme da novidade tinha suas raízes num impulso profundo de mudanças. Para agir como agiu, não podia apenas ostentar a leveza das modas passageiras, mas necessitava radicar-se em estímulo interior persistente, provocado tanto pelo contato com as poéticas vanguardistas européias, como pela vivência intensa da nova realidade de São Paulo no início dos anos 1920. Poderíamos dizer, um pouco rebarbativamente, que a necessidade profunda a animar o sujeito é a representação moderna do seu próprio eu moderno, em estreita correlação com a cidade moderna.

É conhecida a anedota do "estouro" que está nas origens da *Paulicéia*. Em carta a Augusto Meyer,[2] Mário de Andrade conta que desejara, inspirado por leituras de Verhaeren, escrever um livro de poemas sobre São Paulo, sem entretanto conseguir fazê-lo. Na mesma época, encantado por um busto de Cristo esculpido em gesso por Brecheret, decide comprá-lo. Sem dinheiro, entra em negociações com o irmão, consegue levantar a quantia necessária e autoriza o artista a passar a obra em bronze. Quan-

---

[2] Em *Mário de Andrade escreve cartas a Alceu, Meyer e outros*. Coligidas e anotadas por Lygia Fernandes, Rio de Janeiro, Ed. do Autor, 1968, pp. 49-57.

do ela fica pronta, a família (alvoroçada por mais esta loucura do doido-da-casa) reúne-se para conhecê-la. Trata-se do famoso Cristo de trancinha, de fato notável criação de Brecheret. Mas o escândalo é imediato: diante da arte moderna a família tradicional se enfurece e recrimina o comprador infeliz. Mário defende-se e defende o Cristo, inutilmente — ninguém se convence. Mas é depois desta cena meio farsesca que ele, enervado e exasperado, sente a inspiração súbita, abanca-se e escreve de uma só assentada o que viria depois a constituir a *Paulicéia desvairada*.

Acho a anedota significativa por várias razões, entre elas por revelar-nos o curioso fundo psicológico da criação: a um período depressivo, em que o poeta procura e não encontra a sua inspiração, segue-se a irrupção de uma corrente de energia criadora suficiente para remover todos os obstáculos. A energia é despertada por uma briga em família, em torno da arte moderna — e os fatores família/arte moderna, opondo-se em tão forte tensão, devem ter revolvido conflitos profundos da personalidade (conflitos que Mário representará mais tarde, transfigurados com humor e freudiana ironia, nos *Contos novos*). Seja como for, o episódio modifica a situação: o poeta que antes tentara escrever "à maneira de Verhaeren", encontra dentro de si a linguagem nova para representar-se e para representar a sua cidade.

A recepção da obra foi capaz de captar este *élan*. Foi capaz de captar também os problemas que ele implicava. Veja-se, por exemplo, o seguinte trecho de Tristão de Athayde, escrito imediatamente depois da publicação do livro: "Haverá muita coisa transitória, nesta poesia a um tempo demolidora e construtora, não poderá agradar facilmente a grande maioria dos leitores cujo gosto ainda refuga com razão a certas ousadias das sínteses poéticas atuais, já superadas como vimos em outras literaturas — forçará muitas vezes a nota com o simples intuito de espantar os burgueses [...] —, terá por vezes condescendências excessivas com o seu subsconsciente lírico. Será tudo isso exato, sem dúvida, mas representa o livro uma corajosa clarificação de tendências, uma visão poderosa da vida atual e de todos os contrastes da civilização moderna, uma reação necessária contra a asfixiante rotina das formas consagradas e bem gramaticadas, e, sobretudo, uma tentativa de originalidade literária brasileira — ainda presa demais ao urbanismo talvez, para poder alcançar uma realidade mais vasta —, mas cheia de força, de possibilidades, de inteligência conquistadora. A poesia não é só isto, é certo. Nem há fórmulas de arte; o necessário é que cada artista se procure a si mesmo. E o encanto da vida literária é justamente a diversidade das tendências e o jogo das personalidades. O Sr. Mário de Andrade é um homem de muito espírito para não compreender tudo isso, assim como viu em seu livro a 'blague' se entrelaçava à seriedade. Seja como for, vale por toda uma vanguarda".[3]

O trecho é longo, mas pela sua importância merece a transcrição integral. Tristão de Athayde desconfiou sempre dos "exageros" jacobinos dos modernistas, e não deixaria de assinalá-los aqui; mas isso não o impede de reconhecer que o livro tem "uma visão poderosa da vida atual e de todos os contrastes da civilização moderna". Este sentimento de verem-se retratados foi, talvez, o que entusiasmou os contemporâneos.

Interessante, também, é o fato de que o próprio Mário de Andrade, embora admitindo os defeitos do livro, timbrasse em

---

[3] Tristão de Athayde, "Vida Literária", *O Jornal*, Rio de Janeiro, 21/1/1923. Transcrito em Marta Rossetti Batista, Telê Porto Ancona Lopes e Yone Soares de Lima, *Brasil: primeiro tempo modernista — 1917-1929, Documentação*, São Paulo, IEB-USP, 1972, pp. 200-207. A citação seguinte, de Mário de Andrade, está em "Crônicas de Malazarte VII", originalmente publicada na *América Brasileira*, Rio de Janeiro, abril de 1924, e republicada neste livro (pp. 71-72).

ver neles, ao mesmo tempo, qualidades. Posição paradoxal, que ele exprimiu na época (1924) com uma intuição fulgurante: "Foi nesse delírio de profunda raiva que *Paulicéia desvairada* se escreveu, no final de 1920. *Paulicéia* manifesta um estado de espírito eminentemente transitório: cólera cega que se vinga, revolta que não se esconde, confiança infantil no senso comum dos homens. Estes sentimentos duram pouco. A cólera esfria. A revolta perde sua razão de ser. A confiança desilude-se num segundo. Comigo duraram pouco mais que um defluxo. Passaram. Deveria corrigir o livro e apagar-lhe estes aspectos? Não. Os poemas foram muito corrigidos. Muita coisa deles se tirou. Alguma se ajuntou, mas os exageros, tudo quanto era representativo do estado da alma, e não desfalecimentos naturais em toda criação artística, aí se conservou. Uma obra de arte não é expressiva só pelas belezas que contém. Ou o Sr. Alberto de Oliveira seria superior a Castro Alves. Muitas vezes os defeitos são mais interessantes e comoventes que as belezas. Direi mais: muitas vezes o defeito é uma circunstância de beleza".

Esta idéia final, de que "o defeito é uma circunstância de beleza", parece-me de grande importância para entendermos o alcance e a repercussão inicial da *Paulicéia*. Não pelo sentido comum, bem banal, de que uma obra possa ser comovente pela grandeza que nela foi tentada, embora não tenha sido conseguida. Isto talvez seja o que Mário de Andrade, em parte, quis dizer, e também não deixa de ser verdadeiro: de fato, há obras cujo grande intuito — apesar de não alcançado — nos emociona. Além de Castro Alves, lembrado por Mário, poderíamos pensar em Álvares de Azevedo ou Lima Barreto. Mas vejo o problema também por outro lado. Quero lembrar uma frase de Adorno, cujo alcance parece-me pertinente para a questão que discutimos aqui. "Quase se poderia medir a grandeza da arte de vanguarda", escreve Adorno, "com o critério de saber se os momentos históricos, como tais, fizeram-se nela essenciais, ou, pelo contrário, afundaram-se na intemporalidade."[4]

Ora, justamente o "momento histórico" fez-se essencial na *Paulicéia desvairada*. Aqueles que depreciam uma obra por ser ela datada, querendo dizer com isso que ela não supera sua circunstancialidade — e portanto não se universaliza — deveriam refletir melhor sobre essa frase de Adorno. Ela indica que o momento histórico moderno — a coisificação, a prepotência do mundo, o esmagamento da subjetividade, a negação do humano (vários nomes do mesmo fenômeno básico) tornou-se essencial na arte moderna porque se incorporou à sua linguagem, virou procedimento artístico, foi integrado no coração da forma de tal modo que fez-se "representativo". No caso da *Paulicéia*, como bem viu Mário de Andrade, era preciso manter os "exageros", pois eles eram "bem representativos" do "estado da alma" — mais que documento condescendente do subconsciente lírico, como pensava Tristão, eles eram marcas negativas (quase no mesmo sentido em que se fala de negativo fotográfico) de um momento histórico. Era através destas marcas-exageros que o mundo da negação ficava representado nos poemas, formas negativas bem dignas da grandeza da arte de vanguarda.

Mostrar como se dá isso na *Paulicéia desvairada* é difícil e complexo. Parte da demonstração, entretanto, é o que tentarei fazer aqui, buscando focalizar o problema da representação do sujeito lírico, como se sabe central na arte moderna desde Baudelaire, e que as vanguardas do começo do século tentaram resolver em duas direções principais: ora equacionando a relação

---

[4] Theodor W. Adorno, "Lukács y el equívoco del realismo", in *Realismo: mito, doctrina o tendencia histórica?*, Buenos Aires, Tiempo Contemporâneo, 1969, p. 49.

sujeito-objeto em formas construtivas e objetivas (na linha do Futurismo, do Cubismo e do Abstracionismo), ora invertendo a ênfase através da elaboração de formas destrutivas e subjetivas (na linha do Expressionismo, do Dadaísmo e do Surrealismo).[5]

Essa distinção, feita assim em traços tão largos, serve apenas para nos mostrar como a oscilação entre uma arte extremamente impregnada de subjetividade e outra marcada, ao contrário, pela objetividade das formas, acompanhou de modo profundo o desenvolvimento das vanguardas históricas. No caso da *Paulicéia desvairada*, como em tantos outros, a separação das linhas não se dá inteiramente baseada no "moto lírico", na liberação dos impulsos do que Mário chamava de "subconsciente", a linguagem tende para a linha destrutiva, de forte influência expressionista; contrabalançando isso, entretanto, é visível também todo um esforço (explicitado na teoria do verso harmônico) de caráter construtivo, a tendência "pronunciadamente intelectualista" do livro, à qual o poeta se refere no "Prefácio interessantíssimo".

A crítica atual assinalou esta tensão na obra de Mário, mostrando como ela é constitutiva de seu estilo. Roberto Schwarz, por exemplo, no seu ensaio "O psicologismo na poética de Mário de Andrade", referiu-se a "polaridades irredutíveis", que dilacerariam o pensamento estético do autor.[6] Luiz Costa Lima, em "Permanência e mudança na poesia de Mário de Andrade", partiu desta observação de Schwarz sobre o "traço psicologizante" para desenvolver a tese de que a poesia mário-andradina deixa

---

[5] A distinção entre as linhas "impressionista-cubista-abstracionista" e "primitivista-expressionista-surrealista" está em Alfredo Bosi, *História concisa da literatura brasileira*, São Paulo, Cultrix, 1970, p. 378. O autor observa que "os modernistas da fase heróica baralhavam as duas linhas".

[6] Roberto Schwarz, *A sereia e o desconfiado*, Rio de Janeiro, Civilização Brasileira, 1965.

escapar aquilo que, desde Baudelaire, fora fundamental "ao sentimento da poesia moderna: o impacto da grande cidade". Isso se daria na medida em que Mário, levado pelo desejo de "continuar a exploração de seu eu", resquício de um subjetivismo romântico, é incapaz de representar a cidade, pois toma-a apenas para logo mergulhá-la "no anonimato da subjetividade poética".[7]

Adiante voltarei a este ponto, e veremos que talvez não seja isto exatamente o que ocorre. Por enquanto, observemos que a tensa oscilação entre subjetividade e objetividade foi assinalada pelos contemporâneos da *Pauliceia desvairada*. Já Ronald de Carvalho, escrevendo sobre o livro em 1922, anotava: "Seu impressionismo é ao mesmo tempo deformador e expressionista".[8] E Carlos Alberto de Araújo, em artigo de *Klaxon*, desenvolvia a mesma idéia: "Dissemos que Mário é um objetivo. Mas é um objetivo paradoxal, isto é, que toma à cidade em que vive aquilo apenas que lhe pode servir. É portanto um objetivo na sensação (recebe tudo, embora só guarde alguma coisa), mas é um subjetivo, se assim podemos nos explicar, na expressão". E prossegue: "Este subjetivismo, aliás, como é natural num livro de separação, de rompimento entre o eu que possuía artificialmente e o eu que afinal reconheceu em si mesmo, é um subjetivismo exagerado".[9]

Estas observações são do maior interesse, pois mostram como os próprios contemporâneos sentiam a tensão significativa

---

[7] Luiz Costa Lima, *Lira e antilira (Mário, Drummond, Cabral)*, Rio de Janeiro, Civilização Brasileira, 1968.

[8] Ronald de Carvalho, "Os independentes de São Paulo", artigo de 1922, republicado em *Brasil: primeiro tempo modernista, op. cit.*, p. 198-200.

[9] Carlos Alberto de Araújo, *Klaxon*, nº 7, nov. 1922, p. 13, edição fac-similar com introdução de Mário da Silva Brito, São Paulo, Martins/SCET, 1972.

que há no livro, entre a representação do *eu* e a representação da cidade. Impressionismo e expressionismo, nas palavras de Ronald de Carvalho, ou objetivismo e subjetivismo, na formulação de Carlos Alberto de Araújo, o movimento tenso aponta para as duas grandes linhas que dividiram as vanguardas. No meu entendimento, este ponto de irresolução — que traz conseqüências graves para o acabamento formal dos poemas — é de muita relevância para se discutir os modos de representação do sujeito lírico na poesia da modernidade. Quando Carlos Alberto de Araújo sugere que Mário é objetivo na sensação, embora subjetivo na expressão, sua maneira de formular o problema lembra-me a análise feita por Auerbach dos procedimentos narrativos de escritores contemporâneos da *Paulicéia*: Virginia Woolf e Proust. Auerbach mostra, em "A meia marrom", que neles os recursos do foco narrativo visam a objetivar, ao máximo possível, a reprodução dos movimentos da consciência, mas o resultado final é paradoxalmente o máximo de subjetivação da narrativa. O *eu* que nos fala escapa em meio a meandros de pensamentos, sensações, desejos, percepções incompletas etc. Ou seja: o *eu* artificial e uno do século XIX dá lugar a um *eu* múltiplo e desagregado, de um "subjetivismo exagerado" — como diria Carlos Alberto de Araújo.

Talvez seja este o grande problema de linguagem da *Paulicéia desvairada*: equilibrar a notação objetiva dos aspectos da cidade moderna com o tumulto de sensações do homem moderno, no meio da multidão. Este jogo arriscado, do qual Proust e Virginia Woolf se saíram tão bem, nem sempre — e para dizer a vedade: muito raramente — resolveu-se a favor de Mário neste primeiro livro. A delicada cristalização do lirismo, que segundo Hegel consiste na passagem de toda a objetividade à subjetividade, é perturbada pelo movimento incessante entre a *Paulicéia* e o desvairado trovador arlequinal. Mas o fato de ter tentado isso, de ter tentado forjar essa modernidade da representação, foi o lance feliz de Mário de Andrade: nesse instante, e retomando agora a frase de Adorno, um momento histórico fez-se essencial na sua obra.

Ou por outras palavras: o mesmo movimento que perturba a cristalização do lirismo, cria nos poemas uma dissonância que é índice das dissonâncias da vida moderna. O lirismo difícil e incompleto representa as dificuldades e incompletudes do sujeito lírico na modernidade incipiente. Neste caso, estaria bem justificada a intuição de Mário, ao dizer que muitas vezes os defeitos são circunstância de beleza, e ao recusar-se a limpar o livro dos exageros apontados. A tensão transparece porque está no fundo-de-origem da forma, nas relações entretecidas pelo sujeito lírico com a realidade que o circunda e que por isso mesmo o artista não consegue resolver (com prejuízo, é claro, do equilíbrio formal dos poemas, coisa que uma estética classicizante vê naturalmente como defeito e mau gosto).

Se essa hipótese for verdadeira, estudar a representação do sujeito lírico na *Paulicéia desvairada* é algo como estudar suas "vicissitudes". Talvez não seja apenas, como pensa Roberto Schwarz, que o psicologismo leve a poética de Mário de Andrade a um dilaceramento entre "polaridades irredutíveis". E talvez não seja também, como acha Luiz Costa Lima, que o poema-caleidoscópio representativo da cidade moderna seja prejudicado por uma consumação subjetiva do assunto. Há tudo isso sem dúvida, mas a mobilidade do sopro poético na *Paulicéia* é muito maior do que essas formulações parciais possibilitam entrever. De fato, a subjetividade está ali submetida a grande pressão, que estoura tudo — o eu, a cidade, a linguagem —, tudo submetendo à fragmentação. Como no caso das pulsões analisadas por Freud, nunca se pode apreender diretamente o sujeito lírico, que desliza de metamorfose em metamorfose, ora numa, ora noutra forma. Suas vicissitudes deixam marcas na linguagem dos poemas, cicatrizes que testemunham a complexidade das forças liberadoras e repressivas em jogo.

Vejamos agora como se dá esse processo em alguns dos poemas.

Antes, o título do livro: há nele um cruzamento curioso, talvez reminiscência (voluntária ou não) de Émile Verhaeren. Uma das obras do poeta belga intitula-se *Les villes tentaculaires précédées des Campagnes hallucinées*,[10] o que sugere a possível junção, no título *Paulicéia desvairada*, do substantivo "*villes*" (antes qualificando as "*campagnes*"). A transposição realizada por Mário de Andrade cria efeitos novos. Em primeiro lugar, "*villes*" é substituído por "Paulicéia", o plural abrangente e universalizante cede passo à limitação precisa do objeto. Isso parece ser o primeiro indício de uma tendência à individualização concretizadora do material temático. Mas a operação seguinte, a troca dos adjetivos, é ainda mais sugestiva. A aplicação do adjetivo "tentaculares" às cidades modernas decorre de um modo de vê-las, como seres vivos e monstruosos, cujas ruas e praças se estendem de maneira animal, enleando e apreendendo os homens: "*Leurs doigts volontaires, qui se compliquent/ De mille doigts précis et métalliques*".[11]

Sentimos diante das "cidades tentaculares" uma mistura de fascinação e repulsa; fascinação pelo movimento poderoso que elas contêm, repulsa pela parte monstruosa e envolvente desse mesmo movimento:

---

[10] Émile Verhaeren, *Les villes tentaculaires precedées des Campagnes hallucinées*, Paris, Mercure de France, 1917. Consultei, no IEB/USP, o exemplar que pertenceu à biblioteca de Mário de Andrade.

[11] E. Verhaeren, *op. cit.*, p. 107.

> "La plaine est morne et morte — et la ville
> Telle une bête enorme et taciturne
> Qui bourdonne derrière un mur,
> Le ronflement s'entend, rythmique et dur,
> Des chaudières et des meules nocturnes [...]"[12]

Os "mil dedos precisos e metálicos" desaparecem no título de Mário, substituídos por "desvairada", assim se atenuando uma das conotações. E embora seja mantida a idéia de movimento anormal, desatinado, sentimos desaparecer a repulsa e aumentar a aproximação. A dupla substituição tem como efeito principal um sentimento de proximidade. Nomeando e individualizando seu primeiro motivo temático, a cidade-Paulicéia, o poeta se faz mais ligado a ela; atribuindo-lhe a seguir seu próprio estado de ânimo, cria uma identidade entre os dois. Pois quem é que se encontra desvairado, o eu ou a cidade?

A vida moderna desvaira o poeta, e este transfere seu desvairismo para a vida moderna. A cidade não surge apenas como o "correlato objetivo" (Eliot) dos sentimentos do eu, pois tais sentimentos existem em função da cidade, de modo que a autodescrição tem de ser também a descrição da cidade. Quero dizer que no caso de Mário de Andrade não se trata simplesmente de buscar fora da subjetividade a imagem objetiva que a represente (como nos maus poetas), mas que este sujeito da poesia é, ele mesmo, formado pela realidade que canta, e está tão ligado a ela quanto o título geral dos poemas procura sugerir.

Insisto nesses pormenores apenas para destacar o procedimento que é básico na *Paulicéia desvairada*: diante da paisagem citadina o poeta não registra simplesmente a face externa que

---

[12] *Ibidem*, pp. 105-106.

seus olhos enxergam, mas procura em suas sensações, nas impressões que a cidade deixa dentro dele, as marcas que revelem a imagem única e dúplice de ambos. Já no primeiro poema, "Inspiração", percebe-se que São Paulo vai servir-lhe menos como objeto de descrição e mais como uma espécie de musa concreta e moderna, cuja proximidade desperta o canto. No verso "São Paulo! comoção de minha vida..." é possível notar com clareza esta fusão: a comoção do poeta se identifica com a realidade urbana, a exclamação (função do eu) é o mesmo vocativo (função do tu) que a São Paulo é dirigido, como se apelasse à vinda da musa.

A identificação entre o espaço externo e a interioridade é perceptível desde a epígrafe ("Onde até na força do verão havia tempestades de ventos e frios de crudelíssimo inverno"), que sugere, por meio da linguagem antitética e hiperbólica, um espaço metafórico, mítico e primordial, lugar onde se defrontam elementos contrários. No corpo do poema esta contradição, digamos, meteorológica e elementar, é retomada, passando para o traje arlequinal do poeta e daí, de novo, para a caracterização da cidade:

"Arlequinal!... Traje de losangos... Cinza e ouro...
Luz e bruma... Forno e inverno morno..."

Assim se fundem os dois, o arlequim (cuja roupa dourada e cinzenta reflete luz e bruma, calor e frio) e a cidade, lugar contraditório onde se desenvolve um confronto de forças.[13] A dualidade das cores que lutam no traje de losangos é a dualidade dos elementos que lutam na Paulicéia, e ambos encontram a mesma representação simbólica: arlequinal!

---

[13] "Na cidade arlequinal, cuja dualidade contém a dualidade do eu, espelhado e revestido por ela como por um traje de losangos". José Miguel Wisnik, *O coro dos contrários: a música em torno da Semana de 22*, São Paulo, Duas Cidades, 1977, p. 122.

Krystyna Pomorska, utilizando os conceitos de similaridade e contigüidade tais como definidos por Jakobson, e aplicando-os à relação mensagem/emitente, conclui que a poesia metafórica poderia "ser compreendida como uma espécie de poesia na qual a mensagem está intimamente ligada ao emitente", e este se torna "uma espécie de filtro em que todas as coisas se fundem através de sua própria personalidade". Criada pelo Romantismo, levada ao extremo pelo Simbolismo, a poesia do "ego lírico" foi ainda adotada pelos acmeítas, que embora insurgindo-se contra a "predominância do espiritual sobre o concreto", mantiveram intacto o "princípio metafórico de transformação".[14]

Estas duas características do acmeísmo russo, tais como descritas por Pomorska, servem para grande parte da dicção poética da *Paulicéia desvairada*. Trata-se de uma poesia do "eu lírico", muito marcada pela função emotiva, mas trata-se também de uma poesia muito concreta, no sentido de que a paisagem, embora filtrada pelo emitente, deformada mesmo por ele, tem não apenas uma enorme presença nos poemas, mas também uma paradoxal autonomia. A imagem (arlequinal é o poeta e é a cidade) que une e concilia os dois pólos, identificando-os, não apaga entretanto as diferenças entre eles. "Os elementos da imagem", como diria Octavio Paz, "não perdem seu caráter concreto e singular."[15] Assim como não se compreende a cidade sem as deformações do eu, também não se compreende o eu sem as deformações nele provocadas pela cidade. Vejamos, como exemplo desta interrelação, o segundo poema do livro:

---

[14] Krystyna Pomorska, *Formalismo e futurismo*, São Paulo, Perspectiva, 1972, pp. 108-109.

[15] Octavio Paz, *Signos em rotação*, São Paulo, Perspectiva, 1972, p. 38.

A representação do sujeito lírico na *Paulicéia desvairada*

"O TROVADOR

Sentimentos em mim do asperamente
dos homens das primeiras eras...
As primaveras de sarcasmo
intermitentemente no meu coração arlequinal...
Intermitentemente...
Outras vezes é um doente, um frio
na minha alma doente como um longo som redondo...
Cantabona! Cantabona!
Dlorom...

Sou um tupi tangendo um alaúde!"

O poema está de novo estruturado sobre um jogo de oposições, desta vez entre o "primitivo" e o "civilizado". Os "homens das primeiras eras" aproximam-se, até sonoramente, das "primaveras de sarcasmo", e ambos opõem-se ao "frio" e à "alma doente". A onomatopéia dos sinos duplica a oposição, contrastando o repique festivo de "Cantabona! Cantabona!" à plangência melancólica de "Dlorom...". Bem observada, a construção do poema obedece ao mesmo princípio antitético estruturador de "Inspiração": as primaveras daqui equivalem à força do verão, à luz e ao calor de lá, assim como o frio e a doença equivalem à bruma e aos frios de crudelíssimo inverno. De novo, São Paulo e o trovador se identificam, e de tal maneira que os últimos versos dos dois poemas são perfeitamente simétricos: São Paulo é "Galicismo a berrar nos desertos da América", isto é, civilização e barbárie, enquanto o trovador é "tupi tangendo um alaúde", isto é, primitivo e civilizado.

Estamos aqui em meio ao mais completo subjetivismo, e de tal modo que a cidade nem é referida nos versos. Sua presença, no entanto, é determinante. Aliás, entre todas as composições do livro. "O trovador" (*et pour cause...*) parece ser o caso extremo de expulsão dos elementos descritivos e de pura expansão do sujeito. Apesar disso, note-se que um certo tom analítico permanece presente no poema, que o eu toma-se como objeto e fala diretamente sobre si mesmo. Daí o procedimento, nada simbolista, da "referência direta ao objeto ao invés de alusões indiretas ao mesmo", como diz Pomorska sobre o acmeísmo; daí, também, o fato de uma poesia tão carregada de subjetividade permanecer, no entanto, muito pouco introspectiva.

Quanto a esse último ponto, seria bom insistir um pouco mais. O terceiro poema da *Paulicéia desvairada*, mantendo ainda o procedimento básico da transformação metafórica, deixa entrever com nitidez as esferas distintas de sujeito e objeto, forçando a parte de oposição entre ambos, mas mantendo ainda a identidade.

"OS CORTEJOS

Monotonias das minhas retinas...
Serpentinas de entes frementes a se desenrolar...
Todos os sempres das minhas visões! 'Bon giorno, caro.'

Horríveis as cidades!
Vaidades e mais vaidades...
Nada de asas! Nada de poesia! Nada de alegria!
Oh! os tumultuários das ausências!
Paulicéia — a grande boca de mil dentes;
e os jorros dentre a língua trissulca
de pus e de mais pus de distinção...
Giram homens fracos, baixos, magros...
Serpentinas de entes frementes a se desenrolar...

Estes homens de São Paulo,
todos iguais e desiguais,

quando vivem dentro dos meus olhos tão ricos,
parecem-me uns macacos, uns macacos."

A identidade (e a fusão sujeito-objeto) é criada no primeiro verso, quando a monotonia da multidão é deslocada e atribuída às retinas do poeta — uma metonímia. Depois vem a transposição metafórica: os cortejos são "serpentinas de entes frementes". A seguir o terceiro verso repete o primeiro: a multidão é vista de novo como monotonias (metaforizadas em "Todos os sempres") das retinas (também metaforizadas em "minhas visões"). Todas estas transformações permitem-nos afirmar que o princípio construtivo da linguagem, nesta primeira estrofe, é a expansão do discurso, por meio da qual o poeta, insistindo sempre na mesma significação central, amplia o número de signos e busca precisar com maior força expressiva aquilo que deseja dizer. O primeiro verso já contém, implícitos, os dois versos seguintes, que vão apenas expandi-lo, defini-lo discursivamente: "monotonias das minhas retinas" = "serpentinas de entes frementes" = "todos os sempres das minhas visões".

Esta tendência à definição discursiva é uma das características formais da poesia de Mário. A redundância do significado, compensada pela multiplicação dos significantes, revela uma inclinação à explicitação progressiva do sentido; daí um afastamento do modo alusivo de dizer e uma aproximação ao modo direto, que aliás surge plenamente nos versos quatro e cinco: "Horríveis as cidades!/ Vaidades e mais vaidades...".

A nomeação direta elimina a possibilidade de hermetismo subjetivista e concretiza a realidade que se quer descrever. Entretanto, embora a metáfora esteja traduzida, a linguagem continua a ser metafórica, a ótica do emitente continua a afetar a mensagem e a tingir o real representado. A Paulicéia se transforma em "grande boca de mil dentes" (eis como se transfiguraram os "*mille doigts précis et métalliques*", de Verhaeren), e as multidões são "pus de distinção". Na última estrofe a metáfora desaparece de novo, para dar lugar à explicação quase prosaica: "Estes homens de São Paulo,/ todos iguais e desiguais,/ quando vivem dentro dos meus olhos tão ricos,/ parecem-me uns macacos, uns macacos".

Parece, portanto, que há dois procedimentos chocando-se: a metáfora, presa à postura subjetiva, à poesia do "ego lírico", e a definição discursiva, presa à postura objetiva e intelectualista. Essa última rompe muitas vezes a cristalização lírica e provoca dissonâncias. Na *Paulicéia desvairada*, aliás, as dissonâncias parecem ser de dois tipos: ou desejadas, procuradas (como as antíteses luz x bruma, forno x inverno morno), e que se integram ao tom do poema, ou involuntárias, que escapam ao domínio do sujeito lírico (como esta estrofe final do poema "Os cortejos"), rompendo a unidade de tom, por causa da dureza prosaica que resulta da explicitação de sentido, e produzindo um efeito penoso de coisa não resolvida.

Penoso para nós, bem entendido. É possível que esteja aí um dos "defeitos" que Mário de Andrade deixou ficar por considerá-los "circunstância de beleza", testemunhas de sua tentativa de representar em linguagem moderna a aventura do homem na grande cidade. A ruptura de tom é uma das vicissitudes do sujeito lírico: desequilíbrio formal, defeito estético (se nos colocamos da perspectiva de uma estética da unidade e do equilíbrio), aponta-nos entretanto, como dissonância que é, para as grandes tensões da vida (e da arte) daquela época. É sinal essencial do momento histórico.

A grande poesia do Modernismo brasileiro só se fará mais tarde. O próprio Mário terá sua fase madura, esplêndida, representada por alguns poemas belíssimos do final dos anos 1920 e dos anos 1930: "Poemas da amiga", "Poemas da negra", "Girassol da madrugada"... O arranco inicial, porém, guarda o encanto da descoberta e da invenção; suas dissonâncias soam como anúncios de um novo tempo, signos de luta criativa.

Para concluir, gostaria de comentar brevemente ainda dois poemas, duas das quatro paisagens que ele incluiu no livro. Veremos como a representação do sujeito oscila, no primeiro caso, entre a expansão lírica e a interferência prosaica, mas em compensação, no segundo caso, consegue grande unidade expressiva.

"Paisagem nº 1

Minha Londres das neblinas finas!
Pleno verão. Os dez mil milhões de rosas paulistanas.
Há neve de perfumes no ar.
Faz frio, muito frio...
E a ironia das pernas das costureirinhas
parecidas com bailarinas...
O vento é como uma navalha
nas mãos dum espanhol. Arlequinal!...
Há duas horas queimou Sol.
Daqui a duas horas queima Sol.

Passa um São Bobo, cantando, sob os plátanos,
um tralalá... A guarda cívica! Prisão!
Necessidade a prisão
para que haja civilização?
Meu coração sente-se muito triste...
Enquanto o cinzento das ruas arrepiadas
dialoga um lamento com o vento...

Meu coração sente-se muito alegre!
Este friozinho arrebitado
dá uma vontade de sorrir!

> E sigo. E vou sentindo,
> à inquieta alacridade da invernia,
> como um gosto de lágrimas na boca..."

A primeira estrofe desencadeia uma série de imagens que servem para compor a pretendida paisagem. Na aparência, o sujeito está ausente e só vemos surgir um quadro onde sol e neblina se confundem. Na verdade, ele se esconde por trás de cada notação, de cada imagem, vestindo a roupa arlequinal da cidade. É um processo sensível, concreto, quase epidérmico de descrever: as neblinas opacas, os perfumes que se transformam em neve, o frio, o vento como uma navalha cortante — tudo é sentido pela pele, como se a cidade revestisse o homem.

Também a linguagem é, em conseqüência, sensível e opaca. Posso parafrasear a estrofe e reduzi-la a um enunciado como, por exemplo, "no verão da Paulicéia a neblina e o vento se alternam com o sol". Mas a paráfrase assim realizada nos dá apenas o núcleo lógico e perde o que é fundamental: a flama, a subjetividade que transfigura metaforicamente a linguagem, "que soa na linguagem até que a linguagem mesma se faça perceptível".[16]

Neste momento do poema o lirismo encontra-se plenamente realizado, sem prejuízo para a objetividade. Mas, na passagem para as estrofes seguintes, a tensão vai diminuindo, a linguagem afrouxa e perde a qualidade compacta dos primeiros versos. A partir da segunda estrofe o movimento lírico vai sendo refreado aos poucos, e as sensações livremente registradas cedem lugar a um pensamento mais nítido e mais lógico. A linguagem se torna mais explícita, e o teor metafórico diminui na mesma proporção.

---

[16] T. W. Adorno, "Discurso sobre lírica y sociedad", in *Notas de literatura*, Barcelona, Ariel, s.d., pp. 60-61 [há edição brasileira: ver nota à p. 101 deste volume].

Este ponto do poema é importante pela sua intenção de combate estético. O São Bobo que passa em liberdade sob os plátanos, cantarolando o tralalá irracional, é talvez uma boa e irônica alegoria da "loucura" modernista. A guarda-cívica e a prisão parnasianas são parodiadas pelo poeta nos versos "Necessidade a prisão/ para que haja civilização?", uma redondilha e um decassílabo rimados em -ão, o "admirabilíssimo ão". Admitida tal leitura, haveria na passagem uma correspondência entre linguagem e intenção paródica e o tom irônico predominaria nela. O problema é que o lirismo do poema é rompido pela súbita irrupção da paródia, a coerência interna da composição é abalada e as dissonâncias — antes integradas — produzem agora desagradável efeito de irregularidade formal.

E ainda mais: a prisão parnasiana, mesmo combatida, vai acabar por impor algo das suas limitações ao poeta. A estrofe final ("E sigo. E vou sentindo,/ à inquieta alacridade da invernia/ como um gosto de lágrimas na boca..."), constitui um verdadeiro fecho-de-ouro bem ao gosto parnasiano, seja pela forma decassilábica dos dois últimos versos, seja pela facilidade sentimental da imagem, seja pelo fato de buscar resumir lapidarmente as tensões todas que atravessam o poema.

É importante observar que as rupturas de tom não se devem, nos casos examinados, a um subjetivismo excessivo do poeta. Pelo contrário, é a definição discursiva, a necessidade de explicitação do sentido que interfere na maior parte das vezes e destrói a qualidade lírica. No poema que estamos comentando, a ruptura parece dar-se em decorrência de uma espécie de conflito de linguagens: a grafia do lirismo, responsável na primeira estrofe pelo acúmulo de sensações simultâneas, permite entretanto que aflorem também velhos hábitos de versejar, anteriores ao estouro da *Paulicéia*. "Uso de cachimbo" — anotou Mário no "Prefácio interessantíssimo". Mas a intromissão do Parnasianismo neste poema bem pode ser considerada, ainda, como um outro sinal do momento histórico.

De outras vezes, entretanto, o dado bem lançado favorece o poeta. É o caso do seguinte poema:

"Paisagem nº 3

Chove?
Sorri uma garoa cor de cinza,
muito triste, como um tristemente longo...
A casa Kosmos não tem impermeáveis em liquidação...
Mas neste largo do Arouche
posso abrir o meu guarda-chuva paradoxal,
este lírico plátano de rendas mar..

Ali em frente... — Mário, põe a máscara!
— Tens razão, minha Loucura, tens razão.
O rei de Tule jogou a taça ao mar...

Os homens passam encharcados...
Os reflexos dos vultos curtos
mancham o *petit-pavé*...
As rolas da Normal
esvoaçam entre os dedos da garoa...
(E se pusesse um verso de Crisfal
no De Profundis?...)
De repente
um raio de Sol arisco
risca o chuvisco ao meio."

O procedimento básico é o mesmo que vimos desde o poema "Inspiração" e que consiste em desenvolver o jogo de oposições entre luz e bruma, chuva e sol. Aqui, porém, os harpejos harmônicos quase desaparecem, e os versos se tornam melódi-

A representação do sujeito lírico na *Paulicéia desvairada*

cos — a tensão diminui, sutiliza-se em contrastes apenas esboçados: a garoa sorri triste, o plátano substitui os impermeáveis, a loucura tem razão, as sombras pesadas dos homens opõem-se aos corpos leves das moças. A imagem final suaviza também as oposições: o raio de sol é arisco e a garoa é chuvisco. Mas este jogo de amortecimentos não leva a qualquer penumbrismo simbolista tardio. Pelo contrário, apesar de marcada pela subjetividade, a linguagem do poema mantém grande concretude, apreende a paisagem através de referências diretas (a casa Kosmos, o largo do Arouche, a Normal) e aproxima-se ao máximo do registro coloquial, que na fase seguinte do *Losango cáqui* será a mais importante conquista da poesia de Mário. Mas já aqui o *tableau* paulistano[17] está completo e perfeito; assimilado de maneira total pela subjetividade lírica, o tema do movimento cosmopolita encontra representação na leveza de versos que exprimem o livre movimento dos sentimentos e mediações do poeta.

---

[17] A alusão a Baudelaire me foi sugerida por *Tableaux berlinois*, tese de livre-docência de Willi Bolle, a quem agradeço também pela cópia de seu texto "A cidade sem nenhum caráter: leitura de *Paulicéia desvairada* de Mário de Andrade", análise benjaminiana dos poemas desse livro.

Rubem Fonseca, do lirismo à violência

I

O primeiro livro de contos de Rubem Fonseca, *Os prisioneiros*,[1] foi publicado em 1963. O autor tinha, então, 38 anos. Estréia tardia, que não é regra em nossa literatura (embora Guimarães Rosa e Graciliano Ramos tenham estreado nessa faixa de idade), e deixa no ar uma pergunta curiosa: por que tanta demora? No caso dos dois grandes escritores citados, ao lado de sabe-se lá que injunções biográficas, sem dúvida a autocrítica mais exigente, o rigor mais meticuloso e o apuro técnico mais afinado foram fatores de retardamento da obra, amadurecida devagar.

Já é uma pista para o caso Fonseca. Embora se possa alegar a irregularidade de alguns de seus livros, coisa que se vem fazendo principalmente a propósito dos últimos romances, o fato é que autocrítica, rigor e apuro técnico não lhe faltam. Ao contrário, mesmo naqueles livros depreciados por alguns como exercícios de *bestsellers*, nota-se uma rara e bem sucedida preocupação com a escrita. Neste sentido, é certo que não se pode equipará-lo a Graciliano ou Guimarães Rosa: são atitudes e realidades diferentes, que pedem outros tipos de expressão literária.

---

[1] Rio de Janeiro, GRD, 1963.

Certa angústia, aliás, deve ter permeado o inevitável confronto com a tradição. Observe-se, por exemplo, este trecho de "Intestino grosso" (de *Feliz ano novo*, livro de 1975[2]):

> "'Quando foi que você foi publicado pela primeira vez? Demorou muito?'
> 'Demorou. Eles queriam que eu escrevesse igual ao Machado de Assis, e eu não queria, ou não sabia.'
> 'Quem eram eles?'
> 'Os caras que editavam os livros, os suplementos literários, os jornais de letras. Eles queriam os negrinhos do pastoreiro, os guaranis, os sertões da vida. Eu morava num edifício de apartamentos no centro da cidade e da janela do meu quarto via anúncios coloridos em gás néon e ouvia barulho de motores de automóveis.'"

Este texto interessantíssimo tem passagens assim, de sarcasmo e desprezo, denotando uma impaciência cheia de fúria. Trata-se de entrevista fictícia, realizada com um Autor famoso, que faz livremente, provocativamente, afirmações extremadas e paradoxais sobre seu ofício de escritor e sobre seu modo de ver a literatura e o mundo contemporâneo, em particular o Brasil. É claro que não se trata de Rubem Fonseca — o Autor é uma *persona*, sem vínculo direto com a realidade ou o autor empírico —, mas todo o texto tem a conformação de uma poética polêmica e radical. Neste caso, as referências a Machado de Assis, Simões Lopes Neto, José de Alencar e Euclides da Cunha (modelos de nosso panteão literário) ganham o sentido de um embate com a tradição. Outras referências irônicas, acerca de autores não brasileiros, são feitas também logo a seguir: Stendhal, Proust, Freud, Melanie

---

[2] Rio de Janeiro, Artenova, 1975.

Klein, T. S. Eliot e tantos mais — o Autor tem uma biblioteca de cerca de cinco mil volumes, e já leu quase todos, à velocidade de "no mínimo um livro por dia". Apesar disso, diz ele: "Odeio o Joyce. Odeio todos os meus antecessores e contemporâneos".

Digo que deve ter havido um confronto com a tradição por causa de frases como essa, de assumida ambivalência. Talvez a demora da primeira publicação se deva à necessidade de se equiparar a um modelo ideal? Ou, quem sabe, à forte censura exercida por uma espécie de superego literário, exigente da perfeição dos cumes? Gustávio Flávio, personagem e suposto autor de *Bufo & Spallanzani* (1985)[3], inicia seu romance contando o pesadelo recorrente em que Tolstói lhe aparece "e faz o movimento de molhar uma pena num tinteiro" enquanto lhe diz em russo: "para escrever *Guerra e paz* fiz este gesto duzentas mil vezes". E completa: "Anda, [...] agora é a tua vez".

Difícil saber o quanto o jovem Fonseca terá tentado seguir o conselho de Flaubert, de abandonar a carne e de "*foutre ton encrier*". O fato, entretanto, é que para representar o centro da cidade, cheio de anúncios coloridos em néon e barulho de automóveis, foi-lhe necessário não apenas mergulhar na experiência da vida urbana, mas também atravessar a pilha dos "cinco mil" volumes. Desde os primeiros livros, seus contos estão cheios de referências explícitas ou de alusões à literatura, à música, à pintura, à filosofia etc. Em certo sentido, são textos fortemente intelectuais — e este não é um dos seus menores paradoxos porque, por outro lado, ele dá a impressão de estar quase sempre fazendo pouco caso do mundo da cultura. Esta tensão, entre o recolhimento e a orgia, a disciplina e o desregramento, habita seus escritos, povoados por policiais sensíveis que lêem poesia,

---

[3] Rio de Janeiro, Francisco Alves, 1985.

halterofilistas hábeis tanto nos pesos quanto na leveza dos sentimentos, advogados cínicos e endurecidos, capazes entretanto de grande compaixão.

O universo complexo deste criador de linguagens, personagens e ambientes já surge no seu primeiro livro. *Os prisioneiros* tem alguns contos muito bons, três ou quatro dos quais à altura daqueles que aparecerão nos livros seguintes. "O inimigo", que fecha a coletânea, é um deles: seu conteúdo é a narrativa da busca de um mundo mágico, identificado à adolescência do narrador e agora completamente perdido. A abertura do conto mostra o personagem já deitado, às voltas com dúvidas que o assaltam: terá fechado todas as portas e janelas? Por duas vezes ladrões haviam entrado em sua casa e roubado parte substancial de seus bens. Para ter certeza de ter fechado tudo, o narrador usará processos mnemônicos, tais como: dar uma pequena cusparada por entre as venezianas, na janela da varanda; repetir duas vezes *alea jacta est* enquanto passa o trinco da porta da frente; tocar a planta do pé na maçaneta fria da porta dos fundos.

O título "O inimigo" e os rituais obsessivos preparam o leitor para um enredo persecutório — que, todavia, não vem. Em vez disso, o narrador passa a falar de seus companheiros de adolescência, tipos fora do comum: Roberto, dado a leituras de parapsicologia e que em certa ocasião conseguira levitar; um mico que falava com o dono, Vespasiano, dândi extravagante e portentoso, pai do mágico Justin (de quem o narrador fora assistente em espetáculos de circo) e de Ulpiniano-o-Meigo, cujo lema era "tratar todos com ternura e compreensão", mas que zombara dos padres do colégio, fora expulso, morrera e ressuscitara depois de sete (sic) dias, "tal e qual Jesus Cristo"; Mangonga, mitômano que acredita nas estórias que inventa; Félix, que usa prendedores de roupa na tentativa de afilar o nariz; e Najuba, que amarra um peso ao pênis, na esperança de fazê-lo crescer.

Depois de apresentada esta companhia fantástica, começa a segunda parte do conto. "Eu ainda estou na cama e isto tudo foi a memória funcionando", diz o narrador. E prossegue: "Ou será que não foi? Eu sou hoje um homem tão cheio de dúvidas".

As dúvidas são a causa dos rituais obsessivos, sempre cumpridos quando o narrador fecha sua casa. Mas as dúvidas nascem de uma dúvida: suas lembranças da adolescência serão verdadeiras? O narrador outra vez nos coloca diante de uma situação desconcertante. Não lhe importa, diz ele, se as pessoas ou os fatos existem ou existiram; importa-lhe saber "se eles são ou não verdadeiros", importa-lhe saber "a Verdade". A diferença entre as duas coisas não é explicada, de modo que ainda neste ponto o leitor permanece indeciso quanto à significação que deve atribuir à narrativa. Trata-se de uma estória fantástica ou de um "conto tonto, dito por um idiota"? O universo narrado é o mundo mágico da adolescência ou o pesadelo sombrio de um louco? O que é "a Verdade"?

No fundo, esta é a dúvida do narrador. Sua busca de "Ulpiniano-o-Meigo, Mangonga, Najuba, Félix, Roberto e Eu mesmo" não é apenas a tentativa de reencontrar o tempo perdido da adolescência, com suas possibilidades múltiplas e mágicas, mas também de achar a Verdade que confira sentido à sua vida enclausurada. É a procura de Eu mesmo, em seus desdobramentos possíveis e na potencialidade de sua riqueza.

A busca fracassa: Roberto transformou-se em homem de negócios, sempre ocupado; Félix deu o golpe do baú e entrincheirou-se na posição respeitável de chefe de família; Mangonga desapareceu no meio de uma suruba, para a qual convidara o narrador; Ulpiniano-o-Meigo morreu um mês antes de sua casa ser localizada; Najuba entrou para um convento, transformou-se em Frei Euzébio. Nenhum deles pode — ou quer — recuperar o passado e sua magia. O narrador, frustrado, recolhe-se à sua casa.

As pessoas (e talvez os fatos) existiram e existem, mas a verdade que lhe daria alento é inalcançável. Vazio, sem projetos, ele deixa-se ficar, de portas e janelas fechadas, ouvindo os sons da noite.

Os sons que vêm da rua não o incomodam mais: que entrem os ladrões, roubem tudo, matem-no. Mas: "Os sons realmente graves vêm de dentro da casa. A maioria não é identificável. Fantasmas? [...] Tudo fechado. Mas ouço um barulho diferente. Talvez pés levíssimos levando um corpo franzino, e um outro coração batendo, e outro pulmão respirando. Não pensarei mais no passado. Sei."

Esse é o enigmático final do conto. O inimigo será esse fantasma de pés levíssimos? "Eu mesmo", que não reencontrou Ulpiniano-o-Meigo e o resto do bando — achou apenas pessoas prosaicas sem qualquer aura —, permanece sitiado por rituais que não evitam a ronda noturna dos fantasmas. De um fantasma — outro coração batendo, outro pulmão respirando, *outro* que ele sabe perdido para sempre no passado. Tomado pela melancolia e pela acídia, deixa-se ficar inerte.

II

A meu ver, "O inimigo" é o melhor conto de *Os prisioneiros*, e embora revele pouco dos caminhos futuros de Rubem Fonseca, contém alguns elementos que persistem até hoje em sua obra. O que desaparecerá é justamente o tom oscilante do fantástico, certo perfil cortázariano, que ajuda a impregnar a narrativa de intenso lirismo. O escritor preferirá, depois, explorar de modo radical as possibilidades de um realismo direto, sem concessões ao maravilhoso.

Certos traços aqui presentes, entretanto, reaparecerão de muitos modos na obra posterior: o humor de algumas passagens, o relevo dado ao sexo, a própria busca detetivesca do narrador. Mesmo o lirismo, que vai se tornar cada vez mais raro a partir de *Feliz ano novo* (1975), mantém até o terceiro livro uma presença e uma função importantes.

É o que nos interessa agora. A dimensão lírica, entendida como a exploração e a representação dos conteúdos de uma subjetividade em forte tensão com a realidade objetiva, parece ser decisiva na estrutura de "O inimigo". Nesse conto, o próprio conflito central define-se como o confronto entre a riqueza poética da interioridade e a degradação prosaica do real. O recuo para a solidão no final do texto, a melancolia que domina o personagem, expõem a derrota mas ao mesmo tempo o orgulho do sujeito que resiste nos restos da sua inteireza.

Tal combate "lírico"— digamos assim — está presente também nos outros três contos mais interessantes do livro. Em "Teoria do consumo conspícuo", é ainda um rito que impulsiona o personagem: ele teme não cumprir a tradição de ir para a cama com uma mulher diferente, como fazia em todo Carnaval. "Já era terça-feira", diz ele, "mais um pouco o carnaval acabava e eu não teria mantido a tradição. Era uma espécie de superstição como a desses sujeitos que todo ano vão à Igreja dos Barbadinhos. Eu temia que algo malévolo ocorresse comigo se eu deixasse de cumprir aquele ritual."

Dança a noite toda com uma moça mascarada, da qual só vê o queixo e a boca. De manhã — mas já é quarta-feira de cinzas e o Carnaval acabou —, consegue levá-la para casa, ela sempre recusando-se a tirar a máscara. Que tira por fim, desafiadora, dizendo não suportar o próprio nariz.

O desfecho surpreende. O nariz é muito bonito, como observa o personagem narrador, mas a moça não acha e pede-lhe "dois mil contos" para fazer uma cirurgia plástica. É todo o dinheiro que ele tem, mas mesmo assim faz um cheque e entrega a ela. Trocam ainda algumas palavras, entre bocejos, e a moça vai embora, deixando a máscara em cima de uma cadeira. O narrador conclui: "Era preta, de cetim, com um perfume forte e bom. Botei a máscara e fui para a cama. Estava quase dormindo quando me lembrei de tirá-la: um sujeito que sempre dorme de janelas abertas, não pode dormir com uma máscara que lhe cobre o nariz".

A anedota é simples e anticlimática; o estilo do conto, direto, limita-se a registrar o acontecido, quase sem comentários. A significação, porém, extravasa as linhas do enquadramento: irônico desde o título, "Teoria do consumo conspícuo", propõe de novo o tema da frustração do desejo e do desinteresse daí resultante. Dar para a moça os "dois mil contos" pode significar num primeiro momento apenas o gesto perdulário e esnobe de quem quer manter a aparência distinta. Pode significar também, numa outra leitura, o pagamento pela falha do ritual, tributo inconsciente à superstição, para que nada de malévolo ocorra. Mas a esquiva delicadeza do final sugere uma terceira interpretação, talvez mais exata: o absurdo desprendimento do narrador se liga, ao contrário das duas possibilidades anteriores, a uma sensação de onipotência que é paralela à "preguiça" e à melancolia finais do personagem de "O inimigo".

"Mundo mundo vasto mundo,/ mais vasto é meu coração" — poderia ele dizer como o poeta. Ou então: "Um sujeito que sempre dorme de janelas abertas, não pode dormir com uma máscara que lhe cobre o nariz". Simbolicamente, as coisas se equivalem. Apesar da linguagem prosaica, que se detém aparentemente na superfície dos acontecimentos, em "Teoria do consumo conspícuo" o sujeito se expande, num alargamento da subjetividade que nada tem a ver com qualquer derrame confessional. Trata-se, antes, de um mecanismo de contenção estilística, que reprime com habilidade os índices mais óbvios de força interior, mas acaba por expô-la — num golpe de surpresa — em sua derrota no contato com o mundo.

A narrativa da derrota resguarda algo precioso: certa integridade final dos personagens, obtida graças à manutenção de uma fidelidade interna. Nasce daí a poesia desses contos, bem como de "Gazela" e "Fevereiro ou março". Esse último introduz no universo de Rubem Fonseca o halterofilista que protagonizará também "A força humana" e "Desempenho" — respectivamente, dos livros *A coleira do cão* (1965)[4] e *Lúcia McCartney* (1969)[5] —, além de fazer curto papel de coadjuvante do personagem Mandrake, na sua primeira aparição no conto "O caso de F. A.", também de *Lúcia McCartney*.

"A força humana" teve êxito enorme, sendo considerado pela crítica como um dos melhores contos de Rubem Fonseca. A demonstração de força estilística dada pelo autor contribuiu para este êxito: narrado em primeira pessoa, a unidade do conto repousa sobre o discurso do protagonista, cuja mente limitada não impede porém o acesso a camadas profundas da crise vivida e relatada por ele de modo singelo e direto. Pode-se dizer até que um dos principais efeitos é obtido graças ao contraste entre a limitação da mente do personagem (e como decorrência a necessária limitação da linguagem) e a amplitude de significado que se depreende da situação narrada.

Trata-se da estória de um halterofilista, que está sendo preparado pelo dono de uma academia de ginástica para o concurso do melhor físico do ano. Ele, todavia, não consegue aplicar-se aos exercícios. Prefere fugir deles e ficar ouvindo música, parado na porta de uma loja de discos. Numa dessas ocasiões, im-

---

[4] Rio de Janeiro, GRD, 1965.
[5] Rio de Janeiro, Olivé, 1969.

pressiona-se com a harmonia física de um crioulo que dança na rua ao som da música, trava conhecimento com ele e leva-o para apresentá-lo ao João, dono da academia. Waterloo, o crioulo, tem físico perfeito, e João logo resolve prepará-lo também para o campeonato. O halterofilista, que poderia estar arranjando um amigo, acaba arranjando um adversário: tornado o preferido de João, Waterloo trata o protagonista de maneira desafiadora, e, para resolver a rivalidade, os dois disputam uma queda de braços. Vencedor, o halterofilista abandona a academia e sai para enfrentar outro problema: terminar a relação com a namorada Leninha, uma prostituta que o ama e sustenta. No fim, sozinho, posta-se de novo em frente à loja de discos, pronto a ouvir a música, mas interiormente despedaçado.

Este estado de espírito algo perplexo, delineado nos três primeiros parágrafos do conto, já nos dá uma pista importante para entender o narrador: embora compreendendo o que deve fazer, ele não pode e não compreende porque não pode fazê-lo. Está fascinado pela magia da música, assim como ficará "embasbacado" pela dança harmoniosa do crioulo e, logo em seguida, junto com João e o Corcundinha, pela musculatura perfeita que ele exibe. Vale a pena citar o trecho em que Waterloo é testado no exercício de barra: "E o crioulo começou a levantar as pernas, devagar, e com facilidade, e a musculatura do seu corpo parecia uma orquestra afinada, e os músculos funcionando em conjunto, uma coisa bonita e poderosa. João devia estar impressionado, pois ele mesmo começou sem saber a contrair os próprios músculos e então notei que eu, e o próprio Corcundinha, fazíamos o mesmo, como a cantar em coro uma música irresistível [...]".

A música, a dança, a perfeição física representam para o narrador instantes de plenitude e beleza — a "música irresistível" é a mesma experiência que o paralisa em frente à loja de discos, incapaz de "seguir em frente" nos exercícios da rotina prosaica.

Este halterofilista singular tem a sensibilidade à flor da pele e não entende para que João deseja que ele e Waterloo fiquem "famosos". Ou melhor: entende, mas sente que ganhar dinheiro, poder comer o que quiser, andar com muitas mulheres, ter a respeitabilidade de pessoa "famosa" — tudo isso é apenas algo exterior a ele mesmo, e não conta como valor autêntico em seu universo: "O que os outros pensam da gente não interessa, só interessa o que a gente pensa da gente; por exemplo, se eu pensar que eu sou um merda, eu sou mesmo, mas se alguém pensar isso de mim, o que que tem? Eu não preciso de ninguém, deixa o cara pensar, na hora de pegar para capar é que eu quero ver".

O que interessa é aquilo que a pessoa pensa de si mesma, este é o valor irredutível, de autenticidade, para o halterofilista de "A força humana". Por assim dizer, o seu sentimento do mundo equivale ao seu sentimento de si. Mas isto, que poderia ser uma simplificação ridícula, ganha corpo e dignidade com o desenvolvimento da narrativa: o narrador busca na sua interioridade a substância que o mantenha vivo. O tema da força, neste conto sobre levantadores de peso, ganha impalpável cor metafórica. A primeira referência a ele é como força física, e encontra-se em um contexto de degradação. Ao conversar pela primeira vez com Waterloo, o narrador observa que ele parece "um gorila perfeito", e pensa: "Me lembrei do Humberto, de quem diziam que tinha a força de dois gorilas e quase a mesma inteligência. Qual seria a força do crioulo?".

A seguir, trata-se de força de vontade. João afirma que para subir na vida teve que "fazer força", lamenta que o aluno escolhido para disputar o campeonato não tenha a "força de vontade" do Corcundinha, e termina sua bronca com este aforismo lapidar: "Não há limite para a força humana!".

Na terceira aparição do tema, a palavra ganha sentido ainda mais abstrato. O halterofilista observa que falta a Waterloo "um pouco de força e de massa". O crioulo quer saber o que significa isso, e o narrador define massa de modo muito concreto: "Aumentar um pouco o braço, a perna, o ombro, o peito". Mas a outra definição é mais difícil: "Força é força, um negócio que tem dentro da gente".

É a projeção desse "negócio que tem dentro da gente" que fascina o personagem na música, na dança, na musculatura de Waterloo, nos instantes de amor com Leninha. De dentro de si, ele tira a força que o leva a derrotar Waterloo na queda de braço; também de dentro de si procura tirar a força necessária para permanecer vivo e íntegro. Como o narrador de "O inimigo" (mas com outra cabeça, está claro) ele também procura "Eu mesmo" — que em outro conto pode chamar-se Godfrey e ser uma paródia de Godot —, e só encontra a solidão no meio de fantasmas.

Eis o final do conto: depois de vencer a disputa com Waterloo, o narrador decide terminar seu caso com Leninha. "Me vesti sem tomar banho", diz ele, "fui embora sem dizer palavra, seguindo o que o meu corpo mandava, sem adeus: ninguém precisava de mim, eu não precisava de ninguém. É isso, é isso." A cena de ruptura, construída para funcionar como clímax do conto, é bela e dramática: o narrador rememora os momentos de amor entre os dois, os corpos nus, o crescimento do desejo, o "momento de força" do coito, o "bater forte" dos corações. Mas daquela última vez nada disso ocorre. Ficam imóveis, cobrem-se envergonhados, Leninha percebe que tudo acabou. O narrador anota ainda: "Vi então que as mulheres têm dentro delas uma coisa que as faz entender o que não é dito".

Leninha tem também a sua força, mas isto de nada adianta: o narrador não precisa de ninguém e ninguém precisa dele. Vaga pelas ruas vazias, e ao raiar do dia está defronte à loja de discos, junto com as outras pessoas que para ali vão ouvir música, todos "mais quietos do que numa igreja — exato, como numa igreja, eu pensei, e me deu uma vontade de rezar, e de ter amigos, e pai vivo e um automóvel. E fui rezando lá por dentro e imaginando coisas, se tivesse pai ia beijar ele no rosto, e na mão tomando bênção, e seria seu amigo e seríamos ambos pessoas diferentes".

III

O tipo de herói que vimos até aqui — e é o predominante nos livros iniciais de Rubem Fonseca — poderia ser aproximado ao tipo que Lukács, na sua *Teoria do romance*,[6] descreve como tendo a alma mais vasta que o mundo, isto é, como o herói cuja problemática consiste em que os conteúdos de sua interioridade são percebidos por ele como mais ricos, mais perfeitos e mais acabados do que a realidade degradada com que tem de se defrontar. Em "A força humana", este choque da rica subjetividade com a mesquinha realidade social — o campeonato, a fama, a trivialização do amor — compõe o *pathos* do enredo. A solução é contemplar os raros momentos em que a energia do Absoluto se mostra em esplendor, na música irresistível, na perfeição física, no pico amoroso — ou, então, buscar essa mesma energia "dentro da gente", mesmo às custas de um desmoronamento de todas as relações sociais.

A este tipo de romance (agora estamos falando de narrativas curtas, mas o modelo permanece válido), Lukács deu o nome de "romantismo da desilusão". Sua poesia deriva justamente da força subjetiva que impregna o universo narrado; o lirismo é aqui

---

[6] Georg Lukács, *Teoria do romance*, tradução de Alfredo Margarido, Lisboa, Editorial Presença, s.d. [há edição brasileira, ver nota à p. 26 deste volume].

uma presença invasiva, na medida em que a interioridade das personagens tende a ocupar o âmbito das ações e mesmo a substituí-las: a possibilidade de evitar o conflito com o mundo não está antecipadamente excluída, diz Lukács, e há uma tendência à passividade do herói, à fuga dos conflitos e lutas exteriores, e a resolver tudo "dentro da alma e pelas suas próprias forças".

Ora, esta descrição se aplica sem dúvida aos contos que analisamos, mas será válida para outras obras de Rubem Fonseca? A dúvida é imediata, quando nos lembramos da frenética atividade que domina vários textos, principalmente sob as formas da violência e do erotismo, talvez as marcas mais características da literatura de Fonseca. E ainda seríamos tentados a recusar completamente qualquer relação com o "romantismo da desilusão", se nos prendêssemos ao exame do estilo e do modo de narrar presente em tantos contos e romances. O modo de narrar é quase sempre externo, isto é, à maneira de Hemingway, o narrador limita-se a reportar com objetividade os acontecimentos, pensamentos e percepções dos personagens, evitando na maior parte das vezes a notação subjetiva.

De fato, há uma modificação nos rumos de Rubem Fonseca, já a partir de *Lúcia McCartney* (1969). Neste livro, o conto de abertura tem como personagem principal o mesmo halterofilista de "A força humana". O texto, porém, não deixa lugar para o lirismo: "Desempenho" narra, lance a lance, uma luta livre dura e impiedosa. Os golpes do vale-tudo se sucedem em ritmo veloz, tapas, bofetões, socos, pontapés, cabeçadas, joelhadas, cutiladas, enquanto o esporro das pessoas nas arquibancadas cresce em gritos de violência e vaias. O narrador apanha, perde um dente, sua boca se enche de sangue, seu ódio cresce, volta-se contra a platéia de "filhos das putas, cornos, viados, marafonas, cagões, covardes, chupadores" — a violência da linguagem imita a violência da luta e dos torcedores. A exterioridade da narração raramente cede passo a poucas tentativas de fixar a desilusão e a nostalgia do protagonista, em relação ao mundo perdido de beleza e amor com a antiga namorada Leninha.

Esse tipo de escrita da violência vai ocupar, a partir daí, um lugar de proeminência na obra de Rubem Fonseca. Mas a atitude anterior não desaparece. No conto que dá título ao livro, "Lúcia McCartney", a figura da desilusão romântica volta a ser central: uma jovem prostituta, cujo nome de guerra é homenagem significativa à música dos Beatles, apaixona-se por José Roberto, possivelmente rico homem de negócios, dezoito anos mais velho que ela, pessoa de personalidade misteriosa, que aparece ou desaparece sem aviso, escreve-lhe cartas literárias, cheias de frases de efeito, e um dia some para sempre. O tom da estória volta a recuperar, agora nos limites da paixão adolescente, o mundo de encanto e magia do desejo. Isto se dá com os dois personagens, Lúcia McCartney apaixonada pelo homem maduro, gentil, experiente, enigmático — símbolo do universo da realização pessoal —, e José Roberto maravilhado pela juventude e beleza da moça. As conversas, atitudes e principalmente as cartas de José Roberto, porém, revelam um desencanto básico com a vida; falam de solidão, de amor, de literatura, de coisas banais, em registro alusivo e poético que conquista a moça, mas deixa entrever uma postura distanciada, entre *blasé* e infeliz, de quem já viveu o seu quinhão e passa sem crença por mais uma experiência amorosa.

"Lúcia McCartney" é um conto de fadas com sinais trocados — e, apesar do toque experimental dos diálogos, da linguagem sempre sutil, dos cortes narrativos inesperados, dá a impressão de sentimentalismo que pode derramar-se a qualquer momento. Este perigo ameaça com freqüência os contos escritos nos parâmetros do "romantismo da desilusão". Mas Rubem Fonseca é capaz de evitá-lo e, na maioria das vezes, o efeito final, de emoção contida, é muito eficaz.

Já em contos como "Desempenho", a eficácia nasce da rapidez e da precisão externa da linguagem. Uma intensa economia de meios serve à reprodução de falas e ações muito rápidas, quase sem introspecção. A interioridade dos personagens está voltada para fora, transforma-se de imediato em gesto. Vários desses contos estão escritos em primeira pessoa, paradoxo interessante e significativo: falando de si mesmos, os personagens como que evitam aprofundar-se na própria subjetividade.

Esse traço é notável sobretudo nos contos-títulos de *Feliz ano novo* (1975) e *O cobrador* (1979),[7] pontos altos da literatura de Rubem Fonseca e obras-primas do conto brasileiro de todos os tempos. Nos dois casos, os narradores protagonistas são marginais incultos, homens miseráveis que acertam suas contas com a sociedade por meio da violência, assassinando pessoas. Não se pode dizer, nos termos lukacsianos, que o choque se dê entre o eu e o mundo, como confronto entre uma subjetividade rica de conteúdos e uma objetividade social vazia. A mola desencadeadora da violência, aquilo que move os personagens, parece estar aquém (ou talvez além) de qualquer busca de sentido: para esses párias da sociedade brasileira o sentido acabou, e o vazio de suas vidas só pode ser preenchido pelo ódio sangrento, que, aliás, de tão rotinizado, parece menos ódio do que frieza psicótica. Deuses negativos, eles matam homens como quem mata moscas — *"for their sport"*.

Nesses dois contos terríveis, como em muitos outros da mesma época, Rubem Fonseca afasta-se da humanidade lírica que criara nos livros anteriores. Não por acaso, *Feliz ano novo* foi proibido pela censura da ditadura militar. Os motivos dessa proibição ainda hoje não ficaram esclarecidos (o arbítrio tinha cami-

---

[7] Rio de Janeiro, Nova Fronteira, 1979.

nhos tortuosos e nunca dotados de coerência ideológica), mas de todo modo não faltavam em seus textos motivos suficientes para escandalizar os censores: assassinatos com requintes de crueldade e sadismo, estupros, canibalismo e miséria — muita miséria, a obscenidade dos miseráveis sem dentes, como diz o Autor na entrevista de "Intestino grosso".

Não se trata de literatura engajada, no sentido tradicional do termo. Ao contrário, os contos não fazem qualquer apelo político ou ideológico de esquerda, como é da tradição de boa parte da nossa literatura contemporânea, socialmente compromissada desde os anos 1930. Em Rubem Fonseca, o caminho é diferente: ele prefere expor, de maneira direta e crua, o afloramento da violência social nos grandes aglomerados urbanos. Em "Feliz ano novo", a quadrilha que assalta a festa de *réveillon* dos grã-finos é composta por três pessoas: o narrador, que mora num cortiço fétido e está com fome, esperando o dia amanhecer para apanhar cachaça, galinha e farofa de macumba; Pereba, que "não tem dentes, é vesgo, preto e pobre", e Zequinha, fugitivo de uma polícia que já matou vários de seus companheiros. Sem nada para fazer, e depois de fumar muita maconha, o bando sai de casa, invade a festa dos ricos, estupra e mata mulheres, rouba jóias, dinheiro e comida, e termina por fuzilar dois homens, apenas para testar a potência de uma carabina calibre doze.

Tudo isso é contado a frio, em linguagem quase de relatório, sem qualquer recurso retórico ao envolvimento emocional do leitor. O *pathos* brota diretamente da narração dos fatos, em cujo horror podemos reconhecer a rotina da vida cotidiana nas cidades grandes. O livro foi publicado quando a propaganda da ditadura militar ainda falava em "milagre brasileiro", desenvolvimento econômico acelerado, ingresso do país no clube das potências internacionais, necessidade de fazer crescer o "bolo" da riqueza para depois dividi-lo com os pobres etc. Nesse contexto, as estórias contadas por Rubem Fonseca funcionavam como verdadeiras zombarias das afirmações oficiais. A sombra de sua negatividade não apenas contestava a imagem da propaganda, mas descia a fundo na crítica à modernidade brasileira: "Estou escrevendo sobre pessoas empilhadas na cidade enquanto os tecnocratas afiam o arame farpado", afirma o Autor de "Intestino grosso". De fato, a violência gerada pelo processo de modernização, "suas sementes mortíferas", é o grande assunto desses contos.

E tal violência não se confina às camadas baixas da sociedade. Nos contos "Passeio noturno — Parte I" e "Passeio noturno — Parte II", também de *Feliz ano novo*, o personagem narrador é um homem de negócios, que chega em casa à noite carregando uma pasta cheia de documentos, janta com a família e depois sai com o seu potente carro esporte — um Jaguar preto — caçando mulheres para atropelá-las. A Parte I é muito curta: tem duas páginas, e o brutal atropelamento ocupa metade de um parágrafo, cerca de 25 linhas. O Jaguar se oculta nas sombras de uma rua mal iluminada, a mulher surge, ele arranca, atinge-a "bem no meio das duas pernas", e vai-se. O comentário do narrador: "Motor bom, o meu, ia de zero a cem quilômetros em onze segundos".

A paródia demoníaca da relação sexual é clara. Mas estes contos lembram algumas pinturas de Henri Rousseau, dito Le Douanier, em que um animal é atacado no meio da selva por um jaguar. Numa delas, o jaguar é também preto; noutra, que está no Museu Nacional de Belas-Artes Pouchkine, de Leningrado, "*Cheval attaqué par un jaguar*", este é malhado e abraça o pescoço de um cavalo branco, que levanta as patas dianteiras no ar, a crina longa em volta da cabeça, esvoaçante como a cabeleira de uma mulher, os olhos espantados pela brutalidade do ataque. A violência da cena é suavizada pela vegetação densa em torno dos dois animais, e por grandes flores vermelhas que atraem o olhar no meio da folhagem verde. O conjunto, além do impacto da agressão sexual, transmite o forte lirismo habitual nos quadros do pintor.

Esse lirismo não se encontra nas duas partes do "Passeio noturno". Aquele delicado equilíbrio entre a ação e a subjetividade expandida, que vimos por exemplo em "A força humana", dá lugar agora à brutalidade do ato realizado sem hesitações, com crueldade fria e deliberada. Neste sentido, o conto mais exemplar será "O cobrador", estória de um maníaco que mata para cobrar aquilo que a sociedade lhe deve: "Colégio, namorada, aparelho de som, respeito, sanduíche de mortadela no botequim da rua Vieira Fazenda, sorvete, bola de futebol" — isto é, tudo aquilo que um adolescente desejaria, e ainda muito mais: "Digo, dentro da minha cabeça, e às vezes para fora, está todo mundo me devendo! Estão me devendo comida, buceta, cobertor, sapato, casa, automóvel, relógio, dentes, estão me devendo".

A enumeração não deixa dúvidas quanto à extensão da dívida que impele o Cobrador aos crimes sucessivos. Sua vingança é assassinar e mutilar os possuidores, o dentista que lhe arranca o dente podre, um homem de Mercedes, o muambeiro que lhe vende uma Magnum, um casal de jovens elegantes etc. Mata para sentir alívio da opressão dos ricos, e quando encontra uma jovem terrorista por quem se apaixona, decide mudar de escala e matar muito mais gente em atentados com explosivos. Ana Palindrômica ensinou-lhe que ele tinha uma missão: se todo fodido fizesse como ele, o mundo seria melhor e mais justo. Diz o Cobrador: "Matar um por um é coisa mística e disso eu me libertei. No Baile de Natal mataremos convencionalmente os que pudermos. Será o meu último gesto romântico e inconseqüente. Escolhemos para iniciar a nova fase os compristas nojentos de um supermercado da zona sul. Serão mortos por uma bomba de alto poder explosivo. [...] Já não perco meu tempo com sonhos".

IV

Há lugar para o lirismo nesse espaço social permeado pela morte? Sim, mas desde que disfarçado ou sob forma de paródia. O Cobrador se diz poeta — "o que é rigorosamente verdade", conforme suas próprias palavras —, mas os estranhos poemas que escreve assemelham-se mais a um arremedo doloroso da poesia. São (como mostrou Boris Schnaiderman) versões intencionalmente degradadas de textos de Maiakóvski. No entanto, a inversão paródica não afasta definitivamente a poesia, mas ainda a presentifica como o negativo de uma foto perdida. Algo de semelhante acontece, em "Feliz ano novo" e "O cobrador", com o modelo do "romantismo de desilusão": o herói de alma "mais vasta que o mundo" dá lugar a seres diminuídos, incapazes de compreender a complexidade social. Mas o modelo não desaparece. O Cobrador engana-se ao pensar que aumentando a escala dos crimes abandonaria para trás o "misticismo" e o "romantismo inconseqüente": o gesto de explodir os compristas do supermercado, para tornar o mundo melhor e mais justo, mostra ainda uma dilatação do misticismo e da desmesura romântica.

Poderíamos pensar que o herói de alma "mais vasta" tivesse sido substituído pelo herói de alma "mais estreita que o mundo", isto é, que o "romantismo da desilusão" tivesse sido trocado pelo modelo do "idealismo abstrato". Talvez em parte isso ocorra. Os personagens dessa fase têm algo de quixotesco, em sua determinação de vingar-se do mundo. Mas esse possível quixotesco está degradado pela ausência de um sentido positivo para as suas ações. Mesmo a utopia terrorista de Ana Palindrômica fornece antes uma justificativa irônica para o Cobrador ampliar o âmbito de seus crimes, do que de fato confere-lhes sentido. Como diria Lukács: "O máximo de sentido adquirido pela experiência vivida torna-se o máximo do não senso: a sublimidade torna-se loucura, monomania". A insensatez fica mais visível (já que aí não encontra qualquer racionalização ideológica) no puro demonismo de "Feliz ano novo" e de "Passeio noturno".

A transformação do herói romântico e sonhador dos primeiros contos no herói demoníaco e cruel dessa fase mostra que Rubem Fonseca esteve atento à violência crescente da sociedade brasileira. Foi o esforço de mimetizá-la, de colocá-la no centro de sua literatura, que o levou a saturar seus textos — mais ou menos a partir do romance *O caso Morel* (1973)[8] — com a brutalidade do sadismo, da corrupção, do assassinato. A mudança de tom, todavia, não implica uma radical mudança na visão de mundo do "romantismo da desilusão". Erraríamos, se pensássemos que a frenética atividade do Cobrador equivale ao impulso aventureiro de Dom Quixote, estribado em seus altos ideais de justiça. O Cobrador, como Paul Morel, é um artista. Ambos, cortados de qualquer transcendência, reconhecem apenas em si mesmos "a fonte de todo dever-ser". Lukács: "A vida torna-se poesia mas, por isso mesmo, o homem torna-se simultaneamente aquele que afeiçoa poeticamente a sua própria vida e aquele que a contempla como uma obra de arte. Esta dualidade só poderia ser transformada em forma conforme a maneira lírica. Logo que ela toma lugar no seio de uma totalidade coerente, a renúncia impõe-se de maneira evidente; o romântico torna-se céptico, desiludido, cruel em relação a si mesmo como em relação ao mundo: o romance do sentimento romântico da vida é o da poesia da desilusão".

Esta descrição serve bem, tanto para "O cobrador" como para *O caso Morel* e para os demais romances de Rubem Fonseca. Ao procurar o exemplo do policial americano, Hammett e

---

[8] Rio de Janeiro, Artenova, 1973.

Chandler, ele encontrou a forma adequada para uma das variantes contemporâneas do romance das ilusões perdidas, com seu *deceptive realism*, seus heróis sombrios e desencantados, ora taciturnos como o comissário Mattos, do romance *Agosto* (1990),[9] ora loquazes como o advogado Mandrake, dos contos "Dia dos namorados" (de *Feliz ano novo*) e "O caso de F. A." (de *O cobrador*), e também do romance *A grande arte* (1983).[10] Mandrake, aliás, define-se como "um romântico incurável" e "um homem que perdeu a inocência". Mas, por trás de seu aspecto cínico, está a mesma intransigente integridade que marca os policiais honestos de Hammett e Chandler, pontos de partida literários que o escritor Rubem Fonseca afeiçoou, à moda brasileira, na galeria inesquecível que vai de Vilela e Raul a Guedes e Mattos. Todos românticos incuráveis, envolvidos com o mal, fascinados pelo mal, entre santos e malucos, entre escritores e bandidos — para usar as palavras que o Autor de "Intestino grosso" aplica a si mesmo.

---

[9] São Paulo, Companhia das Letras, 1990.

[10] Rio de Janeiro, Francisco Alves, 1983.

Uma fotografia na parede

"Eu queria contar todas as histórias de Minas
Pros brasileiros do Brasil..."

Mário de Andrade

1. Desdobramentos do Modernismo em Belo Horizonte

Parece que há um desafio muito peculiar na literatura brasileira, e que vem (digamos assim, para respeitar um parâmetro cronológico geralmente aceito pela nossa historiografia literária) desde os anos 1940: como criar novos caminhos expressivos, diferentes daqueles inventados pelo movimento modernista, e mais adequados à realidade de outros tempos e de outros temas? As respostas que surgiram foram muito variadas e muito ricas; na poesia e na prosa, as sucessivas gerações de escritores vêm tentando superar as lições modernistas, seja pela sua negação (como a chamada "geração de 45"), seja pela radicalização de seu experimentalismo (como Guimarães Rosa, João Cabral, Clarice Lispector, certo Ferreira Gullar, a poesia concreta), seja pela busca de experiências estéticas marcadas por contatos com as mais diversas correntes ou autores internacionais (como Osman Lins, Dalton Trevisan, Rubem Fonseca, Moacyr Scliar e tanto outros).

Sem desfazer do valor de nenhuma dessas tentativas — algumas aliás de alcance extraordinário, casos indiscutíveis de Gui-

Uma fotografia na parede

marães Rosa ou João Cabral de Melo Neto, por exemplo — sucede que fica difícil deixar de reconhecer que a força renovadora tem sua fonte nos anos 1920 e 1930, e se prolonga ao longo do século, desgastando-se, é bem verdade, até chegar muito esgarçada nos complicados dias de hoje. É, talvez, que os artistas do Modernismo souberam reconhecer e representar como ninguém mais as contradições do Brasil moderno que se criava, apreendendo-as numa tensão formal raras vezes obtida depois deles.

Fique claro que não considero modernista apenas o instante de vanguardismo cosmopolita dos anos 1920, tão focalizado em São Paulo. Esse foi apenas o ponto de partida de um fenômeno muito mais amplo, cujos desdobramentos atingiram o país inteiro e ganharam em cada lugar e em cada tempo características próprias. Mesmo o neo-realismo dos anos 1930, na aparência tão distante das experiências de vanguarda e até oposto a elas, beneficiou-se do "desrecalque localista" (Antonio Candido) promovido pelos modernistas, desrecalque responsável pelo arejamento de temas e linguagens, bem como pela importância dada a aspectos culturais e sociais da vida brasileira. Neste sentido, explicam Antonio Candido e José Aderaldo Castello, os romancistas de 1930, mesmo quando não provêm da doutrinação modernista, "beneficiam-se dela, ao aproveitarem a limpeza de horizontes que ela trouxe e impôs".[1]

Coisa parecida aconteceu com os grupos literários mineiros que se formaram na década de 1940, na cidade jovem que era então a capital de Minas Gerais, cujo ambiente intelectual e boêmio, vivo e vigoroso mas à beira do estrangulamento provinciano, tinha sido tão bem retratado pouco antes por Cyro dos

---

[1] Antonio Candido e José Aderaldo Castello (orgs.), *Presença da literatura brasileira III — Modernismo*, São Paulo, Difel, 1968, p. 18.

Anjos, em *O amanuense Belmiro*, e seria retomado anos mais tarde com grande talento (mas talvez com menos força poética) por Fernando Sabino, em *O encontro marcado*. Sucedendo à geração diretamente ligada ao Modernismo, formada em torno de Drummond, Emílio Moura, Abgar Renault, João Alphonsus, Pedro Nava, Aníbal Machado, mais tarde Cyro dos Anjos e Guilhermino César (além de outros, está claro); sucedendo também aos quatro jovens brilhantes e precoces, Fernando Sabino, Otto Lara Rezende, Paulo Mendes Campos e Hélio Pellegrino, pouco mais velhos, mas aparecendo muito cedo no cenário nacional, admirados e incentivados por Mário de Andrade; sucedendo a estas duas ondas claramente marcadas pelas idéias e atitudes modernistas, surge em 1946 o grupo da revista *Edifício*, ao qual pertenceu Autran Dourado, e do qual fizeram parte também Jacques do Prado, Wilson Figueiredo, Sábato Magaldi, Otávio Mello Alvarenga, Francisco Iglésias...

Este último, em interessante testemunho, mostra o íntimo entrelaçamento dos três grupos entre si. Falando dos que se reuniriam em torno da *Edifício*, transformada também em editora, depõe ele: "Ligaram-se muito aos quatro da unidade já famosa [Fernando, Otto, Hélio e Paulo — nota minha], mas com independência. Como se ligaram também aos anteriores Emílio Moura — amizade gentil, companhia querida —, Eduardo Frieiro, erudição e boa prosa, não só literária, mas de tudo, embora sem muita intimidade. Drummond era o nome admirado, de quem algumas frases ficaram patrimônio comum, versos tornados folclore, senhas para muita intimidade. Saudade. Quatro outros escritores, ligados aos grupos de vinte, trinta e quarenta, eram amigos e muitas vezes companheiros: Alphonsus de Guimaraens Filho, João Etienne Filho, Murilo Rubião, Bueno de Rivera, cada um com sua marca e sua garra. Havia uma espécie de papa, admirado e querido, íntimo até (Drummond não o era):

Mário de Andrade. Ele transformou São Paulo em ponto de referência obrigatório. Ligou-se artística e fraternalmente aos vários grupos de Minas. Apadrinhou-os, encaminhou-os. Todos o reverenciavam e agora cultuam-lhe a memória. O grupo teve intensa atividade literária, colaborando nos jornais *Estado de Minas, Folha de Minas, O Diário*, ou em jornais e revistas do Rio e São Paulo. Era a moda dos suplementos literários. Fez mesmo uma editora e uma revista, *Edifício*. Deu quatro números: o primeiro em janeiro de 1946, o quarto em julho. Tinha epígrafe de Drummond, é óbvio: 'E agora, José?'".[2]

2. Autran Dourado e o Modernismo

É em tal ambiência cultural, reunindo três gerações, que se forma o jovem escritor. Nascido em 1926, portanto quatro anos depois da Semana de Arte Moderna, e estreando em 1947, portanto dois anos depois da morte de Mário de Andrade, Autran teria pouco a ver com os modernistas. Acrescente-se que, segundo declarações dele mesmo, suas leituras de juventude incluíam os clássicos portugueses e os grandes romancistas universais, principalmente os do século XIX, com destaque para Flaubert, como "descoberta individual mais importante". Em 1940, já morando em Belo Horizonte, procurou Godofredo Rangel, o escritor amigo de Monteiro Lobato, mas não procurou Mário de Andrade — da janela da Biblioteca Municipal, viu certa vez, saindo do Grande Hotel, "Mário de Andrade cercado de piás" (isto

---

[2] Francisco Iglésias, "Meu amigo Autran Dourado", in *Suplemento Literário do Minas Gerais*, Belo Horizonte, ano XX, nº 955, pp. 4-5 (número especial intitulado "As minas de Autran Dourado", organizado por Eneida Maria de Souza).

é, o grupo de jovens escritores mineiros aos quais mais tarde se integraria), mas por timidez deles não se aproximou. "Guardo esta mágoa de mim mesmo", disse há anos em entrevista, "não ter procurado Mário de Andrade, cujo convívio e conselhos me teriam sido muito úteis." Só mais tarde, estudante da Faculdade de Direito, seria introduzido por Sábato Magaldi nos três grupos modernistas mineiros, vindo a participar intensamente do grupo da *Edifício*.[3]

Não se trata, portanto, propriamente de um modernista, mas de alguém que, todavia, se beneficiou amplamente — e de forma indireta — da revolução literária e cultural provocada pelo Modernismo. Do encontro rápido com Godofredo Rangel, das leituras de clássicos portugueses e de franceses do século XIX, certamente ficou muito na sua obra — o trato cuidadoso da linguagem, o rico conhecimento da língua portuguesa, o bem-humorado pastiche do arcaico, o gosto irônico mas fascinado pelos torneios retóricos, que caracteriza tão bem certas personagens suas, interioranos cultos, deslocados num meio rústico que não os compreende, mas sobre o qual se impõem, afetando divertida superioridade. Dos grandes realistas herdou ele o desejo do romance, da forma capaz de concretizar, na composição da intriga e das personagens, no tecido das relações interpessoais, toda uma complexidade social que poderia, como em tantos casos, resvalar para o tom alegórico, mas que nele está sempre presa à experiência vivida, adquirindo consciência de símbolo.

No entanto, talvez aquilo que atraia mais em sua ficção não seja nem a sutileza de "ninho de guaxe" (como Mário de An-

---

[3] Depoimento a Remy Gorga Filho, "Autran Dourado: do signo de Capricórnio, com muita honra", in *Revista do Livro*, Rio de Janeiro, INL/MEC, ano XIII, nº 42, 1970, p. 73.

drade, em momento raivoso e injusto, xingou a cultura à Cícero e a Caraça das "vendinhas alterosas"), nem o pastiche retórico, e nem mesmo a procura mimética, de "representação da realidade" em seus mais altos momentos, característica do realismo oitocentista. Com tudo isso que está lá, presente, impressiona mais em Autran Dourado a pesquisa forte do coloquial, o tratamento em tom de cotidiano dos grandes arquétipos literários, arrancados com habilidade admirável dos momentos banais da "vida besta", do sufocamento e da repressão pequeno-burguesas. Autran, romancista elaborado, contista de referências eruditas e variadas, é também um contador de "assombros e anedotas", um cronista dos anais do vento, um noveleiro atento para a sabedoria e os disparates da cultura popular. A personalidade circunspecta é muitas vezes o disfarce do "espírito de Minas", que encobre loucuras e "quarta-feirices", que agarra com prazer de fuxico e sincera piedade os acontecimentos escandalosos do dia-a-dia, que decola com assombrosa facilidade — e sem pose acaciana — dos fatos insignificantes para as mais requintadas significações.

3. A direção de uma procura

Neste sentido, ele é sucessor e legítimo herdeiro do Modernismo. Mas quem percorre sua obra nota logo que o caminho foi traçado aos poucos, com desvios e tateios que são marcas de uma procura original, feita sem a ajuda de roteiros prévios, mas capaz de descobrir suas próprias trilhas e atalhos. O caminho real começa estreito, no clima abafado e sombrio de *Teia* (1947), *Sombra e exílio* (1950) e *Tempo de amar* (1952), as duas primeiras reunidas mais tarde no volume *Novelas do aprendizado*, o terceiro relido e reescrito recentemente em *Ópera dos fantoches* (1995). Nestas obras iniciais o escritor de vinte anos ensaia a mão, ainda canhestra mas decididamente vocacionada, num estilo fosco e contido (quem sabe amarrado pela disciplina do bem escrever) que serve à expressão de angústias quase adolescentes, embora traindo, se não estou enganado, a atração pela atmosfera enevoada e o seu tanto sinistra do existencialismo francês de pós-guerra.

Dizendo isso, não quero significar que se trate de pura imitação exterior; ao contrário, a moda da época, da novela meio psicológica e meio metafísica, centrada em conflitos internos pouco palpáveis, servia bem para exprimir os inícios deste escritor sempre atormentado que é Autran. Serviria também para exprimir uma vivência local, da cidade onde "puxar angústia", como diria o narrador de *O encontro marcado*, era prática existencial e literária, cotidiana, de jovens que se sentiam emparedados, nem tanto pelas montanhas de Minas, mas pela rigidez moral daqueles tempos de tradicional família mineira.

Porém imagino se as montanhas não teriam o seu papel... Porque o livro seguinte, de contos curtos, é *Três histórias na praia* (1955), e neles o narrador já se mostra mais solto, como se mostrará cada vez mais solto e hábil em *Nove histórias em grupos de três* (1957), no qual os três contos do livro anterior se juntavam a outros intitulados "Três histórias na primeira pessoa" (escritos entre 1955 e 1957) e "Três histórias no internato" (escritos entre 1956 e 1957), compondo as nove histórias a que se referia o título. E o processo só terminaria com a publicação, em 1972, de *Solidão solitude*, em que um quarto grupo, "Três histórias na solidão" ("que começaram a ser escritas em 1955, sofrendo a última demão agora, para livro, no ano passado, 1971", como explica em interessante prefácio o próprio autor) foram acrescentadas às nove anteriores — arredondando na dúzia de contos um livro que, afinal, depois de quinze anos de germinação, apresenta grande unidade temática e estilística.

Penso que está ali registrado o fechamento de um ciclo: o da formação do escritor. O fato das histórias deitarem "as suas próprias fundações" todas na mesma época, os anos de 1955 a 1957, pouco depois da mudança de Autran Dourado de Belo Horizonte para o Rio de Janeiro, parece-me significativo. *Solidão solitude*, apesar de conter alguns contos extraordinários, ainda não mostra o mestre do romance e da narrativa curta em que o autor logo se transformará. Apesar do arejamento das histórias da praia; apesar do assumido (e disfarçado) tom confessional dos textos narrados em primeira pessoa; apesar da prospecção iniciada de certos núcleos temáticos (a solidão, a culpa, a morte, a loucura, o sufoco da vida provinciana), que aprofundará depois; apesar de tudo isso, Autran Dourado ainda não exibe aqui a habilidade de narrador capaz de combinar a linguagem oral com os mais sofisticados recursos técnico-literários, o humor e até mesmo o sarcasmo com a piedade e o lirismo, a erudição de *scholar* com a vivência direta e íntima da cultura popular de Minas Gerais.

E é justamente a combinação dessas qualidades algo paradoxais que dará à sua dicção, nos livros seguintes, o tom característico de precisão e de domínio, tanto da linguagem quanto do assunto, resultando um à-vontade espantoso, que lembra muito, sem que saibamos no primeiro momento dizer por quê, a desenvoltura da prosa modernista. A conquista deste tom pode ser flagrada na sua obra, em determinado instante, quase que pontualmente: no livro denso, dramático, de forte exposição de conflitos internos e aguda crítica social — *A barca dos homens* (1961), seu primeiro grande romance —, surge dominado com maestria o instrumento de prospecção que é a técnica do monólogo interior; e na pequena obra-prima que é *Uma vida em segredo* (1964), de tom mais baixo, mais próximo do chão da gente humilde, o estilo indireto livre acolhe a linguagem coloquial e nela (por meio dela) transfunde em lirismo — construindo a personagem prima Biela — uma visão despojada e direta da pequena vida cotidiana, no interior de um país que está em vias de desaparecer.

A partir daí estaria armada e pronta a base sobre a qual Autran Dourado construiria o seu universo literário e daria a sua resposta ao desafio modernista, lançado de forma tríplice por Mário de Andrade: "o direito permanente à pesquisa estética; a atualização da inteligência artística brasileira; e a estabilização de uma consciência criadora nacional".[4]

4. Linguagem, mitologia, sociedade

Para qualquer dos tópicos apontados por Mário de Andrade, Autran daria contribuição importante e original: seu estilo é uma exploração constante das possibilidades da tradição literária, em combinações inusitadas com a liberdade da fala popular mineira; seu uso do monólogo interior, do estilo indireto livre, do discurso direto intercalado abruptamente na voz do narrador, bem como o recurso ao pastiche, à paródia, à paráfrase, à estilização (hoje considerados pós-modernos, mas derivados diretos do amor modernista à citação e à colagem), todos estes recursos, usados com grande liberdade e adequação à matéria tratada, mostram a atualização de sua arte; e se, por este lado, seus romances se aproximam da grande linhagem contemporânea de exploração do inconsciente e dos mitos (o "método mítico" que Eliot descobriu em Joyce), por outro lado, em sua utilização particular do método, na especificação de sua mitologia própria — no seu

---

[4] Mário de Andrade, "O movimento modernista", in *Aspectos da literatura brasileira*, São Paulo, Martins, s.d., p. 242.

material temático, enfim —, voltam-se para a vida brasileira, para os usos e costumes de uma sociedade que ele é capaz de descrever em suas fundas raízes.[5]

Como mostra Silviano Santiago, a pesquisa estética mais moderna combina-se, em Autran Dourado, com uma tentativa de explicar a história brasileira, tanto no nível social, da sociedade patriarcal, "nível da sucessão de gerações no tempo", como no nível individual, "nível das relações familiares que se dão no mesmo espaço e tempo (a família nuclear)". Escreve ainda o crítico: "Nos seus romances mais significativos, Autran Dourado utiliza o método mítico, mas não se atém apenas à constituição do indivíduo, alarga o campo do drama para uma compreensão da história brasileira, tramando os grandes painéis a que ficamos acostumados depois da *Ópera dos mortos*. Neste tipo de processo Autran foge do específico joyceano (o mito como estruturador de um material que escapa à história contemporânea) e se adentra para o passado da sociedade patriarcal brasileira, com uma devida maturação da obra de William Faulkner, o Faulkner de romances como *Absalom! Absalom!*".[6]

Essa mistura das técnicas mais atuais e cosmopolitas da literatura com o material temático extraído do passado brasileiro (recortado ainda por cima de uma época de transição, entre a vida rural e a vida urbana), caracteriza claramente a obra de Autran Dourado. Todo ele — com exceção de *Os signos da agonia* (1974), romance notável que se passa na antiga Vila Rica do século XVIII — está ambientado na mítica cidade de Duas Pontes, inventada pelo autor de modo a representar, simbolicamente,

---

[5] As aproximações foram feitas por Silviano Santiago, em "Autran Dourado: questão de perspectiva", in *Suplemento Literário do Minas Gerais*, citado, pp. 7-8.

[6] Silviano Santiago, *op. cit.*, p. 8.

a "cidadezinha qualquer" do interior do Brasil, do final do século XIX aos meados do século XX. Como a Vila Caraíbas de Cyro dos Anjos, ou como a Cruz Alta de Erico Verissimo (para não falar do Recife de Bandeira, da São Paulo de Mário de Andrade, da Itabira de Drummond, locais de inspiração poética), Duas Pontes é o microcosmo que o romancista constrói para nele situar a memória de suas experiências mais fundas e marcantes — aquelas vividas na infância. Pretende ser ainda o retrato condensado do Brasil, ou pelo menos da parte do Brasil que interessa ao escritor, e sobre a qual ele se debruça para entendê-la e explicá-la. Também para entender-se e explicar-se.

Este movimento de autoconsciência é sempre irônico, como convém à distância épica exigida pela narrativa, mas apresenta tonalidades líricas ou humorísticas, dramáticas ou trágicas, conforme solicite a afetividade ligada aos eventos rememorados. Salvo engano, Duas Pontes surge na obra de nosso autor, pela primeira vez, no romance de juventude *Tempo de amar* (1952), reaparecendo depois como discreto pano de fundo para a novela *Uma vida em segredo* (1964). Mas é em *Ópera dos mortos* (1967) que a cidadezinha ganha consistência simbólica: suas casas, suas ruas, seus habitantes, sua paisagem, mais do que simplesmente compor o enquadramento da trama, funcionam como elementos decisivos para a configuração do conflito central. Este se passa com Rosalina, a última herdeira da família Honório Cota (representante de uma tradição patriarcal que desapareceu), a qual vive isolada no sobrado construído pelo pai e pelo avô, e aos poucos vai sendo levada à loucura, "pela obsessiva devoção aos mortos, que a mantém sempre em diálogo com o passado".[7]

---

[7] Eneida Maria de Souza, "É preciso enterrar os nossos mortos", in *Traço crítico*, Belo Horizonte/Rio de Janeiro, Ed. da UFMG/Ed. da UFRJ, 1993, p. 58.

Ópera dos mortos fez (e ainda faz) enorme sucesso de público. Inspirada em Antígona, a tragédia de Rosalina tem, entretanto, outro contorno histórico nítido e concreto: o conflito entre a lei dos ancestrais e a nova lei da *polis* transforma-se aqui no choque entre os costumes patriarcais em decadência e os novos costumes da cidadezinha mineira. As famílias que brilharam na época do ouro e as que enriqueceram com as grandes propriedades rurais, estiolam agora, na Primeira República, sob o domínio do Partido Republicano Mineiro, o famigerado PRM. "Tive ouro, tive gado, tive fazendas./ Hoje sou funcionário público." — diria o poeta. Essas histórias de decadência e loucura, com amores secretos e proibidos, desvios e perversões sexuais, repressão e neurose, recalques e sublimações, serão incessantemente retomados por Autran: em sua obra numerosa (são mais de vinte títulos), a relação entre os séculos XVIII, XIX e XX da história das Minas Gerais vai sendo firmemente assentada, através da crônica familiar e da crônica cotidiana de Duas Pontes. Para retomar os versos de Drummond, poderíamos dizer que, como Itabira, Duas Pontes "é apenas uma fotografia na parede./ Mas como dói!".

5. Assombros e anedotas

São histórias passadas em Duas Pontes (com exceção de uma) que o leitor vai encontrar aqui. Todas elas foram retiradas dos quatro livros de contos do autor. De *Solidão solitude* (1972) vem "A glória do ofício", poética irônica que tematiza as dificuldades da criação artística, vizinha do silêncio e da morte, e que nos faz recordar a afirmação machadiana sobre as vocações que têm língua e as que não a têm (em "Cantiga de esponsais"), ou ainda a história dolorosa de Pestana, inevitável compositor de polcas (de "Um homem célebre"). Outra poética, também vizinha do silêncio e da morte, está em "Os mínimos carapinas do nada", conto de *Violetas e caracóis* (1987), em que se alude, do modo mais implícito, à gratuidade do ato criativo, através da metáfora do jogo predileto dos habitantes de Duas Pontes, no qual tornara-se exímio o vovô Tomé: com o canivete afiado, descascar em finos caracóis um pedaço de madeira, até reduzi-lo a nada. O nada é nossa condição.

Ainda de *Violetas e caracóis*, dois contos extraordinários são oferecidos ao leitor: "As duas vezes que Afonso Arinos esteve em Duas Pontes" e o próprio "Violetas e caracóis", que dá título à coletânea. O primeiro é a história fantasiosa e brilhante das duas estadias do autor de *Pelo sertão* na cidade de Autran Dourado; na primeira vez, ainda jovem e desconhecido, mas cheio de projetos e vitalidade, Afonso apaixona-se por Virgínia Porto, "uma mulher madura e bela, uma fruta para ser colhida depressa por mãos audazes e aventureiras como seriam certamente as de Afonso, pensava ela". Os dois namoram, Arinos fala a Virgínia de seus planos literários, trocam juras de amor eterno, gravam no tronco de uma árvore suas iniciais dentro de dois corações entrelaçados. Mas as mãos aventureiras dele levam-no a outros rumos: casa-se com a filha do conselheiro Antonio Prado, vai morar em Paris, obtém fama e reconhecimento literários, faz fortuna. Quando no auge da glória volta a Duas Pontes e quer rever Virgínia Porto, esta nega-se a recebê-lo: pelas folhas de uma janela cerrada, travam diálogo emocionado, ele insistindo em vê-la, ela recusando mostrar-se, respondendo-lhe com as palavras amargas da mulher abandonada em sua virgindade inútil.

O enredo pungente de amor e abandono (que tem o seu núcleo lírico centrado no casal de namorados) é também ocasião para que Autran exercite admiravelmente as qualidades paródicas e humorísticas de seu estilo. Primeiro, inventa, à maneira de Borges, uma "ficção" que envolve gente real, "usando o nome de pessoas que existiram e possuem descendentes vivos", como exclama escandalizado o dr. Alcebíades Silveira a João da Fonseca Nogueira (personagem de outros livros e evidente *alter ego* do próprio Autran), o escritor que investiga o caso e quer sobre ele escrever uma novela ou um conto. Neste que afinal lemos — e não sabemos se foi escrito por João da Fonseca Nogueira, que é apenas personagem, e não narrador[8] — as fontes da história são variadas: o arquivo e a conversa de Ismael Silveira Frade, recortes de jornais, o relato do dr. Alcebíades, a memória labiríntica e sentenciosa de seu Donga Novais, textos do próprio Afonso Arinos, pastichados e estilizados... Em suma, uma polifonia de vozes (como diria Bakthin) que alcança diferentes registros, desde o afetado pedantismo do dr. Viriato de Abreu, homem de leituras clássicas, até a grosseira retórica do rábula nordestino Desidério Ananias (ou Ananias Desidério, tanto faz) e o linguajar chulo do coronel Sigismundo Aroeira e Silva. O embate das linguagens cola-se ao núcleo central da história de amor, e de certo modo até ganha-lhe a primazia: visto do ângulo de sua escrita, o conto é o diálogo de dois escritores, o contemporâneo Autran Dourado e seu antepassado Afonso Arinos,

---

[8] Sobre o processo narrativo de Autran Dourado, Dirce Cortes Riedel tem interessante observação: "Com o mito, Autran cria uma versão da história, para sobre ela inventar o narrador e a narração, assentados ambos na imaginação e na memória. Esse narrador, buscado para manter a narração que o sustenta, é o verdadeiro locutor, do qual quem escreve é mero interlocutor". Cf. *Suplemento Literário do Minas Gerais*, cit., p. 9. Assim, Ismael, Alcebíades, Donga e o próprio João são locutores de um narrador em terceira pessoa, "mero interlocutor" — mas que, como em jogo de espelhos abissal, torna-se interlocutor não apenas dos seus locutores representados no conto, mas também das personagens centrais (Afonso e Virgínia), das secundárias, e do leitor, está claro. A palavra circula em todas estas instâncias do texto.

ambos fascinados pelos "ínvios sertões mineiros", pelo "imenso país" que é Minas Gerais.

"Violetas e caracóis" revela outro aspecto importante da obra de Autran, o conhecimento da psicanálise, cujos conceitos ele sabe manejar com perícia e delicadeza de artista, transformando-os em imagens e símbolos de estranha, enigmática beleza. A lição psicanalítica como que se reverte aqui, de volta da luz da razão (com que Freud iluminou os movimentos obscuros da libido), para as trevas do inconsciente, onde nascem os nossos desejos, anseios, angústias, simples veleidades — "*sueños*", para ficar com Quevedo, autor da especial predileção do dr. Viriato de Abreu. Neste que é uma das obras-primas do conto brasileiro, "Violetas e caracóis", a habilidade ficcional de Autran Dourado logra retransformar o conhecimento racional dos conflitos interiores em representação simbólica dos movimentos sutis, frágeis e labirínticos das almas de Luizinha Porto e dos doutores Alcebíades Silveira e Viriato de Abreu, criaturas tentadas — cada qual a seu modo — pelo Demônio do desejo.

O conto já tivera uma versão diferente: em "Noite de cabala e paixão", de *As imaginações pecaminosas* (1981), o mesmo episódio da visita noturna de Luizinha ao consultório do dr. Viriato é contado do ângulo deste último. Em "Violetas e caracóis" a história é ampliada e narrada do ângulo da moça, desde os primeiros sintomas histéricos na adolescência, até a visita ao consultório do médico. A repetição, na verdade uma variação, um volteio, amplia o texto e multiplica suas significações. O comportamento de Luizinha Porto, inconscientemente sedutor (armando a teia em que prende primeiro o dr. Alcebíades, depois o dr. Viriato), fica relativizado através deste procedimento de variação prismática, freqüente na obra de Autran desde *A barca dos homens* (1961), e característico da modernidade de sua utilização do foco narrativo.

Característico também daquilo que a crítica chamou de traço barroco de sua obra, a "escrita barroca e fugidia, enrodilhada e astuciosa, tecida no intervalo entre o sonho e a vigília", os "volteios e jogos de engano, próprios da arte barroca", a "escrita que se volta para si própria", acompanhando os torneios de seu objeto, como escreveu Eneida Maria de Souza comentando a personagem Donga Novais, emblemática da arte de Autran Dourado, e a estrutura da *Ópera dos mortos*.[9] "Seu" Donga, personagem central de *Novelário de Donga Novais* (1976), parece ter dois prazeres principais: espiar a vida alheia — principalmente a parte sexual — e comentar, por meio de tortuosos provérbios, em grande parte inventados por ele mesmo, as situações em que se envolvem os habitantes da cidadezinha. Tudo de forma astuta, composta, respeitosa, não fosse ele o repositório da memória e da sabedoria de Duas Pontes, velho antiquíssimo, de idade incerta e não sabida, a quem todos se dirigem para pedir conselhos. Donga Novais é a imagem do antigo narrador oral, tal como o imaginou Walter Benjamin: "A fala de Donga Novais às vezes era labiríntica, cheia de veredas e trilhas, estradas vicinais na pachorra do cigarro de palha caprichado de quem tem tempo de sobra: pantemporal, senhor das horas e memorioso ao extremo ele era" — afirma-se em certo momento.[10]

A fala "labiríntica" é a mesma do narrador de Autran Dourado; "moderna" ou "barroca" (no contexto os dois qualificativos não se opõem, trata-se de uma direção barroquizante ou maneirista do moderno), parece achar prazer em si mesma, nos seus

---

[9] Eneida Maria de Souza, *op. cit.*, pp. 53-54 e p. 58.

[10] Em "As duas vezes que Afonso Arinos esteve em Duas Pontes", in *Violetas e caracóis*, p. 127. As afirmações são feitas em várias outras ocasiões, principalmente no *Novelário de Donga Novais*.

"volteios e jogos de engano" caprichosos. O prazer de espiar a vida alheia, nos seus desvãos mais perversos e singulares, sublima-se na fala, fogo da libido transfigurado em palavras, personagens, situações exemplares, que transcendem Duas Pontes e situam-se no plano de uma antropologia mais universalizada.

Parece ter sido esta a melhor lição extraída por Autran da experiência psicanalítica: não lhe faltam os conceitos teóricos (como os quatro contos extraídos de *As imaginações pecaminosas* mostrarão ao leitor), mas sua arte consiste em transformá-los em símbolos, "luzir sensível da idéia", como dizia o velho Hegel. Nos três maliciosos retratos aqui apresentados ("Retrato de Vitor Macedônio", "Queridinha da família", "O triste destino de Emílio Amorim"), o prazer de contar, ao qual se mistura certo inocente prazer da maledicência ("Quero saber da vida alheia,/ Sereia." — escreveria em versos Mário de Andrade), capta com certeira pontaria o lado castrador e repressivo da "cidadezinha qualquer".

No entanto, o tom irônico e humorístico destes contos estaria incompleto se lhe faltasse a contraparte lírico-sentimental. Esta nos é dada, em primeiro lugar, por "Aquela Destelhada", história do abrandamento de coração de uma velha terrível, modificada pela mansidão e simplicidade de espírito da empregada, chamada durante toda a vida de Destelhada, conhecida afinal depois da morte pelo nome verdadeiro de batismo, Adélia Pinto, amada por sá Biela, prima de seu Conrado e dona Constança, aquela da vida em segredo. Gente humilde.

A mesma dimensão lírico-sentimental, sem sombra de pieguice, está em *Armas e corações* (1978), outro livro importante, que mostra como a fase do final dos anos 1970 e começo dos anos 1980 é de fecundidade e maturidade para o autor. Em "Manuela em dia de chuva" (história de uma menina que perdeu o irmão querido, morto acidentalmente pelo pai) e "Mr. Moore" (história de um puritano pastor protestante que acolhe e protege um bandido em sua igreja, oscilando entre o terror de estar se dobrando ao mal e a crença de estar cumprindo o dever cristão), o *pathos* dominante é a piedade. Neste texto complexo, que mereceria sozinho estudo detalhado, pela qualidade e profundidade analítica da sondagem psicológica e moral, Autran terá conseguido enfrentar com êxito a provocação certa vez lançada pelo fino Osman Lins, que foi a de escrever "uma história e tema machadianos, o contrário do que geralmente se faz, que é de escrever machadianamente uma história qualquer".[11]

Em suma, uma coleção de histórias extraordinárias, cada uma delas um conto independente e autônomo, de efeito único (como queria Poe), mas cuja unidade temática e estilística é inquestionável, e aproxima o conjunto de um romance apaixonante (como o autor já fizera aliás em *O risco do bordado*, de 1970, singular romance de formação, de estrutura desmontável como *Vidas secas*). Entretanto, nem Machado, nem Poe, muito menos Graciliano Ramos, parecem-me as referências melhores para estes contos; o paradigma será talvez Mário de Andrade, aquele d'*Os contos de Belazarte* e dos *Contos novos*, coloquial, maneirista, às vezes trágico-irônico, às vezes lírico-irônico, carnavalizado e opulento, submetendo os conhecimentos psicanalíticos à estrita necessidade de sua arte, gozando o prazer imenso de narrar. Não falo de epigonismo ou de influência diretiva; falo de pesquisa mítico-histórica, de sondagem psicológica, social e antropológica, de experiências artísticas e estéticas.

Não quero terminar sem uma última observação: a fotografia de Duas Pontes, que Autran Dourado pendura na parede, é o retrato de um Brasil que acabou nos anos 1950, ao longo do

---

[11] Autran Dourado, "Provocação do visitante", in *As imaginações pecaminosas*, p. 132.

governo modernizador de Juscelino, este presidente cordial e autoritário (à moda mineira), fino e grosseiro como os políticos de Duas Pontes, e que bem poderia ter nascido em Duas Pontes, em vez de Diamantina, a qual por sua vez bem poderia ser Duas Pontes, de tanto que se parecem.

Este Brasil que chamamos de "anos dourados", por uma doce ilusão retrospectiva (para falar freudianamente, com certo pedantismo aprendido do dr. Viriato de Abreu: *Nachtraglichkeit*, reconstrução imaginária do passado),[12] deu lugar à modernização conservadora, à violência urbana, à mais terrível desigualdade social. Como é sabido, Autran Dourado trabalhou durante anos em funções importantes junto a Juscelino. Terá aprendido muitas coisas e se decepcionado com um número não menor delas, a crueldade, o autoritarismo, o cinismo da política brasileira. A mão na bosta, como ele mesmo já disse.

Sua ficção, todavia, enverada por outros caminhos. Ao contrário de Dalton Trevisan ou Rubem Fonseca, os dois contemporâneos que a meu ver lhe são comparáveis pela qualidade das obras, não foi atraído pela brutalidade do país atual, à beira da anomia. Seus contos, não seus romances, guardam assim certo tom nostálgico de uma época menos banalizada pela violência irracional e rasteira da miséria, menos degradada pela terrível desagregação cultural das populações mais pobres. Este fato pode dar a impressão de perda da força crítica que a boa literatura, em tese, deveria apresentar. Mas tal julgamento seria injusto: a imagem de que já fomos melhores, num lugar chamado Duas Pontes, opõe-se com todo o vigor do símbolo (e que mais está ao alcance do escritor?) aos poderes do horror de nossa atual tecno-

---

[12] Na verdade, a utilização do conceito me é sugerida, ainda outra vez, por Silviano Santiago, no artigo já citado, p. 8.

cracia milagreira e sabida, herdeira aperfeiçoada das oligarquias — em vista dela bem mais brandas — dos antigos Partidos Republicanos. Quanto mais que Autran não esconde as contradições do passado — ri e zomba delas.

Duas janelas dolorosas
O motivo do olhar em
Alguma poesia e *Brejo das almas*

1. O ponto de partida

"Lanterna mágica", conjunto de oito poemas sobre cidades, traz a marca de um momento do Modernismo dos anos 1920, o mesmo que aparece em composições longas como "Carnaval carioca" (1923) e "Noturno de Belo Horizonte" (1924), de Mário de Andrade, ou nos flagrantes da "kodak excursionista" de Oswald em *Pau-Brasil* ou nos poemas-relâmpago (1925), ou ainda (se quisermos sair do campo da poesia para o da pintura), de certos quadros pintados por Tarsila após a viagem famosa às cidades históricas de Minas. Todos eles, e cada qual a seu modo, procuravam criar a arte nova a partir da velha matéria brasileira, que tentavam ver com olhos livres e inventivos, descobrindo e ressaltando traços que a arte anterior desconhecera ou ocultara.

Como sabemos, Drummond vem logo depois dos poetas e da pintora paulistas. "II. Sabará", o segundo texto da série de "Laterna mágica", foi publicado já em dezembro de 1925, e provocou dois comentários elogiosos de Mário de Andrade, o primeiro estabelecendo uma identificação entre as atitudes de ambos, na forma de tratar a tradição, e o segundo exprimindo de modo concisamente admirativo sua opinião sobre o poema "Sabará obra-prima".[1] Opinião que apesar de justa terá sua pequena dose de narcisismo, já que a identificação é mesmo profunda e a dicção do poema aproxima-se em muitos passos da maneira mais tipicamente mário-andradina. Como, por exemplo, neste trecho que faz lembrar o "Noturno de Belo Horizonte":

> "Ai tempo!
> Nem é bom pensar nessas coisas mortas, muito mortas.
> Os séculos cheiram a mofo
> e a história é cheia de teias de aranha.
> Na água suja, barrenta, a canoa deixa um sulco logo
> [apagado.
> Quede os bandeirantes?
> O Borba sumiu.
> Dona Maria Pimenta morreu."[2]

Mas na verdade, se formos procurar bem, encontraremos nessa época muitas semelhanças entre todos os poetas modernistas. Durante os anos 1920 eles mantiveram um ar de família que as enormes e inegáveis diferenças — mais tarde bastante acentuadas — ainda não tinham conseguido desfazer: haverá versos de Bandeira muito parecidos com os de Mário, e vice-versa. Nesta mesma série da "Lanterna mágica", o único verso do poema "VI. Nova Friburgo" trai a presença marcante de Oswald: "Esqueci o ramo de flores no sobretudo".

Este tipo de aproximação tem a maior importância para a história da constituição do estilo poético modernista, e poderia

---

[1] Estas informações são dadas por John Gledson, *Poesia e poética de Carlos Drummond de Andrade*, São Paulo, Duas Cidades, 1981, pp. 287-288.

[2] Para a citação dos poemas, utilizo a primeira edição de *Reunião: 10 livros de poesia*, Rio de Janeiro, José Olympio, 1969. O trecho citado está na p. 8.

contribuir para melhor compreendermos a formação e o desenvolvimento individual de cada um de seus poetas. O estudo intertextual apurado mostraria como o grupo funcionava de maneira tramada (como disse certa vez Tristão de Athayde), e como as soluções estéticas e ideológicas encontradas por um eram logo adotadas, transformadas e incorporadas por outro, de tal maneira que o caráter coletivo do trabalho criador se evidenciava claramente.

O objetivo deste ensaio, entretanto, é muito mais restrito. Embora reconhecendo a extraordinária visualidade desta poesia que procurava captar na paisagem a cultura brasileira (e que às vezes podia descambar em pitoresco fácil de superfície), pretendo porém explorar um pouco a questão do olhar nos poemas drummondianos da época (*Alguma poesia* e *Brejo das almas*) justamente para tentar ressaltar a diferença, uma característica que é muito própria dele, e que não encontro (pelo menos no mesmo nível de intensidade) nos outros. Trata-se de uma espécie de supervalorização do olhar e das imagens deste derivadas, a qual nada tem de pitoresco, e talvez — se a hipótese for plausível —, seja mais reveladora de certos conflitos da subjetividade do poeta do que da ideologia modernista do Brasil como país novo, a ser redescoberto.

Sirva-nos de ponto de partida o primeiro poema de "Lanterna mágica", título em si já bastante significativo, pela ligação explícita com o motivo do olhar.

"I. BELO HORIZONTE

Meus olhos têm melancolias,
minha boca tem rugas.
Velha cidade!
As árvores tão repetidas.

Debaixo de cada árvore faço minha cama,
em cada ramo dependuro meu paletó.
Lirismo.
Pelos jardins versailles
ingenuidade de velocípedes.

E o velho fraque
na casinha de alpendre com duas janelas dolorosas."

Qualquer leitor de poesia modernista notará a semelhança de tom com as composições de Mário de Andrade: ela vem não apenas do coloquial dos versos livres, mas também do corte "harmônico" entre eles, do modo abrupto de deslizar entre a descrição do eu e da cidade. Veja-se, por exemplo, na primeira estrofe, como os dois versos iniciais, que tudo indica serem referentes ao eu, justapõem-se aos seguintes, que sem dúvida referem-se à cidade. Mas o leitor ainda assim ficará indeciso, pois a justaposição é tão brusca que uma aura de ambigüidade e estranhamento contamina a estrofe: a melancolia dos olhos e as rugas da boca serão do eu ou da "velha" cidade? Pouco mais velha que o poeta, Belo Horizonte mal completava, àquela altura (o poema é de 1927, segundo Gledson), os seus trinta anos; comparada às cidades históricas que serão descritas a seguir (Sabará, Caeté, São João Del-Rei...) a capital mineira é jovem adolescente, modo aliás como é tratada em vários textos modernistas da mesma época (além de outros poemas do próprio *Alguma poesia*, lembro os contos de João Alphonsus, em que a representação de casas e bairros novos sendo construídos ajuda a compor a atmosfera de vida moderna).

O adjetivo e a exclamação do terceiro verso ("Velha cidade!") têm portanto valor afetivo e subjetivo, e são equivalentes aos olhos melancólicos e às rugas da boca do jovem poeta. Estes traços, por sua vez, compõem a sua máscara "gauche" e "torta", sua *persona* poética que se afirma aqui, pontualmente, como oposta à máscara e à *persona* do amigo arlequinal, cuja lição recebia ávido naquele mesmo instante. E assim como a roupa cinzenta e dourada do Arlequim representa as alternâncias climáticas de São Paulo (em tom de otimismo que é apologia da modernidade nascente), a face mais para Pierrô escolhida por Carlos representaria certo sufocamento provinciano ("As árvores tão repetidas" — diz o quarto verso), que aliás condiz também com o temperamento mais retraído e a atitude mais desconfiada diante do progresso, adotada pelo poeta mineiro.

Sem querer forçar demais a comparação, notemos que na segunda estrofe é a cama, feita debaixo de cada árvore, e o paletó, dependurado em cada ramo, que estabelecem a intimidade entre o eu e a cidade. Como se estivesse em casa no espaço público, este Pierrô melancólico contempla, lírico, a ingenuidade dos velocípedes infantis em "jardins versailles". A ironia será desenvolvida em outro poema do mesmo livro ("Jardim da Praça da Liberdade"), mas aqui é contida e recolhida, imprimindo ao texto tom mais propriamente irônico-sentimental. A identificação entre o que vai na alma do eu e o que se passa na paisagem é lirismo, isto é, acolhimento no interior da subjetividade de toda exterioridade: na "Lanterna mágica" do poeta, "I. Belo Horizonte" é o instante de identificação entre o eu e a cidade. Por isso, é estranhamente inquietante a última estrofe:

"E o velho fraque
na casinha de alpendre com duas janelas dolorosas."

Pode-se dizer que a figura formada por estes dois versos é uma perfeita personificação. A hipálage ("janelas dolorosas") apóia-se em duas metonímias, pelas quais o "velho fraque" e a "casinha de alpendre" representam — parte pelo todo, continente pelo conteúdo — a pessoa que observa toda a cena, com olhos dolorosos. A última figura do poema é uma metáfora que identifica janelas a olhos.

Assim, o poema se fecha como um círculo: o primeiro verso ("Meus olhos têm melancolias") é retomado no último, através da transformação da casinha de alpendre (tão típica da arquitetura de certos bairros pequeno-burgueses tradicionais de Belo Horizonte: Lourdes, Funcionários, Santo Antônio) em máscaras com olhos simulados por janelas, dolorosas talvez de tanto contemplar, no pequeno espaço dos jardins versailles, as complicações do vasto mundo.

2. Espelhos do mundo?

A presença dos olhos é insistente já neste livro inicial de Carlos Drummond de Andrade. Não precisamos passar do seu primeiro e famoso poema para encontrá-los três vezes, repetidos e figurados de formas diferentes. Vale a pena reler ainda, de novo, o "Poema de sete faces":

> "Quando nasci, um anjo torto
> desses que vivem na sombra
> disse: Vai, Carlos! ser *gauche* na vida.
>
> As casas espiam os homens
> que correm atrás de mulheres.
> A tarde talvez fosse azul,
> não houvesse tantos desejos.
>
> O bonde passa cheio de pernas:
> pernas brancas pretas amarelas.
> Para que tanta perna, meu Deus, pergunta meu coração.

Porém meus olhos
não perguntam nada.

O homem atrás do bigode
é sério, simples e forte.
Quase não conversa.
Tem poucos, raros amigos
o homem atrás dos óculos e do bigode.

Meu Deus, por que me abandonaste
se sabias que eu não era Deus
se sabias que eu era fraco.

Mundo mundo vasto mundo,
se eu me chamasse Raimundo
seria uma rima, não seria uma solução.
Mundo mundo vasto mundo,
mais vasto é meu coração.

Eu não devia te dizer
mas essa lua
mas esse conhaque
botam a gente comovido como o diabo."

Não poderia haver escolha mais feliz para o poema de abertura de um livro de estréia.

Prefácios e comentários

As imagens do desejo

1. Leituras de Alencar

Há cem anos, em 1875, era publicado pela primeira vez o romance *Senhora*. É muito tempo, mesmo para um livro. O escritor José Martiniano de Alencar, seu mundo americano de heróis indomáveis, sua sociedade fluminense de leões da moda e lindas damas polidas, encontram-se muito afastados de nós. O leitor de hoje passa por essa galeria de personagens, que se sucedem em atos extraordinários, com alguma impaciência e certo cansaço. Estão envelhecidos de um século, e sob a pequena nuvem de poeira, desprendida a seu contato, enxergamos a maquinaria antiga e ingênua de antigos enredos, o tom fátuo da retórica parlamentar e literária, o desbotado das idéias e da moral.

Mas ler (ou reler) um livro velho implica no amadurecimento do leitor: que este seja capaz de espanar a poeira, atravessar a zona do anacrônico e penetrar em novas regiões. Sem muito se preocupar com a verossimilhança dos lances impossíveis de heroísmo, ou com o adocicado dos discursores de amor e de salão, é possível ao "bom leitor" atingir esse outro lugar que permanece área de fruição e de prazer. Ler uma obra assim é — em certa medida — ultrapassá-la e compreendê-la. A ultrapassagem é distanciamento, é a repetição do próprio decorrer do tempo e a possibilidade de enxergar a obra na perspectiva adequada: à distância, as manchas confusas de um quadro se configuram com coerência, e compreendemos por que está ali aquele vermelho que parecia exagerado, aquele tom amarelo que julgamos enfático.

Creio ser este o sentido do "apelo ao bom leitor" feito por Augusto Meyer: não é com os olhos irônicos e estreitos do nosso século que devemos ver Alencar. Sua riqueza, derramando-se generosamente em quase vinte romances de muitas páginas, deve ser apreciada do ângulo conveniente. Por um lado, é expressão encantadora de um mundo fantasioso e gratuito, no qual a beleza cintilante de Aurélia ou o pudor recatado de Ceci correspondem ao anseio humano dos espaços livres, propícios à aventura que se desgarra do cotidiano. Por outro lado, é expressão (às vezes involuntária) dos limites desse mesmo cotidiano, as falhas ficcionais espelhando, com fraqueza fiel, a "tenuidade brasileira", o esgarçamento de nossa vida social, que dava início no Império à comédia ideológica descrita com engenho dialético por Roberto Schwarz, no estudo mais complexo já realizado sobre *Senhora*.

Existem pelo menos três Alencares, escreveu certa vez Antonio Candido, traçando um esquema que abrange toda a obra do romancista. Há a idealização grandiloqüente das virtudes maravilhosas de Peri, Arnaldo ou Manuel Canho, "o Alencar dos rapazes, heróico, altissonante"; há os romances de complicação sentimental, quadrilhas harmônicas e bem organizadas de sociedade em festa, "o Alencar das mocinhas, gracioso, às vezes pelintra, outras, quase trágico"; mas há também um terceiro, o escritor de temas mais profundos, explorador habilidoso dos conflitos entre sentimento e ascensão social, dos desníveis entre o passado culposo e o presente repleto de promessas, das desarmonias geradas pelo choque entre Bem e Mal, pelos desvios do equilíbrio supostamente natural.

É este romancista que — limpo do pó das velharias — interessa à nossa distância secular. Para chegar a ele existem muitos caminhos e tanto faz escolher um ou outro, desde que nos leve ao nosso alvo. Portanto, selecionemos uma dessas trilhas, a estrutura das imagens, por exemplo, já que "esses caprichos artísticos de estilo" eram tão gratos ao escritor.

Cavalcanti Proença, sem dúvida sempre ótimo leitor, fez um levantamento amplo das imagens obsessivas de Alencar. São metáforas que recobrem um campo até certo ponto aberto e variado, mas estruturado o bastante para permitir com facilidade, num relance, a visão do universo mítico que jaz sob a ficção romântica. Os motivos da castidade, do amor total, do beijo que revive, do altruísmo onipotente e da dedicação incondicional, da morte heróica e libertadora, da posição no alto, da doçura e do mel, e tantos outros, são motivos que compõem uma emblemática colorida de branco e escarlate, de movimentos ondulantes e lânguidos, de cabelos em cascata e pés de talhe perfeito. Pela reiteração, pela insistência com que aparecem e atraem nossa atenção, cada um desses traços obsessivos é um símbolo, ou, para falar com Northrop Frye, um arquétipo, imagem que retorna com tal freqüência que liga uma obra a outra "e assim ajuda a unificar e integrar a nossa experiência literária".[1]

---

[1] Textos citados: Augusto Meyer, "Alencar e a tenuidade brasileira", in José de Alencar, *Obra completa*, Rio de Janeiro, Aguilar, 1964, v. II, pp. 11-24; Roberto Schwarz, "Criando o romance brasileiro", in *Cadernos de Opinião*, Rio de Janeiro, Inúbia, 1975, nº 1; Antonio Candido, "Os três Alencares", in *Formação da literatura brasileira*, São Paulo, Martins, 1969, v. II, pp. 221-35; M. Cavalcanti Proença, "José de Alencar na literatura brasileira", in José de Alencar, *Obra completa*, Rio de Janeiro, Aguilar, 1964, v. I; Northrop Frye, *Anatomia da crítica*, São Paulo, Cultrix, 1973. De Frye utilizo, com muita liberdade, os conceitos teóricos expostos principalmente no seu terceiro ensaio, intitulado "Crítica arquetípica: teoria dos mitos".

2. Os mundos da inocência e da experiência

Abro *Senhora* na primeira página, na primeira linha, e já deparo com um desses símbolos: "Há anos raiou no céu fluminense uma nova estrela". O arquétipo que anuncia o acontecimento excepcional, a aparição da personagem inicia o relato: o astro novo brilha no céu, estamos avisados de algo muito importante. Como os reis magos e os pastores, podemos partir para conhecer e homenagear a heroína que acaba de nascer.

É Aurélia, a quem o romancista, em poucas linhas, atribui todos os emblemas da majestade divina. Ela é estrela e rainha; deusa, musa e ídolo; rica e formosa. A linguagem metafórica, desdenhando e desconhecendo os limites da descrição realista, insiste em criar um mundo de sonho, em que a beleza e a fortuna triunfam sobre tudo, deslumbrando pelo fulgor. A mocinha de dezoito anos que assim nos aparece tem um porte duplamente encantado: é "flor em vaso de alabastro", opulência sobre opulência; é "raio de sol no prisma do diamante", esplendor sobre esplendor.

Para completar o encantamento não faltam ainda outros dados que, em estória arquetípica, envolvem no mistério as origens da heroína. Ninguém sabe coisa alguma a respeito do passado de Aurélia, e o autor, prometendo contar a verdade "a seu tempo", adianta-nos que ela era órfã, vivia na companhia de uma velha parenta, sua mãe de encomenda, espécie de guardiã formal das virtudes da moça. Acrescenta ainda o motivo da força e do domínio, frisando que, apesar da mãe postiça e da existência de um tutor, é a própria heroína quem decide de suas ações, como bem entende. Uma verdadeira princesa no exílio, portanto.

Temos assim, no pórtico do romance, um conjunto de imagens que imprime a direção da leitura. Podemos ler *Senhora* como uma narrativa apegada à fidelidade descritiva do real? A resposta deve ser cautelosa.

Como vemos, não convém situar a ficção alencariana no mesmo estalão, mais ou menos uniforme, com que se mede o romance dito "realista", do século XIX. Mas não é certo, igualmente, desprezar seu aspecto mimético, documentador "apenas indireto"[2] de um momento histórico concreto da sociedade brasileira. Isto é, devemos considerar o conjunto de imagens do livro (ligado ao enredo, às personagens e aos outros elementos estruturais) sempre por uma ótica bivalente, que seja capaz de apreender ao mesmo tempo os padrões míticos subjacentes e sua deslocação, sua adequação a um critério de plausibilidade ou verossimilhança.

Algumas distinções teóricas de Frye vão ser úteis agora para nossa leitura. A fim de explicar os modos de organização dos símbolos arquetípicos em literatura, o crítico propõe e descreve três categorias básicas, vistas abstratamente como três grandes tendências. A primeira delas é o mito não deslocado, quer dizer, não modificado nem retorcido em função da plausibilidade ou da adequação à realidade da experiência humana. As imagens se concentram, aí, em sua pureza, organizadas segundo dois princípios: ou revelam um mundo que o homem deseja ardentemente, um lugar de paz, prazer e felicidade (o Paraíso), ou mostram um mundo abominado, repelido pelo desejo do homem, um lugar de cativeiro, dor e confusão (o Inferno).

Na segunda tendência descrita por Frye, a "tendência romanesca", essas duas organizações metafóricas reaparecem, não como evidências do Paraíso ou do Inferno, mas como "padrões míticos implícitos num mundo mais estreitamente associado com a experiência humana". E, sempre graduados pela deslo-

---

[2] É a opinião de Alfredo Bosi, *História concisa da literatura brasileira*, São Paulo, Cultrix, 1970, p. 154.

cação do mito, chegamos à terceira tendência, chamada "realista", onde se põe ênfase no conteúdo e na representação, e que constitui o ponto máximo de adequação dos arquétipos às regras da verossimilhança.

Parece-me que *Senhora* (e a obra de Alencar, de um modo geral) oscila entre as duas últimas tendências. Tocada pelo modo romanesco, a narrativa acumula, página após página, um estoque enorme de imagens arquetípicas que remetem, segundo o desenvolvimento do enredo, ora para o mundo do desejo, ora para o mundo do não-desejo. Mas também, movida pela ambição da mimese, a narrativa dirige-se a cada instante para a descrição da experiência humana, à qual tenta permanecer fiel, deslocando e adequando os padrões míticos.

Assim podemos ver, por exemplo, o conflito que organiza o enredo: como um choque entre o mundo do amor idealizado, o arquétipo do Amor invencível, e o mundo da experiência decepcionante e degradante, governado pelo dinheiro, emblema do demoníaco. Esse choque constitui o nó da narrativa e encrespa suas páginas com a emoção da luta. Mas o estilo, que num romance "realista" deveria pender para o grau maior de adequação dos mitos ao real, evidencia entretanto uma nítida preferência pelo metafórico, pelo pólo da idealização, realçando assim o substrato mítico.

Isso pode ser percebido também desde o início, na descrição de Aurélia, cuja face parece conter, potencialmente e ao mesmo tempo, desdém e decepção, provocação e meiguice, ternura e escárnio, amor e desprezo. É um choque entre dois mundos: aquele do desejo, da inocência e do amor, e um outro, ironicamente invertido, da repulsa e da abjeção. O narrador se espanta com o fato, e pergunta como "as linhas tão puras e límpidas" de Aurélia poderiam ter sua harmonia quebrada pelo "riso de uma pungente ironia". A explicação é a experiência dolorosa da vida em sociedade, movida pelo interesse e pelo ouro, metal degradado de sua nobreza e transformado em dinheiro, cotação e mercado.

Aurélia alardeia a cada instante essa experiência, mas recusa-se a viver dentro dela. Fechada em seu mundo, donzela casta mesmo após o casamento que (diria Alencar) não se consuma, opõe o Amor invencível à degradação demoníaca. No entanto, não deixa de ser também marcada por essa: sua beleza tem um "fulgor satânico", que faz reluzir exteriormente a "acerba veêmencia da alma revolta", os "abismos de paixão", as "procelas de volúpia" do seu amor de "virgem bacante".

Virgem. Para Alencar, diz Cavalcanti Proença, "a virgindade é um talismã". Nesse romance ambíguo e forte que é *Senhora*, a castidade preservada com zelo rigoroso constitui (como para Galaaz e tantos outros) uma das fontes da força. Pela beleza, mas também pela virtude com que se resguarda, Aurélia atiça o desejo e domina os pretendentes.

O próprio Seixas, no cume de sua humilhação, deixa-se arrastar pelo fascínio da mulher, que resiste no entanto até o final. A cena da valsa, evoluindo da inocência à vertigem, assim como o que se segue ao desmaio de Aurélia, têm uma sensualidade tão clara, e tão claramente repelida que a analogia com o arquétipo ritual da "tentação" se impõe de imediato. Ambas as personagens resistem a ela e saem incólumes da "prova", pois só depois de desatado o nó, após a vitória do Amor invencível sobre a experiência, é que poderá ser entoado o "hino misterioso do santo amor conjugal".

Mas bem ambígua é essa virgindade, que se abandona na valsa. O leitor com certeza já viu a gravura católica na qual Maria, suspensa acima do globo terrestre, calca a seus pés a serpente, símbolo do demônio. A Virgem resgata, dessa maneira, o pecado de Eva. Pois bem: ainda no primeiro capítulo do livro, Alencar coloca Aurélia na mesma posição de Maria, superior ao mundo e "orgulhosa de esmagá-lo sob a planta, como a um réptil venenoso". E, no parágrafo seguinte, contrapõe a isso as já citadas imagens da degradação, fazendo referência ao "fulgor satânico" da "virgem bacante".

Essa contradição, que podemos chamar de conflito entre os mundos da inocência e da experiência, percorre todo o livro. Não vamos examiná-lo de modo mais detido, porque seria preciso estendermo-nos por muitas páginas. Mas o leitor já percebeu a direção de nossa leitura: as imagens do romance compõem uma estrutura apoiada sobre forte substrato mítico, que aflora a cada instante.

E é só conferir, ao longo do relato, algumas passagens marcantes, em que os arquétipos impõem sua presença: o começo e o fim do capítulo II da primeira parte, por exemplo, em que se dá a identificação de Aurélia com o sol; ou o capítulo XIII da mesma parte, em que a descrição da câmara nupcial é sua transfiguração em lugar celeste, ambiente propício para o "ponto de epifania", que não ocorre porque Aurélia põe em cena a degradação da venda, destruindo o mundo da inocência pelo contato com o mundo da experiência; ou ainda, no último capítulo da segunda parte e no primeiro da terceira, o "ponto ritual de sacrifício", no qual os dois heróis tombam como mortos, Aurélia "sem sentidos sobre o tapete", Seixas respirando angustiado como "uma criatura fulminada"; ou ainda mais, após a cena terrível, a ressurreição de Fernando, que renasce em contato com a natureza do jardim, e, depois de receber do misterioso mascate/ mensageiro um pente e uma escova de dentes (símbolos prosaicos da sua modificação), regressa para a casa com o sol nascente, deixando atrás de si a "longa noite de agonia" e a pessoa fútil que fora até aquele momento.

3. Retrato, reflexo

Mas deixemos as descobertas para o prazer da leitura. Quero apenas chamar a atenção para um último símbolo, emblema de toda a narrativa: o retrato de Seixas que Aurélia manda fazer.

Da primeira vez o artista pinta um quadro fiel, em que surge, desagradável, a fria e seca expressão de Fernando. Aurélia não gosta, e através dos artifícios da sedução faz voltar ao rosto do marido a antiga aparência "afável e graciosa". Então o pintor pode modificar sua obra, refazer o desagradável e retratar Seixas tal como Aurélia o sonha e ama.

Não é essa, por acaso, a mesma atitude de Alencar? As imagens de *Senhora*, metáforas do luxo e do desejo, recobrem o som degradante do dinheiro que vai ao mercado e tudo compra. Sobre a aparência desagradável do "ermo sáfaro", que é o mundo, o romancista pinta o mito do Amor invencível. Longe de qualquer realismo, sua narrativa projeta o sonho de uma outra sociedade, utopia mítica "iluminada por uma aurora de amor". Dessa forma, soluciona e mascara o real; como Pigmalião (ou como Aurélia, tanto faz) compõe com a força do estilo a imagem de seu ideal.

Ontem e hoje: a tradição do impasse

Pode interessar a alguém que esteja fora do pequeno círculo de especialistas em literatura um livro que aborda, em alto nível, problemas da crítica literária brasileira, de fins do século XIX a princípios do século XX?

A resposta é afirmativa no caso do ensaio *A tradição do impasse*, de João Alexandre Barbosa.[1] Não se assuste o leitor com a aparente restrição do assunto (o exame da obra de José Veríssimo), nem com o tratamento em plano mais elevado que o da simples divulgação (foi apresentado como tese de doutoramento em Teoria Literária). Porque, sob o assunto restrito, encontramos a questão interessante, mais ampla, das relações de um intelectual com seu tempo e com a sociedade em que vive. E, sob a forma de tese, na verdade disfarçado nela, encontramos um método expositivo claro, sem afetações de erudito pedante. Um livro, portanto, cuja leitura dispensa iniciação prévia nos mistérios dolorosos da terminologia crítica hoje praticada.

Mas, assinalados o interesse geral e a acessibilidade da obra, acrescento depressa que nem por isso ela perde o seu valor como estudo especializado de crítica e história literárias. Este é, aliás,

---

[1] São Paulo, Ática, 1974. (N. do E.)

um dos seus pontos de maior êxito: a conjugação hábil de uma visão rigorosa do objeto (a literatura) à capacidade de escapar ao círculo estreito daquilo que se costuma chamar, em tom meio acadêmico, a "especificidade do fenômeno literário".

Colocando esse último ponto no centro de suas preocupações, João Alexandre não fica, entretanto, apenas nele: sua visão procura atingir, para além da "série" literária, os outros dados da vida cultural e os elementos da estrutura socioeconômica. A descrição, análise e interpretação da obra de José Veríssimo são feitas a partir do "ponto de vista controlador" de quem passou pelas correntes contemporâneas da crítica literária e conhece a importância de determinar, na linguagem da literatura, aquilo que a torna literatura, seu caráter próprio e distintivo. Mas são feitas também sem sombra de formalismo tacanho e sem esquecer que, produto cultural, a literatura emerge da sociedade, de um tecido de relações complexas e concretas que marcam também sua linguagem, atribuem-lhe uma função, imprimem-lhe o selo da atividade humana historicamente determinada.

Reconhecer essa dupla face da linguagem literária (sua historicidade e seu caráter específico) é fácil. Mais difícil, diria João Alexandre, é instaurar uma metalinguagem que conjugue os dois aspectos, que não os perca de vista no exame das obras e que, sobretudo, revele seu inter-relacionamento.

Com muita freqüência os críticos desviam-se para uma das vertentes, são incapazes de captar a unidade estético-social do objeto, e dilaceram suas observações, deslizando então em juízos unilaterais e incorretos, desprovidos da necessária abrangência. Como um Janus bifronte (a imagem é do autor, embora com outros significados), tal crítico mostra-se incapaz da visão unitária, e fita, alternadamente, a função social da literatura e sua especificidade artística, como se fossem coisas separadas, de ligação impossível.

Três impasses sucessivos

Esse impasse básico da crítica é aqui examinado concretamente através da obra de José Veríssimo, na qual o autor o vê desdobrado em "três impasses sucessivos".

O primeiro, na fase empenhada e militante que vai de 1878 a 1890, consiste em conceber a literatura como um instrumento de formação da nacionalidade, como um modo de conhecer a realidade brasileira e de transformá-la. Trata-se, pois, de um deslizamento pela vertente da função social, e de um total esquecimento da especificidade da obra literária. Nessa época, os julgamentos de valor emitidos por José Veríssimo estão baseados num critério de fundo "nacionalista". É bom, por exemplo, um romance como *Mocidade de Trajano*, porque descreve fatos da vida no sertão brasileiro, onde nossa gente vive "com seus hábitos, suas crenças, seu falar próprios" (citado à p. 36). Mas não é bom um romance como *Senhora*, ou é pelo menos inferior, pois não tem o caráter dominantemente "brasileiro" do outro.

A constatação do critério de valor "quase xenófobo" e do evidente desvio da crítica é apenas o primeiro passo, descritivo, do ensaio de João Alexandre. É preciso agora analisar e interpretar as causas do impasse, situando José Veríssimo no interior do panorama cultural brasileiro da época e buscando, ao mesmo tempo, examinar as grandes articulações da superestrutura com as modificações ocorridas na sociedade durante o período.

Segue-se então o exame meticuloso da importância e das limitações da "geração contestante", aquele grupo de intelectuais que, por volta de 1870, dedica-se a renovar a mentalidade e as instituições culturais do país. Sua principal tarefa, segundo João Alexandre, é a invenção de uma linguagem que fosse capaz de criticar os esquemas ultrapassados do Romantismo e, simultaneamente, de responder na forma adequada às "solicitações" do processo de modernização e diversificação da estrutura socioeconômica.

Grande parte do capítulo (talvez o mais denso de todo o livro) é dedicada a analisar as ambigüidades do discurso do liberalismo. O que visava a "geração de 1870" era criar uma linguagem adequada à representação de um país que se transformava, cuja economia se tornava mais complexa e deslocava-se dos setores antigos para novos setores, da região Norte para a região Centro-Sul. No entanto, as discussões intelectuais giram sempre em torno de problemas superestruturais, sem descer às relações econômicas. Assim, perde-se grande parte da eficácia da linguagem "contestante". Como afirmou Hermes Lima, a respeito do *Manifesto republicano* de 1870, o discurso tornava-se "violento na superfície, mas inócuo na substância" (citado à p. 81), já que protestava-se contra os óbices que a organização imperial opunha ao livre desenvolvimento dos ideais burgueses, mas caía-se na ingenuidade de propor soluções como a reeducação e o esclarecimento do povo.

"Em outras palavras", diz João Alexandre a propósito dos signatários do *Manifesto*, eles "eram bastante claros e incisivos quando referiam a necessidade de uma troca de regime, fundada na demonstração de nossas mazelas sociais, e, por outro lado, esgarçavam a expressão, diluíam os conceitos na excessiva generalização, quando se viam obrigados a proposições que exigiam uma reestruturação da sociedade. Seriam capazes de esclarecê-la mas tinham que se manter nos limites da discussão, da liberdade, da 'revolução moral', do direito e da 'convicção sincera'. O que se pretendia, acima de tudo, era a possibilidade de desvincular o país das suas amarras tradicionais, que já não se coadunavam com o esforço paralelo no sentido de dinamizar as relações econômicas internas e externas, enfim a libertação dos entraves que obstavam o surto do nosso incipiente progresso capitalista" (p. 81).

O discurso do liberalismo tem essa ambigüidade básica: embora "conteste", em nome do racionalismo, as velhas relações sociais (que impedem o livre desenvolvimento do capitalismo), não pode de fato superar as contradições reais da sociedade, pois para isso teria de descer à crítica do modo de produção, apontá-lo como responsável pelos desequilíbrios sociais e condená-lo de maneira radical. Como isso não ocorre, o discurso que se quer racional acaba cindido, dividido entre sua base positivista-evolucionista e um "modelo idealista subjetivo", uma ficção vaga e generalizante que se apóia sobre termos como "revolução moral", educação, direito, "convicção sincera".

Em última análise, segundo João Alexandre, trata-se de uma linguagem que, "solicitada" pelas modificações sociais empreendidas pela burguesia, permanece "colada" a elas, incapaz de forjar um modelo crítico distanciador. A "linguagem da crítica", como se diz no subtítulo do ensaio, não se organiza como "crítica da linguagem".

Em termos mais explícitos: "O que ocorria mais profundamente é que, ao propor uma tarefa de contestação da atividade intelectual anterior ao seu momento, Veríssimo, na senda de todos os que se empenharam em construir uma nova linguagem crítica no Brasil a partir da década de 1870, introduzia, em sua reflexão, o modelo de linguagem que a sociedade de modificações proporcionava, mas sem que sobre este operasse um trabalho, por assim dizer, de redução crítica" (p. 98).

A ausência dessa "redução crítica", a falta da "crítica da linguagem", determina os três impasses sucessivos de José Veríssimo, examinados por João Alexandre. O primeiro impasse é esse deslizamento pela vertente do social, esquecendo-se a especificidade da obra: o julgamento crítico, enquadrado dentro de um projeto "nacionalista", opta pelo grau de participação da obra e relega o problema formal à condição degradante de "preocupação beletrística".

O segundo impasse é quase simétrico e oposto ao primeiro. Agora, em vez do Naturalismo crítico, temos o "impressionismo crítico"; no lugar da tentativa de fundamentar o estudo da literatura sobre bases positivistas e comtianas, temos a aceitação de pressupostos subjetivos e irracionalistas; à militância "contestante" da primeira fase sucede-se o "grão de ironia e ceticismo" da segunda (1891-1900).

Também aí João Alexandre procura mostrar a ausência de uma "redução crítica" da linguagem da época e o conseqüente caminho rumo ao desvio. A ironia é vista como uma "estrutura rachada", isto é, como uma linguagem que, embora permitindo o distanciamento e captando a vida em termos de incongruências e contradições, não permite entretanto a síntese superadora. Importante é que José Veríssimo foi levado a essa posição na tentativa de responder a um "quadro de instigações", que desta vez impedia a participação na vida social e empurrava os intelectuais para o isolamento céptico e subjetivista. A linguagem da crítica, incapaz de superar a marginalização a que o desenvolvimento histórico-social levara o escritor, enclausurava-se no impressionismo.

Um terceiro e último impasse mostra-nos José Veríssimo dividido na tentativa de conciliar Naturalismo e impressionismo críticos. Como Janus bifronte, tem uma das faces voltada para o passado, perscrutando na história valores definidos e sólidos, nos quais enxerga com tranqüilidade os instantes formadores da literatura brasileira. A outra face, entretanto, não é tão segura. A dicotomia entre significante e significado impede que sua crítica obtenha um modelo de investigação específico, apto a compreender a transposição literária dos dados de instigação externos. Daí sua posição conservadora, sua recusa à literatura nova, sua incompreensão do Simbolismo, coexistindo, entretanto, quando não se tratava de assuntos literários, com uma visão intelectual perspicaz com relação ao futuro.

Um conceito de linguagem

Seria impossível resenhar aqui, de forma mais detida, o estudo exaustivo que João Alexandre faz das relações entre a linguagem da crítica e a linguagem da época nos três momentos-impasses sucessivos de José Veríssimo. Mas creio já ter ressaltado, ainda que de passagem, os pontos essenciais do livro, bem como seu abrangente interesse, que não se concentra apenas no círculo fechado da especialização literária, mas surge mesmo como uma importante contribuição para a história da cultura no Brasil.

E é nessa perspectiva mais ampla que gostaria de fazer algumas observações, relativas ao instrumental teórico utilizado pelo autor.

Como se terá percebido, sua análise opera em níveis bastante diferentes, embora interligados. Há um exame da linguagem da época, isto é, da produção cultural do período, encarada em termos globalizantes; há um exame da linguagem crítica de José Veríssimo, isto é, dos próprios textos produzidos por este autor e de seu relacionamento com o conjunto das idéias circulantes no país; há uma procura de ligações entre as mudanças da orientação intelectual e as mudanças político-sociais (trabalho que é feito de forma cautelosa, sempre levando em conta as inúmeras mediações existentes entre os dois planos); há, por fim, a presença do "ponto de vista controlador", as próprias concepções de João Alexandre Barbosa sobre a literatura e a crítica literária, que também são discutidas.

Sobre tudo isso, funcionando como o elemento capaz de dar a chave interpretativa, que possibilite articular o material de forma inteligível, encontra-se a verdadeira tese do livro: a necessidade de que a linguagem da crítica se proponha sempre como crítica da linguagem, sob pena de não "descolar" da linguagem-objeto, de não se transformar em metalinguagem, de permanecer correndo paralelamente às solicitações do momento histórico.

Tais foram, no fundo, os impasses de José Veríssimo: tomando a linguagem de sua época sem fazê-la passar, previamente, por uma "redução crítica", viu-se impossibilitado de criar um modelo de investigação que levasse em conta tanto a função social da literatura como sua especificidade.

Nada a objetar a esse ponto de vista, que aliás é demonstrado no decorrer do ensaio e testado sob os mais diferentes ângulos. Cabe, entretanto, uma observação que, ultrapassando a questão terminológica, vem tocar no próprio estoque conceitual que João Alexandre utiliza para interpretar a época e a obra de José Veríssimo. Refiro-me aos conceitos de "linguagem" e "linguagem crítica", entendidos de forma tão ampla que, parece-me, correm o risco de perder seu caráter operacional.

Esses conceitos aparecem definidos da seguinte maneira, à página 78: "E por linguagem crítica deve-se entender não somente os mecanismos de expressão, como ainda os processos utilizados para a apreensão dos objetos culturais agenciados por *uma linguagem* incapaz de ser captada através dos sistemas anteriores. Para usar a terminologia dos lógicos, uma *metalinguagem* que pudesse penetrar a nova *linguagem-objeto*" (os grifos são meus).

Como devemos entender essa definição? João Alexandre fala numa "linguagem" que seria agenciadora de objetos culturais; fala ainda numa "linguagem crítica", quer dizer, nos meios de expressão e nos processos que formariam os sistemas capazes de captar a "linguagem" (no primeiro sentido). Teríamos assim a linguagem-objeto, a produção cultural de uma época, e a metalinguagem, ou seja, o discurso que permitiria captar e criticar os mecanismos dessa produção cultural.

Cabe aqui a primeira dúvida: em que medida esse discurso crítico pode distanciar-se de seu objeto, já que é, ele próprio, um produto historicamente determinado? Ou, formulando de outra maneira: se a metalinguagem de um período é também um produto cultural desse período, quais são os limites que a separam dos outros produtos culturais? Quais são suas possibilidades de "descolar" das "solicitações" do momento histórico, de abandonar a corrida "paralela" às transformações sociais e organizar uma "redução crítica"? Quais suas chances de ultrapassar a pura "revalidação ideológica" e obter uma compreensão real, sem distorção, dos produtos culturais que ela deve criticar?

Bem sei que estou tocando um problema central da teoria do conhecimento: a possibilidade de um discurso teórico que ultrapasse os limites da ideologia. Concordemos que não seria justo pedir a João Alexandre a solução do problema. Mas seria pelo menos razoável solicitar dele que, em certas passagens de seu livro, estendesse mais a discussão do assunto, esclarecendo com maior precisão a natureza daquilo que ele chama de "linguagem", seja no seu aspecto de "linguagem-objeto", seja no seu aspecto de "metalinguagem".

A utilização ampla do termo nos leva, em certos pontos, a vacilar quanto à sua significação precisa. Por exemplo, no excelente capítulo II, quando se procura examinar o impasse da "geração contestante", encontramos o seguinte trecho: "E talvez seja essa a grande lição que podemos extrair da evolução da 'geração de 1870': o fato de que, embora se mostrando sempre decidida a intervir no processo social, não construiu o modelo de linguagem que possibilitasse sua inserção efetiva" (p. 91).

"Não construiu o modelo de linguagem" — a passagem me

parece vaga. Na verdade, as idéias da "geração de 1870" é que eram contraditórias e não conseguiam compor uma totalidade coerente. E isso porque, como fica muito bem explicado no ensaio, essas idéias eram simultaneamente produto da situação social, armas que a classe em ascensão utilizava para dinamizar as relações socioeconômicas, e *contestação ideológica* a aspectos da sociedade (mas contestação não efetiva, pois não desce às raízes, ao modo de produção econômica).

E, aliás, logo a seguir João Alexandre atinge o centro do problema: "O que se pretende defender é que por força de uma identificação entre a *linguagem crítica* que o 'modernismo' procurou forjar e a *linguagem do liberalismo* que lhe serve de *substrato ideológico*, foi impossível transpor o impasse de uma marginalização em que caíram os intelectuais brasileiros que construíram o arcabouço de uma primeira reflexão crítica no Brasil, liberta dos esquemas retóricos e beletrísticos que tínhamos herdado do passado imediato" (p. 93 — os grifos são meus).

Ora, percebe-se aí que a utilização do termo "linguagem" de forma tão abrangente pode tornar-se perigosa, na medida em que incorpora conceitos diversos. "Linguagem" passa a ser sinônimo de toda a organização superestrutural da sociedade, passa a se identificar com toda a "cultura" do tempo, ou ainda com aquilo que — também em sentido muito amplo — costuma-se chamar de "ideologia". Mas, a partir disso, a análise exige necessariamente um desdobramento do conceito, a fim de que seja possível apontar, com maior clareza, tanto os instantes de adequação do pensamento à realidade, quanto os instantes de inadequação, assim como os seus limites.

Por meio do desdobramento conceitual, penso que muitas idas-e-vindas desse capítulo (em parte provenientes, sem dúvida, de sua complexidade) poderiam, no entanto, ter sido economizadas. Para citar um só exemplo: no capítulo IV, às páginas

162 a 191, João Alexandre utiliza os conceitos de "consciência adequada" e "consciência possível", tais como foram definidos, na pista de Lukács, por Lucien Goldmann. Já é uma ampliação teórica, que precisa com mais exatidão o caráter de classe da "linguagem" (seja ela linguagem-objeto ou metalinguagem), determinando dessa maneira os limites do conceito, ao mesmo tempo em que o desdobra.

Também no capítulo II essa determinação e esse desdobramento teriam sido úteis. A classe que promove as transformações sociais leva os limites de sua consciência até certo ponto, aquele ponto além do qual a resolução das contradições implica na supressão de características básicas que modificariam seu próprio caráter de classe. Vale dizer: o ideário progressista burguês no Brasil, na segunda metade do século XIX, avança até um limite máximo porque ultrapassá-lo equivaleria a uma crítica radical ao modo de produção capitalista.

Se a "geração de 1870" tivesse sido capaz de operar a "redução crítica", de "descolar" sua linguagem do modelo proposto pelas transformações socioeconômicas (a linguagem do liberalismo), teria também ultrapassado os limites da "consciência possível" da burguesia brasileira naquele dado momento histórico. Em vez da "revalidação ideológica", "solicitada" pelas mudanças infraestruturais (como de fato aconteceu), teríamos a crítica à infraestrutura — uma crítica que, no Brasil do século XIX, não parecia ter ainda condições históricas de surgir.

Essas observações não afetam, em absoluto, as teses defendidas por João Alexandre. Na verdade, apenas as comprovam, enxergando-as de outro ângulo. Se ao conceito de "linguagem", utilizado pelo autor, acrescentamos o de "consciência" (em suas articulações com o modo e as relações de produção econômica), os problemas discutidos se tornam, no meu modo de entender, mais claros. A crítica não incide sobre as teses, recai apenas sobre um conceito que, desdobrado em vários outros, propiciaria um enfoque mais nítido do impasse em que os intelectuais burgueses no Brasil se debatem.

E, de propósito, escrevo o último verbo no presente: o impasse continua. Com freqüência, julgando fazer "crítica da linguagem", a nossa "linguagem crítica" não faz mais que revalidar solicitações de um momento histórico em que a literatura foi reificada e em que o "fetichismo da mercadoria" foi transformado, na crítica literária, em verdadeiro "fetichismo da técnica". Certos estruturalismos estão aí, para comprová-lo.

Que sirvam de fecho a essas considerações as palavras de Alfredo Bosi no prefácio ao ensaio de João Alexandre: "O impasse, que vemos com tanta clareza no autor da *História da literatura brasileira*, não estará reiterado em quase toda a crítica militante? Ele já constitui uma tradição e requer um exame epistemológico sempre renovado da autonomia ou da dependência do discurso crítico em nosso tempo. E não é o menor dos méritos de João Alexandre Barbosa ter-nos lembrado, com tanto vigor, a existência mesma do impasse".

A respeito de
Ralfo, o farsante

A "autobiografia imaginária" de Sérgio Sant'anna, o romance *Confissões de Ralfo*,[1] tem três epígrafes. A primeira é de Andy Warhol, que nos anos 1960 (de tumultuosa memória) foi considerado algo assim como um "deus" de contestadores *underground*, consagração que não deixa de ter seu aspecto paradoxal. "Eu queria fazer o pior filme do mundo", é a frase ambiciosa de Warhol, colocada no início do livro.

A segunda epígrafe é do ilustre e ilustrado poeta norte-americano T. S. Eliot, que foi chefe também, nos seus (um pouco mais remotos) tempos vanguardistas. Em matéria de romance, explica o poeta Eliot, "somente tem valor hoje, ao que tudo indica, aquilo que não é mais romance".

E, finalmente, a terceira epígrafe é do próprio Ralfo, o personagem, Ralfo, o homem sem passado, nem por isso menos incisivo que seus colegas mais conhecidos: "Quanto a mim, ao contrário, quero escrever um super-romance, também com um super-enredo, repleto de acontecimentos inverossímeis e pueris e onde fulgura um personagem principal, único e sufocante, a quem acontecem mil peripécias: eu".

---

[1] Rio de Janeiro, Civilização Brasileira, 1975. (N. do E.)

A respeito de Ralfo, o farsante

A empáfia narcisista e simpática de Ralfo, o epigráfico, converge muito obviamente para a arrogância contestante de Warhol e para a constatação crítica de Eliot. Os três referem-se à crise das formas artísticas, crise mais ou menos constante ao longo dos tempos, mas que em nossa época tomou o caráter agudo que todos conhecemos. E essas três referências iniciais situam o livro de Sérgio Sant'anna, desde logo, na linha paródica e lúdica do romance, que procura renovar os processos de composição da narrativa, optando (por exemplo) pelo fragmentarismo contra a linearidade dos episódios, pela fantasia contra a verossimilhança, pelo comportamento gratuito das personagens contra a coerência externa da caracterização. É, como se diz na contracapa do livro, "um romance crítico do próprio romance enquanto invenção artística".

Até esse ponto — tudo bem. Ralfo, a personagem de ficção que conta suas próprias aventuras, foge de uma cidade tediosa e estreita, convive amoroso e amável com duas gordas e grotescas irmãs gêmeas em São Paulo, embarca num transatlântico de luxo, ganha enorme fortuna na roleta, deixa todo dinheiro com a prostituta de bordo, desembarca no fantástico Eldorado, transforma-se em guerrilheiro etc. Vai por aí em frente, de peripécia em peripécia, aqui vagabundo, ali funcionário de escritório, mais adiante ator e autor de teatro, antes disso ladrão, louco ou prisioneiro. Sempre simpático calhorda e principalmente dinâmico.

O entrecho saturado de acontecimentos e desenvolvido com leveza, em estilo e ritmos envolventes, prende o interesse e a curiosidade do leitor. As personagens secundárias são simples caricaturas, puras contracenantes de Ralfo, o escritor. Mas não deixam de ter seu *charme* próprio e meio fugaz: a deliciosa mistura de Alice e Lolita que aparece quase ao fim da estória, o divertido Pancho Sança, Madame X, a psicopata, e até as duas irmãs, que proporcionam dias tranqüilos e sufocantes ao herói, todas essas personagens, embora sumárias e caricatas (ou talvez por isso mesmo), têm um relance de presença, que marca. Cumprem o seu papel, preenchem o espaço do romance com o humano que nossa sociedade expele, e assim reforçam a condição marginal de Ralfo, o disponível.

No entanto, com todas essas qualidades, Sérgio Sant'anna ficou longe de escrever o seu ambicionado super-romance. Ou mesmo de fazer, parafraseando Andy Warhol, o pior romance do mundo. Nem um extremo nem outro. Seu livro está ali no nível médio, bem bolado, bem imaginado, bem construído, mas sempre dando a impressão de coisa *revista*. E isso em dois sentidos da palavra: de coisa refeita, de texto reescrito depois de cuidadosas reflexões sobre seu conjunto e seus efeitos (embora o autor queira dar a impressão de gratuidade e arbítrio), e também de coisa já vista, de processos envelhecidos pelo menos em cinqüenta anos.

Penso que não é injusto cobrar de Sérgio Sant'anna exatamente esse ponto. Surgindo agora entre nós, seu livro pode parecer inovador e até revolucionário, como aliás as epígrafes insinuam. E de certo modo não deixa de ser verdade, numa literatura em que Jorge Amado e outros menos dotados continuam dando o tom e a medida.

Mas não vale a pena correr na raia com esses escritores. O conselho também é velho e vem da fonte que inspirou o autor das *Confissões de Ralfo*. Foi isso mesmo que Oswald de Andrade escreveu no prefácio famoso de seu romance *Serafim Ponte Grande*, referindo-se aos epígonos da década de 1930. E Sérgio Sant'anna, que atualizou — por assim dizer — a personagem Serafim (num passe de metamorfose bem a seu gosto crismado de Ralfo), deveria repensar agora essa advertência.

Quero significar apenas que, ao leitor um pouco mais crítico, seu livro vai parecer bastante tocado de epigonismo. As muitas referências metalingüísticas que ele contém, o sistemático desnudamento da ficção, as passagens irônicas e parodísticas, tudo isso cansa pelo caráter previsível e redundante, que o rebaixa a produção de segunda ordem, imitação mais ou menos talentosa, porém sempre imitação.

A crise das formas está aí, sem dúvida. E o romance que insiste em ignorá-la, fixando-se nas fórmulas velhas, cai no erro de deixar escapar um traço fundamental do nossos mundo: aquilo que o próprio Sérgio Sant'anna descreve como a perda da inocência, a perda de crença no romance como "retrato fiel da vida".

Mas a essa altura, enfarados de metalinguagem, já perdemos uma outra inocência. Está certo que o romance não é "retrato fiel da vida". Mas não parece ser igualmente mera brincadeira fantasiosa, contente de si mesmo pelo fato de poder desmascarar-se, exclamando a cada momento que "isto" é ficção, e que Ralfo, personagem e escritor, onipotente (por ser irreal) e onisciente (por ser dono de seu próprio destino irreal), pode manter-se alegre e disponível, pronto à aventura, mesmo na prisão ou no hospício. Há um sestro perceptível de conformismo nesta ficção de Sérgio Sant'anna. A paródia, por definição polêmica e agressiva, ganha em seu escrito um tom abrandado que a desmente. Na verdade, Sérgio Sant'anna não parodia, mas imita a paródia. A diferença, que pode parecer sutil (imitação de paródia, paródia séria), tem conseqüências importantes. A agressividade da paródia vem da inversão que ela realiza, virando de cabeça para baixo o modelo parodiado. Ora, o modelo visível das *Confissões de Ralfo* é *Serafim Ponte Grande*, e este não é invertido, mas refletido e transposto. Nessa transposição a ponta de lança da vanguarda, de aguda que era, torna-se rombuda. E o resultado é a ausência de novidade e invenção, certo tédio e o sentimento de já ter passado por aquilo várias vezes.

Mas esse defeito, com certeza muito pesado, não elimina de todo o valor e a graça das *Confissões de Ralfo*. Ainda assim, é um romance que se lê com interesse, a curiosidade acesa. Virtude que não é de todos e que mostra a garra do escritor Sérgio Sant'anna, apenas no seu segundo livro e bem capaz de deixar a retaguarda e a imitação, agora que se exorcizou de Ralfo, o falecido.

Fragmentos da pré-história

Há meses li uma entrevista concedida por Ignácio de Loyola Brandão a Roberto Drummond. Era página inteira de conversa densa, forte, meio amarga e meio raivosa. Não tenho o texto comigo e não posso conferir a impressão. Mas lembro-me de ter ficado com um sentimento muito vivo: a nossa insuficiência editorial estava fazendo-nos perder, se não o contato com obras-primas, pelo menos a oportunidade de conhecer experiências ficcionais interessantes e — principalmente — atualizadas em relação à vida do país. Na entrevista, Ignácio descrevia por alto seu livro, que ainda permanecia inédito, contando o processo que empregara para compô-lo e dando uma imagem dos temas e das técnicas utilizadas.

Falava também das muitas dificuldades para editá-lo. Parece que *Zero* andou cumprindo o tradicional percurso de rejeições que a maioria dos romances e contos é obrigada a percorrer. De porta em porta, durante cinco anos, sem achar quem se dispusesse a enfrentar o risco do lançamento, encontrou por fim um editor italiano. Foi publicado no ano passado, pela Feltrinelli, em coleção que se diz destinada a promover narrativas consideradas "de vanguarda", cujo caráter experimental esteja aliado à boa qualidade literária.

Agora que saiu a edição brasileira podemos constatar que os critérios da editora italiana (pelo menos nesse caso) foram de fato obedecidos.[1] Estávamos perdendo mesmo um romance curioso, sem maneirismos experimentalóides, sem a diluição modernosa que caracteriza boa parte dos nossos pretensos inovadores literários. *Zero* é corajoso, direto, bonito e demolidor como um bom golpe de Muhammad Ali. E se essa comparação me ocorre é porque quero frisar, desde já, dois traços salientes do livro: sua violência e sua sutileza técnica, a força da temática que ele manipula e a própria habilidade dos processos empregados na manipulação.

O fato de o livro ter saído primeiro em italiano dá o que pensar. É verdade que os autores encontram muitas dificuldades para publicar seus trabalhos. É também verdade que os argumentos dos editores (falta de mercado e má qualidade dos originais são os dois decisivos) têm um peso grande. No caso de *Zero*, entretanto, fica bem evidente que as razões são outras.

Qualidade não lhe falta, nem boas possibilidades de vendagem. A demora na publicação só pode ser atribuída ao abafamento da vida cultural, por tanto tempo submetida a imperativos tão fortes que acabam produzindo distorções desse tipo: um romance brasileiro, que trata de assuntos ligados a nossa vida de cada dia, que interessa do ponto de vista literário, fica cinco anos na gaveta, até encontrar um editor italiano e até aparecerem condições (não sei se ainda muito precárias) para a publicação em português.

O leitor de *Zero* entenderá fartamente o que estou dizendo. Não adianta insistir sobre o ponto e, embora seja sempre bom deixá-lo registrado, melhor ainda é ler o livro. A sugestão é que isso seja feito com a urgência possível, pois vale a pena conhecer a obra.

Zero é uma explosão forte, uma bomba que arrebentou aqui

---

[1] Ignácio de Loyola Brandão, *Zero: romance pré-histórico*, Rio de Janeiro, Editora Brasília, 1975. Edição italiana: Milão, Feltrinelli, 1974, coleção "I Narratori", tradução de Antonio Tabucchi. (N. do E.)

perto e deixou quase tudo em pedaços: ruínas da cidade, de pessoas, dos desejos, mentiras e verdades de suas personagens. A explosão ocorreu por dentro e por fora, por todos os lados, onipresente e todo-poderosa, trazendo como conseqüência um dilaceramento geral, que se traduz no livro (entre outras coisas) pela presença constante de aleijados e deformações, de seres estranhos, sem nenhuma beleza.

Zero é uma feira de monstros. José, a personagem principal, trabalha no escritório da firma que seleciona raridades para serem exibidas no Boqueirão, bairro do lixo e dos divertimentos. Lista breve das atrações do grande *show*: o bezerro de sete cabeças, o automóvel com pés de homem, a mulher mais pobre da Terra (que não tinha casas nem roupas, nem corpo, nem nada), a mulher mais rica do mundo (que ia ficando mais rica exibindo-se ali), o jogo de basquete dos homens sem braço, a corrida dos paraplégicos, o homem que tinha o pé grudado na cabeça, formando uma roda. Mas a maior atração é um homem normal, sem cárie nos dentes, perfeito de cuca e corpo, folha limpíssima na polícia. Um ser que não existe e por isso se transforma, com a maior rapidez, no ponto central dessa exibição fantástica, onde encontramos condensadas em metáfora as misérias que vemos, sem enxergar direito, todos os dias.

Ignácio de Loyola classifica seu livro como um "romance pré-histórico". A expressão serve bem para qualificá-lo.

A narrativa se desenvolve "num país da América Latíndia, amanhã", e os tipos, os acontecimentos, as paisagens que nele encontramos configuram um espaço ficcional dominado pela opressão e pela violência. Já se disse que essa última funciona como uma espécie de parteira social, fazendo saltar para fora as transformações históricas. Talvez seja verdade. Mas o fato é que o país latíndio-americano escolhido pelo autor ainda não conseguiu produzir as transformações necessárias. Seus habitantes vivem, por assim dizer, uma pré-história de combates diários contra todo tipo de repressão. Buscam a sobrevivência enfrentando um esquema brutal de opções entre assaltar e ser assaltado, aleijar ou ser aleijado, matar ou ser morto. E, afinal, não podendo optar por nada, são obrigados a submeter-se aos dois lados do esquema, assaltando e sendo assaltados, aleijando e sendo aleijados, matando até serem mortos.

A violência toma conta do livro e de todos os níveis da vida. Acompanha o trabalho, a vagabundagem, o amor, produz as deformações que encontramos a cada passo. Sua força, colocada no centro do romance, rompe também a linearidade da narrativa, que se dispersa em capítulos curtos, anotações delirantes ou irônicas, episódios truncados, personagens toscas e imperfeitas, frases cortadas ao meio.

Aqui, a técnica do fragmentário é conseqüência coerente dos temas escolhidos e da maneira de abordá-los. Não há, em *Zero*, aquela gratuidade de processos que desqualifica tantos livros novos. Pelo contrário, o experimento ficcional é nele uma necessidade que nasce da própria temática abordada, a pré-história do país violentado. Pode-se dizer que o corpo do romance, despedaçado em sua unidade, justapondo coisas heterogêneas numa colagem absurda é fascinante, é imagem da própria realidade que ele tenta fixar.

Na América Latíndia coexistem elementos díspares, incongruentes, que um autor perspicaz não pode deixar de perceber e anotar. Ignácio de Loyola Brandão não só os percebeu e anotou como também transportou-os para o miolo de seu livro. Essa captação do disforme rendeu-lhe, do ponto de vista artístico, uma vitória: a totalidade do romance recupera a unidade dos fragmentos e é capaz de representar com eficiência a vida mutilada dos latíndio-americanos, numa trama interessante e criativa, que prende a atenção do leitor.

A poesia em 1970

Cada vez fica mais complicado ler e entender poesia contemporânea. Desde há muito tempo vem ocorrendo uma desvinculação progressiva entre a produção poética e a massa dos consumidores de poesia, uma espécie de especialização constante das técnicas do poema que faz com que se afastem dele os "não iniciados", os simples leitores que não possuem os "segredos técnicos", chave para o prazer da leitura.

Como se dá esse processo de "especialização da poesia", que reduz o seu círculo de influência sobre o público? Em parte, isso se deve ao fato de vivermos numa sociedade na qual a divisão do trabalho atingiu um ponto muito alto de complexidade. Entre as conseqüências mais importantes desse processo está a extrema especialização das diversas técnicas utilizadas pelo homem. Em todos os campos da atividade humana o acesso ao saber tornou-se algo que exige longo caminho de aprendizagem, e a literatura não escapou a essa regra geral.

Os poetas já não estão mais, como os cantores das comunidades primitivas, ligados organicamente ao público. Entre ambos instalou-se alguma coisa, que impede a imediatez da comunicação. O desenvolvimento das técnicas do poema acompanhou o movimento geral da sociedade, especializou-se também, e segregou o poeta da grande maioria das pessoas.

Por outro lado, essa divisão do trabalho, tal como ocorre em nossa sociedade, é paralela a uma divisão social. A conseqüência, muito óbvia, é que a poesia, desvinculada do corpo social mais amplo, vai ser entendida por apenas uma pequena camada da população, exatamente aquela que tem oportunidade (lazer, escola) de se iniciar nos mistérios das técnicas e modos de dizer do poeta.

Pensando nesses problemas preliminares é que podemos situar com certa clareza o atual momento poético do Brasil: seus instantes criativos, seus pontos de maior fraqueza e — principalmente — seu grande marasmo atual.

Modernismo, antecedente da poesia de hoje

O ponto de referência mais distante — mas também o mais importante — é até hoje a chamada "revolução modernista". O que os modernistas fizeram entre nós foi mesmo uma verdadeira revolução no domínio da poesia. Destruindo a linguagem acadêmica e ultrapassada, procuraram substituí-la por outra linguagem que estivesse: a) de acordo com uma realidade *moderna*, industrial e cosmopolita, que estava sendo implantada no país; b) de acordo com uma realidade *brasileira*, rural, regional, popular, que segundo eles estava sendo disfarçada e ocultada pela literatura anterior e precisava ser exposta ao olhar de todos.

Esse esquema simplifica muito, é claro, a riqueza do movimento modernista, mas podemos utilizá-lo para traçar o quadro geral. Digamos que, para nossos efeitos, o Modernismo desenvolve duas linhas básicas: primeiro, procura a cidade como tema e a arte cosmopolita como linguagem; depois, procura aquilo que, no país, escapa à "cosmopolitização" (o Nordeste, as tradições populares) ou o que fica esmagado pelo processo de industrialização (o marginal, a cidade, o operário).

Por um lado, portanto, uma linha poética "experimentalista", tentando adaptar-se ao novo mundo da indústria; por outro lado, uma linha empenhada, de protesto e denúncia social. E alguns poetas conseguiram admirável equilíbrio entre os dois pontos. Carlos Drummond de Andrade foi um deles. Sua poesia combina, com a maior justeza, as conquistas do Modernismo no campo da linguagem com o empenho social que transparece como oposição ao "mundo caduco" em que vivemos.

Parece que, de certa maneira, o que se deu no Brasil posteriormente, em matéria de poesia, confirma essa face dupla do Modernismo, embora sem o equilíbrio e a junção obtidos por Drummond. Nos anos 1960, que foram os últimos tempos em que a cultura pôde ser debatida abertamente, como *movimento*, entre nós, houve no fundamental duas propostas poéticas diferentes: uma de caráter experimentalista, ligada a grupos como os da poesia concreta, neoconcreta, praxis e poema-processo; outra, ligada ao populismo da nossa história política recente, de caráter engajado, de protesto, e que se identifica com a movimentação dos CPCs da antiga UNE e com a série *Violão de rua*, três volumes de poesia popular publicados pela Civilização Brasileira.

O grupo experimentalista

Os poetas desse grupo estão preocupados essencialmente com problemas da linguagem. Na verdade, seu objetivo é promover uma revolução formal. O primeiro manifesto foi do grupo concreto paulista (1958) e sua tônica é a representação, na linguagem poética, da nova realidade do mundo, uma realidade alterada pela tecnologia, a qual (segundo os signatários do manifesto, Augusto e Haroldo de Campos, mais Décio Pignatari) a poesia não poderia ficar ignorando. Para eles, era necessário inventar novos processos de compor, capazes de liqüidar o caráter analítico-discursivo do verso tradicional e substituí-lo por uma forma sintético-ideográfica, mais próxima da civilização da velocidade, da máquina, dos veículos de comunicação de massa.

Nasce daí uma poesia altamente sofisticada. Ela aproveita o espaço gráfico como elemento de estruturação do poema, atomiza a frase, multiplica significados internos, desintegra a palavra, anula a discursividade. Transforma o fazer poético num jogo técnico de manipulação dos signos — um jogo elaborado e uma nova educação do leitor. Este, para compreender o poema concreto, e isto vale também para os movimentos experimentalistas que vieram depois, necessita estar atualizado com toda a transformação pela qual a literatura, assim como as outras artes, passou no decorrer deste século. De Décio Pignatari:

> beba coca cola
> babe   cola
> beba coca
> babe cola caco
> caco
> cola
>   c l o a c a

Pode-se afirmar com certeza que essa forma nova, estranha, excluía da leitura do poema concreto uma imensa parcela do público brasileiro (e refiro-me à parcela da parcela dos poucos alfabetizados que lêem literatura). Assim, embora desenvolvendo uma linha do Modernismo, o poema concreto deu efeito diferente deste: enquanto o Modernismo conquistava leitores com seu verso coloquial, próximo à linguagem cotidiana, aberto à gíria, ao diálogo de rua, aos instantes da vida do dia-a-dia, os poetas concretos fechavam seu universo, utilizando conceitos como "subdivisões prismáticas da idéia", "espaço gráfico como agente estrutural", métodos de composição "ideogrâmicos". O paradoxo é este: baseados na teoria da comunicação, perdiam de fato a comunicação com a maior parte do público.

Poesia empenhada

A base do paradoxo é a verdade elementar de que o grau de informação estética muito alto resulta em comunicação menor. Nem por isso os concretos abdicaram da participação política, que inclusive o momento histórico do país solicitava com muita veemência. Baseados na consigna de Maiakóvski — "Não há arte revolucionária sem forma revolucionária" — bateram-se contra os populistas de *Violão de rua*, procurando mostrar que o engajamento desses era falso, porque permanecia numa linguagem velha, empobrecida, viciada, ideologicamente presa ao mundo burguês que eles diziam combater.

Os concretos tinham pelo menos boa parte de razão. O leitor de hoje, debruçado sobre as coletâneas de poemas participantes daquela época, terá muito que reclamar deles. São ingênuos formal e politicamente. Salva-se um ou outro poeta, um ou outro poema isolado. De fato, a linha participante naufragou em mar alto, se pensarmos em termos de qualidade poética. Seus poemas são desabafos, gritos, protestos — mas não têm a necessária transposição artística que é o toque do poema, aquela reelaboração da linguagem que confere ao discurso político a qualidade de poesia.

Pode-se dizer, inclusive, que o fracasso da linha empenhada está ligado muito de perto ao fracasso da esquerda populista no Brasil. Ambas são fruto de uma época em que a consciência do intelectual brasileiro estava muito presa a velhos esquemas de compreensão da realidade que se revelaram, de um golpe, falsos e superficiais.

Pouco ficou dessa poesia, que podemos considerar ingênua sob três aspectos. É ingênua em termos políticos, quando desconhece a verdadeira realidade do país e do momento histórico que vivíamos nos anos 1960. É ingênua quanto à compreensão da função social da literatura, ao imaginar que a palavra poética deveria realizar um papel de politização popular direto e imediato. É ingênua, finalmente, ao enfocar os complicados problemas relativos à linguagem poética sob um ângulo simplificador, acusando toda experiência inovadora de "formalismo" ou nomes piores.

Mas os poetas empenhados tiveram seu papel — papel político — e mesmo que nos dias de hoje não tenham um gosto muito agradável, não podemos deixar de reconhecer que o seu trabalho foi importante, que despertou muita gente, que abriu e movimentou a cultura brasileira, polemizando com certa aspereza contra os "experimentalistas" e arrastando-os até ao famoso "salto participante", quando eles começaram a incluir a temática social em seus poemas, embora sem abandonar o abstrato "engajamento" na linguagem.

O debate fundamental: 1964-1968

Mas à parte as distinções entre as duas linhas, que saldo positivo tiveram elas? Como contribuíram para a formação sempre continuada da literatura? Que papel tiveram na elaboração de uma cultura brasileira? Essas questões são as que deveriam ser procuradas desde agora, alheias à distinção apaixonada das polêmicas.

Curiosamente, o debate entre experimentalistas e empenhados ganhou sua repercussão maior fora do terreno literário. Ele aconteceu entre os anos de 1964 e 1968, e atingiu todos os campos da cultura: cinema, teatro, música, educação e até mesmo literatura. Mas quem se aproveitou mais da disputa no campo da poesia foi a música popular, a princípio nas letras intimistas e coloquiais da bossa-nova, depois no palavreado reivindicatório dos festivais de televisão, e, por último, na criatividade intensa do grupo tropicalista e de Chico Buarque de Holanda.

Pondo de parte os problemas musicais, centrando nossa atenção nas letras das canções, podemos verificar com facilidade até que ponto um compositor como Caetano Veloso está vinculado a quase toda a produção poética brasileira, do Modernismo até nossos dias. Como entender "Tropicália" sem a sombra de Oswald de Andrade? Como entender um disco da qualidade de *Araçá azul* sem pensar nas experiências dos concretos e, ao mesmo tempo, na pressão empenhada e de protesto? E como deixar de reconhecer, em composições do tipo de "Cotidiano" e "Construção", de Chico, o equilíbrio buscado e obtido entre invenção verbal (rica, inovadora) e a garra social e participante? E cito de propósito essas últimas composições, posteriores a 1968, apenas para mostrar como a polêmica permanece, apenas abafada por outros fatores.

Mas, e hoje?

Essa foi a evolução do longo debate poético: das revistas especializadas e dos suplementos literários ele passou aos festivais de TV e aos discos. Sintomas talvez de que as vozes mais criativas da nova geração buscam canais diferentes para comunicar-se com o público, tentam romper o cerco do livro e da especialização e atingir de novo o corpo social de que a poesia está se desligando.

Nessa procura muitos problemas surgem. Um deles, por exemplo, é a indústria cultural, que tende a nivelar pela base a qualidade da produção e a rebaixar portanto seu impacto de criatividade. Outro problema, e dos mais sérios, é a instituição da censura, que deixa pouco espaço ao debate e impede a livre circulação das idéias. E isso é de um terrível poder esterilizante: nos últimos anos a poesia brasileira tem sido produzida na solidão dos escritores isolados, impedidos pelo clima geral de se agruparem, de se refletirem, de se criticarem mutuamente. E, assim, estão cada vez mais desestimulados e empurrados para as margens, reduzidos a verem seus poemas multiplicados em algumas cópias mimeografadas, vendidas nas ruas, nas faculdades ou entre poucos amigos.

> "Um galo sozinho não tece uma manhã:
> ele precisará sempre de outros galos.
> De um que apanhe esse grito que ele
> e o lance a outro; de um outro galo
> que apanhe o grito que um galo antes
> e o lance a outro; e de outros galos
> que com muitos outros galos se cruzem
> os fios de sol de seus gritos de galo,
> para que a manhã, desde uma teia tênue,
> se vá tecendo, entre todos os galos."

(João Cabral)

Para que haja entre nós, de novo, um *movimento* poético criativo, capaz de fazer a nossa poesia emergir do mutismo em que está encerrada e colaborar com suas imagens e suas críticas para a construção do amanhã, é preciso que certas condições sejam superadas. É preciso que, antes de mais nada, o debate poético recomece.

Corda bamba

O que me espanta antes de mais nada, na ficção de Flávio Aguiar, é sua desenvoltura descabelada, barbuda e mal vestida. A estória vai entrando à vontade na minha sala de leitor, abanca-se e as frases saem livres, na conversa coloquial de amigos que trocam banalidades. De repente, sob a afirmação mais corriqueira, sob a idéia muito repisada, brilha qualquer coisa de novo: deslocado de leve, o dito banal desvela-se em um aspecto diferente, ou engraçado, ou triste, ou inevitável e dolorido. Nos debruçamos na conversa (na ficção), surpresos, tomados pelo interesse da descoberta. E seguimos então aquela fala subitamente renovada, cheia de significados e intenções escondidas, mas que querem mostrar-se sem romper o clima anterior de descontração, de papo solto e desembaraçado. Sem existir empáfia de novo, de inédito, de extrema e genial modernidade.

Quem conhece o autor dessa noveleta de nome estranho entenderá logo porque me fascina esse aspecto de seus escritos. Entre outras coisas, o fato é que ele reflete, com muita fidelidade, a figura de Flávio Aguiar em pessoa. O autor real de *Ora pro nobis*,[1] o de carne e osso (não o Luís Carlos de Oliveira da estó-

---

[1] São Paulo, Ática, 1977. (N. do E.)

ria), anda entre nós como a sua ficção: desenvolto, grandalhão, cabelo e barba crescidos, misturando peças de roupa que, no mínimo, colidem vigorosamente entre si.

No entanto, à impressão inicial de desarranjo, sucede logo a certeza de estarmos diante de alguém com idéias claras e organizadas, com olhos abertos para o mundo elegante da literatura e para o mundo desconcertado daqui de fora. Não me tomem essa analogia biográfica muito ao pé da letra, mas também não a desprezem de todo. Ela é curiosa, na medida em que nos permite sublinhar o estilo criado por Flávio Aguiar, estilo que consiste basicamente numa mistura maliciosa de desleixo e consciência da escrita. Não se trata de desalinho arrumado (como os *jeans* que se descoram antes de vestir, para darem a impressão de velhos). Na verdade, o processo usado em *Ora pro nobis* é o contrário disso: o desgastado, o roto, o banal, o lugar-comum, todo o lixo da literatura é assumido com volúpia e tratado com um carinho que busca transformá-lo, exibi-lo como coisa que ainda serve e encanta. Leitor incauto, quando encontrares em certas páginas dessa novela uma enfiada de metáforas há tempo falecidas, não feches o livro desanimado de tratares com velharias. Vê bem que não anda ali qualquer contração cadavérica. Novamente trazidas à superfície do discurso, as velhas metáforas carregam consigo, do fundo de onde foram deslocadas, um pouco da lama que atrapalha seu brilho. Entretanto, o texto de Flávio Aguiar encarrega-se de dar a elas uma outra função: ora parodiados, ora estilizados, os lugares-comuns da tradição literária recobram ou ganham vários sentidos. Inclusive, a própria lama é exibida de modo triunfal, como a atestar, ao mesmo tempo, o desgaste da linguagem e seu enorme poder de recuperar-se.

Quase não é preciso demonstrar tal afirmação com exemplos tirados do texto. A estória inteira é escrita nessa chave, um verdadeiro corpo a corpo com os paradigmas da narrativa. Desde as linhas maiores do enredo até os pormenores estilísticos, toda a construção artística de *Ora pro nobis* é tratada como uma recuperação daquilo que o uso repetido transformou em clichê.

Trata-se, no fundo, de uma técnica paralela e oposta às técnicas usadas nas narrativas contemporâneas. Paralela pela presença obsessiva da metalinguagem, da reflexão sobre os meios de produção da estória. Paralela, também, pelo tom de farsa e pelas insinuações de fantástico, decorrências do caráter autofágico da narração. Essa última busca (como Luciano, como Super-Ego, como todas as personagens) seu sentido nas origens, mas acaba por encontrar o "medo da morte" e o ponto final como resposta para seus problemas insolúveis.

O silêncio, que se inicia no seu fim ("não ouvi meu último suspiro", diz a personagem), figura a impotência da narrativa, arriscada a qualquer instante a coincidir com a realidade, a tornar-se algo "humano, demasiado humano" — e, portanto, insuportavelmente frágil e efêmero, destrutível. Figura, de igual forma e ultrapassadas as mediações, o estatuto demasiado humano de nossa existência histórica: através de revoluções, conspirações, vitórias, derrotas, fugas e avanços, o vislumbre esperançoso da porta aberta sempre possível e sempre obstada.

Por outro lado, a atitude literária de Flávio Aguiar se opõe às concepções dominantes mais atuais. A desinibição com que ele trata o "lixo" da linguagem é um choque propositado com as restrições da vanguarda. Caminhando também para o silêncio — "a alva agonia" —, lutando também contra ele, o Autor de *Ora pro nobis* adota entretanto uma atitude oposta à da linhagem mallarmaica. Eloqüente e derramado, generoso e acolhedor, estende as notas de seu canto para os pontos mais distantes e tece uma rede ampla, que tudo pesca: as imagens velhas, os mitos da adolescência, os enredos românticos, as personagens padronizadas, as soluções esquemáticas.

A dimensão da noite

Essa é sua característica mais original, seu *tour-de-force* artístico — mas também seu risco, sua faca de dois gumes, seu perigo constante de queda. Pois, às vezes, ele quase cai, resvalando no próprio terreno escolhido. Trabalhar sobre a ambigüidade é muito difícil; trabalhar sobre uma dupla ambigüidade, como ele faz quando desafia e adota o sentido petrificado, já não é apenas difícil, é arriscado e perigoso. Mas andar sobre corda bamba é privilégio de artistas. Flávio Aguiar faz isso.

Simulação e personalidade

O romance *Iaiá Garcia* ainda não tem a grande característica de Machado de Assis, aquela modulação de voz pausada e reticente que relativiza as afirmações, afasta a ênfase e dimensiona ironicamente o narrado. Entretanto, se ainda não traz o tom maior do escritor, já trabalha com a mesma matéria que alimentará seus melhores romances: a pequena vida cotidiana das famílias cariocas no século XIX, envolvidas na trama dos casamentos arranjados por interesse, dos amores impedidos por sanções sociais, do dinheiro como poderoso agente motivador das ações humanas. A esse respeito diz com muita clareza um de seus críticos: "É coisa mais que sabida que a família, seja qual for a sua forma, constitui sempre o centro e a base da vida em sociedade. Ora, quem diz família diz casamento, e quem diz casamento diz amor, e quem diz amor diz complicação — 'complicação do natural com o social'. É nos conflitos suscitados por esta complicação que Machado de Assis vai buscar os elementos necessários à tessitura de quase toda a sua obra de ficção".[1]

Tal observação de Astrojildo Pereira resume justamente a matéria de *Iaiá Garcia*. É com estes elementos (família, casamen-

---

[1] Astrojildo Pereira, *Machado de Assis*, Rio de Janeiro, Livraria São José, 1959, p. 18.

to, amor) que se constrói a trama, ou o enredo do romance. Pode-se dizer inclusive que, em certa medida, a narrativa não é apenas construída com eles, mas também que sua composição é profundamente marcada por eles. A utilização de uma certa matéria (a complicação do natural com o social) leva à utilização de certos recursos narrativos propícios à representação do que se quer contar. Em outras palavras, o material temático utilizado influi de modo considerável na formação da trama.

Expliquemos melhor essa afirmativa examinando um pouco o enredo. Veremos que ele se constitui de uma série de incidentes que giram sempre em torno do mesmo ponto, a realização ou a não-realização de um casamento. Todos os atos das personagens são conduzidos, de modo direto ou indireto, para a consecução ou para o impedimento desse objetivo. Assim, a ação do romance arma-se sobre a mesma seqüência básica, repetida ao longo do relato com ligeiras variações, mas mantendo sistematicamente os elementos essenciais.

A estrutura dessa seqüência básica pode ser representada pela figura de um triângulo, que surge e se desfaz a cada instante, assinalando as várias disposições das personagens em cada conjunto de peripécias. Jorge deseja casar-se com Estela, mas é impedido pela oposição radical de sua mãe, Valéria, que prefere mandá-lo para a guerra a permitir o enlace. A essa primeira configuração (Jorge, Estela, Valéria), segue-se uma segunda, que se dá quando Valéria, através de algumas manobras, obtém o casamento de Luís Garcia com Estela — e cria assim o triângulo número dois, apenas virtual e latente, mas de importância decisiva: Luís Garcia, Estela e Jorge. Quando Iaiá, ainda mocinha, percebe a existência subterrânea dessa relação, imagina que a honra do pai está em perigo e decide salvá-la, conquistando Jorge e afastando-o de Estela. Triângulo número três: Jorge, Estela e Iaiá. E, por fim, o aparecimento de Procópio Dias, apaixonado pela moça, esboça o quarto triângulo (Jorge, Iaiá, Procópio Dias), que só desaparece no desfecho da estória.

O esquema da trama nos mostra, portanto, que a ação do romance compõe-se da mesma seqüência armada em torno do "casamento" e sempre reiterada. Mas, se avançarmos um pouco na análise, veremos ainda que a parte mais importante da motivação das ações repousa também numa concepção particular da família e do amor, que corresponde à organização patriarcal de nossa sociedade àquela época.

O casamento é visto como um negócio da razão, "uma simples escolha da razão", como diz Estela, e em consequência não deve ser deixado ao arbítrio do amor. "A vida conjugal", afirma-se a certa altura, "é tão-somente uma crônica; basta-lhe fidelidade e algum estilo."[2] Notações desse tipo são freqüentes na narrativa e apontam para uma visão muito bem definida da relação familiar: duas pessoas devem unir-se em obediência aos interesses pessoais e sociais, colocando-os acima das "ilusões juvenis" do amor. É o que se diz explicitamente no diálogo em que os noivos Estela e Luís Garcia trocam "as primeiras promessas": nenhuma paixão, que, aliás, seria "inverossímil", os "cega"; vão para o casamento "de olhos abertos", "unidos pela estima", sentimento mais seguro que o amor; casam-se, enfim, por se julgarem "friamente dignos um do outro".[3]

O conjunto dos motivos que justificam o comportamento das personagens (a motivação das ações) baseia-se inteiramente nessa maneira de encarar a vida conjugal. É apoiado nela que o narrador faz Valéria impedir o casamento do filho, armando assim o primeiro nó da intriga; é valendo-se dela que ele complica

---

[2] *Iaiá Garcia*, cap. VI.

[3] *Ibidem*, cap. VI.

a narrativa, ao fazer Estela casar-se com Luís Garcia; é ainda sustentado por ela que o narrador movimenta Iaiá Garcia, fazendo com que a menina se disponha à complicada manobra de conquistar Jorge e salvar "a paz doméstica". Fica evidente que essa concepção, ao chocar-se com a pura espontaneidade das personagens (que amam apesar de viverem dentro da estrutura familiar convencional), gera os atritos que compõem a intriga do romance. É a "complicação do natural com o social", a matéria utilizada pelo romancista, que deixa sua marca (como dizíamos atrás) na formação da trama.

A conseqüência mais imediata dessa contradição entre os impulsos afetivos, espontâneos, e as conveniências sociais que os reprimem, é um jogo de interesses e máscaras, uma série de simulações de que participam todas personagens, com exceção de Luís Garcia. De fato, como a lei do enredo e a "complicação do natural com o social", o comportamento geral vai ser marcado por um uso constante de máscaras, que servem para ocultar o "eu" sob alguma aparência mais conveniente para os interesses em circulação.

Todas as personagens dissimulam, todas elas procuram esconder os verdadeiros motivos que as levam a agir. O limite de inconsciência desse fingimento talvez seja Valéria, que não vacila em forçar a entrada do filho na guerra a fim de impedir uma união por ela considerada indigna, pois Estela não possui o mesmo *status* de sua família. A máscara utilizada por Valéria é a da "honra nacional", "colorido nobre e augusto" de pensamentos que, embora justificados pela estrutura social, não podem ser publicamente revelados. Para obter a aliança de Luís Garcia, a mãe de Jorge chega mesmo à calúnia, à mentira direta, afirmando que a mulher por quem o filho está apaixonado é "uma senhora casada".

Há certa crueldade nesse jogo de simulações em defesa de

um interesse, principalmente quando se pensa que ele envolve uma manipulação direta das pessoas, cujas vontades não são consultadas nem consideradas. Mas não há revolta, pois as dissimulações são vistas como necessárias, e se legitimam em função dos valores sociais em que se acredita. A mãe pode mandar o filho à guerra, mentir e utilizar para seus fins outras pessoas. Sua atitude não é apontada como condenável mas, pelo contrário, é designada como "pia fraude", mentira necessária e legítima. Não há nenhum horror ante o que acontece, tudo é visto como natural. O próprio Jorge, depois de repelido por Estela (que apesar de amá-lo porta-se de modo frio também em obediência às regras da sociedade), confunde-se completamente, não sabendo se deverá seguir "a lei do coração" ou as "outras leis". O natural, o impulso do afeto, deve obedecer ao social. Ou ainda, em formulação invertida e mais forte: o social acaba sendo enxergado como natural, a sociedade se transforma em natureza. "A vida não é uma égloga virgiliana", pensa Jorge, "é uma *convenção natural*, que se não aceita com restrições, nem se infringe sem penalidade. Há duas naturezas, e a *natureza social* é tão legítima e tão imperiosa como a outra."[4]

O império dessa "natureza social" torna quase impossível a espontaneidade, e então o fingimento se transforma em regra: todos fingem. E, se em Valéria isso é quase inconsciente, a figura de Procópio Dias, o qual tinha "a particularidade de parecer simplório, sempre que lhe convinha", parece explicitar de maneira consciente, assumida, esse comportamento geral. É ele quem explica a Jorge, logo na sua primeira aparição no romance, a necessidade de simular em defesa dos próprios interesses. Depois, na cena em que confidencia a paixão por Iaiá, expõe de modo

---

[4] *Ibidem*, cap. IV (grifos meus).

aberto sua teoria do relacionamento humano, segundo a qual "virtudes inteiriças são invenções de poetas" e as relações de interesse são as únicas que possuem efetividade.

Em Valéria a fraude é "pia", em Estela é uma necessidade que mostra a "destemidez de seu coração", e em Procópio Dias é sinal da posse de "penetração e superioridade para ver e confessar os vícios da natureza humana". Toda dissimulação é, portanto, justificada, e passa a fazer parte integrante do comportamento das pessoas. E o ponto máximo dessa integração, a fusão completa entre fingimento e personalidade, é a personagem que dá título ao livro, Iaiá Garcia. Nela, paradoxalmente, a fraude chega a parecer verdade, a dissimulação se aproxima da espontaneidade.

Aqui, por algumas páginas, julgamos encontrar o grande escritor que criará depois as figuras de Capitu, Sofia, Conceição, D. Severina. A menina e moça que vemos desenvolver-se no decorrer do romance forja seu caráter de mulher no instante em que, percebendo pela primeira vez a hipocrisia, começa a apreendê-la. Iaiá passa por sua primeira transformação ao supreender a expressão de Estela lendo velha carta de Jorge, e ao suspeitar da existência de um vínculo amoroso entre os dois. Esta cena capital é descrita de modo minucioso por Machado, que ressalta sua conseqüência profunda, comparada à "puberdade moral" e à "primeira violação da virgindade". Nesse momento, diz o narrador, "a criança acabara: principiara a mulher".[5]

A partir daí a estória concentra-se em volta de Iaiá, cujos contornos vão sendo enriquecidos e trabalhados. O traço principal de seu caráter é a capacidade de simular: jogando com Estela, Jorge e Procópio Dias, vai construindo sua pequena teia, sem vacilações ou dúvidas. A firmeza e a habilidade que demons-

---

[5] *Ibidem*, cap. X.

tra fazem dela um digno esboço de Capitu ou Sofia, mas com uma fundamental diferença: é que nestas a simulação tem uma tonalidade cruel, e em Iaiá é apenas graça ingênua, encanto de acréscimo que confunde e enreda. A teia que ela vai tecendo é armadilha para Jorge mas é também sua autoconstrução, seu próprio fazer-se enquanto mulher: "Aquela mistura de franqueza e reticência, de agressão e meiguice, dava à filha de Luís Garcia uma fisionomia própria, fazia dela uma personalidade [...]".[6]

Chegamos assim ao ponto em que a simulação, que está na ordem dos interesses sociais, ligada à estrutura da família patriarcal, penetra no entanto no centro da personalidade e ajuda a compor uma fisionomia. E (isto é que pode parecer paradoxal) compõe uma fisionomia de inocência, "a inocência da aranha que tece a teia", como disse Augusto Meyer a propósito de Capitu, "a duplicidade que se automatiza e se torna mais espontânea que premeditada, quase reflexa e inconsciente".[7]

Essa ambigüidade é o aspecto forte da personagem Iaiá Garcia; é ainda com certeza o melhor achado do romance. De fato, o estilo pesado e solene do livro só ganha vivacidade quando entra em cena a astúcia inocente de Iaiá. Nesse momento sentimos um pouco do prazer com que Machado cria as duplicidades inextricáveis, estimula os comportamentos inexplicados, açula as contradições mais fortes — para em seguida deixar tudo suspenso, irresoluto e dúbio. Pois é nesses instantes, também, que a "complicação do natural com o social" se torna mais sutil, mais entranhada, e a habilidade do romancista para entrevê-la e exibi-la dá a medida de sua grandeza.

---

[6] *Ibidem*, cap. XII.

[7] Augusto Meyer, *Machado de Assis*, Rio de Janeiro, Livraria São José, 1958, pp. 144-48.

Os contos vivos de Scliar

Talvez a vivacidade seja uma das características mais positivas da linguagem ficcional de Moacyr Scliar. Hoje, grande parte da literatura parece encontrar prazer imenso em longas e minuciosas descrições do "mundo dos objetos" ou da "consciência das personagens", geralmente moduladas em estilo fosco e inerte, de pegar sono no leitor. Pois Scliar, escrevendo seus contos com todos os recursos da ficção contemporânea, exorciza bocejos e tédios.

É com atenção e curiosidade que acompanhamos o desenvolvimento de seus textos, anedóticos no bom sentido da palavra, isto é, rápidos, diretos, impregnados de humor e capazes de particularizar com tal força as situações, que o seu simples delineamento (às vezes em meia dúzia de páginas), confere-lhes um caráter exemplar e representativo. Objetos e personagens, focalizados nas ações e isentados do descritivismo monótono, ganham uma concretude artística que o tom fantástico, pelo qual Scliar revela gosto acentuado, ajuda a reforçar. E vivacidade é isto, uma ficção que possui intensidade, finura, brilho e expressividade.

Nas dez narrativas que compõem *A balada do falso Messias*,[1]

---

[1] São Paulo, Ática, 1976. (N. do E.)

essas características estão presentes, e fazem da leitura um exercício igualmente vivo. Os contos, com exceção do último, são todos curtos, captando o essencial de cada situação.

A boa narrativa curta deve ser construída sem desperdício de detalhes, de tal forma que qualquer elemento desempenhe uma função precisa no conjunto. Essa regra, que é de Edgar Allan Poe, é seguida por Scliar; e embora o contista gaúcho não revele inclinação para as esquemáticas engenharias literárias produtoras de textos mortiços, a construção de suas estórias é rigorosa. É verdade (como veremos adiante) que nem sempre ele consegue uma estrutura acabada e cerrada. Mas as falhas não invalidam a afirmativa geral: aqui está um contista com clara compreensão de que grande parte dos efeitos da estória curta depende da intensidade que se imprime à construção.

Ao lado disso Moacyr Scliar revela em seus textos uma rara capacidade: a de juntar, ao dom da observação, uma finura de espírito e de estilo que poucas vezes encontramos em nossos escritores. Nada de traços caricatos ou esboços grosseiros de personagens e enredo. A técnica é outra: desce com cuidado ao detalhe, desenha-o bem nítido e exibe-o. É uma exibição discreta, sem alarde, mas feita no lugar justo, no instante em que o desenvolvimento da narrativa assim o exige. E sabe também, como poucos, suspender a palavra no momento certo, apenas insinuar aquilo que o leitor completará sozinho.

Procedimento inteligente, essa suspensão da linguagem está ligada ao tom irônico que domina em todos os textos. Em alguns casos, entretanto, nos contos "Ano novo, vida nova" e "Agenda do executivo Jorge T. Flacks para o dia do juízo final", por exemplo, a execução do processo falha. Então uma redundância toma conta da estória, a graça perde-se e a ironia parece pesadamente ostensiva. Mas há execuções de mão segura, contos em que o melhor Scliar sorri com humor mais delicado, às vezes meio melancólico ("A balada do falso Messias", primeira narrativa e título do livro), às vezes francamente brincalhão ("Os contistas"). E sempre malicioso, arguto, fino.

E, entretanto, há algo que não vai bem n'*A balada do falso Messias*. É provável que o prazer da leitura, ponto positivo do livro, seja conseqüência de um gozo anterior, o gosto da escrita. Desconfio que Scliar gosta do que escreve. E não que seja proibido. Afinal, se nem o escritor?... Mas há um risco: a facilidade, a ligeireza excessiva e o automatismo que isso engendra. Se não existe uma insatisfação básica, uma desconfiança constante travando as palavras, o prazer de compor pode transformar-se em condescendência, complacência.

Esse defeito aparece de forma excessiva, prejudicando sensivelmente o livro. Em "Não libertem as cataratas" uma linda metáfora — o envenenamento da terra pela urina envenenada de um homem doente — perde muito de sua força por causa da facilidade anedótica dispensável que é a identificação final do narrador com o rim do homenzinho. O poder poético da estória está no fato de que é possível generalizar a situação particular (homem doente do rim), ali descrita, para todas as situações semelhantes: a vida insípida contamina o mundo com sua amargura, produz cogumelos venenosos. No entanto, a particularização final reduz a imagem que se formara a um nível banal de circunstancialidade. O conto perde-se, não atinge o geral.

Mau acabamento do texto, em virtude, provavelmente, da facilidade com que Moacyr Scliar maneja a linguagem. E o caso se torna mais interessante — e mais grave — na medida em que os próprios termos do problema parecem se opor: um escritor hábil que se perde na habilidade. De fato, a passagem do particular ao geral é um dos objetivos mais nítidos de *A balada do falso Messias*. O leitor que tomar as estórias como episódios isolados da vida pequeno-burguesa perderá o rumo do livro, isto é, sua camada simbólica, intencionalmente buscada. Mas penso que este poderá ser um erro bastante comum, já que alguns dos próprios contos não são suficientes para levar-nos até o símbolo. É uma pena: tanto neste como em outros de seus trabalhos (veja-se, por exemplo, o curioso *Histórias da terra trêmula*, publicado como encarte da revista *Escrita*, nº 17) Scliar parece desperdiçar muitas chances, chegando apenas até o limiar das literaturas de primeiro plano. Para quem conhece seus livros anteriores, esses últimos vêm reforçar a impressão de um escritor dotado de inúmeros recursos, prestes a produzir uma obra de alto nível e a igualar-se com os maiores autores da literatura brasileira. Mas que ainda não chegou lá.

Essas indicações visam a situar o leitor diante dos contos de *A balada do falso Messias*. Por isso, é melhor a crítica não insistir muito nos possíveis defeitos de fatura e assinalar outros traços que, caracterizando de modo mais evidente o livro, permitam fazer dele uma imagem mais completa.

Além das já discutidas, creio que as características de maior realce são a ironia, o lirismo e a violência, os três presentes em quase todos os contos e de cuja combinação resultam efeitos originais, criações pessoalíssimas de Scliar. Trata-se, antes de mais nada, de uma junção pouco comum. A ironia, que é negatividade e distanciamento, corrói as atitudes líricas impedindo que elas floresçam sem entraves, cortando as possibilidades de identificação plena. Afasta também os gestos violentos, de vez que parece encerrar uma qualidade antipassional que habitualmente não encontramos na violência.

É possível, todavia, combinar as três atitudes e conseguir assim resultados tensos e bons. Scliar faz essa química da melhor maneira possível, impregnando seus contos de uma atmosfera estranha, densa, em que nós, leitores, oscilamos entre as três vertentes do irônico, do lírico e do violento.

A ironia nas narrativas do livro leva quase sempre ao humor, ao sarcasmo e à sátira. No divertido texto final, "Os contistas", o tom irônico promove um verdadeiro festival paródico, no sentido etimológico dessa palavra, "canto ao lado de outro": o contista conta os contos de outros contistas. O humor de Scliar é também peculiar, pois seu sarcasmo não demonstra ódio nem a intenção de ferir. É uma constatação de situações irônicas com um misto de sorriso e dó, como se o olho irônico do escritor numa capa compensadora de piedade [sic]. Daí, o lirismo, muito forte em "A balada do falso Messias", despontando em pedaços dos outros contos, feito de nostalgia por aquilo que falta e poderia estar presente.

Ironia e lirismo, no entanto, não descartam o terceiro elemento da conjugação: há um fundo de violência constante nas situações focalizadas, violência que não se ausenta de um só conto. Assassinatos, espancamentos, escalpo, devoração, tudo isso mistura-se ao humor e à piedade e, tudo misturado, está composto o mundo ficcional de Moacyr Scliar, inventivo, poético, crítico. Vale a pena o leitor conhecê-lo.

Uma alegre redescoberta do Brasil

Márcio Souza, amazonense de Manaus, 31 anos, escreveu um livro bom e bem-humorado. *Galvez, imperador do Acre*, saído no ano passado e agora em segunda edição,[1] tem o gosto de uma história alegre, divertida como poucas vezes se vê. Prende e faz rir, além de apresentar qualidades literárias. Mas sobretudo o tom satírico, burlesco, e o ritmo fluente, rápido, fazem do romance um desses livros que se lêem sem parar, com vontade de conhecer logo o desfecho das aventuras.

O antepassado literário de *Galvez* é o *Serafim Ponte Grande*, de Oswald de Andrade, ao qual o folhetim de Márcio se assemelha em vários pontos. E isso é importante. Primeiro, porque retoma as lições de criatividade, alegria e crítica do Modernismo. Depois, porque não se limita a repetir os modismos modernistas, mas cria com uma fantasia e uma graça que dão ao livro o indispensável toque de personalidade própria.

Esse retorno criativo e pessoal ao estilo cheio de humor crítico do Modernismo ajunta-se ainda à atenção voltada para a vida brasileira ou, mais propriamente, para uma espécie de redescoberta do Brasil (traço também modernista). No caso de Márcio

---

[1] Manaus, Edições Governo do Estado do Amazonas, 1976. 2ª edição: Rio de Janeiro, Editora Brasília, 1977. (N. do E.)

Souza, trata-se de um dos episódios operísticos da conquista do Acre, a revolução chefiada por Galvez, aventureiro espanhol que tentou, em fins do século XIX, transformar aqueles seringais amazônicos em país autônomo. No romance, naturalmente, a História mistura-se com as "estórias". A exploração real do látex complica-se com os mitos de uma Amazônia fabulosa, repleta de intrigas econômicas, de revoluções latentes, de orgias espetaculares, de uma sensualidade que muitas vezes atinge o paroxismo grotesco das operetas de terceira ordem.

Contada como episódio burlesco, a aventura de Galvez torna-se divertida, sem dúvida. Mas falta-lhe amplitude, profundidade e adensamento.

Se o romance deve ser mais que a simples "estória", então o romance de Márcio Souza não conseguiu realizar-se de forma convincente. O tom da jovialidade que nele predomina parece incompatível com certo aspecto menos luminoso da vida brasileira. No caso do Acre, em particular, a grande migração nordestina e a miséria em que aqueles homens mergulharam compõem um fundo obscuro que deveria abalar bastante o riso burlesco da opereta. Isso não ocorre, e o resultado é que o romance é incapaz de simbolizar a complexidade do real. Sua visão da realidade do látex fica presa aos aspectos externos, à pompa e à dissipação fácil da riqueza. Entre os "delírios da monocultura", esqueceu-se de aprofundar o mais importante, a situação do seringalista amazonense, esgotando sua vida "num isolamento que talvez nenhum outro sistema econômico haja imposto ao homem", como diz Celso Furtado em tom nada jovial.

Ora, direis, mas o bom do livro não é a sua graça? É verdade, e é bem difícil juntar as duas coisas. Entretanto, não só é possível como também é necessário fazê-lo. Esse primeiro romance de Márcio Souza fica devendo o outro lado, a densidade que lhe falta e que o completaria.

Retrato sob o poder

Em artigos recentes, Paulo Francis atacou a prática "populista" da literatura no Brasil e propôs o romance que se concentrasse "numa análise da classe dirigente brasileira". Agora, tendo aparecido seu primeiro livro de ficção, é natural que o examinemos pensando nos propósitos declarados do autor. *Cabeça de papel*[1] faz tal análise?

Devo dizer que li o livro com prazer, mas também meio irritado com a arrogância que o narrador transpira frase após frase, exibindo uma consciência de si mesmo que vai do cabotinismo ao narcisismo. Irritação portanto, o que já é uma boa prova de sua resistência enquanto peça literária. Apesar disso, não acredito que ele tenha conseguido realizar a análise a que se propunha, porque seu tema central desliza para outros rumos. Em vez de examinar a ideologia da classe dominante, acaba traçando a biografia (às vezes exata, mas nem sempre) do intelectual brasileiro, dependente da burguesia e vivendo à sombra de seu poder.

O enredo é a história de três homens, Mann, Hesse e Victor, no ambiente do jornalismo e da vida boêmia de Ipanema, no tempo que gira ao redor de 1964 e adjacências. Mann é inte-

---

[1] Rio de Janeiro, Nova Fronteira, 1977. (N. do E.)

lectual esquerdista, isolado depois do movimento militar, vivendo o limbo e o inferno conhecidos; Hesse foi também de esquerda, mas "Homem de Visão 1965" traiu e passou-se, transformando-se em diretor de um jornal direitista; Victor, rico e falido, ao mesmo tempo inocente e aventureiro internacional, regressa ao Rio e reencontra seus dois amigos. Em volta desses personagens centrais giram vários outros grupos, envolvidos em acontecimentos que constituem a substância de nossa história atual.

Romance histórico ou político? Não. Retrato ou biografia ("anatomia", diria Frye), o livro se faz em torno do intelectual Mann, de suas reflexões, reações e opiniões pessoais face aos acontecimentos. Mann, narrador e centro da narrativa, concentra sobre si toda a luz do romance, a ponto de Victor e Hesse parecerem apenas projeções de seu *ego*. A força inocente de Victor e a força diabólica de Hesse são desejos profundos de Mann, afastado do poder que quase alcançara num determinado instante. Essa frustração e esse desejo são as marcas maiores do romance. E como ele está escrito de um ponto de vista muito estrito, do ponto de vista de Hugo Mann (o que exclui boa parte dos grupos envolvidos no processo histórico), sua estrutura inteira afasta-se da "análise da classe dirigente" e reflui para o tema que, superado o populismo, talvez tenha se tornado o mais importante para o escritor brasileiro: sua própria posição diante do poder.

O texto de Francis aborda o assunto com decisão. Há um aprofundamento na consciência do personagem Mann, lugar privilegiado onde se reflete um tumulto de certezas contraditórias, uma confusão de vaidades e desprezos, de raivas e invejas. Desse caldeirão fervente sai o vapor de uma contradição principal: o ódio ao poder é também uma imensa vontade de poder.

No meio do livro, Hesse fala ironicamente das *madeleines* de Proust e do conceito freudiano de retorno do reprimido. Está aí uma matéria curiosa: no Brasil, parece, nossa *madeleine* é

1964; mas é preciso lembrar que o reprimido retorna sempre sob outras formas. No caso desse romance, o reprimido é o desejo de poder, disseminado por todas as suas páginas, na ambivalente admiração pela burguesia, no sexo exercido sempre como dominação, na imagem autoritária que se ilude (e se defende) pensando em conquistar a força pela palavra. O reprimido volta no estilo e na estrutura, e o que deveria ser análise da classe dominadora acaba sendo retrato do artista dominado. *Cabeça de papel* faz alusão à marchinha infantil e aos homens do poder.

Mas simboliza também a cabeça letrada do intelectual e, literalmente, sua fragilidade. Se não marchar direito.

A capital da libido

Há vinte anos — no dia 5 de agosto de 1982, um domingo — morria Marilyn Monroe, a maior estrela da época e uma das maiores de Hollywood já fabricou. A comoção provocada por sua morte foi grande. A imprensa de todo o mundo especulou sobre os motivos que teriam levado a atriz de 38 anos (ainda no ponto alto da carreira deslumbrante) ao suicídio num quarto de hotel, ao lado do telefone fora do gancho. Imaginações leigas ou especializadas trabalharam à vontade no prato feito do escândalo, e as explicações variavam conforme as tendências de cada um: início da decadência física da deusa do sexo, solidão afetiva que a máquina hollywoodiana impunha a seus artistas, caso amoroso malogrado com um dos Kennedy etc.

Enxurradas de textos foram escritos e publicados, e até o radical *Violão de rua*, coletânea de poemas políticos patrocinada pelo Centro Popular de Cultura da UNE trouxe, naquele ano, no seu número 11, um "Canto burguês para Marilyn Monroe", do poeta Luís Paiva de Castro. Terminava assim: "Marilyn Monroe/ não te podemos entender na última rebelião de não ser mercadoria,/ nós que compramos e vendemos/ o amor".

Da fofoca à culpa política, o tom geral das reações era emocionado e tendia para o patético da incompreensão: "Não te podemos entender". Como era possível que o símbolo do amor e da vida, a concretização de um "desejo louro" (a expressão é de

Betch Cleinman), viesse a matar-se? Naturalmente não era um outro, distante, que desaparecia — mas algo muito próximo, uma parcela dos sonhos e dos amores de todos. Não era apenas Marilyn, ou melhor, Norman Jean Baker, ex-senhora Dougherty, Di Maggio, Miller, quem se matara. Contraditoriamente, o que doía era o desaparecimento de um fantasma, de uma imagem impalpável, projetada nas telas do mundo inteiro e nos corações (e mentes) de milhões de freqüentadores de cinema.

A estrela não é ela mesma, ou não é *só* ela mesma. No mercado da indústria cinematográfica, como observa Walter Benjamin, a ator não vende apenas sua força de trabalho, mas também sua pele, seus cabelos, seu coração e seus rins. Sua imagem total, registrada na película, não lhe é devolvida como um reflexo no espelho. Vendida, vai ao mercado disputar seu lugar com as outras mercadorias. A personalidade da estrela, "encanto corrompido", que deflagra o culto, é um produto industrial construído artificialmente, e em obediência a leis que não são apenas as da representação.

Descobrir algo dessas leis que ultrapassam a atriz para formar a mercadoria é um dos objetivos de *Capital da libido*, de Betch Cleinman.[1] Na verdade, o objetivo é mais amplo: apresentado em Paris, em 1979, como tese de História e Cinema, o livro pretende ser um estudo sobre as relações entre "o mito mais difundido da sociedade americana — iguais possibilidades para todos — e as suas modalidades de realização ou de fracasso para a metade do corpo social, as mulheres". Não são as anedotas em torno da vida e da morte de Marilyn Monroe (usava mesmo apenas Chanel nº 5 para dormir?) que interessam à autora. Interessa a Marilyn dos filmes, preservada viva nas imagens que — esta é a hipótese a ser testada —, configurando a estrela, configuram

---

[1] Rio de Janeiro, Achiamé, 1982. (N. do E.)

também um ideal americano de mulher, uma figura arquetípica do feminino e dos seus papéis sociais.

Nessa figura Betch Cleinman buscará a marca de uma das diferenças que desmentem o sonho americano. Iguais oportunidades para todos? Nem tanto: a mulher ou está isolada no universo das relações familiares, ou, quando trabalha, está submetida a tarefas rotineiras, sob a autoridade masculina. No capítulo "Carne e luxo" a autora sintetiza com clareza esse quadro sociológico: depois da II Grande Guerra, milhões de mulheres, que haviam sido integradas ao processo produtivo pelo esforço bélico americano, são obrigadas a deixar seus empregos, dando lugar aos homens que regressavam dos *fronts*. No interior da crise econômica provocada pela desmobilização, sublinha-se mais uma desigualdade, a discriminação das mulheres. Com o regresso dos soldados reforça-se o papel tradicional delas — e, para conseguir tal reforço, necessidades como o lar e a família são glorificadas.

Observa-se aí um forte movimento ideológico, que visa a devolver as mulheres ao *seu lugar*, e Hollywood contribui em boa escala para isso. Vivendo também sua crise particular, em concorrência com a televisão e cerceados pelo moralismo do Código Hays, os produtores de cinema buscam vários meios de superar a situação difícil. Um deles é a inovação técnica (Cinerama, Cinemascope, Todd-AO, Vistavision, 3-D); outro é a grande produção para o consumo de massa, filmes cuidadosamente fabricados para sustentar o *box-office*. Para realizá-los é preciso primeiro saber em que o público americano acredita e o que ele deseja. Depois, é preciso manipular os ingredientes do sonho — dinheiro, beleza, segurança material e afetiva — e injetá-los de volta no cotidiano das multidões.

O sucesso de Hollywood provém do modo hábil com que seus agentes logram "conferir uma certa densidade às representações da consciência coletiva". O desejo de visibilidade, o mito do

A capital da libido

iluminado lugar ao sol — para todos, democraticamente —, é o centro dessa representação ideológica. E a imagem cândida, sensual de Marilyn Monroe parece sob medida para concretizá-la.

Ser feliz é ser rico, pois ser rico é ser "visível", e a visibilidade (foi John Adams quem o disse) é o anseio de todos nós. Ora, a mulher bonita, dentro desse raciocínio, já tem meio caminho andado — quem não a vê? Para completar sua felicidade basta agarrar um milionário: "Ser rico para um homem equivale a ser bonita para uma mulher", diz a personagem de Marilyn em *Os homens preferem as louras*. Ao que Betch Cleinman acrescenta com malícia: "Isso significa que ela também possui um capital valioso e talvez até seja Gus Esmond que a ama só pela sua beleza".

Mas o mito não se sustenta. Analisando os filmes de maior bilheteria estrelados por Marilyn Monroe, Betch Cleinman vai evidenciar que, na corrida do prestígio, atingir o lugar ao sol quer dizer também deixar os outros na sombra. E a sombra "era o lugar da mulher, em função de sua dependência econômica numa sociedade cujo processo de integração social era regido pelo patriarcalismo".

A parte mais viva e interessante de *Capital da libido* é a análise dos filmes, que ocupa os dois capítulos centrais, "O salário do pecado é o sucesso" e "O que é bom para Hollywood é *boom* para o mundo". Já pelos títulos o leitor pode ter idéia do tom e do estilo: nada de pesadelos terminológicos, mas uma leitura firme que destaca e ressalta nos enredos filmados a posição secundária da mulher, que para realizar-se como pessoa precisa encontrar um marido e um lar aos quais se dedique, de preferência sacrificando-se. O jeito entre doce e malicioso de Marilyn promove a conciliação fantástica dessas duas aspirações, sexo e segurança (pois...), introduzindo de quebra a idéia de que o bom, mesmo, é ficar na sombra, contemplando a luminosa trajetória do prezado cônjuge.

Nada de feminismo revoltado. Betch Cleinman desmonta

o mito com objetividade admirável, demonstrando como a máquina ideológica dispensa a violência e busca apoio na "naturalidade" das situações para legitimar-se. A *good-bad-girl* casa-se com o *cowboy* honesto e franco? Natural; todas as pessoas são boas e têm direito a serem felizes. A sociedade americana proverá. A moça pobre casa-se com um milionário cheio de diamantes? Natural também; sua beleza está à altura da riqueza dele. A moça casa-se? E o que há de mais natural?

De natureza a natureza chega-se rápido à ideologia. A luz do cinema (enquanto o capitalismo continuar comandando o jogo, diz Benjamin) é propícia para lançar essa sombra. Já Rudolph Arnheim, distinguindo o ator teatral do ator cinematográfico, observava que o rendimento deste é tanto maior quanto *menos* ele represente: é quase sempre interpretando o mínimo que se obtém o melhor efeito.

Essa naturalidade, entretanto, tem aspectos sociais complexos. "A sexualidade só é atraente se for natural e espontânea", disse Marilyn certa vez. Mas mesmo no caso da grande atriz, corresponde, figurando-a, à posição degradada que a mulher ocupa na escala de valores da sociedade. O princípio igualitário vira a discriminação do lugar à sombra do homem. Ou, para dizer com o bom humor do último capítulo deste livro: "Feminino de princípio é príncipe".

O melhor de *Capital da libido* é sua alegria de entender e de revelar, desmanchando maliciosamente o mecanismo do mito, aquilo que ele quer esconder atrás de sua força hipnótica. Bom também é que Betch Cleinman não se tenha deixado levar muito pelo impulso do desmascaramento. Porque para tocar em Marilyn Monroe ela soube usar mão leve, e está certo. Afinal, o mito e a ideologia se alimentam de porções de verdade — e a verdade no caso era a beleza, o talento e o trabalho extraordinários dessa atriz.

Balada da infância perdida

Difícil entender o que acontece, afinal de contas, com o romance brasileiro recente. Depois de explosão promissora no meio da década de 1970, passou-se o tempo e parece que as expectativas goraram. Escritores cujos primeiros livros anunciavam bons desenvolvimentos futuros, apresentam agora, dez anos depois, romances que apenas repetem esquemas já conhecidos e experiências envelhecidas.

É o caso de Antônio Torres, autor de *Essa terra* (1976) e do recente *Balada da infância perdida*.[1] Torres, baiano que explora nesses e em mais quatro livros já publicados a temática do migrante que vem para o Sul do país, está aos poucos construindo uma obra que precisa ser pensada e avaliada pela crítica. Já não é nenhum estreante, necessitado de apoio, "merchandising" e elogios prontos. Ao contrário, penso que para autor de temática e estilo tão definidos, tão seguro de seu próprio caminho, será muito mais útil a restrição de uma crítica negativa, que aponte limitações deste último romance. É o que desejo fazer, levantando dois pontos que me parecem falhos.

---

[1] Rio de Janeiro, Nova Fronteira, 1982. (N. do E.)

A dimensão da noite

Pode-se começar pelo estilo. Antônio Torres escreve firme, com naturalidade e muita fluência, e é fácil ir deslizando pelas páginas de *Balada da infância perdida*. Fácil demais. A linguagem coloquial utilizada aqui tem força de comunicação direta que é, sem dúvida, qualidade do autor e de seu romance. Mas o poder comunicativo tem contrapartida evidente na perda de textura artística: à transparência do texto corresponde uma igualdade de tom que chega a tornar o livro insípido, de tal modo a falta de surpresas desencanta e desinteressa o leitor. Taxa de comunicação alta, baixo teor estético.

O problema não chega a constituir um paradoxo: escrever de modo correto e fluente não é o mesmo que dominar a linguagem, do ponto de vista artístico. Nem creio que Antônio Torres ignore este ponto elementar da arte da escrita. Na verdade, seu romance está cheio de tentativas — falhadas — de obter o tratamento estilístico que possibilita a passagem do simples relato para a narrativa de nível estético. E o fracasso se mostra de duas maneiras constantes: ora a linguagem descamba para a pura banalidade e até para certa vulgaridade sentimental, como no recurso de intercalar versões infantis de hinos patrióticos ao texto; ora o discurso do narrador empola-se, alonga-se, perde-se em tonalidades retóricas. Aliás, o paradoxo talvez seja melhor localizado nessa estranha combinação de prosa coloquial e eloqüência, traço presente nos livros anteriores de Torres, repetido aqui como tique e, também, como recurso para preencher uma narrativa até certo ponto vazia.

Este é o segundo, e a meu ver o mais grave defeito do livro: a relativa falta de substância da matéria romanceada. O ponto de partida, em si, até facilitaria a composição de um romance consistente e denso. O assunto predileto de Torres, com certeza de fundo autobiográfico, é o destruidor processo de aculturação sofrido pelos imigrantes nordestinos pobres, em cidades como

São Paulo e Rio de Janeiro. No entanto, esse drama cotidiano e brutal não me parece trabalhado com a necessária intensidade em *Balada da infância perdida*.

Por quê? Em primeiro lugar, há um problema técnico na construção do enredo. O foco narrativo, centrado nas lembranças de um publicitário que acorda depois de bebedeira grande, é oscilante como a visão do homem ressaqueado: vai de recordação em recordação, tentando compor o quadro geral de memória da infância, mas sem fixar ou privilegiar incidente ou personagem decisivo. O resultado é a falta de aprofundamento do drama. Noto que Antônio Torres começou a esboçar esse centro do enredo na figura de Calunga, primo e companheiro de infância do narrador. Mas a competição entre a biografia desse último, cuja má consciência é enfatizada, e a história da autodestruição de Calunga, acabam clivando o livro em dois planos de interesse, nenhum deles suficientemente realizado.

Ora, mais que um erro técnico, esse problema está ligado à forma do romance, à falta de clareza daquilo que se quer objetivar. Qual é o ponto conflitivo central? A má consciência do narrador ou a miséria de Calunga? Por intuição de romancista, Torres dirige-se para o segundo; mas a má consciência, que não é apenas do narrador, ocupa espaço e impede, através de sucessivas digressões retóricas, a sua completa representação. Assim, o conflito perde substância e objetividade. Sem dúvida, problemas sociais e consciência infeliz são partes do mesmo complexo histórico forte, que bem explorado pode resultar em obras literárias igualmente fortes. Não tem sido o caso da ficção brasileira recente — e o romance de Antônio Torres é apenas um dos muitos exemplos disso.

Debatendo com Alexandre Eulalio

Quando eu recebi o convite do Conselho Estadual de Cultura para participar deste "Seminário sobre a Cultura Mineira: Século XIX", meu primeiro impulso foi de não aceitar, um pouco por bisonhice e timidez de mineiro do sertão — a quem intimida sempre comparecer na capital do estado, para falar "em público!" —, e muito, também, porque o século XIX anda fora das minhas cogitações há vários anos. Mas também havia excelentes motivos para aceitar o convite e aqui comparecer, hoje: rever Belo Horizonte, essa cidade querida onde estudei e morei há cerca de vinte anos; retomar o contato com algumas obras literárias que encantaram parte da minha adolescência; rever e mesmo conhecer algumas pessoas que me interessavam muito; e, *last but not least*, aprender com o conferencista do dia, sabidamente um dos maiores entendidos no assunto que agora estamos focalizando. De fato, quando me disseram quem seria o conferencista, as dúvidas se evaporaram, e eu respondi: "Ah, bom, se é o Alexandre Eulalio, eu vou. Tenho muito que aprender com ele".

E aqui estamos, e acabamos de ouvir uma belíssima aula que é um panorama rico de um século de produção literária em Minas. Como vamos nos situar diante desse panorama? Meu desejo seria o de ficar contemplando-o por mais tempo: admirando um traço largo, horizontal, que faz desfilarem por nós cinco ou seis gerações de escritores agrupados por semelhanças de interesses e gostos; e diferenciando-se ao longo da linha pelas mudanças que o tempo vai impondo, alterando a fisionomia composta de um árcade tardio e transformando seu rosto grave nas feições mais expressivas de um poeta romântico zombeteiro ou melancólico, goliárdico ou inclinado diante dos mistérios dos "mundos, mais mundos" (como Aureliano Lessa), de estrelas e abismos. E no traço horizontal encontrarmos adiante a sisudez e o espírito de ciência dos "realistas". E terminarmos o bloco todo diante de figura fervorosa e crente — embora também elegante e sofisticada — do solitário de Mariana, o pobre Alphonsus, e seu "amigo diletíssimo", padre José Severiano de Resende.

Vejo assim a sua conferência: como um painel do amplas proporções — um pouco ao gosto de certa pintura heróica do século XIX — que nos atrai pela majestade da cena apresentada, mas também nos prende pelos detalhes trabalhados e minuciosos de uma ou outra passagem. Se há a linha horizontal que persegue cem anos de história literária, há também *algumas linhas verticais*, cortes em profundidade que pescam e exibem com mais demora algum personagem do painel. O seu "panorama" tem momentos de síntese fulgurante, quando você apreende um autor ou uma idéia — João Salomé Queiroga, por exemplo; ou Bernardo e Aureliano — e com traço fino, sempre penetrante, faz com que ele se destaque da massa mais ou menos indistinta da composição global.

Você me permitirá agora, Alexandre, que a esta tentativa de comparar a sua exposição com um painel de pintura, eu acrescente uma brincadeira um pouco pessoal. Quando há alguns dias, nós falamos sobre essa conferência, por telefone, conversamos uma hora e quinze minutos. "Conversamos" não é bem o termo: você falava e eu escutava — e eu escutava, pela primeira vez, nomes de autores e livros dos quais, antes, nunca ouvira referência (ou se ouvira, nunca guardara na memória): Lucas José de Alvarenga e seu *roman à clef* sobre a Independência, *Estatira e Zoroastes*; Beatriz Brandão, prima de Marília de Dirceu, poetisa de longa vida, tradutora de Metastasio; os irmãos Antônio Augusto e João Salomé Queiroga etc. Você falava e eu ia anotando o mais depressa que podia, cada vez mais assustado e um pouco soterrado. Erudição espantosa, de datas, fatos, obras e autores. Quando desligamos o telefone tive uma reação que não sei se você vai gostar de saber, mas que a mim parece engraçada: corri para a leitura da Lira XXVIII de Gonzaga, aquela que começa assim:

> "Alexandre, Marília, qual o rio
> Que engrossando no inverno tudo arrasa,
> Na frente das coortes
> Cerca, vence, abrasa
> As cidades mais fortes."

À comparação com o painel da pintura panorâmica, quero acrescentar agora essa imagem gonzaguiana do rio que leva tudo de roldão. Não o Jequitinhonha das suas plagas diamantinas, mas, mais a oeste, quebrando à esquerda na encruzilhada do Curvelo, o São Francisco enorme e — dizem — rio traiçoeiro de correntes súbitas, de remansos aparentes que podem se transformar em redemunhos. Não vamos para a letra da comparação, não é, Alexandre? E nem mesmo para o *espírito* todo: Gonzaga, nessa Lira XXVIII, está criticando como mau e sem virtudes o imperialismo violento de Alexandre, o outro, enquanto, ao contrário, o que eu quero salientar, antes de mais nada, é *a força da corrente* — a fluência da erudição, que na sua aula de há pouco nos mostrou — e o perigo que eu corro de soçobrar dentro dela.

Como todos estão vendo, o que estou tentando fazer até agora é boiar *à superfície*. Seria muito incauto se tentasse, com poucas forças, enfrentar o ímpeto das águas. A primeira técnica, para não afundar, é não se debater. E justamente adoto-a desde já. Mudo o meu papel de debatedor, papel imprudente, e assumo a partir do começo uma outra função: a de *comentarista*, função mais modesta e que dá mais oportunidades de sobrevivência.

Primeiro vamos recapitular a paisagem global. Começamos por uma distinção metodológica, que me pareceu hábil e correta: o século cronológico não combina com o século histórico; para Alexandre Eulalio o "Oitocentos" brasileiro — e mineiro — começa por volta de 1830 e termina por volta de 1920. (Retornarei depois a esse primeiro ponto, para comentá-lo.) Em seguida, vimos desfilarem diante de nós as figuras literárias que marcaram as várias épocas: na passagem do século a repressão do Estado português sobre a Colônia, repressão que esmaga o ímpeto iluminista que nos dera as figuras brilhantes da Arcádia Inconfidente, repressão que deixa inerte a criatividade literária, reduzindo-a aos meneios bem comportados de salão: poesia áulica, decorosa e decorativa, de quem se move — pelo menos foi essa a impressão que me deu — de quem se move apertado por peitilhos engomados e maneiras rigidamente convencionais. É verdade que há a sátira de fundo bocagiano, praticada também nessa época. A repressão produz seu contrário sempre, dialeticamente. Mas o espírito de abafamento cortesão é o que parece predominar. Mas dentro desse sufoco e abafamento vão surgindo indícios de liberdade. Cândido Viana, marquês futuro de Sapucaí, e João Joaquim Guimarães, pai de Bernardo, já apresentam sinais de pré-romantismo. Depois, com os irmãos Queiroga, Antônio Augusto e João Salomé, estamos já na primeira geração romântica, e os meneios de salão começam a ceder lugar para os impulsos menos disciplinados da alma. Alma que vai se expandir, na poesia, em Bernardo Guimarães e Aureliano Lessa, educados no espírito boêmio dos estudantes de Direito da Paulicéia — na qual, segundo você diz no seu artigo "Aureliano revisitado", os únicos "desvairados" eram os moços. Vida patriarcal, limites rígidos de comportamento, figura onipresente do pai severo e dominador; por oposição, no espírito, na imaginação (e também na vida cotidiana, por que não?), a libertinagem devassa, prostituição, bebida, desregramento. À contenção amaneirada dos anos reprimidos os jovens românticos respondem com a poesia do bestialógico — "palavras em liberdade" poderia ser uma analogia para isso: ou "contracultura"; os séculos se parecem... — e, além do bestialógico, a obscenidade agressiva ou simplesmente gozadora, que opõe a crítica zombeteira da literatura ao ideal burguês da vida pacata e segura. O *antifiguri* contra o racional; a pornografia contra o decoro. Infelizmente, vencem sempre os segundos contra os primeiros, a racionalidade burguesa e o cultivo das aparências derrotam a destruição da linguagem lugar-comum (nos bestialógicos) e a destruição da moral hipócrita (na poesia goliárdica). É lembrar as figuras mais amadurecidas de Bernardo Guimarães, desterrado nas suas comarcas mineiras e goianas, caipira singelo, deixando sua imaginação poderosa dissolver-se aos poucos no acanhado dos limites provincianos, e de Aureliano Lessa, alcoólatra, vida breve, obra dispersa, e que no leito de morte ainda produz os impagáveis (mas melancólicos, por um certo ângulo...) versos que você citou certa vez e eu não resisto à tentação de reproduzir aqui, para o público que talvez não os conheça:

> "Enxuga, Augusta, esse pranto
> Nas dobras de tua anágua
> Que teu pobre Aureliano
> Morre de barriga d'água."

Poesia popularesca, pitoresca, local. Este é o segundo ponto sobre o qual quero retornar. Mas, prosseguindo no fluxo da sua conferência, vamos encontrar uma terceira geração: Couto de Magalhães, moço, Pedro Fernandes etc. Nas segunda e terceira gerações, uma presença marcante, a de Byron, cuja influência aventurosa esses jovens mineiros recebem como um paradigma.

O vulto de Byron me traz outra analogia e, com a licença de todos, gostaria de fazer aqui uma pequena digressão, para fora (mas não muito) do mesmo assunto. É que me lembrei de um conto impressionante de Rubem Fonseca, intitulado "H. M. S. Cormoran", e que está no seu último livro, *O cobrador*. Rubem imagina a figura do quase-garoto Álvares de Azevedo, voltando de uma festa, travestido, petulante na frente do espelho, na relação meio incestuosa com a irmã. O poeta tem aqueles delírios, "frêmitos d'alma", e é por meio deles que se arranca do cotidiano patriarcal e castrador. Um dos delírios é seu diálogo áspero, meio desafiante, com o poeta Byron, que surge ao seu lado como um fantasma displicente e irônico. É o tempo da questão do tráfico de escravos para o Brasil, com navios negreiros sendo apreendidos pela marinha inglesa. No conto, Álvares de Azevedo tem impulsos nacionalistas e patrióticos, arroubos arrogantes que o fazem desafiar — como homem, como brasileiro e como poeta — o vate inglês. Byron responde com tédio, mostrando-se portador de uma verdade e mostrando o outro como um homem perdido e um poeta perdido. A moral da história é o contraste entre o lorde inglês, expressão de um império, colocado no cimo cosmopolita, de onde os países dirigentes do mundo enxergam os dominados, e o rapazinho atrevido mas fraco, expressão da colônia, colocado em desvantagem num país escravista e empobrecido.

Fiz essa digressão por causa do contraste: o byronismo imitado, o satanismo local, estão presos irremediavelmente a essa "rarefação da vida social" no Brasil do século XIX, rarefação que já o nosso mestre Augusto Meyer notara a respeito da obra de José de Alencar. Os escritores mineiros do século XIX são pequenos — escritores menores mesmo, às vezes de leitura um tanto difícil para a nossa impaciência de hoje. Mas Rubem Fonseca, com o conto referido, está nos lançando uma luz sobre a situação trágica daqueles escritores, situação que ainda é hoje muito semelhante à nossa: país colonizado, cultural e economicamente dominado, os grandes modelos parecem postar-se distantes de nós, quase inatingíveis.

Só essa semelhança entre o século XIX e o nosso tempo já justificaria o levantamento e o estudo desses escritores, de obra dispersada em jornais e revistas de difícil acesso. É problema de identidade cultural — velho problema — que se coloca para nós. Desenterrar a lembrança de Beatriz Brandão, do padre Silvério, de Lucas José de Alvarenga, dos irmãos Queiroga é tarefa aparentemente extravagante, que nada tem a ver com a nossa vida de hoje. Mas não! Tem a ver, de maneira profunda, com a nossa identidade cultural, com a memória do que fomos e, portanto, do que somos até hoje. É com o Romantismo — Mário de Andrade insistia muito nisso — que a nossa literatura começa a firmar a sua identidade. Uma das idéias subjacentes à sua conferência, Alexandre Eulalio, é essa mesma, formulada com outras palavras: o século XIX explica em parte o que somos, agora. E ninguém negará, em nossa sensibilidade, um eco do Bernardo Guimarães de *Escrava Isaura*, de *O seminarista* ou de *O garimpeiro*; ou a impressão de um "Buriti perdido" de Afonso Arinos; ou a Ismália enlouquecida, ou os sinos plangentes de Alphonsus. Os mais velhos tivemos esses textos na escola, bem como as imagens de um século XVIII revisto e relido pelo XIX e pelos românticos. Isso nos passou diretamente, mesmo à força de antologias escolares. Os mais moços — desde que a escola mudou o *canon* de literatura — tiveram isso indiretamente. É possível ver em João Guimarães Rosa a herança filtrada e refinada de Bernardo e Arinos; ou, em Manuel Bandeira, a atitude um pouco recolhida de Alphonsus; e em Drummond, súmula das súmulas, principalmente no Drummond modernista dos primeiros tempos, a "sensibilidade estragosa" (a expressão é de Mário de Andrade) comum aos nossos românticos, mesmo aos menores.

Já agora não quero flutuar mais na corrente da sua conferência, mas deter-me um pouco, para comentários, sobre alguns aspectos dela. Falei em memória, falei em Drummond, de modo que desejo, neste instante, repisar um pouco a importância de trabalhos desse tipo, que você fez com tanto gosto (e que eu me confesso incapaz de fazer). Já é moda bater na tecla da *memória nacional*, repetir sempre que precisamos guardar nossos monumentos, rever nossa história (política ou literária) e conservar nosso passado. Muito pouco, na verdade, se faz por isso, mas alguma coisa sempre está sendo feita — essa iniciativa mesmo do Conselho Estadual de Cultura vai nesse sentido de recobrar e redimensionar a vida mineira do século XIX.

Mas não é exatamente isso que eu quero comentar agora, mas uma característica do seu trabalho que me parece curiosa. Walter Benjamin, no famoso ensaio "O narrador", procura mostrar como a arte da narração vai desaparecendo sob o capitalismo, porque a transmissão da experiência — que está no coração da narrativa — fica cada vez mais difícil. E fica mais difícil porque a memória do fato passado se esvai sob a destruição contínua que é característica da civilização (ou da barbárie) burguesa. Baudelaire (que inspirou Benjamin) já tinha notado: a face de uma cidade, diz ele num verso inesquecível, muda mais depressa que o coração de um mortal. É verdade, e hoje, outra vez, tive a chance de constatar isso, passeando por Belo Horizonte, que não é a mesma de há vinte anos, e com certeza mudou depressa demais para o meu coração. Sem sentimentalismo: diante da rapidez da mudança, não há memória que resista.

Pois o seu trabalho vai na linha contrária a essa tendência de soterramento da memória. Você escava os escombros e vai retirando os nossos antepassados perdidos. E nesse trabalho — isso é o mais curioso — você, historiador, reúne as duas figuras que Benjamin considera os dois modelos de narradores: o *agricultor*, aquele que fica na terra e guarda as suas tradições; e o *marinheiro*, aquele que viaja e traz o relato das novas experiências. Você — pelo que sei — sempre foi o *viajante*; mas paradoxalmente, é o viajante que guarda a memória dos seus, e vem aqui hoje relatar o passado nas comarcas de Diamantina, do Serro, de Mariana.

Acho importante ressaltar esse aspecto do seu trabalho, porque vivemos nos últimos anos a moda da sincronia, e até, contradição em termos, a moda da *história sincrônica*. A mania da atualidade, da modernidade (sempre contra a memória), levou-nos a estabelecer *paideumas* rígidos e o seu tanto autoritários. Ao contrário, o amplo e democrático panorama que você faz nos permite uma visão de maior abrangência, sobretudo a compreensão de que os "grandes autores" dependem dos "pequenos autores" — no sentido de que a ambiência literária de uma época é dado decisivo para compreender as grandes obras. É bem possível que o levantamento desses autores mineiros do século XIX não modifique em nada de importante o *canon* da literatura brasileira estabelecido até agora. Mas certamente contribuiu para a compreensão mais exata dos limites desse *canon*: depois de algumas informações sobre Aureliano Lessa, entendo um pouco melhor Álvares de Azevedo, e, por que não?, até Rubem Fonseca. Essa proeza, nenhum *corte sincrônico* jamais realizaria.

Mas estou me demorando muito nessas considerações "flutuantes" — e, para terminar, gostaria de retomar os dois pontos que deixei soltos atrás, e propor-lhe duas questões pequenas, sobre as quais pediria que você discorresse um pouco mais. A primeira, é relativa à delimitação temporal do século XIX, que você dá como findando por volta de 1920. Já disse que concordo com ela, já que acredito que o movimento modernista é o iniciador do século XX no Brasil, exatamente nessa época. Mas encontro em *Voz de Minas*, de Tristão de Athayde, uma observação que me colocou um novo ângulo do problema, do qual eu não suspeitava. Diz Tristão que Afonso Arinos e Alphonsus de Guimaraens "já podem ser considerados como precursores do século XX e do período republicano". Essa distinção (período republicano x período imperial) pareceu-me pertinente. Gostaria que você se alongasse um pouco, se possível, sobre isso.

A segunda questão focaliza a poesia chocarreira dos românticos (Bernardo e Aureliano aí incluídos) e o programa popularesco que esses autores possuem. Esse desejo de ser popular, parece-me aliado a um programa nacionalista, e, como é evidente, despertou-me logo a atenção. Trata-se de um problema básico de toda a literatura brasileira (e até um problema político), a *questão da cultura nacional-popular*. Gostaria de saber, se você tiver paciência, como é que você situa o caso específico desses românticos mineiros dentro do quadro histórico de época.

É só, Alexandre Eulalio, e obrigado por sua aula.

Mário, Nava, Drummond

Mais cartas de Mário de Andrade, dessa vez para Nava e para Drummond. Com estes dois livros,[1] a correspondência ativa do poeta da *Paulicéia desvairada* beira os dez volumes já publicados, e com certeza está longe de se esgotar. Manuel Bandeira, por exemplo, só tornou públicas as cartas recebidas entre 1922 e 1935, e sabe-se que Mário continuou a escrever-lhe regularmente até a morte, ocorrida em 1945. A importância de se conhecer estes escritos é óbvia e múltipla: como disse Drummond no texto introdutório de *A lição do amigo*, eles são "documentos de inegável significação para a história literária do Brasil", "esclarecem ou suscitam questões relevantes de crítica, estética literária e psicologia da composição", e constituem "valiosas reflexões abrangentes de diversos aspectos da antropologia cultural".

Verdade que são desiguais, algumas longas, profundas e reflexivas, outras meros bilhetes ou ainda simples "poemas de circunstância", na expressão divertida do próprio Mário. No entanto, mesmo o aspecto fragmentário e inacabado, típico da correspondência miúda do dia-a-dia, tem seu interesse: registra uma viagem, um livro recebido, uma preocupação momentânea do

---

[1] Mário de Andrade, *Correspondente contumaz: cartas a Pedro Nava*, Rio de Janeiro, Nova Fronteira, 1982, e *A lição do amigo: cartas de Mário de Andrade a Carlos Drummond de Andrade*, Rio de Janeiro, José Olympio, 1982. (N. do E.)

poeta com episódios, pessoas ou coisas. São flagrantes que, superpostos, montados e articulados, permitirão aos poucos compor cenas e seqüências inteiras da vida cultural do Brasil modernista. Fernando da Rocha Peres, o organizador de *Correspondente contumaz*, sugere com razão que o *estudo cruzado* das cartas marioandradinas comporia um painel da nossa história, desde a Semana de Arte Moderna até a redemocratização de 1945.

Trabalho para historiadores e críticos interessados nesse período brilhante — e trabalho que, no futuro, será muito enriquecido pela abertura dos arquivos do escritor, depositados no Instituto de Estudos Brasileiros da USP. Ali, no sigilo que ainda deve durar doze anos, está a correspondência passiva, isto é, as cartas enviadas a Mário por Nava, Drummond, Bandeira, Sabino, Tristão de Athayde e tantos outros.

Enquanto isso, entretanto, fiquemos com os textos do próprio Mário. Os dois livros agora publicados são bem diferentes: doze cartas para Pedro Nava, 91 para Drummond. É que o desenhista e poeta "bissexto" Pedro Nava, antes de se transformar no memorialista fecundo que é hoje, resistiu o quanto pôde à vocação artística — e parece ter fugido também do seu "correspondente contumaz", que às vezes reclamava tanto das resistências quanto das fugas. Mas o pequeno número de cartas já basta para interessar o leitor nelas. Mário discute aspectos técnicos dos primeiros poemas de Nava, faz referências críticas à própria obra, discute problemas como a língua brasileira e o abrasileiramento de nossa literatura, comenta fatos literários da época, confidencia suas doenças, diverge sobre o valor terapêutico do gemido etc.

Quase tudo está dito meio que de passagem, mas às vezes ele se dispõe dar lições mais demoradas. Nesses casos, sempre com brilho e denunciando a capacidade crítica mais admirável; já na primeira carta, ao comentar as experiências iniciais de Pedro Nava na poesia, faz restrições à tendência, demonstrada pelo escritor, a empregar os processos técnicos como *fins* em si mesmos, em vez de usá-los como *meios* de exprimir a sensação ou a emoção. "Muito cuidado, Nava, em não confundir poética com poesia" — adverte ele, depois de ter lido apenas dois poemas. E a advertência pega agudamente um ponto fraco, pois hoje, na bela obra do memorialista, há páginas e páginas "antológicas", em que o mesmo vezo se repete.

Outro ponto de interesse do volume está na reprodução de desenhos de Nava, enviados a Mário de Andrade. São apenas cinco (e mais um retrato de Drummond, aos 25 anos), mas sua qualidade justifica uma espiada atenta. Mário se entusiasmou com eles — "são simplesmente delícias, Pedro Nava!" —, e tentou incentivar o autor a fazer litografia, reclamando do atraso do Brasil nesse campo, "que diabo de país atrasado, puxa!". O missionarismo não funcionou aí, porque o litógrafo potencial preferiu a medicina. Mas outro conselho dado na mesma carta, o de desenhar colorido, teria resultados um ano mais tarde, quando Nava devolveu a Mário de Andrade o seu exemplar de *Macunaíma*, ilustrado com oito guaches. Essa pequena coleção, os guaches (reproduzidos na edição crítica de *Macunaíma*, preparada por Telê Porto Ancona Lopez) mais os desenhos agora publicados, dá uma idéia não apenas do talento de Nava, mas também do circuito de influências que propiciou a explosão criativa dos modernistas.

Mas sem dúvida alguma, muito mais importantes são as cartas enviadas a Carlos Drummond de Andrade, só comparáveis à longa correspondência mantida com Manuel Bandeira. E, aliás, diferentes também entre si: com Bandeira, sete anos mais velho, o tom desde o início é de companheirismo direto e de igualdade intelectual; com Drummond, nove anos mais moço, aparece bastante a fala do mestre que explica, aconselha e estimula. Isso no começo; depois, a tonalidade vai mudando, desaparece a função orientadora e ficam dois amigos a conversar com muita franqueza sobre a vida e a literatura. E sobre vários outros assuntos, como a necessidade de serem escritores "brasileiros", o papel nefasto de Anatole France, a felicidade, a crítica de poesia, os livros que ambos planejam e escrevem, e assim por diante.

No meio de tudo, ressalta a profunda amizade que Mário demonstra por Carlos. *A lição do amigo* é, nesse sentido, um título adequado, que a sensibilidade humana e poética de Drummond selecionou com acerto. Da mesma forma, as numerosas notas explicativas apostas pelo poeta às cartas do amigo não cumprem somente o papel esclarecedor a que se propõem. É verdade que elas constituem o início do *estudo cruzado* a que se refere Fernando da Rocha Peres (cujas notas no *Correspondente contumaz* também são muito úteis). Mas o trabalho de Drummond parece ter ainda outro sentido, mais profundo e tocante: feitas com minúcia e escrúpulo, as anotações representam uma notável homenagem ao escritor que o influenciou, abrindo-lhe os horizontes intelectuais no começo da carreira, e facilitando a expansão de seu talento artístico.

Cartas, notas e ainda os apêndices organizados por Carlos Drummond de Andrade (colagem de trechos de Mário, dispostos cronologicamente, e mostrando seus problemas financeiros e de saúde, além de uma polêmica com João Alphonsus, travada em 1926) — tudo isso acaba compondo impressionante esboço de biografia. Se, no emaranhado de assuntos tratados na correspondência, há um fio condutor, este é certamente o retrato mutável do poeta paulistano, que o leitor aos poucos vai desprendendo dos textos. Dos tempos do *Losango cáqui* aos da *Lira paulistana*, assistimos ao desfilar de muitos Mários diferentes.

Três momentos, sobretudo, são marcantes nesta evolução. O primeiro é o instante do brasileirismo eufórico dos anos 1920, quando toda energia do escritor está concentrada no esforço de construir uma literatura nacional. Acusando a "moléstia de Nabuco" de nossos intelectuais (o despaisamento e o desprezo pela "bárbara realidade brasileira"), prega um nacionalismo que, em suas próprias palavras, quer dizer "ser nacional" ou "mais simplesmente ainda significa: Ser". Tal formidável simplificação produziu frutos extraordinários, dos quais o *Clã do jabuti* e o *Macunaíma* são bons exemplos, embora não os únicos: também os poemas de Drummond ganharam com essa lição. Sente-se que o abrasileiramento pregado por Mário permitiu ao autor de *Alguma poesia* encontrar-se a si mesmo e encontrar sua própria dicção poética.

O segundo e o terceiro momentos são mais complicados. Nos anos 1930 Mário não acreditava mais no Brasil harmonioso que idealizara em poemas como o "Noturno de Belo Horizonte". Muito significativa desse instante é a carta escrita logo após a Revolução Constitucionalista de 32. Perplexa, angustiada, ela já revela claros indícios de uma consciência que desliza da euforia anterior para o defrontamento com contradições dilacerantes.

E as contradições vão explodir no terceiro momento, representado aqui pelas cartas do final da vida, pesadas de solidão e de angústia. O mesmo Mário que nos anos 1920 acusara Drummond de *ainda não ser*, admira-se agora da "dramática capacidade de ser si mesmo" demonstrada pelo poeta nas *Confissões de Minas*. E lastima-se da sua "angustiosa impossibilidade de *me* ser", acrescentando de quebra a amarga observação de que, enquanto Manuel Bandeira subia "pra uma velhice solar", ele, Mário de Andrade, afundava-se cada vez mais "numa velhice de sangue e lodo".

O retrato da evolução é triste. Consola saber que ela terminou na beleza de poema que é "A meditação sobre o Tietê"? Não sei. Sei que, além do grande intelectual, *A lição do amigo* mostra algo mais: o homem que, sabendo ter o coração menor que o mundo (onde não cabiam nem as suas dores), não se poupou no trabalho de criar a vida futura. E esse não é o aspecto menos importante de sua correspondência.

Um herói nordestino em Londres

Napoleão Sabóia mostra talento no seu primeiro romance, este *O cogitário*,[1] título cuja solenidade pomposa de palavra inventada contrasta gostosamente com o subtítulo brincalhão que o especifica: "ou as doideiras dum cabra-da-peste e dum jumento poliglota no oco do mundo". Astúcias de quem conhece o ofício. O leitor (imagino) fica um momento hesitante, entre as ressonâncias do *cogito* cartesiano e os sons de feira nordestina do cabra-da-peste e do jumento falante. Mas hesita pouco, que a curiosidade sempre vence: folheia o calhamaço, vê que a estória se passa com um personagem brasileiro em Londres e Paris, que tem sexo, picardia e aventuras, que promete risos e novidades. Então compra o livro, leva para casa e lê devagar, saboreando as proezas do herói Amphilóphio das Queimadas Canabrava e de seu conterrâneo e irmão, o Jegue poliglota.

O livro, é claro, não está isento de defeitos. Trabalho de estréia, talvez o autor tenha exagerado no desejo de contar tudo, de esgotar de uma só vez a experiência do nordestino esperto, tentando contornar seus choques com a paquidérmica cultura inglesa. O resultado é que certas passagens se alongam demais,

---

[1] Porto Alegre, Mercado Aberto, 1984. (N. do E.)

tendem à prolixidade, e nelas se perde algo do ritmo que ajuda a fazer o (bom) humor. Defeito de partes e de conjunto: a meu ver, o romance ganharia muito se Napoleão Sabóia tivesse dominado melhor o impulso de multiplicar pormenores, e reduzido um pouco certos episódios do enredo. Simples questão de ajustamento. Mas o humorista que não consegue interromper a anedota na hora certa, ou contornar passagens excessivamente explicativas, arrisca-se a aborrecer seu público e a distraí-lo do grande efeito anedótico.

No entanto, feita de saída a ressalva, quero reafirmar que *O cogitário* pode divertir bem os leitores. A estrutura do livro parece ser uma variação moderna do romance picaresco, como afirma em artigo publicado na *Folha de S. Paulo* o crítico Mário Miguel González. E isso significa que, além da dimensão humorística, a obra tem ainda o sentido crítico que as sátiras sociais costumam esconder — e exibir — sob as espécies da ironia. No caso, sátira ambígua quando dirigida a características da vida brasileira; mas contundente, e até panfletária, quando seu alvo são as relações entre os países capitalistas desenvolvidos do norte e o Terceiro Mundo do hemisfério sul.

O anti-herói pícaro do romance é Amphilóphio das Queimadas Canabrava, sertanejo nordestino nascido de Serapa e Bastiana, embalado desde menino pela música popular brasileira de Luís Gonzaga a Pixinguinha. O núcleo do enredo é a estória de como ele resolveu um dia partir para Londres, sem saber uma palavra de inglês, mas disposto a conquistar a bolsa que lhe permitiria fazer, na Escócia, um curso de cinema e televisão. Os expedientes de que lança mão para bater seu concorrente vietnamita, na disputa pela bolsa, é que tornam o romance engraçado. Phipha consegue cooptar para seus planos duas professoras inglesas e um garçom de *pub*, e com eles acerta os detalhes da estratégia que lhe permitirá vencer o Vietnã na entrevista decisiva, narrada como se fosse uma partida de futebol, arbitrada pelo juiz escocês Jack Mackay. Os golpes sujos que o "mau caráter" apronta contra o vietnamita são de fazer dar risada. Malandragem de brasileiro — pensará o leitor. Mas outra dimensão do livro mostra como é problemática essa malandragem: porque o nordestino Amphilóphio Canabrava, mesmo com sua esperteza malandra, sofre esportiva mas ferozmente todas as misérias do estrangeiro sem grana nas capitais dos países do norte. Passa frio e fome, lava pratos, se humilha, degrada-se na mentira e na lisonja. E acaba vencendo, está claro que à sua maneira, entre desastrada, irreal e lírica.

Creio que neste ponto é que Napoleão Sabóia abrasileira — digamos assim — a figura do pícaro. O seu herói é um tipo datado, concreto, histórico — e muito diferente do malandro carioca, que usurpa e monopoliza, de modo tão injusto, toda a esperteza nacional. Phipha não é malandro. Pertence, antes, à estirpe do exército do Pará, que Manuel Bandeira definiu há muitos anos, numa crônica deliciosa. Sem qualquer intuito pejorativo, Bandeira (que é recifense, lembremos) explica-nos que são componentes do exército do Pará "esses homenzinhos terríveis, que vêm do Norte para vencer na capital da República; são habilíssimos, audaciosos, dinâmicos, e visam primeiro que tudo o sucesso material, ou a glória literária, ou o domínio político".

Nada de procurar exemplos, por favor, mesmo porque os membros do exército do Pará (como deixa claro o poeta pernambucano) podem nascer em qualquer ponto do vasto território compreendido entre o Oiapoque e o Chuí. Interessa, no caso, é verificar como o maranhense-cearense Napoleão Sabóia foi capaz de recriar, de modo ao mesmo tempo satírico e simpático, esse controvertido personagem brasileiro.

Phipha é um "exército do Pará" desajeitado. Sua vida no Brasil, antes da partida para a Europa, atrás das bolsas de estudo com as quais sobrevive durante seis anos em Paris, é narrada em *flash-backs* intercalados à ação principal do livro. E estes recuos temporais habilidosos motivam amplamente as ações atuais do personagem. É mostrando a infância e a adolescência do "dito mau-caráter", que o autor consegue, sem concessão demagógica, fazer-nos simpáticos a ele. Amphilóphio das Queimadas Canabrava, tabaréu de Bacabal, sofrido como o diabo, sabe que é fraco e que tem de se virar no mundo de safadezas. Os truques sujos que inventa são brincadeiras de criança caipira se comparados com os grandes lances de *import-export* do milagre brasileiro, ou com as farsas das fundações filantrópicas que apagam a má consciência primeiro-mundista com relação ao Terceiro Mundo, ou com a palhaçada sinistra das missões comandadas por Donas Julls (perdão: Miss Varoomska Coldflesh), com o objetivo de resolver nossos problemas econômicos.

Esses contrastes estão presentes no romance. Em época de multinacionais, Napoleão Sabóia internacionalizou o "exército do Pará": não adianta mais tentar vencer na vida na capital da República, o negócio agora é partir para as capitais do mundo. Os professores de Phipha são *Monsieur Le Monde*, *Guardian* e *Financial Times*. Suas duas amantes são uma francesa, a outra inglesa. Até o jumento falante, seu co-irmão Jegue, vira Jig para inglês ver, amanceba-se com a égua da Rainha e transforma-se em intérprete oficial da Missão Norte/Sul Britânica Exclusiva.

No entanto, e para sorte nossa, Napoleão Sabóia não perdeu seu bom sotaque nordestino. A memória dos amores de Serapa e Bastiana, suspirados no ritmo de Luís Gonzaga, Pixinguinha ou João Nogueira, entrou demais na massa de sangue de seu personagem Phipha. E este, agora, nos devolve o eco alegre e afetivo de suas aventuras londrinas e de suas lembranças brasileiras.

Crime na flora ou Ordem e progresso

Marxistas não são sempre previsíveis, como supõem com freqüência seus inimigos gratuitos ou bem pagos. Ao contrário, podem ser surpreendentes. É o caso deste livro de Ferreira Gullar, *Crime na flora ou Ordem e progresso*,[1] longo poema em prosa, construído em linguagem surrealista, repleto de imagens oníricas e misteriosas.

Surpresa dupla: quem imaginava que o autor coloquialíssimo do *Poema sujo* abandonaria de repente a postura comunicativa que procurava imprimir à sua poesia? E quem poderia supor que o poeta consagrado fosse desenterrar um texto escrito há mais de trinta anos, para publicá-lo agora, quando sua imagem pública de escritor engajado já está mais ou menos cristalizada?

Pois o cristal da imagem e o estereótipo do poeta se romperam. Mas aqueles que conhecem sua obra ficarão surpresos apenas no primeiro instante. Logo depois será fácil reconhecer, sob a ruptura aparente, continuidade e coerência mais profundas. As mudanças bruscas de direção sempre foram marca desse escritor inquieto. Ao longo dos últimos quase quarenta anos, sua poesia passou pela luta contra o formalismo da geração de 45, pelo vanguardismo concreto e neoconcreto, pelo populismo e,

---

[1] Rio de Janeiro, José Olympio, 1986. (N. do E.)

finalmente, pelo veio lírico-coloquial, de extração modernista, que vinha caracterizando seus últimos trabalhos.

Essas modificações de rumo não devem ser tomadas como índices de instabilidade, oscilações de artista sem programa estético definido. Ao contrário, a inquietude de Gullar faz parte, desde o começo, de um programa de procura da poesia. E de procura da realidade. Este é o ponto-chave. Poeta sensível ligado como poucos ao contexto cultural brasileiro, Ferreira Gullar está sempre buscando a linguagem mais adequada para exprimir-se e para exprimir, ao mesmo tempo, as nossas contradições sociais.

No começo dos anos 1960, podia ser o poema de cordel praticado pelos militantes dos CPCs da UNE. Durante a ditadura, podia ser o coloquialismo combativo de *Dentro da noite veloz*. Por volta de 1953, era o estilo discursivo raivoso que se dilacerava e explodia em poemas compostos por imagens de deciframento difícil, ou por palavras completamente sem sentido. Era uma linguagem que desmanchava a retórica maneirada dos poetas da época e encontrava para a poesia brasileira a modernidade que os anos JK, logo em seguida, viriam trazer ao país.

Crime na flora ou Ordem e progresso foi escrito entre 1953 e 1954. É uma alegoria de pesadelo, que se disfarça sob a aparência do pseudo-enredo policial. Alguém (uma mulher? um homem jovem? um andrógino? um anjo?) foi morto no jardim, entre canteiros de flores que de súbito se transformam em relógios alucinados. Este crime é o eixo do poema. Mas o leitor não sabe quem matou, quem morreu, quem fala, nem em que tempo e espaço ocorreram os fatos. Tudo se embaralha como nos sonhos — ou como nos textos surrealistas em que o poeta foi inspirar-se. O crime, centro do poema, é apenas o fulcro em torno do qual giram, desordenadas, imagens oníricas nas quais podemos reconhecer certas obsessões temáticas de Gullar, mas que dificilmente conseguiríamos reunir num sentido claro.

Poderíamos pensar que o anjo morto entre as flores é imagem da poesia e da beleza, ameaçadas pela "ordem e progresso" de nosso tempo. Seria uma interpretação — a mais plausível — deste livro caótico e tenso, que parece brotado do inconsciente. Mas seria uma interpretação empobrecedora, pois a mais rápida leitura logo nos revela outras possibilidades: o amor, o sexo, a luta corporal contra os limites da linguagem e da razão, e assim por diante.

O mais provável é que muitas interpretações possam ser ensaiadas, assim como é também provável que algum tempo se passe antes que este livro seja compreendido e assimilado pela crítica e pelos leitores. Sobretudo porque falta entender o ponto preliminar: o que teria levado o poeta a publicar, agora, um livro de corte surrealista, escrito há mais de trinta anos? Desencalhe de gaveta? Em parte, talvez. Mas talvez Gullar esteja tentando apontar, de novo, outros rumos na realidade e na poesia brasileiras. O problema (e o enigma proposto por *Crime na flora*) é descobrir isso: para onde vai a nossa poesia?

Rios (represados) de discurso

Espetáculo de poesia: em maio de 1985 Octavio Paz e Haroldo de Campos, no repleto Anfiteatro de Convenções da USP, leram intercaladamente textos do escritor mexicano e as "transcrições" realizadas pelo seu colega brasileiro. Espetáculo é aqui a palavra certa. A auréola, que o poeta de Baudelaire perdeu no meio da rua, parecia recuperada ali, nas duas línguas que prendiam a atenção do público, fascinado pela sonoridade harmoniosa das palavras, pelo fluxo de imagens insólitas e também — por que não? — pelo tipo especial de carisma que, apesar do pessimismo baudelairiano, continua a envolver os poetas.

O momento alto desse encontro foi a leitura de "Blanco", texto que é agora o eixo central do livro *Transblanco*.[1] Poema longo, meditativo, exuberante e despojado ao mesmo tempo, "Blanco" é uma composição complexa, que entrelaça de maneira inspirada vários motivos centrais da tradição poética ocidental, vindos do Romantismo aos nossos dias. Mito e história, temporalidade e espacialidade, erotismo e morte, linguagem e silêncio — estes são os temas que Octavio Paz trabalha em "Blanco", ao seu estilo.

---

[1] Rio de Janeiro, Editora Guanabara, 1986. (N. do E.)

E como é esse estilo? Parece-me que o ponto forte de Paz é uma impressionante capacidade metafórica. A imagem, que ele definiu certa vez como "cifra da condição humana" (devido à sua ambigüidade radical), é o ponto de partida de sua poética. Imagens podem ser metonímias, comparações, paronomásias, hipérboles, símbolos, inversões etc. São modos de se criar configurações especiais de linguagem, que pela sua estranheza chamam a atenção do leitor. Octavio Paz lança mão de todas e tira ótimos efeitos tanto da relação som/sentido como das hipérboles ou dos símbolos pertencentes à cultura mexicana. Mas a predileta é sem dúvida a metáfora, isto é, a imagem que se baseia no princípio da analogia, a aproximação por similaridade daquilo que à primeira vista nos parece distante e mesmo oposto. Utilizando generosamente o princípio da analogia, Paz procura submeter "à unidade a pluralidade do real" (a expressão também é dele).

Entretanto, poeta moderno-romântico, ligado à tradição da ruptura, esse mexicano cosmopolita sabe melhor que ninguém reconhecer a ilusão da metáfora e da identidade no mundo fragmentado em que vivemos. Por isso mesmo o desejo de analogia é rompido constantemente por outra figura básica de sua poética, a ironia. O movimento metafórico, impulso erótico de fusão amorosa, é cortado em seu texto pela consciência irônica, que ressalta as diferenças, as dissonâncias, a batalha agônica da palavra e do silêncio, da luz e da escuridão.

Assim é "Blanco", belo poema que tematiza o combate da analogia e da ironia, partindo de um começo mítico, "semente latente" da qual brota a fala unificadora, passando por uma meditação sobre o tempo, sobre o amor, o conhecimento, os quatro elementos naturais, e terminando outra vez na relação entre palavra e realidade, consciência e mundo.

A luta entre pluralidade e unidade reflete-se na estruturação do texto. "Blanco" é um poema composto por vários poemas, composição permutável que pode ser lida (conforme indicação do poeta) de seis maneiras diferentes: como um só texto, mas também como combinatória de partes que mantêm todas relativa autonomia. De novo, tentativa de totalizar a fragmentação.

Deixo para o final duas observações referentes ao tradutor e organizador de *Transblanco*, Haroldo de Campos. O trabalho por ele realizado ao compor este volume, traduzindo não apenas "Blanco", mas também a antologia crítica de *Libertad bajo palabra* e o forte poema "Petrificada petrificante", é como sempre digno de toda admiração. Sua sensibilidade e seu rigor inventivo brilham aqui no mais alto grau.

Daí a curiosidade deste leitor, ao perceber a polida, discreta polêmica que se desenha na correspondência entre os poetas brasileiro e mexicano, correspondência em boa hora reproduzida também em *Transblanco*. A polêmica diz respeito à natureza da linguagem poética, cujo caráter discursivo Octavio Paz defende em várias cartas, contra o radicalismo antidiscursivo da poesia concreta. "Ao lê-lo", — escreve Paz, comentando a transcrição de "Blanco" por Haroldo de Campos — "voltei a comprovar que a poesia é palavra dita e ouvida: uma atividade espiritual profundamente física na qual intervêm os lábios e a sonoridade. Atividade sensual, muscular e espiritual."

O toque é contra o "estatismo concreto", e reivindica o uso pleno de todos os recursos poéticos, inclusive os da vertente discursiva. Tanto melhor para nós que o tradutor brasileiro tenha sabido recriá-los tão bem.

João Antônio
e sua estética do rancor

Novidades de João Antônio? Sim, o leitor verá. Dez contos compõem este último livro,[1] e o universo de personagens, ambientes e conflitos continua quase o mesmo dos anteriores. Quem acompanha o autor há mais de vinte anos, não ficará frustrado: aqui está, também, o submundo da cidade grande brasileira, com sua miséria emergindo da riqueza, sua margem de desqualificados criada e constantemente destruída pela violência do dinheiro.

Essa margem João Antônio flagra como sempre. Para comprová-lo, é só ler o texto inicial, "Guardador": dez páginas nas quais a narrativa acompanha os movimentos do velho alcoólatra que, na franja da loucura, guarda carros numa praça de Copacabana, habita o tronco oco de uma árvore e tenta, entre o torpor da bebida e da pobreza, entender a mesquinhez de seus fregueses. Aqueles que conhecem determinado episódio da vida do compositor carioca Cartola, a quem aliás a história é consagrada, não deixarão de se comover com o modo delicado que o escritor usa para aproximar-se de personagem tão difícil.

Mas algo mudou, sim, no mundo de João Antônio. Sete dos

---

[1] *Abraçado ao meu rancor*, Rio de Janeiro, Editora Guanabara, 1986. (N. do E.)

contos são centrados sobre personagens de classe média, e ainda que neles o pano de fundo continue a ser a pobreza do lúmpen, o foco está decididamente deslocado. Seu centro não é mais o malandro cheio de picardia, mas o escritor ressentido, que vê o capitalismo brasileiro reduzir as artes da malandragem à miséria descorada, esfarrapada e pedinte.

Em "Abraçado ao meu rancor", conto de mais de sessenta páginas que dá o título do livro, percebemos com clareza a mudança. Trata-se de um depoimento feroz, certamente autobiográfico. O narrador, escritor paulistano que exerce no Rio a profissão de jornalista, volta a São Paulo para cobrir o lançamento de uma campanha de turismo. Passeia pela cidade, e percorre os mesmos espaços de *Malagueta, perus e bacanaço*. Mas as ruas, os botequins, os salões de sinuca, que antes eram lugares abertos à aventura, estão agora degradados, feios, já não oferecem nenhum prazer. A vagabundagem do malandro é substituída pelo passo pesado do intelectual que compara, de coração apertado, o contraste entre o discurso da propaganda turística e a realidade nada admirável que ele encobre.

Passeio longo, rancoroso. João Antônio perdeu aqui a facilidade feliz de representar os tipos populares, facilidade que lhe deu fama, mas cuja ponta evidente de artifício levava a desconfiar de certa falsificação pitoresca. O resultado é complexo, e não sei dizer se agora melhorou. Sei que o pitoresco quase sumiu, dando lugar a uma matéria muito mais pesada, e o estilo ressente-se, perdendo em graça e flexibilidade. Além disso, o texto carregado de referências autobiográficas, fiel mas pouco transfigurado, corre o risco que José Veríssimo acusou no pioneiro Lima Barreto: a amargura "legítima, sincera, respeitável", atrapalhando a arte.

Mas como poderia Lima Barreto sujeitar-se a uma lei de recato, se nele o essencial eram sentimentos e ressentimentos? —

retrucou por sua vez Sérgio Buarque de Holanda. É verdade, também para João Antônio, e o paradoxo está aí. Ele não o resolveu neste livro. No entanto, mesmo o tal impasse de sua narrativa, por desajeitado que pareça do ponto de vista artístico, nos remete para um significado sobre o qual devemos refletir.

É que a brutalidade da exploração capitalista no Brasil parece ter aumentado nos últimos anos, e seu reflexo na esfera ideológica, principalmente entre intelectuais de classe média (escritores, professores, artistas, jornalistas), tende a se polarizar em duas atitudes: a cooptação de um lado, ostentando o brilho do dinheiro justificado pelo elogio da racionalidade, da modernidade, do internacionalismo; o inconformismo do outro, levantando a arma da indignação e do rancor. Se a primeira atitude tem algo de cínico em seu exibicionismo triunfante, a segunda não consegue esconder uma incômoda, desajeitada visão do processo social. E a simplificação das duas acaba prejudicando tanto a política, como o pensamento ou a arte. O problema é geral, não é só de João Antônio. Mas este *Abraçado ao meu rancor* permite que o vejamos de forma muito nítida.

Graciliano Ramos

Um acontecimento para quem se interessa por literatura brasileira: já está nas livrarias *Graciliano Ramos*, volume organizado por José Carlos Garbuglio, Alfredo Bosi e Valentim Facioli.[1] Este é um daqueles livros que se tornam logo indispensáveis e é sempre bom ter na estante ao lado das obras completas do escritor.

Em primeiro lugar, como guia para a sua melhor compreensão, pois os textos aqui recolhidos (tanto de Graciliano, como sobre ele) instigam ao conhecimento de vários aspectos, mais discutidos ou menos discutidos, mas sempre importantes, da atividade literária do romancista. Nesse sentido, o público certo são os estudantes e professores de Letras, que certamente reconhecerão o caráter esclarecedor do depoimento de Ricardo Ramos, da "biografia intelectual" de Valentim Facioli, dos estudos críticos de vários autores, e dos debates da mesa-redonda que reuniu Antonio Candido, Franklin de Oliveira, Silviano Santiago e Rui Mourão, além dos organizadores.

Mas o público não especializado ganha também a oportunidade de contato estimulante com a parte menos lida da obra: as cartas, a crônica, o conto e a narrativa popular das *Histórias*

---

[1] São Paulo, Ática, 1987. (N. do E.)

de Alexandre, divertida relação de casos fantásticos, inspirados no folclore nordestino, as mentiras fabulosas de um herói de olho torto, falante e imaginoso, bem diferente da aspereza habitual do velho Graça.

Finalmente, é preciso dizer que ganhamos todos com esta edição bem feita, bonita, de planejamento gráfico impecável, ilustrada com fotos, reproduções de capas das edições antigas, documentos manuscritos e desenhos. Embora descrente, faço votos de que o exemplo da Ática sirva como estímulo para que a Record, atual editora de Graciliano Ramos, cuide melhor dos livros dele, que foram na década de 1950 tão bem produzidos pela José Olympio e hoje se encontram em estado de quase descalabro editorial.

É impossível comentar toda a importância dos estudos críticos reunidos em *Graciliano Ramos*, mas alguns pontos não podem ser omitidos. É o caso daqueles que se referem à vida do escritor, ligada de forma tão estreita à sua obra criativa. O curto depoimento de Ricardo Ramos, emocionado e feito do ponto de vista pessoalíssimo da intimidade entre pai e filho, traz no entanto (ou talvez por isso mesmo) observações objetivamente decisivas. Por exemplo, na revelação de que o livro preferido de Mestre Graça, "conforme todos os indícios", era *Angústia*. Esta preferência é significativa, pois Graciliano gostava que o lessem não apenas como o romance de um drama pessoal, diz Ricardo Ramos, mas como crônica da "condição do intelectual nos países subdesenvolvidos da América Latina". Foi assim que Mário de Andrade o leu e, embora a contragosto, discordante, acabou reconhecendo-o como "admirável".

O intelectual Graciliano Ramos é visto na biografia feita por Valentim Facioli, trabalho precioso por seu caráter de síntese rigorosa e fiel. O enfoque biográfico, tão desprezado por certa crítica estrutural e formalista, parece-me cada vez mais decisivo e iluminador. Quando realizado nos limites corretos, reconhecendo a autonomia relativa da obra e as transformações sofridas pela matéria na passagem da experiência existencial à expressão literária, só pode resultar no enriquecimento da crítica, que vê aumentada sua capacidade de compreender os recursos utilizados pelo artista. Esta é a atitude de Valentim Facioli. Apesar de não trazer revelações novas, a forma sistemática que deu às informações contidas no seu "Um homem bruto da terra" certamente ajudará na realização de estudos futuros sobre a obra ficcional de Graciliano Ramos. Além disso, trata-se de texto bem escrito, fluente, dotado de ritmo narrativo que atrai e prende o leitor.

Outro aspecto importante, que também não deve ser omitido, são os textos "novos" recolhidos em Graciliano Ramos. O debate realizado durante a mesa-redonda é vivo e interessante, embora dispersivo, característica inevitável deste tipo de encontro de opiniões.

Ressalte-se a brilhante inserção de Graciliano no ambiente cultural dos anos 1930 e 1940, inserção realizada por Antonio Candido em contraditório contraponto com as opiniões de Alfredo Bosi e Silviano Santiago, que preferem delinear as diferenças entre o escritor e seus contemporâneos. O debate, aí, é aberto e estimulante.

Destaque também para o ensaio de Alfredo Bosi, *Céu, inferno*, boa reflexão comparativa entre Graciliano e Guimarães Rosa, centrada sobre a relação destes escritores com a cultura das classes oprimidas. Destaque, ainda, para os estudos de José Carlos Garbuglio, Benjamin Abdala Júnior e Antônio do Amaral Rocha, todos de interesse. E para a "bibliografia comentada", coleção de resenhas informativas e críticas, de utilidade indiscutível e tão raramente encontráveis entre nós.

Mas fica o melhor para o final. São os "textos avulsos" de Graciliano, pela primeira vez recolhidos em livro. Poucos e ótimos. Transcrevo dois títulos, para que o leitor tenha uma idéia da continuidade dos tempos: "Exigimos uma Assembléia Constituinte" e "As rãs estão pedindo um rei". E já não resisto a espichar mais e citar um terceiro, ao mesmo tempo direto e evocativo: "Forças reacionárias ocultas ou ostensivas". São textos de 1945.

Graciliano Ramos, escritor, político e panfletário, com certeza não tem o mesmo tamanho do romancista e memorialista que já conhecemos. Mas tem a mesma essencialidade implacável e feroz dos seus melhores momentos.

Entre a fotografia e o romance

Falando certa vez sobre conto e romance, Cortázar comparou-os à fotografia e ao cinema. A dupla analogia me ocorre de imediato, depois da leitura de *Idéias para onde passar o fim do mundo*, primeira "ficção" (digamos assim) de João Almino.[1] Talvez porque o autor, diplomata e cientista político, seja também excelente fotógrafo. Talvez porque o ponto de partida do enredo seja uma foto feita por Cadu durante a festa de posse do primeiro presidente negro do Brasil, Paulo Antônio. Talvez, ainda, por outros motivos mais complicados, que se relacionam com a composição e a estrutura do livro.

A idéia inicial parece simples: o narrador parte da fotografia da posse e concebe o roteiro de um filme. Do instantâneo, momento coagulado, se desenvolveria a seqüência, o filme feito de instantâneos articulados entre si. Mas já aí, no primeiro capítulo, começam os problemas. Como desembaraçar as personagens da fixidez de sua aparência, movê-las por outros espaços, comovê-las? Se a foto insinua o que está fora dela, inspira o narrador e o instiga a recompor uma totalidade, é que ela, em si, não basta e o narrador quer mais, quer o movimento da vida, ilusão de filme ou romance.

---

[1] São Paulo, Brasiliense, 1987. (N. do E.)

O leitor, que já passou por John dos Passos, Aldous Huxley, o próprio Cortázar ou Ivan Angelo (entre outros), pode pensar que não há problema algum. De fato, a técnica é conhecida: painel, contraponto, jogo de montagem, as linhas das personagens vão se cruzando, às vezes ao acaso, às vezes obedecendo a determinadas necessidades, até que das fotografias saia o filme, ou dos contos nasça o romance.

Pode não ser tão simples. João Almino sabe contar histórias com habilidade e demonstra isso em vários capítulos. No terceiro, por exemplo, em que compõe a figura de Berenice, camponesa nascida do interior do Ceará, que vai ser empregada doméstica em Brasília, recebe toda a carga de experiência da cidade e, sozinha e grávida, retorna ao sertão. A delicadeza com que o autor trata a interioridade de Berenice revaloriza o tema regionalista e ultrapassa a caricatura engajada a que fomos tão habituados.

Há outras passagens igualmente bem realizadas: a história de Eva Fernandes, irmã adotiva do presidente Paulo Antônio, e certos trechos (embora não tudo) dedicados à vidente Iris, personagem estranha que nos leva a uma viagem entre a profecia e a loucura. A capacidade de criar "biografias" é admirável em João Almino, tanto mais que Berenice, Eva e Iris são muito diferentes entre si e devem ter exigido grande esforço artístico de recriação. Sinto, apenas, que este efeito não se estenda ao conjunto do livro. Isoladas, as personagens têm força, vivem suas vidas, movimentam-se dentro de mundos delineados com verossimilhança, convicção e bom estilo. No entanto, deve haver algum problema de montagem, pois os melhores efeitos se perdem na passagem de um trecho a outro e não conseguem dominar o livro todo. É como se as fotografias não virassem filme, ou os contos reunidos não resultassem em romance.

Há muitas razões para que isto aconteça. Mas a principal talvez seja a falta de um centro forte, que desse unidade ao livro e catalisasse a energia das boas passagens referidas. O centro é esboçado na figura do narrador, que nos conta as histórias e, ao mesmo tempo, explica como pretende realizar o seu projeto de filme. Acontece que este narrador morreu, é um espírito que vaga por Brasília, penetra no interior das personagens, conversa com o leitor, comenta os acontecimentos e suas próprias sensações.

O procedimento também é conhecido. Trata-se de problematizar a narrativa, desnudar os recursos utilizados, desfazer a ilusão ficcional — descentrar história e leitor, justamente, para produzir um novo efeito de estranhamento. Mas neste ponto João Almino não me parece tão hábil. Quando Gide, no seu *Os falsos moedeiros*, desloca a ação para os bastidores, o resultado é a criação de um novo centro, uma outra (e dupla) ilusão ficcional. A literatura apropria-se da metalinguagem e incorpora-a, permanecendo literatura.

Em *Idéias para onde passar o fim do mundo* a incorporação é tentada (inclusive ao introduzir-se outro narrador, na busca do efeito de abismo), mas uma curiosa concorrência entre as histórias das personagens e os comentários do narrador impede sua plena efetivação. Em certo sentido, a metalinguagem domina o livro, dá sua tonalidade, e atrapalha a boa objetivação artística da matéria. Assim se perde o indispensável caráter acumulativo do romance — e pode ser que este desequilíbrio explique, afinal, porque da inspiradora fotografia de Cadu não saia o filme desejado.

Mas sai um livro. E, embora hesitando em chamá-lo de "romance", não hesito em recomendá-lo ao leitor interessado em literatura brasileira e em algo mais refletido que os simples *bestsellers*. Ele verá que as várias histórias do livro apontam, como alegoria fantasmagórica, para as crises do Brasil, as nossas muitas crises individuais — e as crises da narrativa.

Blanchot e a literatura

Conta-se que, certa vez, Mallarmé expressou a convicção de que a poesia perdera seus caminhos "a partir da grande aberração de Homero". Quando lhe perguntaram o que havia antes de Homero, respondeu sem hesitar: Orfeu.

A anedota vem referida por Hugo Friedrich em seu livro sobre a estrutura da lírica moderna, e sem dúvida sintetiza bem o que foi a ambição de Mallarmé em sua procura da poesia essencial (e da essência da poesia). Não lhe bastava um grande poeta, o primeiro de todos na história humana; sua exigência impunha-lhe recuar ao mito e à divindade, a um momento anterior ao tempo histórico, no qual essência e existência, poesia e poema, estivessem soldados numa mesma e forte unidade. O sentimento da "aberração de Homero" deriva da consciência da ruptura entre linguagem e ideal, cisão que Mallarmé situou ao nível do ser, como verdadeira impossibilidade de contato do homem com a sua transcendência, espécie de vazio intransponível entre a linguagem (ou o espírito) e o ser absoluto.

Este tema, que Friedrich chamou de "dissonância ontológica", é familiar aos leitores de Mallarmé e da literatura contemporânea. Pode-se ver que não se trata de tema simples, muito pelo contrário, e para aprofundá-lo é preciso conhecimento, habilidade e rigor. Nestas terras altas do pensamento, os nativos não consertam as estradas — limitam-se, aliás, a abrir trilhas de acesso difícil, como neste livro denso, simultaneamente brilhante e obscuro de Maurice Blanchot, *O espaço literário*.[1]

Blanchot desenvolve aqui uma intrincada meditação sobre a natureza da literatura, enfocando o problema a partir de vários ângulos, escolhidos não por acaso (e sem abolir o acaso), tratados de maneira fragmentária mas, ao mesmo tempo, unidos pelo fio de um pensamento centralizador e paradoxal: o pensamento de que a linguagem poética opõe-se à linguagem do mundo, na medida em que, nesta última, "a linguagem cala-se como ser da linguagem e como linguagem do ser" (para permitir que "os seres" falem), enquanto a fala poética buscaria justamente o silêncio dos seres, seria uma linguagem na qual "ninguém fala e o que fala não é ninguém", linguagem essencial, circundada, confirmada e ameaçada pelo silêncio.

Os ângulos escolhidos para abordar este "centro" ou esta "origem" do espaço literário são os temas da solidão essencial, da infinitude da escrita, do desnível entre a obra e o livro, da noite, da purificação, da morte — e outros, que o leitor de Mallarmé também já estará reconhecendo. Inútil tentar expor aqui um só deles, pois sua complexidade escapa dos limites da resenha. Mas o livro de Blanchot, por mais movediço que seja, converge para um centro que, não sendo e sendo ao mesmo tempo fixo (como nos adverte o próprio autor), desloca-se e esquiva-se, mas acaba por impor-se "de forma imperiosa".

Trata-se das páginas intituladas "O olhar de Orfeu", nas quais Maurice Blanchot esboça uma interpretação do mito grego que está nas origens das tentativas de explicar (ou de entender) a poesia. Interpretação curiosa: para Blanchot, Eurídice representa

---

[1] Rio de Janeiro, Rocco, 1987, tradução de Álvaro Cabral. (N. do E.)

o extremo que a arte pode atingir, "o ponto profundamente obscuro para o qual parecem tender a arte, o desejo, a morte, a noite".

Este ponto central e originário é a essência da *outra* noite (Blanchot grifa a palavra *outra*), isto é, o instante sem tempo em que o "eu" pressente a presença de si que é sua própria ausência, é a presença do *outro*, é a revelação, para aquele que busca a intimidade da noite, o essencial — da *outra* noite, do abismo, do vazio e do silêncio, que liqüidam a individualidade do sujeito, aniquilam sua existência concreta ao revelá-la como inessencial, mas ao mesmo tempo indiciam e confirmam a proximidade do "ponto profundamente obscuro" que é o ser absoluto.

No entanto — e aí está o paradoxo — Orfeu pode tudo, exceto olhar este ponto de frente, exceto "olhar o centro da noite na noite". Olhando-o, perde Eurídice, desvia-se para o inessencial, afasta-se deste absoluto que é a *outra* noite. Que sentido tem, então, o olhar de Orfeu? É ele o signo do necessário fracasso do poeta, da sua impossibilidade de atingir o ponto central e originário da poesia? Sim e não — diz Blanchot. Ao olhar Eurídice, Orfeu arruína a obra, perde Eurídice e deixa de captar a essência da noite. Mas não olhá-la não seria menor traição: porque Orfeu não quer Eurídice "em sua verdade diurna e em seu acordo cotidiano", mas a quer "em sua obscuridade noturna, em seu distanciamento". Ele deseja "não fazê-la viver, mas ter viva nela a plenitude de sua morte". Ou seja, o desejo de Orfeu é o de ir além da medida e, fazendo face ao Nada, encontrar o que *é*, o ponto onde a essência aparece, "onde é essencial e essencialmente aparência".

Não vamos insistir na resenha, que já está ficando obscura e complicada. Também o estilo de Blanchot, para atingir "o coração da noite", desvia-se, ilumina e obscurece os problemas, contorna-os, passa por Mallarmé, Rilke, Kafka, Hölderlin, circunscreve e alarga a temática da literatura contemporânea. É um livro difícil, cujo grande mérito foi ter antecipado, de forma aguda, a cerrada discussão em torno da questão do sujeito e da linguagem, que desde os anos 1960 vem ocupando o miolo da reflexão filosófica européia (principalmente na França).

A primeira edição deste livro é de 1955. Só agora é traduzido no Brasil, com exatos trinta e dois anos de atraso. Seja bem vindo. Uma de suas virtudes, e não das menores, é a de mostrar como a falada auto-reflexividade da literatura não se reduz a brincadeirinhas supostamente metalingüísticas, como (ao que parece) tem sido com freqüência entendida entre nós. Um de seus riscos — e é sempre bom lembrar os riscos de uma obra de pensamento — é que Blanchot situa sua reflexão ao nível ontológico, mostrando total desprezo pela circunstância histórica. Orfeu antes de Homero significa um pouco a substituição da história pelo mito.

O pão é pouco,
mas o sangue é muito

Quem conta um conto diminui um ponto? Esse parece o caso de Dalton Trevisan, escritor do qual se poderia dizer, propriamente, que tem um programa mínimo: reduzir suas narrativas ao indispensável, numa economia que ultrapassa a elipse e toca o silêncio. Em terra de gente falante e escritores copiosos, Dalton está no entanto em boa companhia: Machado, Graciliano e João Cabral, por exemplo. Como eles, é sintético, objetivo, irônico. E, como eles, pessoalíssimo.

Pois a linguagem "do menos", como Haroldo de Campos denominou certa vez esse procedimento anti-retórico, tem efeitos muito diferentes. Elegante em Machado, brusco em Graciliano, rebuscado em João Cabral, o despojamento do estilo ganha em Dalton Trevisan certa tonalidade de crueza vulgar, certa simplificação que tem algo a ver com o mundo brutalizado que ele retoma, infindavelmente, em seus contos. A própria repetição, que torna texto e livros tão semelhantes entre si, integra o universo empobrecido (e por isso obsessivo) de temas, situações, personagens e imagens que reaparecem sempre e vão compondo a obra deste escritor que, por fácil paradoxo, é dos mais interessantes da nossa literatura contemporânea.

Em seu último livro, *Pão e sangue*,[1] não nos afastamos quase

---

[1] Rio de Janeiro, Record, 1988. (N. do E.)

nada da matéria e da linguagem antes exploradas. Digo "quase" porque me parece haver de fato algumas pequenas modificações. Todas, entretanto, na linha implacável que ele se propôs há anos: ainda redução e repetição mas, como convêm a autor minimalista, efetuadas como pouca ênfase em relação a livros anteriores, embora perceptíveis para o leitor atento.

O qual, afinal de contas, se é leitor atento, nada tem do que reclamar. Ao contrário: *Pão e sangue* concentra em vinte e duas narrativas curtas o mesmo Dalton Trevisan de sempre, obcecado pelas limitações e tiques da pequena burguesia, pela miséria material e afetiva do lumpemproletariado, pela guerra conjugal, pela sufocação cotidiana do sexo desprovido de prazer, pelo *fait divers* do jornal que pinga sangue e é alimentado por aqueles que, tendo pouco pão, são atores e espectadores do violento circo brasileiro de hoje.

Entremos no miolo do livro. O que significa essa fascinação pelos pequenos e cruentos episódios da vida cotidiana? Dos 22 contos, seis relatam histórias de mulher que mata (ou tenta matar) o marido, três de marido que mata a mulher, dois de violação de mulheres, dois outros de assassinatos de um vagabundo e de uma criança. Em todos os treze casos, o fundo dos crimes é sexo e miséria, conjugados. O que Dalton Trevisan quer nos dizer com tanta insistência?

Intriga, justamente, a conjugação reiterada de violência, sexo e miséria. As velhas explicações, que atribuem ao ambiente abafado e provinciano de Curitiba e da pequena burguesia o ar rarefeito destes contos, não convencem mais. Outra coisa mudou. Em *Pão e sangue* a maioria das personagens é lúmpen, as perversões pequeno-burguesas se limitam a um só conto (aliás, magistral: "O arrepio no céu da boca"), ou a exercícios irônicos como os textos dispostos em forma de poema ("Balada do vampiro de Curitiba" e "Canção do exílio") ou em forma de minicontos intitulados *haicais*. São importantes, sem dúvida, cheios de auto-ironia e de reflexão crítica. Mas os outros pesam mais.

E os outros pegam no nervo um dos aspectos doloridos da sociedade brasileira atual, cada vez mais dilacerada e excludente. Em artigo de 1983, "Pacto social e pacto edípico", Hélio Pellegrino procurou mostrar como a introdução dos indivíduos na Lei do Pai, que é a aceitação das normas de convivência social, depende não apenas do temor e da violência, mas também do amor e da justa recompensa. Quando faltam os dois últimos, sobram os dois primeiros — e isto, é bom repetir, não ocorre somente no plano dos indivíduos: o pacto edípico serve de modelo para o pacto social e a aceitação da Lei do Pai possibilita a criação do universo da cultura, no qual os interditos apenas balizam, sem sufocar, a expansão do desejo.

Como é a sociedade que faz, para os indivíduos que a compõem, o papel do pai, e se ela apenas os violenta sem recompensá-los, deve-se esperar da parte deles não a obediência à Lei, mas a contrapartida do crime. É isto, para Hélio Pellegrino, o que ocorre no Brasil de hoje: rompido o pacto social, as camadas excluídas se lançam no cortejo de violações que compõem o *fait divers* dos assassinatos de maridos, mulheres e crianças. Todos, é óbvio, sobre o fundo de miséria e sexo.

Penso que é essa realidade degradada que Dalton Trevisan tematiza. A aparente abstração de seus contos, o João e a Maria que nomeiam suas personagens sem cara, na verdade mimetizam fundo a ruptura do pacto social no Brasil. Há aí, portanto, uma ponte para explicar a crueza vulgarizante de seu estilo e a simplificação brutalizada de suas narrativas.

Agripino Grieco

No centenário de seu nascimento, Agripino Grieco está quase esquecido. O demônio que durante cerca de quarenta anos provocou muito riso e muita raiva, com seus artigos zombeteiros contra os subliteratos acadêmicos, hoje em dia quase não é mais lido. Sem dúvida, certa legenda mítica persiste ainda em torno de seu nome, e às vezes alguém tenta reabilitar sua reputação de agudeza e perspicácia crítica. Inutilmente, porém. Sua importância diminui e, quanto mais passa o tempo, melhor vemos como ele se transforma numa das *Carcaças gloriosas* que seu humor ridicularizou, sempre com razão.

Agripino foi um escritor ágil, malicioso e divertido. Língua afiadíssima, capaz de tirada mais humilhante para a vítima de ocasião, cultivou, no entanto, uma rigorosa ética da crítica. Seus ataques nunca eram gratuitos ou movidos por interesses mesquinhos. Se atingiam Laudelino Freire, Cláudio de Souza, Júlio Dantas ou Félix Pacheco, alvos prediletos, era porque seu gosto, educado por enorme leitura, não admitia a mediocridade oficial que estes escritores representavam até nos fardões de pavão da Academia Brasileira de Letras. O veneno de seus textos era, portanto, justificado por um julgamento crítico pertinente — embora fosse alimentado também por um temperamento polêmico de brigador sem trégua. Por que, então, o relativo esquecimento em que ele se afunda? Depois da publicação dos onze volumes das suas *Obras completas* pela José Olympio, nos anos 1950, sua estrela voltou a brilhar apenas de modo rápido, por ocasião do surgimento das *Memórias*, em 1972. Estas, no entanto, decepcionaram a maioria dos leitores: enfiada de recordações anedóticas, puramente circunstanciais, não possuíam mais a graça do artigo jornalístico, nem a densidade de experiência ou a elaboração literária com que outras memórias (de Pedro Nava, publicadas no mesmo ano, e de Murilo Mendes, um pouco anteriores) encantavam um público fascinado. Agora, comemorando o centenário de nascimento, a Record edita *Gralhas e pavões*,[1] coletânea de aforismos e trechos memorialísticos. Ao noticiar o lançamento, a *Folha de S. Paulo* transcreve um epigrama bem característico ("O pior dos erros é acertar contra muita gente"), e comenta o livro de forma lacônica e significativa: "Leitura amena e descompromissada".

Talvez seja um elogio, não sei, mas parece melancólico. Um crítico ácido, combativo, transformar-se em ameno e descompromissado, soa de maneira estranha: quer dizer que, com o passar dos anos, a crítica de Grieco perdeu (se as teve alguma vez) densidade e eficácia.

Isso é verdade, e entender pelo menos um dos motivos pelos quais tal coisa acontece pode valer a pena de um esforço. Encontro, no volume I das *Memórias*, o trecho pitoresco em que Agripino narra seu primeiro encontro com Capistrano de Abreu. O historiador, já muito conhecido, vai visitar Paraíba do Sul, e o adolescente Grieco serve-lhe certo dia de cicerone, em passeio pela cidadezinha. Durante o passeio, Capistrano pergunta o nome de uma árvore, e o rapazinho não consegue responder. O sábio fica indignado, relata Agripino, e o descompõe afirmando

---

[1] Rio de Janeiro, Record, 1988, organização de Donatello Grieco. (N. do E.)

que a incapacidade de "particularizar" mostrava a diferença entre a "preguiça mental da gente do trópico" e a precisão reinante na Alemanha, onde qualquer rapazola, num parque de Berlim, "distingue com precisão uma espécie botânica de outra...".

Verdadeiro ou inventado, quero tomar o episódio, invertendo seu sentido, como metáfora do que foi a erudição de Agripino Grieco. A verdade é que Capistrano nem sonhava que o jovem cicerone de Paraíba do Sul aprenderia, com os anos e milhares de leituras, a "particularizar" como poucos críticos brasileiros. Tendo lido muito, conhecia e citava centenas de escritores, que sabia justamente distinguir com precisão. Pena, porém, é que jamais tenha sido capaz de fazer o movimento contrário, do singular para o geral. Suas informações de erudito, ele as empilhava em seus artigos sem se preocupar com a homogeneidade ou a coerência do conjunto. Descrevia cada árvore, mas a sua floresta era uma massa confusa de citações disparatadas, valendo mais pelo rápido brilho da frase que pela solidez concatenada do argumento.

Leia-se, por exemplo, *S. Francisco de Assis e a poesia cristã*, estudo em que se comentam cerca de trinta poetas, passeando de Dante a José Albano, de Tasso a Longfellow, de Milton a Alphonsus. Poderia ser um instigante e precursor trabalho de literatura comparada, mas a falta de método transforma-o apenas numa miscelânea de observações sem qualquer conexão interna. Falta-lhe a visão sintetizadora do geral.

Agripino pertenceu àquela geração pré-modernista que Tristão de Athayde viu como dotada de excelentes talentos individuais, mas cuja força se perdia por não se apresentar como um conjunto tramado. De fato, faltou-lhe direção, concepção ampla de literatura e de Brasil — coisas que o Modernismo reintroduziu em seus programas, dando-lhes assim o caráter coletivo que é em parte responsável pela persistência de suas melhores obras.

Releio *O sol dos mortos*, último livro das obras completas de Agripino, e que tem por epígrafe uma bela frase tirada de Balzac: "A glória é o sol dos mortos...". Nele encontro o artigo "Acadêmicos de ontem", em que o crítico salva de seus ataques certos "homens de talento" que lhe parecem superiores à mediocridade da Academia. Quem são? Medeiros e Albuquerque, Goulart de Andrade, Carlos de Laet, Augusto de Lima, Humberto de Campos, Xavier Marques. Como se vê, nomes hoje apagados, lembrados apenas por especialistas e um ou outro saudoso da "*belle époque*". Foram escritores de um verbalismo brilhante e vazio, desprovido de grandeza. Agripino, mais jovem que eles, foi como eles. Por isso, também sobre sua glória o sol começa a se pôr.

Coivara da memória

A força e a complexidade deste romance de estréia de Francisco Dantas não podem ser apreendidas com facilidade pelo leitor. Não é livro que seduza pelo brilho imediato da superfície, ou conduza e mantenha o interesse através de lances espetaculares do enredo. Ao contrário, sua superfície opaca — propositalmente opaca —, e o ritmo lento de sua história exigem a leitura paciente, disposta a acompanhar a frase larga de uma linguagem que procura, minuciosa, atenta, sondar o vai e vem embaraçante da memória, repleto de significações mas também de lacunas e rasuras.

O estilo desta *Coivara da memória*[1] é trabalhado nos menores detalhes. Incorpora, como já se pode ver pelo título, termos de uso restrito ou de uso apenas regional, e faz inclusive do vocabulário regional uma fonte de extraordinário enriquecimento. Mas não se limita a isso: ao lado dos elementos da linguagem popular nordestina, encontramos sempre o esforço de buscar o tom construído da expressão deliberadamente literária. Cria-se, assim, um curioso efeito misto, entre a oralidade do fraseado local, espontânea e típica, e o caráter de escrita plena, consciente do torneado artístico que aponta para modelos da literatura erudita.

---

[1] São Paulo, Ática, 1991. (N. do E.)

A mescla estilística está ligada à matéria do romance e, principalmente, a seu narrador. A história, contada em primeira pessoa, é a vida deste narrador, um homem que aguarda em prisão domiciliar a hora de ser levado a julgamento. Apenas no final do romance ficamos sabendo o crime que ele cometeu, mas mesmo este pequeno enigma só contribui de maneira muito escassa para manter acesa a curiosidade do leitor. O interesse do enredo depende de outra coisa, o fogo da coivara simbólica, isto é, da linguagem em que ardem as lembranças de infância da personagem, escrivão de justiça que aproveita o ócio da prisão (está detido, sob palavra, no seu próprio cartório) para revolver e recompor o passado de menino de engenho.

Esta é a vertente principal do livro: a reconstrução do engenho Murituba, da figura do avô patriarca, cuja rudeza se abranda apenas diante do neto órfão, da imagem também áspera da avó pessimista que, embora cultivando rosas, ensina o menino a não se fiar na bondade alheia.

Por este lado, *Coivara da memória* liga-se à tradição do romance regionalista brasileiro. A novidade que ele persegue, a meu ver, é uma espécie de exasperação do clima sombrio que permeia a descrição da vida dos senhores rurais nordestinos. Francisco Dantas não faz concessões à idealização idílica. No seu texto, em decorrência da caracterização do narrador como herói muito diminuído, amedrontado pela perspectiva do julgamento próximo, tudo adquire uma coloração cinzenta de mundo morto. Mesmo a chama que brilha em certos instantes de simpatia ou de amor (com relação às figuras dos avós ou da amante Luciana), apaga-se com rapidez. O que sobressai e dá espessura ao livro é o conjunto de relações sociais violentas e injustas que reduz todas as personagens a vítimas, de um modo ou de outro sacrificadas à rispidez assassina do sistema econômico e cultural.

É claro que este universo de culpabilidade já nos foi mostrado nos grandes romances de Graciliano Ramos, e em particular nas suas memórias de *Infância*. Mas se o rumo é o mesmo, e se a filiação pode ser estabelecida, é preciso entretanto ressalvar que Francisco Dantas segue por caminho muito pessoal. Ao contrário do estilo seco do alagoano, seu texto possui uma exuberância que às vezes, aliás, aproxima-o perigosamente da retórica. O narrador-escrivão impregna a escrita em certo gosto pelo arrevezado da frase e pela pompa da tirada eloqüente, coisa que em algumas passagens acentua seu caráter literário e artificial.

No conjunto entretanto, o grande cuidado com a linguagem resulta bem. O acúmulo verbal, as repetições exasperadas, contribuem para dar corpo à extrema negatividade do romance, negatividade que o transforma simultaneamente em crítica do arcaico e do moderno. Saímos de sua leitura com um forte sentimento de opressão, o que faz desconfiar de que talvez esta história negra seja a alegoria assombrada do ambiente social brasileiro, da década de 1930 à de 1990.

"A meditação sobre o Tietê"

Poucos dias antes de sua morte, em fevereiro de 1945, Mário de Andrade escreveu "A meditação sobre o Tietê", poema importante que conclui sua obra de forma extraordinária. Os 330 versos que o compõem desenham o último retrato do poeta, a imagem final que ele teve de si mesmo e deixou registrada nesse texto, em traços determinados e comovidos, às vezes cruéis, às vezes tocados de auto-indulgência.

O primeiro efeito dessa longa confissão sobre o leitor talvez seja o sentimento de seu caráter premonitório: o poeta fala do limiar da morte, contemplando nas águas noturnas do Tietê o reflexo do que foi sua vida, levada pela corrente que contradiz o curso normal dos rios, afasta-se do mar e adentra "na terra dos homens". A morte é a presença constante do poema. Suas sombras projetam-se sobre o brilho momentâneo das imagens refletidas "na água pesada e oliosa", afogando o peito do rio e "as altas torres" do coração exausto do poeta. "É noite. E tudo é noite" — essas palavras que abrem o texto repetem-se ao longo dele, em variações carregadas de pressentimentos.

Como a crítica notou de imediato, "A meditação sobre o Tietê" é o testamento poético de Mário de Andrade. Não deixa de ser impressionante que o último poema componha uma reflexão sobre o conjunto da vida e da obra: como se percebesse a proximidade do fim, Mário medita sobre o sentido de sua existência e de seus feitos literários, contrapondo-os à aspereza e indiferença de um mundo de formas corruptas, que "se acalma e se falsifica e se esconde", além de deslumbrar por um rápido momento. A amargura — traço muito característico de seus escritos finais, embora sempre combatida e repelida — acompanha a meditação e apresenta-se ora sob a forma de autocrítica, ora sob a forma de crítica à sociedade.

Assim, o testamento é pessoal e público. É pessoal, no sentido de recapitular os grandes momentos e linhas de força de sua poesia, numa meditação íntima que busca a verdade do ser e da existência. Mas é também público, no sentido de opor essa mesma verdade, encontrada pelo destino construído, às águas podres do rio, símbolos da corrupção e da degradação social. A negatividade do poema provém desse segundo movimento, capaz de transformar os presságios da morte próxima numa reflexão sobre os limites e a precariedade da vida humana, social e historicamente localizada. Capaz, ainda, de transformar o tom meditativo do poema numa grande imprecação contra aqueles que chamava de "os donos da vida".

Tal atitude crítica culmina uma série de posições, políticas e estéticas, tomadas por Mário de Andrade desde os anos 1930, mas principalmente a partir de 1942, com a famosa revisão das conseqüências da Semana de Arte Moderna, realizada na conferência "O movimento modernista". O que ele censurava aí, em si e em seus companheiros modernistas, era a falta de atenção aos problemas sociais do século. E o que exigia a partir daí, da arte de seu tempo, era que incorporasse à sua linguagem — à própria forma — o mal-estar da vida contemporânea, representando negativamente a sociedade capitalista e ajudando a destruí-la.

A formulação mais aguda dessas idéias foi feita na série de artigos que compõem o livro *O banquete*, retomada dramática, dialógica e radicalizante, de obsessões que o perseguiam (às vezes de modo subconsciente) desde o começo da década anterior. Na poesia, um bom exemplo desse percurso politizador da estética é o poema "O carro da miséria", escrito pela primeira vez por ocasião da Revolução de 1930, reescrito quase dois anos depois, quando da Revolução Constitucionalista, e finalmente concluído nos anos 1940.

Mas também *Lira paulistana*, seu último livro de poesia (encerrado justamente pelo poema "A meditação sobre o Tietê"), é exemplar nesse sentido. Desde o título, ela estabelece um diálogo tenso com *Paulicéia desvairada*, o primeiro livro modernista, cujo tom eufórico e otimista é criticado por uma dicção desiludida, pessimista e negativa. A visão exaltada da cidade da garoa, "Londres das neblinas finas", que o arlequim vanguardista cantava em berros dissonantes, dá lugar a uma ótica desconfiada, que expõe em versos medidos (freqüentemente inspirados no cancioneiro popular) a suspeita de que a neblina sirva, antes de mais nada, para encobrir a injustiça das diferenças sociais. O canto entusiástico da juventude é contrastado pelo travo hesitante da madureza que vê a chegada da noite. Diz a primeira estrofe de um dos poemas mais fortes: "Eu nem sei se vale a pena/ Cantar São Paulo na lida/ Só gente muito iludida/ Limpa o gosto e assopra a avena,/ Essa angústia não serena,/ Muita fome pouco pão,/ Eu só vejo na função/ Miséria, dolo, ferida,/ Isso é vida?".

Certamente, o que leva da consciência eufórica dos anos 1920 à consciência pessimista dos anos 1930 e 1940 é a emergência cada vez mais clara dos problemas sociais do país (e do mundo) e o acirramento da luta ideológica. Envolvidos nisso, muitos escritores esqueceram-se das conquistas estéticas do Modernismo e abandonaram-se a um engajamento despreocupado dos problemas formais. Não foi o caso de Mário de Andrade, como é evidente.

A pesquisa estética permaneceu para ele como problema central e sempre tomada em toda a sua complexidade. Dessa maneira, a tentativa de superar o individualismo vanguardista e chegar a formas estéticas mais "funcionais" (como se dizia na época), em *Lira paulistana* toma a feição de busca de uma linguagem mais comunicativa, mais simples e despojada, implicando até mesmo a utilização do verso metrificado.

Isso jamais significou, entretanto, um abandono da atitude básica de fidelidade à pesquisa, pedra de toque da vanguarda modernista. E, justamente, "A meditação sobre o Tietê" talvez seja também um dos pontos culminantes dessa atitude, na medida em que nesse poema Mário de Andrade tira o máximo proveito das potencialidades do verso livre e da linguagem coloquial, cuja plasticidade parece indispensável (ou pelo menos serve bem) à expressão poética da riqueza substancial dos conteúdos. O tamanho do poema, e sobretudo o tamanho dos versos livres, longos e contínuos como a corrente do rio que mimetizam, são reveladores do esforço da consciência que tenta alçar-se e contemplar-se no espelho das águas. E se o verso é impuro, se o seu tom ameaça partir-se de repente nos perigos da assumida demagogia, é que o espelho turvou-se com os detritos que a cidade atirou no rio. O arlequim não pode mais exercitar-se em braçadas vigorosas no Tietê das "monções da ambição", como acontecera nos tempos de *Paulicéia desvairada*. Às vésperas da morte, a contemplação da água devolve a imagem de uma ronda de sombras.

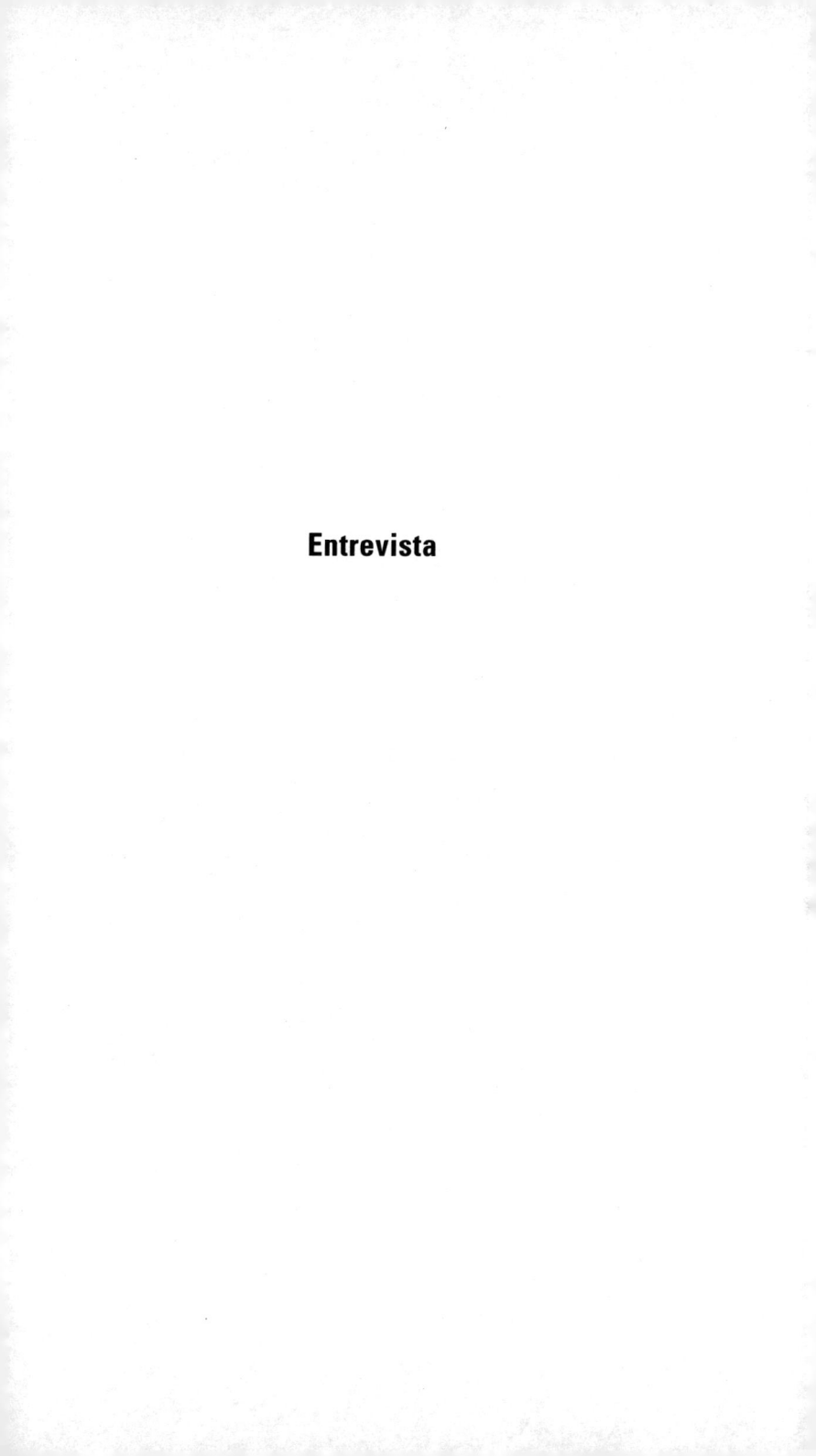

Entrevista

Entrevista
Transcrição de uma conversa com alunos em 1978

LIMBO — *O que é a crítica literária e qual sua função hoje?*

JOÃO LUIZ LAFETÁ — Bem, para tratar da crítica literária e de sua função hoje seria preciso primeiro tratar da literatura e de sua função, hoje. A literatura tinha um papel muito importante no passado: preenchia as horas de lazer das pessoas e, ao mesmo tempo, dava a elas uma imagem crítica do mundo e discutia os problema da época. Hoje o que preenche as horas de lazer das pessoas não é mais a literatura: é o filme ou o programa de televisão. A imagem do mundo elas têm através do cinema, da TV, do jornal ou dos estudos especializados de história, sociologia, política. Essa mudança acarretou um desprestígio da literatura — o que pode ser discutível, mas é facilmente constatável. E daí resulta, por exemplo, que um curso de Letras fique desprestigiado. No Brasil isto é muito forte.

LIMBO — *Mas você não acha que esse desprestígio é um problema das ciências humanas em geral?*

LAFETÁ — Sim, o problema é das ciências humanas em geral. Mas, dentro da área de humanas, Letras ainda é pior, o mais desprestigiado, pois cresceu de maneira espantosa e é um curso que exige um mínimo de investimento: sala de aula, quadro, giz e um salário de miséria para os professores. Vejam só: em 1975 havia 102 cursos de Letras, só em São Paulo. É um absurdo.

LIMBO — *Imagine a qualidade dos professores desses cursos...*
LAFETÁ — Isso aí vira uma verdadeira tragédia... No Brasil, toda nossa tradição cultural tem fundamento na literatura. As nossas maiores figuras intelectuais faziam literatura. Há cinqüenta anos, por exemplo, o importante neste país era o sujeito ser bacharel. E o grande bacharel era aquele que conhecia as Letras, que se ilustrava. Então, a gente vê a importância que tinha isso e, além do mais, conforme o Antonio Candido observou, a nossa cultura sempre foi basicamente literária, uma cultura da eloqüência. O intelectual máximo, durante certo tempo, foi Rui Barbosa, um malabarista da palavra, um orador. Hoje, o intelectual de prestígio é o tecnocrata, porque nós entramos numa etapa avançada do capitalismo, onde a manipulação da sociedade se faz através de técnicas que foram muito desenvolvidas. E o intelectual de prestígio é aquele que tem uma relação orgânica com o desenvolvimento do capital: o economista, o engenheiro, o administrador etc.

LIMBO — *Mas, afinal, e a crítica literária?*
LAFETÁ — Pois é. A crítica literária é justamente uma atividade intelectual cujo objetivo é pensar todos esses problemas que a gente está discutindo, tentar traçar este quadro. Essa seria uma resposta possível. Em um texto de Mário de Andrade, que aliás ainda não foi recolhido em livro, "Começo de crítica", publicado em 1939, no *Diário de Notícias* do Rio de Janeiro, ele faz um profissão de fé, coloca suas posições e acaba dizendo o que é a crítica literária para ele. Diz que a crítica é uma obra de arte. Assim como o artista cria uma obra em cima dos acontecimentos, dos fatos, o crítico cria em cima da obra de arte, também uma

obra de arte. E explica: o artista cria uma imagem de seu tempo a partir dos fatos, e o crítico também cria uma imagem de seu tempo a partir da obra feita pelo artista. Então, nesse sentido, ele aproxima o trabalho do crítico ao trabalho do artista, isto é, os dois criam uma imagem de seu tempo. Eu acho que essa idéia de criar uma imagem é importante, e serve bem para definir a tarefa da crítica literária: a crítica existe para explicar o tempo em que nós vivemos. O Davi Arrigucci comentou comigo outro dia um texto muito bonito do Walter Benjamin. Vou tomar emprestado o exemplo dos dois. Para Benjamin, o crítico literário tem por tarefa descobrir na obra o conteúdo de verdade, enquanto que a tarefa do comentador é descobrir o conteúdo factual que ela traça. A obra trabalha com a superfície dos fatos, mas evidentemente trabalha também com a verdade desses fatos, aquilo que, por baixo deles, acaba determinando sua verdade. Com freqüência, nas grandes obras literárias, o conteúdo de verdade fica muito entranhado no conteúdo factual. Então Benjamin tem uma imagem que é a seguinte: imagine um pergaminho que tenha empalidecido, onde uma outra escrita tenha sido feita sobre a primeira. O comentador lê essa que está por cima, mas a função do crítico seria descobrir, atrás da segunda, a existência da primeira. Benjamin utiliza uma outra imagem, que é ainda mais bonita: numa fogueira, o comentarista da obra é um químico, e para ele só interessam as achas e as cinzas, enquanto para o crítico interessa a chama, o que existe de vivo. Essa chama é o conteúdo de verdade da obra de arte, e o crítico deve buscar sempre esse conteúdo de verdade do tempo. É mais ou menos aquilo que Mário de Andrade falava: a imagem do tempo que a crítica cria através da leitura da obra de arte. Eu definiria a crítica literária basicamente como uma procura da verdade da época, através das imagens que as obras literárias nos oferecem.

LIMBO — *Então a função da crítica seria a de levar-nos a uma conscientização da realidade?*

LAFETÁ — Seria melhor dizer... Não sei, acho que a função dela seria mostrar as coisas como elas são, traçar a imagem do tempo, o que seria tomar consciência — nesse sentido que você está falando — do que existe, do que são as coisas. Ler um romance de Jorge Amado, por exemplo, implica uma certa postura. Exercer a crítica sobre o romance dele é outra postura diferente. Há no romance dele a imagem de uma época e essa imagem pode ser falsa ou verdadeira. Cabe à crítica verificar realmente o que há de verdade naquilo. Ela tem uma posição esclarecedora, nesse sentido.

LIMBO — *Mas se os critérios de valor variam de pessoa para pessoa, como se pode saber se uma obra tem qualidade ou não, se ela apreende ou não esse "conteúdo de verdade"?*

LAFETÁ — A discussão de valor é uma coisa extremamente complicada. Eu acho que não existe crítica que possa, realmente, dizer com absoluta certeza o que é bom ou ruim. Nesse sentido, a crítica flutua em boa dose de subjetividade. E qualquer dogmatismo pode representar um perigo. Tomemos um exemplo concreto. Lukács, um grande crítico literário, possui o seguinte conceito de crítica: buscar na obra literária a adequação entre a concepção de mundo do autor, que é o centro da forma, e a verdade objetiva do desenvolvimento histórico. O critério para se dizer se uma obra é boa, ou não, é a adequação dessa concepção-de-mundo à verdade do movimento da história. Pois bem, para Lukács, Balzac possui uma grande forma literária pois conseguiu apreender nela a objetividade profunda da história. Já Zola, assim como os outros naturalistas, foi um escritor que não saiu da superfície dos fatos, não compreendeu sua dinâmica e, por isso mesmo, não conseguiu apreender sua verdade. Entretanto, para

Auerbach, outro grande crítico, justamente *Germinal* de Zola é uma grande tragédia histórica, que apreende bem a verdade de seu tempo e possui também uma forma artística admirável.

LIMBO — *Mas, afinal, o que seria esse "conteúdo de verdade"? Seria a fidelidade do autor em retratar o seu tempo como ele é ou seria a intenção de traçar com fidelidade os seus sentimentos diante do mundo?*

LAFETÁ — Aí é que está. Para Auerbach o critério de verdade é um, para Lukács é outro. Então vocês perguntam: isso é subjetivo? Sim, decerto. Mas o que são subjetividade e objetividade? Aí tocaríamos na questão complicada das relações entre sujeito e objeto, discussão longa, que eu preferia não ter de fazer... É um dos pontos mais importantes da teoria do conhecimento, mas não vamos entrar por aí. O que dá para constar na prática da crítica, na atribuição do valor à obra literária, é que existe mesmo uma dose muito grande de arbítrio. O próprio Lukács, lidando com um escritor contemporâneo como Kafka, condena toda a obra dele em nome do mesmo princípio que usou para criticar o Naturalismo. Então a gente vê que ali tem alguma coisa de errado. O último grande escritor, então, foi Balzac? Isso é muito forte.

LIMBO — *O ponto de partida em termos de conteúdo não deveria ser a tentativa de captar o mundo, o ser humano em toda sua riqueza, e a necessidade de se posicionar ideologicamente, tentando dar um pouco de sentido a essa vida, tentando construir um mundo mais decente, melhor?*

LAFETÁ — Não acho que a intenção de criar um mundo melhor seja necessária para se produzir uma boa obra de arte. Essa intenção não está no artista, está no político. É preciso fazer, como Gramsci, uma distinção entre o político e o artista: são duas raças distintas e freqüentemente em conflito. A concepção de tempo, de progresso, a noção de história que o político tem é uma, a do artista é outra. Não se deve confundir as duas coisas, pois induz em erro. Você não pode exigir que um Kafka, por exemplo, tenha a mesma concepção da vida de um Lênin. São coisas diferentes, são atitudes intelectuais diferentes diante da realidade. O que se pode verificar de comum entre ambos é o desejo de ver a realidade como ela é de fato. Então, mesmo um Kafka, não tendo a intenção de melhorar o mundo, ele tinha, na verdade, a intenção de representar o mundo como este lhe parecia ser.

LIMBO — *Sentindo-se mal dentro dele...*

LAFETÁ — Sim, sentindo-se mal e botando o dedo onde ele estava se sentindo mal.

LIMBO — *E com isso dando uma visão crítica de seu tempo, isto é, através da negação daquilo que ele exibe, dando a você a idéia do que é isso?*

LAFETÁ — Exatamente. E esse é um ponto importante. Hoje, se o artista faz uma literatura apologética, com certeza sua obra vai fracassar. Isso porque a negação do mundo, do que existe de errado nele, é a condição essencial do trabalho artístico. Não quanto à intenção, ao objetivo político, mas sim quanto à necessidade intrínseca de representar a realidade desse tempo. Para isso o artista tem obrigatoriamente que tomar o caminho da negatividade. É por esse motivo que a literatura apologética, como o realismo socialista, afunda vergonhosamente. Fracassa porque não é capaz de aprofundar a descrição social pelo lado da negatividade. Torna-se uma literatura de superfície, de elogio, de tudo vai bem no melhor dos mundos, quando isso não é verdadeiro.

Entrevista

LIMBO — *Têm surgido no Brasil muitos escritores novos, de linhas diversas e de valor literário bastante desigual. Talvez pudéssemos fazer uma ligação entre essa diversidade de pequenos e novos escritores e a situação mais geral da cultura brasileira, isto é, a repressão cultural que temos sofrido nos últimos anos teria impedido a formação de uma cultura sólida, onde pudessem frutificar grandes valores. Mas, apesar de tudo, essa literatura cumpre o seu papel... E a crítica, como tem se posicionado ao lado dessa produção?*

LAFETÁ — Eu acho que aí é preciso ver o que é a crítica literária no Brasil e como ela tem sido praticada. É a crítica de jornal, é a que se faz na Universidade, ou a que se faz em revistas poucas e especializadas? Eu não sei. A crítica de jornal deixou de existir há muitos anos. Os últimos grandes críticos literários que escreveram sistematicamente em jornais foram Antonio Candido e Álvaro Lins. Essa crítica pesava muito na produção literária, porque estabelecia julgamentos de valor, orientava o público na leitura e, de certa forma, o escritor. Este tinha um leitor mais atento, especialista que dizia para ele coisas importantes. Essa crítica desapareceu. Houve outros críticos, mas — vamos dizer assim — nenhuma grande cabeça. No fim da década de 1950 aconteceu novamente essa crítica nos jornais, no famoso suplemento dominical do *Jornal do Brasil*, dirigido por Mário Faustino. Depois desse surto crítico, eu não vi mais nada. Isso deve ter alguma relação com o regime político. Os problemas importantes que precisavam ser discutidos, os problemas da estrutura social brasileira, não eram porque não podiam ser discutidos. O sujeito, por exemplo, não podia ir para o jornal e se declarar marxista. E mesmo que não fosse marxista, mas pudesse dizer certas coisas fortes sobre a realidade brasileira, de oposição ao governo, era considerado subversivo e acabava mal. E a censura... Houve um bloqueio e também um desinteresse. Este bloqueio se fazia ao nível policial, de censura, mas também ao nível de desinteresse pela discussão dos problemas. Quem é que na época do "milagre brasileiro" estava interessado em literatura? Estava todo mundo mais interessado na Bolsa, em ganhar dinheiro, sentindo que havia um grande avanço do capital e certamente se iludindo com isso, achando que a modernização do país era a única coisa importante. E, aí, uma reflexão crítica ficava desestimulada pelas próprias condições do meio. Basta ver que, com a chamada "crise do modelo" e com esses débeis sinais de abertura política, de repente se volta a ter interesse pela crítica, pela literatura.

LIMBO — *Você está sentindo isso?*

LAFETÁ — Estou sentindo isso de maneira clara. Sinto que de 1973 para cá, nesse "processo de descompressão lenta e gradual", a crítica voltou a adquirir uma certa importância. Isso é comprovado. Você tem um certo número de revistas novas que são dedicadas a debater esses problemas. São manifestações do renascimento da crítica, tão pouco boas quanto as do renascimento da ficção e da poesia. Do ponto de vista qualitativo é a mesma coisa: se a poesia e a ficção são ruins, a crítica também o é. Apesar da ficção e da poesia serem ruins no geral, você tem pessoas que se destacam, que são bons: um Paulo Francis, um Renato Pompeu, um Callado, na ficção; e na poesia você tem um Caetano Veloso. Na crítica também tem livros bons que surgiram nesse período: de Roberto Schwarz, Davi Arrigucci, Walnice Nogueira Galvão, livros que são lidos e discutidos. E isso para ficar em São Paulo, sem citar todos e sem falar do Rio, por exemplo. Então parece que há um interesse novo pela crítica. E o que ela visa? Eu tenho a impressão de que ela visa a refletir sobre as mesmas coisas que a literatura. O livro de Roberto Schwarz sobre Machado de Assis, nos fala também da nossa contemporaneidade. Discutindo Machado de Assis, explicando a vida social brasileira no século XIX, Roberto Schwarz está igualmente discutindo a nossa época. A crítica tem esse papel. Eu comecei falando da crítica de jornal, que praticamente inexiste hoje. Mas tem essa outra crítica, que é feita dentro da Universidade, e que não é artigo de jornal escrito depressa, numa semana, e publicado. Esta crítica, na Universidade, é muito pensada, refletida, de um certo refinamento até. Acho que ultimamente ela anda sendo injustiçada. E eu quero fazer a sua defesa. Existe, dentro da Universidade, um pensamento crítico sendo trabalhado. O nível a que ele chegou é outro problema: é o nível da Universidade brasileira. Não é satisfatório, mas a Universidade não está em condições de produzir coisas de altíssimo valor — com raras exceções muito localizadas. Já vi em vários lugares artigos atacando essa produção crítica, mas com absoluta falta de compreensão do que é nosso contexto geral, e do que se pode esperar. Um deles, por exemplo, afirmava que a crítica não dá atenção aos autores estreantes mas sim aos consagrados — o que é uma bobagem. Primeiro, porque ela opina, sim, sobre escritores novos. Depois, por que não estudar os consagrados? Por que não estudar Borges, Guimarães Rosa? Claro que o crítico deve opinar também sobre o que está sendo produzido agora. Mas isso tem sido feito. O que há, na verdade, é que as próprias condições da vida universitária impedem que haja uma produção crítica mais constante, regular e metódica, que atinja o grande público.

LIMBO — *Mas você não acha que ensinar este tipo de literatura consagrada, oficial, é confirmar valores estéticos e artísticos advindos de uma tradição cultural? E tal fato não acaba tendo um aspecto conservador?*

LAFETÁ — Mas a Universidade tem este aspecto conservador. É da natureza dela ter este aspecto conservador, de acumular o saber e a cultura. Ela tem que ter. Você só pode inovar na verdade quando já conhece a tradição, o que já foi feito. A crítica não deve ser feita quanto ao lado conservador da Universidade, mas sim quanto ao seu desempenho na inovação, na criação. O lado conservador ela tem que ter, ela precisa ser uma forma de acumular conhecimentos... Em vez de acumular capital, ela acumula conhecimentos. [risos] Freqüentemente, conhecimento acumulado é capital, como temos visto. [risos] Então, o que se tem de criticar é o pouco tempo e espaço que a Universidade tem dedicado à invenção, à pesquisa, à criação. E com isso eu concordo.

LIMBO — *Qual a situação das linhas de crítica literária hoje?*
LAFETÁ — Seria muito difícil descrever isso aqui e agora. As várias linhas da crítica literária hoje... isso é muito complicado. Prefiro aderir à brincadeira do Roberto Schwarz. Vocês conhecem os "Dezenove princípios para a crítica literária"? Estão no último livro dele, *O pai de família*. Tem um princípio que é assim: "Não esqueça: o marxismo é um reducionismo e está superado pelo estruturalismo, pela fenomenologia, pela estilística, pela nova ordem americana, pelo formalismo russo, pela crítica estética, pela lingüística e pela filosofia das formas simbólicas". [risos] Tem outro: "A psicanálise está menos superada que o marxismo, mas também é muito unilateral". [risos] E mais um: "Para as questões de ontologia, Wellek; para as de forma, Kayser, e ultimamente Todorov". [risos]

LIMBO — *Mas você, um crítico, como se posiciona diante destas linhas?*
LAFETÁ — Bem, vale citar mais um dos dezenove princípios: "Começar sempre por uma declaração de método e pela desqualificação das demais posições. Em seguida praticar o método habitual (o infuso)". [risos] Ultimamente estou preocupado com

as relações entre ideologia e literatura, ideologia e forma literária. E há dois pensamentos que interessam muito para a boa compreensão do assunto: o marxismo, que busca explicar o funcionamento da sociedade e os mecanismos da criação cultural, e a psicanálise, que pode ajudar a entender bem alguns desses aspectos, principalmente os relativos à criação artística. Meu interesse é saber a utilidade que eles podem ter diante da obra literária, para ajudar a descobrir aquele conteúdo de verdade, como diz Benjamin, que é o que determina a forma literária.

LIMBO — *Acha que dá para unir bem as duas coisas?*
LAFETÁ — Acho que não são duas coisas incompatíveis. Marcuse, em *Eros e civilização*, mostrou isso, quando retomou pela perspectiva marxista os textos freudianos sobre cultura e repressão. Ele mostrou como a psicanálise é importante para conhecermos o funcionamento da cultura.

LIMBO — *Mas trabalhar com o marxismo é tomar uma posição ideológica e, neste caso, a psicanálise ficaria praticamente subordinada a uma linha mestra, pois a psicanálise sozinha permite extrapolações perigosas...*
LAFETÁ — Talvez porque o marxismo seja mais totalizante que a psicanálise. Freud tentou essa visão mais totalizante em vários livros, mas o marxismo logrou aplicar de maneira mais completa o que é essa totalidade social. O marxismo exige uma adesão maior ao corpo de doutrina, mas a psicanálise é importante porque ela tem um sentido político extraordinário: o desmascaramento que a psicanálise faz está no mesmo nível do desmascaramento das determinações sociais.

Nota sobre os textos

ESTUDOS

"À sombra das moças em flor: uma leitura do romance *O amanuense Belmiro*, de Cyro dos Anjos" foi publicado na *Revista do Livro*, Rio de Janeiro, INL/ MEC, ano XIII, nº 42, 1970, pp. 101-111.

"Leitura de 'Campo de flores'" apareceu na *Revista do Instituto de Estudos Brasileiros* da Universidade de São Paulo nº 11, 1972, pp. 113-123.

"Estética e ideologia: o Modernismo em 30" saiu na revista *Argumento*, Rio de Janeiro, Paz e Terra, ano I, nº 2, 1973, pp. 19-31, e foi republicado no capítulo "Os pressupostos básicos", do livro *1930: a crítica e o Modernismo*, São Paulo, Duas Cidades, 1974 (nova edição: São Paulo, Duas Cidades/Editora 34, 2000).

"O mundo à revelia" saiu como prefácio a Graciliano Ramos, *São Bernardo*, São Paulo, Martins, 1974, e foi republicado como posfácio nas edições seguintes pela Editora Record, do Rio de Janeiro. Foi ainda publicado em parte em *Graciliano Ramos* (org. Alfredo Bosi *et al.*), São Paulo, Ática, 1987, pp. 304-307.

"Batatas e desejos" foi publicado na revista *Remate de Males*, nº 1, São Paulo/Campinas, Duas Cidades/Ed. da Unicamp, 1979, pp. 147-156.

"Traduzir-se: ensaio sobre a poesia de Ferreira Gullar" foi publicado no volume *O nacional e o popular na cultura brasileira: artes plásticas e literatura*, São Paulo, Brasiliense, 1982, pp. 57-127.

"Mário de Andrade, o arlequim estudioso" saiu como introdução ao volume *Mário de Andrade — seleção de textos, notas, estudo biográfico, histórico e crítico e exercícios* na série "Literatura Comentada", São Paulo, Abril Educação, 1982.

"Dois pobres, duas medidas" integra a coletânea *Os pobres na literatura brasileira* (org. Roberto Schwarz), São Paulo, Brasiliense, 1983, pp. 190-200.

"O romance atual: considerações sobre Oswaldo França Júnior, Rui Mourão e Ivan Angelo" foi publicado no *Seminário de ficção mineira II: de Guimarães Rosa aos nossos dias*, Belo Horizonte, Conselho Estadual de Cultura, 1983, pp. 197-219.

"Sobre o Visconde de Taunay" foi publicado na coleção *Obras imortais da nossa literatura*, São Paulo, Três Livros e Fascículos Ltda., v. II, fasc. 14, 1984, pp. 55-70.

"Três teorias do romance: alcance, limitações, complementaridade" saiu nos *Anais do III Encontro Nacional da ANPOLL*, Recife, Associação Nacional de Pós-Graduação e Pesquisa em Letras e Lingüística, 1988, pp. 133-142.

"A poesia de Mário de Andrade", saiu na revista *Textos*, nº 7, do Instituto de Letras, Ciências Sociais e Educação da UNESP, Araraquara, em novembro de 1988, e integra o livro *Figuração da intimidade: imagens na poesia de Mário de Andrade*, São Paulo, Martins Fontes, 1986.

"A dimensão da noite" saiu em *Dentro do texto dentro da vida: ensaios sobre Antonio Candido* (org. Maria Ângela D'Incao e Eloísa Faria Scarabotolo), São Paulo, Companhia das Letras/Instituto Moreira Salles, 1992, pp. 205-212.

"A representação do sujeito lírico na *Paulicéia desvairada*" saiu na *Revista da Biblioteca Mário de Andrade*, v. 51, São Paulo, 1993, pp. 79-83.

"Rubem Fonseca, do lirismo à violência" foi publicado na revista *Iberomania*, nº 38, Tubingen, Max Niemeyer Verlag, 1993, pp. 70-84.

"Uma fotografia na parede" é em grande parte inédito; algumas de suas páginas saíram como introdução aos *Melhores contos de Autran Dourado*, São Paulo, Global, 1997, pp. 4-14.

"Duas janelas dolorosas: o motivo do olhar em *Alguma poesia* e *Brejo das almas*" é inédito.

Nota sobre os textos

PREFÁCIOS E COMENTÁRIOS

"As imagens do desejo" saiu como prefácio a José de Alencar, *Senhora*, São Paulo, Ática, 1975, pp. 5-10.

"Ontem e hoje: a tradição do impasse" foi publicado na revista *Debate & Crítica*, nº 6, em julho de 1975, pp. 155-161.

"A respeito de Ralfo, o farsante" foi publicado no jornal *Movimento*, Rio de Janeiro, de 8 de setembro de 1975.

"Fragmentos da pré-história" foi publicado no jornal *Movimento*, Rio de Janeiro, de 8 de dezembro de 1975.

"A poesia em 70" é um manuscrito do autor com a anotação "Publicado por alunos da Unicamp — IFCH, assinado *colaborador*, creio que em 1976".

"Corda bamba" foi publicado como prefácio à novela *Ora pro nobis*, de Flávio Aguiar, São Paulo, Ática, 1977, pp. 5-7.

"Simulação e personalidade" saiu como prefácio a *Iaiá Garcia*, de Machado de Assis, 3ª ed., São Paulo, Ática, 1977, pp. 5-9.

"Os contos vivos de Scliar" saiu no jornal *Movimento*, Rio de Janeiro, de 2 de maio de 1977.

"Uma alegre redescoberta do Brasil" foi publicado na *Gazeta Mercantil*, São Paulo, de 27 de maio de 1977.

"Retrato sob o poder" foi publicado com o título "Vaidades e desprezos de Francis" na *Gazeta Mercantil*, São Paulo, de 30 de setembro de 1977.

"A capital da libido" foi publicado no suplemento *Leia-Livros*, São Paulo, de agosto de 1982, pp. 28-29.

"*Balada da infância perdida*" foi publicado no "Caderno 2" do jornal *O Estado de S. Paulo* em 16 de novembro de 1982.

"Debatendo com Alexandre Eulalio" é o comentário que João Lafetá apresentou à conferência de Alexandre Eulalio "A literatura em Minas Gerais no século XIX" e está publicado, juntamente com o texto de Alexandre, em *III Seminário sobre cultura mineira: século XIX*, Belo Horizonte, Conselho Estadual de Cultura, 1982, pp. 119-128.

"Mário, Nava, Drummond" foi publicado originalmente com o título de "Documentos de nossa história literária" no suplemento *Leia-Livros*, São Paulo, de março de 1983, pp. 18-19.

"Um herói nordestino em Londres" saiu no *Correio Braziliense* de 25 de maio de 1984.

"*Crime na flora ou Ordem e progresso*" saiu com o título de "Tentativa de voltar à juventude?" no "Caderno 2" do jornal *O Estado de S. Paulo* de 15 de junho de 1986.

"Rios (represados) de discurso" saiu no "Caderno 2" do jornal *O Estado de S. Paulo* de 20 de julho de 1986.

"João Antônio e sua estética do rancor" saiu no caderno "Ilustrada" da *Folha de S. Paulo* de 6 de outubro de 1986.

"Graciliano Ramos" saiu no "Caderno 2" do jornal *O Estado de S. Paulo* de 14 de junho de 1987.

"Entre a fotografia e o romance" saiu no caderno "Ilustrada" da *Folha de S. Paulo* de 25 de outubro de 1987.

"Blanchot e a literatura" foi publicado na revista *Linha d'Água*, nº 5, da Associação de Professores de Língua e Literatura, [1987], pp. 83-86.

"O pão é pouco, mas o sangue é muito" foi publicado no "Caderno 2" de *O Estado de S. Paulo* de 10 de abril de 1988.

"Agripino Grieco" saiu em *O Escritor*, nº 51, jornal da União Brasileira de Escritores, São Paulo, dez. 1988, p. 13.

"*Coivara da memória*" foi publicado com o título de "Coivara da memória reinventa regionalismo" no caderno "Letras" da *Folha de S. Paulo* de 21 de dezembro de 1991.

"'A meditação sobre o Tietê'" apareceu com o título de "Últimos versos trocam euforia por amargura" no suplemento especial dedicado a Mário de Andrade pelo jornal *Folha de S. Paulo* de 26 de setembro de 1993.

Entrevista

"Entrevista: transcrição de uma conversa com alunos em 1978" reproduz o original datilografado, pertencente ao arquivo do autor, do texto que saiu na revista *Limbo* em 1978.

Agradecimentos

A todos os amigos de João Luiz (e foram tantos que seria injusto nomear), que me auxiliaram na localização dos textos.

A Conceição e José Carlos Lafetá, pelo afeto, a amizade e a confiança.

A Cristina Bassi, um obrigado pessoal, pela dedicação e a solicitude de sempre.

Antonio Arnoni Prado

Índice onomástico

Abdala Júnior, Benjamin, 520
Abreu, Capistrano de, 270, 533-4
Adams, John, 485
Adorno, Theodor, 101, 155, 353-4, 358, 368
Aguiar, Flávio, 461-4
Albano, José, 534
Albuquerque, Medeiros e, 535
Aleijadinho, 225
Alencar, José de, 16, 107-12, 183, 274, 280, 373, 423-5, 428-9, 431, 495
Ali, Muhammad, 450
Alighieri, Dante, 534
Almeida, Manuel Antônio de, 274
Almino, João, 522-4
Alonso, Dámaso, 52
Alphonsus, João, 248, 396, 491, 503
Alvarenga, Lucas José de, 492, 496
Alvarenga, Otávio Mello, 396
Alves, Castro, 353
Amado, Jorge, 67, 187-8, 194, 259, 286, 446, 548
Amaral, Tarsila do, 217, 414

Andrade, Carlos Drummond de, 19, 30, 38, 40, 43-4, 47, 52-3, 67, 116, 121, 123, 125-6, 174-5, 206, 226, 231, 235, 330-1, 334-6, 340, 347-8, 360, 396, 397, 404-5, 414, 419, 455, 496-7, 500-4
Andrade, Dr. Carlos Augusto de, 214
Andrade, Goulart de, 535
Andrade, Mário de, 16, 59, 60, 67, 70, 105, 116, 121, 123-6, 128-30, 135, 168, 189, 200, 213-20, 222-5, 231, 239, 248, 296-305, 307-14, 316-7, 319, 320, 322, 325-8, 330-1, 333-4, 336, 338, 346, 349-60, 365-6, 369, 371, 394, 396-8, 402, 404, 410-1, 414-5, 417, 496-7, 500-4, 519, 539-42, 546-7
Andrade, Oswald de, 60-1, 116, 183, 217, 316, 349, 414-5, 446, 459, 477
Angelo, Ivan, 241, 261-3, 523
Anjos, Augusto dos, 211-2, 226-7, 232, 338

Anjos, Cyro dos, 19, 34, 36, 67, 241, 248, 395-6, 404
Antônio, João, 346, 515-7
Apollinaire, Guillaume, 159, 162
Aranha, Graça, 63, 213
Araújo, Carlos Alberto de, 356-7
Arinos, Afonso, 406-7, 409, 496, 499
Ariosto, 343
Arnheim, Rudolph, 486
Arrigucci Jr., Davi, 12, 545, 550
Assis, Machado de, 103, 105-7, 109-10, 112, 182-3, 219, 274, 339, 373, 411, 465 470-1, 529, 552
Athayde, Tristão de, 330, 351-2, 354, 416, 499, 501, 534
Auerbach, Erich, 178, 253, 357, 549
Ávila, Affonso, 255
Azevedo, Aluísio de, 183
Azevedo, Álvares de, 195-8, 209, 345-7, 353, 495, 498
Balzac, Honoré de, 88, 101, 183, 535, 548-9
Bandeira, Manuel, 121, 126, 174, 183, 219-20, 300, 308, 311, 325, 330-1, 341, 348-9, 404, 415, 496, 500-2, 507
Barbosa, Adoniran, 346
Barbosa, João Alexandre, 432-43
Barbosa, Rui, 546
Barreto, Lima, 63, 182, 347, 353, 516
Baudelaire, Charles, 183, 227, 318, 338-9, 354, 356, 371, 497, 512
Beauvoir, Simone de, 257
Beckett, Samuel, 171-2

Benjamin, Walter, 103-4, 191, 318, 409, 483, 486, 497-8, 545, 555
Bernardes, Artur, 323
Bilac, Olavo, 183, 236
Blanchot, Maurice, 525-8
Borges, Jorge Luis, 319, 406, 553
Bosi, Alfredo, 187, 244, 355, 427, 443, 518, 520
Brandão, Beatriz, 492, 496
Brandão, Ignácio de Loyola, 241, 449, 451-2
Braque, Georges, 173
Brecheret, Victor, 350-1
Byron, Lord, 196-8, 495
Callado, Antonio, 241, 262, 552
Campos, Álvaro de, 131
Campos, Augusto de, 117, 455
Campos, Haroldo de, 68, 163, 117, 298, 455, 512, 529
Campos, Humberto de, 535
Campos, Paulo Mendes, 190, 396
Camus, Albert, 257
Candido, Antonio, 11, 15, 19, 25, 35, 88, 100, 187, 221, 235, 282, 288, 302-4, 323, 335-7, 339, 341-6, 395, 424-5, 518, 520, 546, 551
Carpeaux, Otto Maria, 208, 296-7
Carpentier, Alejo, 258
Carvalho Júnior, 338-9
Carvalho, Ronald de, 356, 355, 357
Castello, José Aderaldo, 395
Castro, Luís Paiva de, 482
Cavalcanti Proença, M., 297, 425, 429
César, Guilhermino, 396

Índice onomástico

Chandler, Raymond, 246, 393
Cícero, 399
Cintio, Giraldi, 342-3
Cleinman, Betch, 483-6
Clementina de Jesus, 210
Comte, Augusto, 273
Conrad, Joseph, 347
Correia, Gregório, 346
Cortázar, Júlio, 66, 260, 522-3
Coutinho, Carlos Nelson, 81, 98
Cruz e Souza, João da, 183
Cunha, Euclides da, 63, 182, 282, 323, 373
Dantas, Francisco, 536-8
Dantas, Júlio, 532
Dantas, Pedro, 123
Dassin, Joan, 297-8
Debert, Guita Grin, 187
Delaunay, Robert, 159
Di Cavalcanti, 173
Dias, Teófilo, 339
Dourado, Autran, 243, 396-7, 399, 401-3, 406-9, 411-2
Drummond, Roberto, 241, 449
Eich, Günter, 192
Eliot, T. S., 119, 360, 374, 402, 444-5
Esmond, Gus, 485
Etienne Filho, João, 396
Eulalio, Alexandre, 490-3, 496, 499
Facioli, Valentim, 518-20
Faria, Octávio de, 292
Faulkner, William, 403
Faustino, Mário, 551
Feijó, Diogo Antônio, 269

Félix, Moacir, 193-4
Fernandes, Pedro, 495
Figueiredo, Jackson de, 62
Figueiredo, Wilson, 396
Flaubert, Gustave, 374, 397
Fonseca, Deodoro da, 274
Fonseca, Rubem, 16, 195-7, 209, 245, 372-4, 377, 380, 384-9, 392-4, 412, 495-6, 498
Forster, E. M., 87, 264
França Júnior, Oswaldo, 16, 241, 243-57, 261, 263
France, Anatole, 503
Francis, Paulo, 479-80, 552
Freire, Laudelino, 532
Freud, Sigmund, 153, 221, 292, 349, 358, 373, 408, 555
Freyre, Gilberto, 64-5, 67
Friedman, Norman, 76-7, 97
Friedrich, Hugo, 525
Frye, Northrop, 102, 113, 194, 284-91, 294, 425, 427, 480
Furtado, Celso, 60, 478
Gabeira, Fernando, 241
Galvão, Walnice Nogueira, 113, 552
Garbuglio, José Carlos, 291, 518, 520
Gide, André, 524
Goethe, Johann Wolfgang von, 177
Goldmann, Lucien, 27, 89, 442
Gomes, Paulo Emílio Salles, 252
Gonzaga, Luís, 506, 508
Gonzaga, Tomás Antônio, 492
González, Mário Miguel, 506
Gotlib, Nádia Battella, 14

Gramsci, Antonio, 256, 549
Grieco, Agripino, 532-5
Guevara, Che, 121-2, 207
Guignard, Alberto da Veiga, 173
Guimaraens Filho, Alphonsus de, 129, 134, 396
Guimaraens, Alphonsus de, 183, 496, 499, 534
Guimarães, Bernardo, 493
Guimarães, João Joaquim, 491, 493-5, 499
Gullar, Ferreira, 16, 114-5, 117-26, 129-30, 133-5, 141, 145-6, 148, 150-6, 159-84, 186, 188, 199, 211-2, 226-33, 236, 239-40, 394, 509-11
Hammett, Dashiell, 392-3
Hauser, Arnold, 319
Hegel, G. W. F., 357, 410
Hemingway, Ernest, 246, 385
Heródoto, 265
Holanda, Chico Buarque de, 459
Holanda, Sérgio Buarque de, 67, 123-4, 199, 517
Hölderlin, Friedrich, 527
Homero, 525, 528
Houaiss, Antônio, 38, 42
Huxley, Aldous, 523
Iglésias, Francisco, 396-7
Ivo, Ledo, 34, 37, 134
Jakobson, Roman, 44, 362
Jango (João Goulart), 118-9, 185
Jardim, Reynaldo, 169
João VI, D., 266, 272
Joyce, James, 307, 374, 402

Kafka, Franz, 306, 527, 549-50
Kayser, Wolfgang, 38-40, 43, 554
Keats, John, 196
Khoury, Walter Hugo, 346
Kierkegaard, Sören, 306
Klein, Melanie, 374
Kris, Edmund, 46
Kubitschek, Juscelino, 117, 128, 250, 412, 510
Lacan, Jacques, 349
Laet, Carlos de, 535
Langlois, François (Fancan), 342-3
Lautréamont, 227
Léger, Fernand, 173
Lênin, 548
Lessa, Aureliano, 491, 493-4, 498-9
Lima, Araújo, 269
Lima, Augusto de, 535
Lima, Hermes, 435
Lima, Jorge de, 67, 126, 350
Lima, Lezama, 258
Lima, Luiz Costa, 38, 52-3, 89, 298-302, 355-6, 358
Lins, Álvaro, 299-305, 349
Lins, Osman, 243, 394, 411
Lispector, Clarice, 231, 342, 394
Lobato, Manoel, 245
Lobato, Monteiro, 63, 397
Longfellow, H. W., 534
Lopes Neto, Simões, 373
López, Francisco Solano, 272
Lopez, Telê Porto Ancona, 297, 502
Lucas, Fábio, 255
Luís, Washington, 323

Índice onomástico

Lukács, Georg, 26-8, 31-2, 34, 98, 100-2, 153, 176-8, 182, 208, 284-6, 288, 342-3, 354, 384-5, 391, 442, 548-9
Macedo, Joaquim Manuel de, 274
Machado, Aníbal, 396
Machado, Antônio de Alcântara, 67
Magaldi, Sábato, 396, 398
Magalhães, Couto de, 494
Maiakóvski, Vladimir, 391, 457
Mallarmé, Stéphane, 183, 525-7
Mann, Thomas, 101, 306
Marcuse, Herbert, 555
Maria Carolina, 216
Maria Luísa, Dona (mãe de Mário de Andrade), 214
Marinetti, Filippo Tommaso, 56
Marques, Xavier, 535
Martins, Carlos Estevam, 175, 185, 187, 189
Marx, Karl, 235-6
Mello, Mário Vieira de, 64
Melo Neto, João Cabral de, 121, 125, 128, 160, 180-1, 211-2, 226-7, 232, 298-9, 301-2, 342, 344, 348, 394-5, 460, 529
Menard, Pierre, 181
Mendes, Murilo, 67, 126, 330-1, 333, 340-1, 350
Mendonça, Salvador de, 275
Meyer, Augusto, 283, 308-9, 311, 318, 350, 424-5, 471, 495
Meyer, Marlyse, 338
Miguel-Pereira, Lúcia, 281
Milliet, Sérgio, 217, 344

Milton, John, 534
Monroe, Marilyn, 482-3, 485-6
Monte Carmelo, Padre Jesuíno de, 225
Morais, Dr. Leite de, 215
Mota, Mauro, 134
Moura, Emílio, 396
Mourão, Rui, 241, 254-6, 259, 260-2, 518
Nassar, Raduan, 262
Nava, Pedro, 340-1, 396, 500-2, 533
Nietzsche, Friedrich, 306, 319
Nogueira, João, 508
Olinto, Antonio, 250
Oliveira, Alberto de, 353
Oliveira, Franklin de, 518
Pacheco, Félix, 532
Padre Silvério, 496
Pancetti, 173
Passos, John dos, 246, 523
Paz, Octavio, 362, 512-4
Pedro I, D., 269
Pedro II, D., 266, 269
Pedrosa, Mário, 164-5
Pelé, 179
Pellegrino, Hélio, 396, 531
Penteado, Dona Olívia Guedes, 217
Pereira, Astrojildo, 465
Peres, Fernando da Rocha, 501, 503
Pessoa, Epitácio, 323
Pessoa, Fernando, 181, 307
Picasso, Pablo, 173
Pignatari, Décio, 117, 455-6
Pirandello, Luigi, 306
Piroli, Wander, 245

Pixinguinha, 506, 508
Platão, 186
Poe, Edgar Allan, 411, 473
Pomorska, Krystyna, 362, 364
Pompéia, Raul, 183
Pompeu, Renato, 552
Portinari, Cândido, 173
Prado Jr., Caio, 60, 67
Prado, Antonio Arnoni, 15
Prado, Jacques do, 396
Prado, Paulo, 67
Prévost, Claude, 343
Propp, Vladimir, 79, 80
Proust, Marcel, 235-6, 357, 373, 480
Queiroga, Antônio Augusto, 493, 496
Queiroga, João Salomé, 491-3, 496
Queiroz, Rachel de, 67, 259
Ramos, Graciliano, 12, 16, 67, 74, 81, 116, 128, 188, 194, 212, 226-7, 232, 255, 259, 284-7, 289-92, 294-5, 334, 336, 347, 372, 411, 518-21, 529, 538
Ramos, Ricardo, 284, 518-9
Rangel, Godofredo, 397-8
Rego, José Lins do, 67, 286
Reis, Ricardo (Fernando Pessoa), 131
Renault, Abgar, 396
Resende, Padre José Severiano de, 481
Rezende, Otto Lara, 241, 396
Ribeiro, Darcy, 185, 262
Ribeiro, João, 273
Rilke, Rainer Maria, 527

Rimbaud, Arthur, 151, 183, 205, 227
Rivera, Bueno de, 396
Robert, Marthe, 284, 292, 294
Rocha, Antônio do Amaral, 520
Rocha, Gláuber, 258
Romero, Sílvio, 344
Rosa, João Guimarães, 72, 102, 125, 347, 372, 394, 496, 520, 553
Rosenfeld, Anatol, 305-7, 311
Rousseau, Henri, 389
Rubião, Murilo, 241, 396
Sabino, Fernando, 243-6, 396, 501
Sabóia, Napoleão, 505-8
Saldanha, Heitor, 191
Sant'anna, Sérgio, 16, 245, 444-8
Santiago, Silviano, 235-6, 261, 403, 412, 518, 520
Sartre, Jean-Paul, 244-5, 250, 257, 306
Schmidt, Augusto Frederico, 69, 128, 330
Schnaiderman, Boris, 391
Schopenhauer, Arhur, 306
Schwarz, Roberto, 20, 103-8, 110-3, 180, 320, 355, 358, 242-5, 552-4
Scliar, Moacyr, 241, 394, 472-6
Segall, Lasar, 173, 225
Shakespeare, William, 13
Shelley, P. B., 197
Silva, Domingos Carvalho da, 134
Silveira, Tasso da, 69
Sobral, Mário (Mário de Andrade), 218, 313
Sócrates, 186

Índice onomástico

Souza, Cláudio de, 532
Souza, Eneida Maria de, 397, 404, 409
Souza, Gilda de Mello e, 298
Souza, Irineu Evangelista de, 271
Souza, Márcio, 477-8
Souza, Teixeira e, 274
Steinbeck, John, 244
Stendhal, 101, 273
Stockhausen, Karlheinz, 260
Taunay, Félix Emílio, 266
Taunay, Gabriela Hermínia Robert d'Escragnolle, 266
Taunay, Nicolau Antônio, 266
Taunay, Visconde de, 16, 265-8, 274-6, 278-82
Távora, Franklin, 274
Todorov, Tzvetan, 554
Torquato, Tasso, 534
Torres, Antônio, 487-9

Trevisan, Dalton, 241, 394, 412, 529-31
Vanzolini, Paulo, 346
Vargas, Getúlio, 63, 116-7, 126
Veloso, Caetano, 316, 459, 552
Verhaeren, Émile, 309, 350-1, 359, 366
Verissimo, Erico, 187, 262, 404
Veríssimo, José, 275-6, 280, 282, 432-4, 436-9, 516
Verlaine, Paul, 183
Viana, Cândido, 493
Vilela, Luiz, 245
Warhol, Andy, 445-6
Wellek, René, 554
West, Nathanael, 246
Wisnik, José Miguel, 298, 361
Woolf, Virginia, 357
Xavier, Fontoura, 339
Zola, Émile, 183, 548-9

Sobre o autor

João Luiz Machado Lafetá nasceu em 12 de março de 1946, em Montes Claros, Minas Gerais. Formou-se em Letras Brasileiras, pela Universidade de Brasília, em 1968, transferindo-se em seguida para São Paulo, onde realizou mestrado e doutoramento sob a orientação de Antonio Candido de Mello e Souza. Foi professor de Teoria Literária na Universidade Estadual de Campinas de julho de 1975 a maio de 1979. De 1978 a 1996, ano de sua morte, foi professor do Departamento de Teoria Literária na Universidade de São Paulo. Seu estudo sobre a crítica literária na década de 1930 ampliou consideravelmente nossa compreensão do Modernismo. Além deste, ensaios fundamentais sobre Mário de Andrade, Cyro dos Anjos, Graciliano Ramos, Autran Dourado, Ferreira Gullar e outros, bem como a sua crítica participante, que acompanhou de perto a produção dos contemporâneos, dão provas da lúcida inteligência do autor. Publicou:

1930: a crítica e o Modernismo. São Paulo: Duas Cidades, 1974; 2ª edição, São Paulo: Duas Cidades/Editora 34, 2000.

Mário de Andrade (seleção, notas, estudo biográfico, histórico e crítico). São Paulo: Abril, 1982, Coleção Literatura Comentada; 3ª edição, 1990.

Figuração da intimidade: imagens na poesia de Mário de Andrade. São Paulo: Martins Fontes, 1986.

Os melhores contos de Autran Dourado (seleção e introdução). São Paulo: Global, 1997.

SOBRE JOÃO LUIZ LAFETÁ

Homenagem a João Luiz Lafetá. São Paulo: Nova Alexandria, 1999.

Sobre o organizador

Antonio Arnoni Prado nasceu na cidade de São Paulo em 1943. Sob a orientação de Antonio Candido de Mello e Souza, licenciou-se mestre em 1975, com a tese *Lima Barreto: o crítico e a crise* (publicada em 1976), e doutor em 1979, com o trabalho *Lauréis insignes no roteiro de 22: os dissidentes, a Semana e o integralismo*, posteriormente publicado sob o título *1922 — Itinerário de uma falsa vanguarda* (1983). Desde 1979 leciona no Departamento de Teoria Literária da Unicamp. Na Itália, vinculado à Fundação Feltrinelli, iniciou estudos de pós-doutorado sobre o teatro e a cultura anarquistas no Brasil, vertente de pesquisa praticamente inexplorada que o permitiu compor um painel bastante original da literatura pré-modernista e dos movimentos de transição nas letras e na sociedade brasileiras entre o fim do século XIX e as primeiras décadas do século XX. Foi professor visitante nas universidades de Nova York, Roma, México, Berlim e na Universidade Católica da América, em Washington. Publicou:

Lima Barreto: o crítico e a crise. Rio de Janeiro: Livraria Editora Cátedra, 1976; 2ª edição, São Paulo: Martins Fontes, 1989.

Lima Barreto (seleção de textos, notas, estudos biográfico, histórico e crítico e exercícios por Antonio Arnoni Prado). São Paulo: Abril Educação, 1980; 2ª edição, São Paulo: Nova Cultural, 1988; 3ª edição, 1990.

1922 — Itinerário de uma falsa vanguarda: os dissidentes, a Semana e o integralismo. São Paulo: Brasiliense, 1983.

Contos anarquistas: antologia da prosa libertária no Brasil, 1901-1935 (organização, introdução e notas por Antonio Arnoni Prado e Francisco Foot Hardman). São Paulo: Brasiliense, 1985.

Sobre o organizador

Libertários no Brasil: memória, lutas, cultura (organização de Antonio Arnoni Prado). São Paulo: Brasiliense, 1986; 2ª edição, 1987.

Atrás do mágico relance: uma conversa com J. J. Veiga (organização de Antonio Arnoni Prado). Campinas: Ed. da Unicamp, 1989.

Sérgio Buarque de Holanda, *O espírito e a letra* (organização de Antonio Arnoni Prado). São Paulo: Companhia das Letras, 1996, vol. 1, Estudos de crítica literária 1: 1920-1947; vol. 2, Estudos de crítica literária 2: 1948-1959.

Alvarenga Peixoto, *Melhores poemas* (organização de Antonio Arnoni Prado). São Paulo: Global, 2002.

Medeiros e Albuquerque, *Canções da decadência e outros poemas, 1885-1904* (organização, introdução e fixação do texto por Antonio Arnoni Prado). São Paulo: Martins Fontes, 2003.

Trincheira, palco e letras: crítica, literatura e utopia no Brasil. São Paulo: Cosac & Naify, 2004.

A imagem reproduzida na capa é
Lagoa, 1940 (detalhe), Oswaldo Goeldi,
xilogravura, 21 x 27,5 cm.

COLEÇÃO ESPÍRITO CRÍTICO
direção de Augusto Massi

A Coleção Espírito Crítico pretende atuar em duas frentes: publicar obras que constituem nossa melhor tradição ensaística e tornar acessível ao leitor brasileiro um amplo repertório de clássicos da crítica internacional. Embora a literatura atue como vetor, a perspectiva da coleção é dialogar com a história, a sociologia, a antropologia, a filosofia e as ciências políticas.

Do ponto de vista editorial, o projeto não envolve apenas o resgate de estudos decisivos mas, principalmente, a articulação de esforços isolados, enfatizando as relações de continuidade da vida intelectual. Desejamos recolocar na ordem do dia questões e impasses que, em sentido contrário à ciranda das modas teóricas, possam contribuir para o adensamento da experiência cultural brasileira.

Roberto Schwarz
Ao vencedor as batatas

João Luiz Lafetá
1930: a crítica e o Modernismo

Davi Arrigucci Jr.
O cacto e as ruínas

Roberto Schwarz
*Um mestre na
periferia do capitalismo*

Georg Lukács
A teoria do romance

Antonio Candido
Os parceiros do Rio Bonito

Walter Benjamin
*Reflexões sobre a criança,
o brinquedo e a educação*

Vinicius Dantas
Bibliografia de Antonio Candido

Antonio Candido
Textos de intervenção
(seleção, introduções e notas de Vinicius Dantas)

Alfredo Bosi
Céu, inferno

Gilda de Mello e Souza
O tupi e o alaúde

Theodor W. Adorno
Notas de literatura - Vol. I

Willi Bolle
grandesertão.br

João Luiz Lafetá
A dimensão da noite
(organização de Antonio Arnoni Prado)

A sair:

Erich Auerbach
Ensaios de literatura ocidental

Gilda de Mello e Souza
A idéia e o figurado

Gilda de Mello e Souza
Exercícios de leitura

Este livro foi composto
em Adobe Garamond pela
Bracher & Malta, com
fotolitos do Bureau 34 e
impresso pela Bartira Gráfica
e Editora em papel Pólen Soft
70 g/m² da Cia. Suzano de
Papel e Celulose para a
Duas Cidades/Editora 34,
em outubro de 2004.